OP ZILVEREN VLEUGELS

BARBARA BICKMORE

Oorspronkelijke titel
The Back of Beyond
Uitgave
Kensington Books, New York

Vertaling
Annemarie Lodewijk
Omslagontwerp
Julie Bergen
Omslagillustratie
Elaine Gignilliat

ISBN 90 410 0397 5 CIP NUGI 340

OPGEDRAGEN AAN
DR. JEFFREY BECKWITH

Ik ben altijd gezegend geweest met fantastische vrienden,
maar Jeff is wel een heel bijzondere vriend.
Hij heeft mij gered, naar mij geluisterd, zijn
gedachten met mij gedeeld – en hij geeft me raad en
verzamelt medische gegevens voor al mijn boeken.

en aan

DOMINEE FRED McKAY

een levende legende en de meest uitzonderlijke
man die ik ooit heb ontmoet.
Hij werkte samen met die vermaarde Australiër,
John Flynn, de oprichter van de Royal Flying Doctor Service,
waarna hij Johns werk nog meer dan
tweeëntwintig jaar heeft voortgezet.
Hij heeft mij warme vriendschap en bemoedigende woorden
geschonken, en zijn hulp bij het schrijven van dit boek
is van onschatbare waarde geweest.

en aan

NAN YOUNG

die al zoveel jaren voor de Royal Flying Doctor Service
werkt, als gastvrouw haar weerga niet kent en die
een goede vriendin en een geweldige reisgezellin
is geworden.

'...de Flying Doctors zijn nu al legendarisch, en deze organisatie is misschien wel de belangrijkste factor geweest bij het succesvol bewoonbaar maken van de Outback.'

Charles en Elsa Chauvel, *Walkabout*, 1959

'Toen John Flynn droomde van een systeem van vliegende artsen, had hij absoluut geen romantische en glamoureuze onderneming voor ogen, maar een hardwerkende organisatie van professionals en vrijwilligers die toegewijd waren aan de mensen die van hun vakkennis afhankelijk waren... Hij zag de FDS als een praktische methode om de nobelste karaktereigenschap van onze verwarde menselijke aard naar boven te halen: de impuls om anderen te helpen omdat ook zij deel van de mensheid uitmaken.

De Flying Doctor Service wordt vaak miraculeus genoemd, maar het wonder bestaat niet alleen uit radio, luchtvaart en geneeskunde. Dit zijn technieken die door mensen zijn ontwikkeld en gebruikt. Het mirakel komt tot stand omdat mensen samenwerken en een gemeenschappelijk doel voor ogen hebben. Over het algemeen zijn het heel gewone mensen, in staat om gewone menselijke fouten te maken, mensen die soms last hebben van vermoeidheid, excentriek gedrag, trots, maar de verhevenheid van hun werk stelt hen in staat om – al is het maar eventjes – van dit soort tekortkomingen los te komen en de vrijheid te bereiken die onbaatzuchtige inspanningen mogelijk maakt.'

Michael Page, *The Flying Doctor Story*, 1977

Voorwoord

Drie miljoen vierkante kilometer maanlandschap. Droge, gebarsten rode aarde. Stof. Geen water. Eindeloze vergezichten.

Het leven is dat van reptielen en miljoenen bontgekleurde vogels, van buideldieren en dingo's. Hier en daar wordt het zand doorkruist door sporen, tekenen van mensen die uniek zijn op deze wereld. Vijfentwintigduizend jaar oude rotsschilderingen. Het meest afgelegen en dorre land dat de mensheid kent. Het minst uitnodigende. Al miljoenen jaren lang onbewoond en onbewoonbaar.

En toen, in het midden van de negentiende eeuw, begonnen er heel langzaam wat mensen te komen, die zich een weg baanden over de met stenen bezaaide vlaktes, door de immense woestijnen, naar een horizon die nooit dichterbij leek te komen. Deze mensen brachten schapen mee en, nog later, vee. Wat zij ook meebrachten waren dood, verdriet en oneindige eenzaamheid.

Het was een land voor mannen, want slechts weinig mannen bezaten de vermetelheid een vrouw te vragen zo ver van de rest van de mensheid haar leven met hem te delen. En toch, hier en daar, honderden, soms duizenden kilometers van elkaar verwijderd, kwam er een vrouw met een man mee, om een thuis voor hem te creëren en om zijn kinderen te baren die, net als zij, gedoemd waren om nimmer deel uit te maken van de beschaafde samenleving... van welke samenleving dan ook, beschaafd of onbeschaafd. Sommigen werden er krankzinnig van. Men noemde het de Grote Eenzaamheid, de Grote Australische Eenzaamheid.

De zon schijnt onbarmhartig neer op dit verschroeide land, dat duizenden jaren lang ongeschikt leek te zijn voor menselijke bewoning. Het is de meest geïsoleerde, verlaten uitgestrektheid – en tevens de oudste landmassa – ter aarde. En het laatste dat door blanken werd bevolkt.

Het is een land van oneindige schoonheid, angstaanjagend, leeg... een land van onbeschrijflijk vogelleven, van reptielen, van mystiek spiritualisme. Het verenigt zwarte inheemsen – die in niets lijken op enig ander volk ter wereld – en blanken van Europese afkomst die de uitdagingen van dit ongastvrije continent hebben aangenomen.

Het is een land waar de bijbelse zeven jaren van droogte heel gewoon zijn, waar de aarde bezaaid ligt met de verbleekte beenderen van schapen, koeien, paarden... en de gebroken harten van mensen. Het is een land waar zonder enige waarschuwing vooraf overstromingen plaatsvinden waarbij boerderijen verwoest worden en baby's verdrinken. Door de wind aangewakkerde branden laten zich nauwelijks bedwingen.

Het is de enige plek op deze planeet waar mensen in ondergrondse grotten wonen om te ontsnappen aan de kokende hitte van de zomer, wanneer de temperatuur maanden achtereen onafgebroken boven de achtenveertig graden blijft en waarin een mens binnen enkele uren kan sterven van de dorst. Het is drie miljoen vierkante kilometer land waarvan de meeste mensen zich niet eens een voorstelling kunnen maken.

Dàt het ooit bewoond is geraakt, dàt er vrouwen zijn geweest die bereid waren zich te vestigen op plekken waar de dichtstbijzijnde buren misschien slechts honderd kilometer verderop woonden, maar misschien ook wel achthonderd kilometer, mag een wonder heten. En het feit dat er steden ontstonden, dat er runder- en schapenfokkerijen werden gevestigd die leidden tot rijkdom, maar ook tot faillissementen en dood, is grotendeels toe te schrijven aan de inspanningen van één man, plus de radio en het vliegtuig. Die twee uitvindingen en de bewuste man, dominee John Flynn, bereidden de weg voor de *Flying Doctor Service*, een van de mooiste experimenten van de mensheid, dat van cruciaal belang is geweest voor de ontwikkeling van het binnenland van Australië.

Het wordt ook wel de *Outback* genoemd, de Rimboe, de Eindeloze Ruimte.

Deel een

JUNI 1938 – AUGUSTUS 1939

Hoofdstuk 1

Ze had nooit geloofd dat de liefde zo kon zijn. Haar hele wezen zong.

Gedurende haar jaren in Georgetown – in Washington, waar haar vader ambassadeur was – wist ze wat er zou gebeuren als ze een serieuze relatie zou aangaan en verliefd zou worden, het zou haar verhinderen haar doel te bereiken. En dat weigerde ze te laten gebeuren. Tijdens haar studie medicijnen had ze zo hard moeten werken dat er nooit tijd was voor mannen.

Toen was ze teruggegaan naar Melbourne om, als allereerste vrouw, te gaan werken op de eerstehulpafdeling van het grootste ziekenhuis van de stad. Men had haar jarenlang gewaarschuwd dat het niet zou meevallen een eigen praktijk op te zetten, dat zelfs vrouwen niet graag een vrouwelijke arts bezochten, en in deze baan zou ze ervaring opdoen en hoefde ze zich nog even geen zorgen te maken over het beginnen van een eigen praktijk in een land dat al twintig jaar lang haar thuis niet meer was geweest.

Ze vermoedde dat ze het aanbod voor deze baan te danken had aan dokter Norman Castor, het hoofd van de afdeling heelkunde. Dr. Castor was een vriend van haar vader uit hun gezamenlijke studententijd en had hen vaak bezocht toen haar vader consul was in San Francisco en later op de ambassades in Londen en Washington. Hij was al zolang zij zich kon herinneren 'Oom Norm' voor haar.

Ze wist dat hij trots op haar was. Ze ging goed om met zwaargewonden, stond haar mannetje bij spoedgevallen en aarzelde niet er een chirurg bij te roepen wanneer ze die nodig had of bij twijfel een specialist te raadplegen. Ze had bevallingen begeleid in ambulances, steekwonden dichtgenaaid en zelfs een keizersnede uitgevoerd op de linoleumvloer van een smerige flat, driehoog, bij een vrouw die een schotwond in de buik had opgelopen. Eén avond per week, in haar vrije tijd, gaf ze zwangerschapscursussen en verstrekte ze informatie over geboortenbeperking in een gemeentekliniek.

Op een avond, toen ze aan het werk was op de eerstehulpafdeling en een neurochirurg nodig had voor een gewonde patiënt, had ze kennis gemaakt met dr. Raymond Graham. Ze had hem om halfvijf uit zijn bed moeten bellen. Hij was er binnen een half uur en had haar amper een hoofdknikje waardig gekeurd terwijl hij de patiënt onderzocht. Toen draaide hij zich om en zei: 'Je zult me moeten assisteren. Kom.'

Zij was onder de indruk van zijn vakbekwaamheid en nadat zij de operatiewond hadden gehecht, had hij haar voor het eerst met een glimlach aangekeken. 'Het minste wat je kunt doen nadat je me zo ruw uit mijn slaap hebt gehaald, is me trakteren op een ontbijt.'

In hun met bloed bevlekte groene operatiepakken zaten ze in het ziekenhuisrestaurant en dronken het ene kopje koffie na het andere. Zij was gecharmeerd van zijn grappige verhalen en ontspannen houding. Hij stelde haar vragen over haarzelf en toonde belangstelling toen zij hem vertelde dat zij grotendeels in Engeland en Amerika was opgegroeid.

Hij wist dat ze overdag moest slapen en daarom belde hij haar de volgende dag pas laat in de middag op. 'Wat zijn deze week je vrije avonden?'

'Dinsdag en woensdag.'

'Zo lang wil ik niet wachten. Heb je zin om morgenavond met me uit eten te gaan?'

Het was de eerste keer dat ze uit was geweest sinds ze in het ziekenhuis was komen werken – nu bijna een jaar geleden. De weinige vrouwen die ze buiten haar werk was tegengekomen begrepen niet waarom ze liever arts wilde zijn dan echtgenote. De weinige vrouwen die ze op haar werk kende waren verpleegsters, die niet gewend waren op vriendschappelijke voet met artsen om te gaan.

Opeens realiseerde Cassie zich hoe eenzaam ze was geweest. Ze maakte zo verschrikkelijk veel mee op de eerstehulpafdeling en meestal sleepte ze zich aan het eind van haar werkdag uitgeput naar huis, te moe om zich druk te maken over het sluiten van vriendschappen. Maar als je op je werk geen vrienden leerde kennen, waar moest je het dan doen?

Zij en dr. Graham aten in een Italiaans restaurantje dat haar nooit eerder was opgevallen, ook al was ze er tientallen keren langsgelopen. Het deed haar denken aan *Mama Leone* in Georgetown en het was er warm en gezellig, ook al vielen er buiten hagelbuien.

Tussen het voorgerecht en de kip *cacciatore* vertelde hij haar dat hij getrouwd was en twee kinderen had, maar dat hij en zijn vrouw, na achttien jaar huwelijk, uit elkaar waren. Zij was teruggegaan naar haar ouders in Toowoomba en zou daar de scheiding aanvragen.

Ze begonnen op mooie najaarsavonden wandelingen over het strand te maken en naar de wonderlijke pinguïns te kijken. Ze gingen samen naar de film en ontdekten alle buitenlandse restaurants die Melbourne te bieden had. Op een avond, toen hij tegenover haar aan een tafeltje zat, legde hij zijn hand op de hare en zei: 'Ik ben verliefd op je geworden.'

Voor het eerst in de bijna tien jaar sinds zij aan de universiteit was gaan studeren, voelde zij zich veilig bij een man en merkte dat zij kon genieten van zijn kussen en de aanraking van zijn hand op haar borst. Alle weggestopte gevoelens kwamen naar boven en op de avond dat hij de knoopjes van haar blouse begon los te maken hield zij hem dan ook niet tegen. Ze wilde zijn kussen in haar hals en op haar borsten voelen en zijn lange, naakte lichaam tegen het hare.

Hij fluisterde: 'Wees maar niet bang. Ik zorg ervoor dat ik je niet zwanger maak.'

Zij gaf hem een sleutel van haar flat en wanneer zij 's ochtends, na haar nachtdienst, thuiskwam, zat hij al op haar te wachten. Hij overstelpte haar met kussen en lieve woordjes en zij gaf zich aan hem, klemde zich aan hem vast, trok hem diep in zich. Ze kon nog maar aan weinig anders denken. Haar werk werd een plek waar ze de tijd doorbracht tussen haar ontmoetingen met Ray. Ze gingen nog maar zelden uit eten en nooit naar de bioscoop. Ze belandden altijd weer in bed. Hij leerde haar dingen over de liefde die ze nooit had geweten. Hij was tegelijkertijd geduldig en veeleisend. Hij stond niet toe dat zij er passief bij lag, maar liet haar zien wat hij prettig vond.

'Kus me daar. Niet bang zijn. O, God, ja, zo.'

Hij draaide haar op haar buik. Zij bedreven de liefde staand en ondersteboven en voor zover zij wist hadden ze het ook al van opzij gedaan en misschien zelfs wel binnenstebuiten.

Hij vertelde haar dat zij de mooiste borsten had en het aantrekkelijkste lichaam dat hij zich maar kon voorstellen. Zij begon trots te worden op zichzelf, liep met rechte rug, keek vaker even in een spiegel, kocht strakke jurken. Ze deed olie in haar badwater en droeg altijd wat parfum achter haar oren en in haar knieholtes.

Ze had nog nooit zo sterk het gevoel gehad dat ze leefde.

Ze was verliefd. Mateloos, krankzinnig, hopeloos verliefd. Hij vertelde haar dat ze zouden gaan trouwen zodra zijn scheiding...

Ach, ja.

De derde dinsdag in juni vroeg hij Cassie 's ochtends vroeg even op zijn kantoor te komen en zei: 'Cassie, Martha is weer thuis. Ze wil het nog een keer met mij proberen. Ik ben dus bang dat jij en ik er een punt achter moeten zetten.'

Ze zat hem aan te staren, in ogen die zo koud waren als ijs, ogen die zij niet kende.

'Ray?'

Zijn lippen verstrakten.

'Maak het nu niet nog moeilijker dan het al is, Cassie.'

'*Nog moeilijker?*' Er gleed een traan over haar wang. Ze had een droge keel. 'Ray, ik hóu van je.' Het was een nachtmerrie waaruit ze vast en zeker elk moment zou ontwaken.

Hij trommelde met zijn vingers op zijn bureau. Hij keek op zijn horloge. 'Ik word over een kwartier in de operatiekamer verwacht.'

'Wil je beweren dat je zomaar afscheid van me neemt?'

Hij staarde haar aan.

Cassie barstte in tranen uit. Ray schoof haar een doos Kleenex toe en zei ongeduldig: 'Als je huilt kan ik je niet erg aantrekkelijk vinden.'

Cassie keek met een ruk op en vroeg, met tranen in haar stem: 'Zomaar van het ene moment op het andere? Wil je werkelijk zeggen dat het voorbij is?'

'Dat is precies wat ik zeggen wil. En het lijkt me overigens beter als je een baan zoekt in een ander ziekenhuis. Natuurlijk zal ik een aanbeveling voor je schrijven. Je bent per slot van rekening een prima arts. Als je wilt kan ik contact opnemen met een paar bekenden van me in ziekenhuizen in Perth en in Charleville.' Verder van Melbourne kon bijna niet, realiseerde zij zich. 'Ik vermoed dat je je hier niet meer zo op je gemak zult voelen, gezien de omstandigheden.'

'Zal *ik* me niet meer op mijn gemak voelen?' Ze vroeg zich af of hij het overslaan van haar stem had opgemerkt.

Hij sloeg zijn ogen neer en nam plaats achter zijn rommelige bureau. 'Me dunkt dat het bijzonder onaangenaam voor je zou zijn...' Zijn stem stierf weg terwijl hij haar recht in de ogen keek. 'Cassie, ik wil je niet ontslaan. Dat zou niet eerlijk zijn. Het lijkt me beter als je je eigen maatregelen neemt.'

Zij kon niet meer slapen. Ze at niet meer. Ze had aanvallen van duizeligheid. Ze maakte lange wandelingen en dwaalde huilend over straat. Ze probeerde een film in de bioscoop, maar moest zo hard huilen dat ze maar wegging. Ze las keer op keer dezelfde bladzijde, zonder dat er ook maar een woord tot haar doordrong.

Ze staarde uit het raam, in een diepe leegte, terwijl ze met lange uithalen zat te snikken.

Ze verscheen met rode ogen en volledig terneergeslagen op haar werk. Ze kon aan niets anders meer denken dan aan dokter Raymond Graham en schreef, zoals hij haar had voorgesteld, haar ontslagbrief.

Na verloop van twee weken werd zij, aanzienlijk magerder, bij dokter Castor geroepen, die achter zijn reusachtige teakhouten bureau zat en haar opnam terwijl zij plaatsnam in de stoel tegenover hem. Hij slaakte een diepe zucht. 'Ik voel er niets voor je ontslag te accepteren.'

'Ik heb lang genoeg op de eerstehulpafdeling gewerkt,' mompelde zij, zonder hem aan te kijken.

Hij leunde achterover in zijn stoel en keek haar onderzoekend aan. 'Wat ben je van plan te gaan doen?'

Wat moest ze zeggen? Doorgaan met ademhalen. Een winterslaap houden. Teruggaan naar papa in Washington. De Himalaya beklimmen. Non worden.

Toen Cassie geen antwoord gaf, zei dr. Castor. 'Het is een vlucht.'

Ze keek hem aan. Wist hij het? Hij beantwoordde haar onuitgesproken vraag. 'Iedereen weet het.'

De tranen sprongen haar in de ogen. Castor stond op, liep om zijn bureau heen en ging vlak voor Cassie op de rand zitten. Hij pakte haar handen vast.

'Ik kan hier niet blijven,' fluisterde zij, terwijl de tranen over haar wangen rolden. Ze vroeg zich af of ze óóit nog zou kunnen ophouden met huilen.

Dr. Castor stond weer op en liep, met zijn handen op zijn rug, naar de smoezelige ramen. Toen Cassie ophield met snuffen, vroeg hij: 'Wat weet je van de *Flying Doctors*?'

Ze keek naar hem op. 'Zijn dat die artsen die per vliegtuig naar hun patiënten in de *Outback* gaan?'

Castor knikte. 'Een jaar of tien geleden is een van de fijnste mannen die ik ken, dominee John Flynn, ermee begonnen. Hij heeft de theorie dat het uitgestrekte midden van dit continent alleen gekoloniseerd kan worden als vrouwen bereid zijn zich er te vestigen. Hij zag dat er nauwelijks boerderijen waren in die enorme uitgestrektheid. Geen vrouwen of kinderen of warmte. Geen liefde.

Hij was ervan overtuigd dat er maar één manier was om vrouwen zover te krijgen om honderden en zelfs duizenden kilometers van hun dichtstbijzijnde buren vandaan te gaan wonen, namelijk door hen te verzekeren van medische verzorging en een manier te vinden om hun isolement te verlichten. In 1928 begon zijn droom uit te komen; toen werd de allereerste basis van de Flying Doctors gevestigd in Cloncurry.

In een recent medisch tijdschrift las ik een advertentie waarin gevraagd werd om een nieuwe Flying Doctor. Ze staan op het punt een vijfde basis te openen, ik weet niet precies waar. Ze betalen erg goed en John Flynn neemt alleen de allerbesten aan, mensen die zijn droom delen en willen helpen bij de ontwikkeling van de uitgestrekte binnenlanden van ons continent.'

Hij zweeg even. 'Interesse?'

Niets interesseerde haar. 'Dus het is in elk geval heel ver weg, waar het dan ook is?'

Castor knikte, pakte vervolgens zijn telefoon en gaf de telefoniste een nummer in Sydney op.

'John, fijn dat ik je tref. Je spreekt met Norm. Nee, ik ben niet in Sydney. Ik bel je om te vragen of je die vacature nog hebt.'

Castor luisterde.

'Wacht even – laat mij je, voordat je een beslissing neemt, een kandidaat sturen die vast beter is dan de jouwe. Of in elk geval even goed. Zij is... Ja, *zij*. Zij is hier het afgelopen jaar werkzaam geweest als chirurg op de eerstehulpafdeling.' Hij zweeg, kennelijk in de rede gevallen.

'Wacht nu eens even, John. Jij bent in je manier van denken iedereen altijd een stapje voor. Waarom zou je een vrouw geen kans geven? Praat in elk geval een keer met haar, wil je? Ze is geweldig, topklasse.' Hij knipoogde naar Cassie.

Castor luisterde even en zei toen: 'Hoe denk je dat vrouwen zich voelen met hun benen in de lucht wanneer een man hen onderzoekt?'

Het bleef opnieuw even stil. 'Ja, nou, zo moet je het toch ook eens bekijken. Luister John, als ze de nachttrein neemt kan ze morgenochtend in Sydney zijn. Kun je haar om tien uur ontvangen? Je zult me hier nog eens dankbaar voor zijn. Haar naam is Clarke. Dr. Cassandra Clarke.'

Hij legde neer en keek Cassie grijnzend aan. 'Wat denk je ervan?'

Zij staarde hem uitdrukkingsloos aan. Dit gebeurde allemaal veel te snel. Welke richting sloeg haar leven in? Nu ja, in elk geval ver weg van Ray Graham.

'Je hoeft geen ja te zeggen. Datzelfde geldt voor hem. Hij staat niet te juichen bij het idee van een vrouw in zijn organisatie. Hij zei dat de gedachte zelfs nooit bij hem was opgekomen. Nou, Cassie, laat hem maar eens zien wie je bent. Ik weet zeker dat ze daar allemaal wild enthousiast over je zullen zijn.'

Maar waar eigenlijk?

Hoofdstuk 2

Augusta Springs was een stoffig stadje dat bestond uit één lange rij huizen en gebouwen. Toen Cassies trein – die eenmaal per week reed – langzaam het station binnentufte, voelde zij voor het eerst sinds twee maanden weer een sprankje gevoel in haar borst opwellen.

Angst.

Wat deed ze hier, bijna vijftienhonderd kilometer van de beschaving verwijderd? Wat wist ze van dit stadje? Het had een klein ziekenhuis en twee plaatselijke artsen. Het had een treinstation dat gebruikt werd om vee vanuit het noorden naar de grote markten te vervoeren. Het had een lagere school en misschien – zo om en nabij – twaalfhonderd inwoners.

Het leek in niets op enige andere plek die zij ooit had gezien, zelfs niet in het Amerikaanse westen. Het was zo vlak dat je eindeloos ver kon kijken en het enige dat op de zanderige bodem leek te willen groeien waren eucalyptusbomen.

Dominee Flynn had haar gewaarschuwd dat het haar misschien moeite zou kosten om geaccepteerd te worden. 'Maar wanneer ze geen keus hebben, zullen ze wel genoegen móeten nemen met een vrouw.' Een schrale troost. Ook had hij haar verteld dat geslachtsziekten hèt grote probleem van de aboriginals waren. 'En zij zullen zich zeker niet zomaar door een vrouw laten onderzoeken.'

Waarom had hij haar dan aangenomen?

Waarom had zij ja gezegd? Omdat ze hier heel erg ver bij Ray Graham vandaan was. Omdat ze er de energie en de interesse niet voor kon opbrengen om iets anders te verzinnen.

Ze voelde zich eenzamer dan zij zich ooit had kunnen voorstellen dat iemand zich kon voelen. Het komende jaar zou haar leven zich afspelen in dit afgelegen gehucht en in de lucht. Ze had nog nooit gevlogen. Zou ze misselijk worden? Ik ben niet bang om dood te gaan, hield ze zichzelf voor, maar om luchtziek te worden?

Ze vermande zich, nam een vastberaden houding aan en keek

uit het treinraampje naar het verblindende zonlicht. 'Ik heb niets meer te verliezen,' zei ze hardop. Tegelijkertijd was ze ervan overtuigd dat er niet veel was om naar uit te zien.

De piloot van de Flying Doctor Service, Sam Vernon, stond op het perron te wachten. Met een grasspriet in zijn mond en zijn honkbalpet achterstevoren op zijn hoofd, keek hij door zijn zonnebrilglazen het station rond. Een arrogant type. Lang en mager als een lat, gebruind. Zij zag hoe hij met zijn ogen elke jonge vrouw volgde. Ze wist zeker dat hij ze van achter die donkere brilleglazen stuk voor stuk in gedachten uitkleedde. Niet dat er veel meisjes uitstapten. Er stapten sowieso niet veel mensen uit.

Cassie pakte haar weekendtas op, streek haar korte, dikke, kastanjebruine haar naar achteren en liep naar hem toe.

'Meneer Vernon?'

Hij draaide zich met een ruk naar haar om en mompelde: 'Mevrouw Clarke?'

Zij zette haar tas neer en stak hem haar hand toe. 'Ik ben Cassandra Clarke.'

Even bleef hij haar staan aanstaren, maar toen schudde hij haar de hand.

'Mijn koffers staan daarginds.' Ze wees naar het bagagerek.

Hij keek naar de koffers, toen weer naar haar, en liep er vervolgens naar toe. 'Natuurlijk.'

Hij greep haar bagage en knikte in de richting van zijn stoffige, blauwe, kleine bestelauto. 'De pick-up staat daar.' Zwijgend liepen zij naar de wagen. Hij gooide de tassen in de achterbak en hield het portier voor haar open. Terwijl hij voor de wagen langs liep, achter het stuur ging zitten en het sleuteltje in het contact stak, bekeek zij hem eens goed.

De motor kwam pruttelend tot leven. Zij keek uit het raampje. 'Er zijn hier meer bomen dan ik verwachtte. Ik dacht dat het allemaal woestijn zou zijn.'

'Dat is het ook, verder naar het zuiden. Onder de mensen die je gaat behandelen zitten heel wat veehouders en abo's...'

'Abo's?' Zij keek hem van opzij aan.

'Aboriginals. Dat bedoel ik niet denigrerend,' voegde hij er haastig aan toe, 'ligt gewoon wat makkelijker in de mond. Hoe het ook zij, reken er maar niet op dat zij een vrouw naar hun lichaam, naar hun edele delen laten kijken.'

Ze probeerde door de donkere brilleglazen heen zijn ogen te zien.

Hij bleef strak voor zich uit kijken terwijl hij verder ging. 'Ze zullen u niet gemakkelijk accepteren.'

'Ze wennen wel aan me.' *Bedankt voor je bemoedigende woorden*, wilde ze eigenlijk zeggen terwijl ze huizen passeerden die ofwel voorzien waren van bomen en keurige tuintjes, of van allerhande rommel en geiten in alle soorten en maten. 'Waarom denk je dat mensen zich hier vestigen?' vroeg zij, meer aan zichzelf dan aan hem.

'Pioniersgeest.' Kennelijk vond hij dit antwoord niet goed genoeg. Hij vervolgde: 'Vrijheid. Individualisme. Rijk willen worden. Graag eigen baas willen zijn. Ver weg van mensen en regels.' Hij grinnikte en keek haar aan. 'Sommige mannen voelen zich er nu eenmaal gemakkelijker bij als ze zich nooit in een net pak hoeven te steken.'

'Voor een vrouw, bedoel je?' Hun ogen ontmoetten elkaar.

'Persoonlijk beschouw ik de vrouw als een van Gods grootste geschenken aan de mensheid.' Maar ze had het idee dat hij dat wat haar betreft nog zo zeker niet wist.

'Waarom,' vroeg hij toen, 'ben jij hiernaar toe gekomen?'

'Dat weet ik eigenlijk niet.' Wat ze op dit moment het liefste wilde was terug naar die trein.

Sam zwaaide zijn benen uit de wagen. Hij zette zijn zonnebril af en gooide hem op het dashboard. 'De meeste vrouwen komen hier om de liefde te vinden.' Hij liep voor haar uit naar de ingang van Addie's en hield de klapdeur voor haar open. Addie's had zowel aan de voor- als aan de achterkant een hoofdingang, zodat je er aan twee kanten naar binnen kon. Langs de eerste verdieping liep een lang balkon. 'Je krijgt een kamer bij een van de plaatselijke onderwijzeressen. Ik heb haar verteld dat wij haar hier zouden ontmoeten.'

Binnen hing een zware sigarettewalm en de lucht van verschaald bier. Er stonden mannen aan de bar en rond het dartboard achter in de langwerpige ruimte. Sam sloeg rechtsaf en ging haar voor naar de eetzaal, waar de tafels gedekt waren met rood-witgeblokte tafelkleden. Er was nog maar één tafeltje vrij. Sam liep ernaar toe en trok een stoel voor Cassie te voorschijn.

'Ik ken nog niet zoveel mensen,' zei hij. 'Ik ben hier nog maar net een week. Als ik je niet aan mensen voorstel, dan komt dat omdat ik gewoon niet meer weet hoe ze heten.'

'We zullen toch niet veel met de mensen hier in de stad te maken krijgen.'

'Maar we komen hier wel te wonen,' zei hij. Er verscheen een serveerster met smalle heupen en een reusachtige boezem aan hun tafeltje. Zij wierp Sam een koket glimlachje toe.

'Een biertje?' vroeg zij.

Hij knikte en knipoogde, waarna hij een vragende wenkbrauw naar Cassie optrok. 'Jij ook een?'

'Prima, waarom niet?'

'Hoe heb je je steak het liefst?' vroeg hij.

'Niet helemaal doorbakken.'

'Goed,' zei de serveerster, 'en ik weet al dat jij er het liefst eentje hebt die net is opgehouden met ademhalen.' Ze bracht hen hun bier en leunde zodanig over Sam heen dat Cassie vreesde dat haar borsten uit haar blouse zouden vallen. Sam glimlachte waarderend.

Uit de juke-box schalde Amerikaanse muziek. Cassie schonk haar bier in een glas, terwijl Sam uit het flesje dronk. 'Je leeftijd heb je ook al niet mee.'

Zij keek verbaasd op. '*Ook* al niet?'

Hij keek opgewekt om zich heen. 'Het bevalt me hier wel, bij Addie's. In Augusta Springs.'

De rondborstige serveerster bracht hun steaks. Gebakken aardappelen. Sperziebonen uit blik. Tomaten op een bedje van verlepte sla. Jus.

Cassie keek eerst naar haar bord en toen naar hem. 'Is dit het beste restaurant van de stad?'

Sam zat al op een dikke plak vlees te kauwen en knikte vrolijk. 'Proef maar eens. Zo mals als boter.'

Op dat moment baande zich een lachende, roodharige vrouw van ongeveer hun eigen leeftijd een weg door de drukke ruimte. Bij de meeste gasten bleef ze even staan voor een korte begroeting, maar Cassie zag dat ze eigenlijk op weg was naar hun tafeltje. Sam stak zijn hand naar haar op en toen zij dichterbij kwam, stond hij op. Ze had een hees stemgeluid. 'Dit moet de dokter zijn,' riep zij uit. Zonder te wachten tot zij zou worden voorgesteld, zei ze: 'Ik ben Fiona Sullivan.' Ze stak haar hand uit. 'Heeft Sam je al verteld dat je bij mij komt wonen?'

Sam ging weer zitten en viel weer op zijn steak aan, terwijl de vrouwen elkaar onderzoekend opnamen.

Fiona trok een lege stoel bij van een tafeltje achter hen, zodat zij bij hen kon komen zitten. 'Zo, zo.' Er lag een geamuseerde klank in haar stem. 'Ik wip alleen maar even langs om te zeggen dat de voordeur open is en dat een heel spoor van briefjes je de weg naar je slaapkamer wijst. Doe maar net of je thuis bent. We spreken elkaar morgenochtend. Ik ben op weg naar een feestje. Het is raceweek, zie je.'

'Fiona hier is Miss Gastvrijheid van Augusta Springs,' zei Sam. Hij bestelde nog een biertje en leunde achterover met zijn stoel.

Cassie begon aan haar steak. Hij was echt verrukkelijk mals. 'Bespeur ik daar een Iers accent?'

Fiona nam een slokje van de koffie die de serveerster voor haar op tafel had gezet. 'Ik ben hier nu al vijf jaar, maar ik kan niemand om de tuin leiden.'

'Volgens de dorpsroddels,' zei Sam, 'is Fiona verreweg de beste onderwijzeres van dit deel van het land. Misschien wel van het hele land.'

Fiona leunde over de tafel heen en legde haar hand op de zijne. 'Zwaar overdreven, maar leuk om te horen.'

Juist op dat moment kwamen twee jonge veeboeren de eetzaal binnen en zetten, toen zij Fiona in het oog kregen, onmiddellijk koers naar hun tafeltje.

'Kom nou, Fi,' smeekte de ene. 'Ze hebben ons erop uitgestuurd om je te zoeken. Zonder jou kan het feest niet beginnen.' Zij pakten allebei een arm van Fiona en trokken haar moeiteloos overeind van haar stoel.

'Ik kom al. Zet me nu maar neer.' Ze boog zich naar Cassie toe. 'Welkom. Ik ben blij dat je er bent.'

Cassie voelde zich warm worden, en voor het eerst sinds Ray Graham haar had verteld dat hij teruggging naar Martha verscheen er een glimlach op haar gezicht.

Fiona vertrok met de beide mannen. Sam volgde haar met zijn ogen. 'Morgen,' zei hij, terwijl hij zijn stoel naar achteren schoof, 'breng ik je naar het basisstation om je voor te stellen aan Horrie, en kunnen we het hebben over wat we gaan doen en hoe we alles gaan organiseren.'

Hij haalde een sigaret uit een pakje en keek naar Cassie. Toen rolde hij de sigaret tussen zijn vingers, zodat de tabak over zijn afgekloven T-bone steak dwarrelde. Zijn blik ontmoette de hare en zij voelde zijn weerzin.

'Vind je het vervelend om met een vrouw te moeten samenwerken?'

'Ik zal er niet meteen mijn ontslag om nemen. Ik ben bereid om het te proberen.' Er klonk iets wreveligs in zijn stem. 'Ik was wel verbaasd toen ze me vertelden dat het een vrouwelijke arts ging worden. Je moet weten dat ik nog nooit eerder met een vrouw heb gewerkt.'

'Is dat zoiets onvoorstelbaars dan?'

Zijn glimlach was jongensachtig verlegen. 'Nou, ik kan me wel wat leukers voorstellen om met vrouwen te doen dan werken. Hoe wil je trouwens dat ik je noem?'

Toen Cassie hem uitdrukkingsloos aankeek, begon Sam te grijnzen. 'Wat vind je van doc? Heeft iemand je wel eens doc genoemd?'

Zij schudde haar hoofd. 'Nee, nog nooit.' Het klonk haar vreselijk in de oren.

'Kom, ik zal je naar het huis van Fiona brengen, zodat je je kunt installeren. Het is maar een paar straten verderop. Ik betaal. Vanavond trakteer ik, doc.'

Doc, gruwde ze knarsetandend.

Hoofdstuk 3

Fiona's huis was het mooiste van de stad. Een kleurige border van leeuwebekjes groeide langs het hek rond haar voortuin. Heel typerend voor woningen in de Outback was de veranda die het hele huis omringde. Fiona had de veranda vol gezet met potten fleurige goudsbloemen, zinnia's en petunia's. De rieten tuinmeubelen waren helder geel geverfd en de comfortabele kussens waren van wit katoen. Fiona vertelde haar dat dit de plek was waar ze eigenlijk het meest woonde.

'Ik zal je maar meteen waarschuwen,' zei Fiona, met haar ellebogen op de tafel leunend. 'Ik ben een miserabele kok. Ik heb er absoluut geen gevoel voor, terwijl ik toch dol ben op eten.'

Cassie grijnsde. 'Koken is nu juist het enige huishoudelijke karweitje waar ik goed in ben.'

Fiona slaakte een vreugdekreet. 'Wij zullen het samen heel goed kunnen vinden, dat weet ik nu al.'

Het gaf Cassie een goed gevoel om bij Fiona te zijn.

Fiona's woonkamer was wit met hier en daar wat groene en blauwe kussens. Heel iets anders dan de donkere paardeharen sofa's die Cassie in de grote steden gewend was geweest, bekleed met donker velours en met antimakassars op de armleuningen.

Op het hemelbed in Cassies slaapkamer lag een met de hand gehaakte beddesprei. 'Prachtig gewoon,' fluisterde Cassie, terwijl zij er met haar hand overheen streek. 'Een erfstuk?'

'Die heb ik een paar jaar geleden gemaakt,' antwoordde Fiona, 'toen ik herstellende was van een ongelukkige liefde en iets nodig had om mijn tijd mee door te brengen en mijn aandacht af te leiden.'

Het was een kamer die kil had kunnen zijn met al dat wit, maar bontgekleurde kussens en een vrolijk impressionistisch schilderij boven het bed gaven hem iets lichts en ruims. Glazen deuren gaven toegang tot de veranda.

'Wat een heerlijke kamer.'

Fiona droeg een lichtblauwe overhemdjurk en sandalen. Haar

rode haar zag er al net zo weelderig uit als haar tuin. 'Mijn slaapkamer is aan de andere kant van het huis, dus we hoeven elkaar niet in de weg te lopen.'

'Ik weet niet of ik wel elke avond thuis kan zijn om te koken, als dat mijn taak hier in huis wordt. Het is nog niet duidelijk hoe mijn werkschema eruit gaat zien.'

'Dat geeft niet,' wuifde Fiona weg. 'Ik kan altijd nog bij Addie's gaan eten. Ik vind dat je ontzettend spannend werk gaat doen. We kunnen Sally – dat is de telefoniste – vragen om alle andere gesprekken te onderbreken zodra Horrie belt.'

Fiona keek om zich heen. 'Er is voldoende ruimte om een bureau neer te zetten als je dat wilt. Het zou daar bij het raam kunnen staan.'

'Dat is heel erg aardig van je.' Cassie voelde zichzelf ontluiken als een bloem.

'Dat valt wel mee. Het is puur eigenbelang. Ik kan de huur goed gebruiken en bovendien wil ik graag gebruik maken van die reusachtige lading boeken van je die nog onderweg is. Verder denk ik gewoon dat wij het samen heel goed zullen kunnen vinden. Ik zal je aan iedereen voorstellen. Zodra ik vanmiddag thuiskom uit school, neem ik je mee naar dr. Adams, de ziekenhuisdirecteur, en dan hoop ik dat hij het goedvindt dat jij je medicijnen in zijn koelcel bewaart. Niemand heeft hier verder een koelkast. De meeste mensen behelpen zich met een koelbox. Ik moet er wel bij zeggen dat hij zo'n chagrijn is dat hij het je waarschijnlijk alleen maar moeilijk zal willen maken.'

Moeilijk was nog zacht uitgedrukt.

Dokter Christopher Adams had de kaarsrechte houding van een legerofficier. Hoewel hij nog maar net even in de veertig was, begon zijn donkere haar al te grijzen aan de slapen en had zijn snor een peper-en-zoutkleur. Uit zijn staalblauwe ogen straalde geen enkel vleugje humor of warmte.

Hij knikte naar Fiona en gebaarde dat de twee vrouwen in de stoelen aan de andere kant van zijn keurige bureau konden plaatsnemen.

'Ik had al gehoord dat ze een vrouw hadden gestuurd.' Hij zei 'ze' alsof het om de vijand ging, en 'vrouw' op een toon vol minachting.

'Ik vroeg me af of ik misschien een deel van mijn medicijnen in uw koelcel zou mogen bewaren?' vroeg Cassie.

Adams gaf geen antwoord, maar trommelde met zijn vingers op zijn bureau. 'Ik heb met uw dominee Flynn gesproken en met Steven Thompson, de woordvoerder van de veefokkers. U begrijpt toch wel goed dat dit ziekenhuis niet uw terrein is? U hebt hier geen enkele medische bevoegdheid. Patiënten die u binnenbrengt zullen door mij of door dr. Edwards worden behandeld. Indien noodzakelijk kunnen wij een ambulance sturen om het vliegtuig op te wachten. Zodra u het ziekenhuis binnenkomt, wordt uw patiënt echter onze patiënt.'

'Ja, ik heb begrepen dat dat bij de Flying Doctors de gebruikelijke procedure is.' Cassie deed haar best haar stem neutraal te houden.

'Als de regels u maar goed duidelijk zijn.'

'Zoals ik het begrepen heb,' zei zij, met luchtige stem, 'vliegt de FDS niet uit naar patiënten die u redelijkerwijze zelf kunt bereiken, maar uitsluitend naar diegenen die zich buiten uw medisch bereik bevinden. Is dat juist?'

Adams aarzelde even en knikte toen. 'Zo behoort het te gaan.'

Cassie leunde naar voren en legde haar handen op het bureau van de dokter. 'Ik kan u verzekeren, dr. Adams, dat ik er geen enkele behoefte aan heb patiënten van u af te pakken, als u daar soms over in de war zit.'

Hij zei even niets en keek haar alleen maar aan, zonder zijn ogen ook maar een seconde neer te slaan. 'Ik kan een van de zusters wel een plank leeg laten ruimen voor uw vaccins. Zolang wij elkaar maar goed begrijpen.'

'Ik vermoed dat het wel eens heel lang zou kunnen duren voordat wij elkaar gaan begrijpen, dokter Adams.' Cassie stond op en stak hem haar hand toe. 'Voorlopig wil ik u bedanken voor uw bereidheid mij van dienst te zijn.'

Adams maakte geen aanstalten haar de hand te schudden, maar zette zijn bril af en begon de glazen schoon te poetsen met zijn stropdas. Toen zei hij, zonder op te kijken: 'Zal ik u eens wat zeggen? U had beter verpleegster kunnen worden.'

Fiona stond op en zei: 'Bedankt Chris. Ik wist wel dat je zou willen helpen. Cassie komt bij mij wonen.'

De dokter nam geen afscheid.

'Charmant type,' zei Cassie.

'Prettig in de omgang is hij niet bepaald,' gaf Fiona toe. 'Maar hij is een prima arts, heel wat beter dan dr. Edwards. En hij blaft harder dan hij bijt.' Ze opende het portier van haar auto, terwijl Cassie aan de andere kant instapte. 'Laten we onderweg wat te eten meenemen. Ik sterf van de honger.'

'Alles staat al klaar. Ik heb een ovenschotel gemaakt. We hoeven hem alleen nog maar op te warmen.'

Fiona startte de motor. 'Staat het eten al klaar? Fantastisch.'

'Waarom is hij zo'n – hoe noemde jij dat nou? Chagrijn?'

'Wie zal het zeggen? Ik zou het aan de omstandigheden wijten, ware het niet dat hij altijd al een beetje zo is geweest.'

'Wat bedoel je met omstandigheden?'

'Zijn vrouw.'

Fiona parkeerde voor het huis. 'Isabel is stervende. Zij is verpleegster en heeft hem al die jaren geassisteerd.' Ze deed de voordeur open en vervolgde: 'Ze zijn al meer dan twintig jaar getrouwd en al die jaren zijn ze zowel thuis als op hun werk samen geweest.'

Fiona liep naar de koelbox en pakte een biertje, terwijl Cassie de oven aanstak en nee schudde tegen het flesje dat Fiona haar voorhield.

Met de rug van haar hand veegde Fiona haar lippen af. 'Hij is ook schoolarts en zodra hij bij kinderen is, zet hij dat afstandelijke masker af en verandert hij in een vriendelijke – ik zou haast zeggen lieve – man.'

'Waarom neem je het zo voor hem op?'

Fiona dronk uit het flesje. 'Waarschijnlijk omdat ik altijd de neiging heb het op te nemen voor de underdog. Daar was je zelf waarschijnlijk ook al gauw genoeg achter gekomen.'

Cassie knikte. 'Hoe lang is ze al ziek?'

'Isabel is nu al een paar maanden aan haar bed gekluisterd. God, wat ruikt dat zalig.'

Cassie stond groenten te snijden voor de sla. Fiona liep naar buiten, plukte wat bloemen, schikte ze mooi in een vaas en zette ze in het midden van de tafel.

'Vorige maand heb ik een scherm van gaas om de voorzijde van de veranda laten plaatsen,' zei ze. ''s Zomers word je er gek van de vliegen.'

Cassie bracht de sla naar de veranda. 'Als je voor meer dan twee personen kunt koken,' zei Fiona, 'dan kunnen we die knappe piloot van je en de mecanicien ook eens te eten vragen.'

Cassie dacht door het vliegen met Sam wel voldoende tijd met hem door te zullen brengen. 'Is mevrouw Adams de hele dag alleen?'

'Lieve hemel, nee. Er zijn twee dames die haar te eten komen geven en haar komen wassen.'

'Misschien ga ik ook wel een keer naar haar toe wanneer ik een uurtje vrij heb, dan kan ik haar wat voorlezen.'

Fiona keek Cassie grijnzend aan. 'Ik weet niet wat er in die stoofpot zit, maar hij smaakt in één woord hemels.' Ze kauwde nog even door en zei toen: 'Je wilt Chris dus op diplomatieke wijze gaan aanpakken?'

'Ik ben allesbehalve een diplomaat,' zei Cassie. 'Mensen beschuldigen mij er juist van te recht door zee te zijn.'

'Is dat een eufemisme voor een gebrek aan tact?' vroeg Fiona lachend.

'Precies.'

'Is dat geen eigenschap die mannen afschrikt?'

Er verscheen een donkere blik in Cassies ogen. 'Ik heb geen belangstelling voor mannen.'

Het bleef even stil en toen leunde Fiona achterover in haar stoel. 'Het is hier onmogelijk mannen bij je vandaan te houden. Het stikt hier van de vrijgezellen. De meesten zijn gewoon op zoek naar wat gezelligheid, hoewel ik om de paar maanden wel een halfslachtig huwelijksaanzoek krijg, maar...' haar stem stierf weg.

'Maar?'

'De enige man die ik ècht wilde hebben, wilde mij niet.'

Cassie wist niet wat ze moest zeggen. Welke man zou Fiona nu niet willen?

'Ik ben eroverheen gekomen,' verzekerde Fiona haar, 'na een tijdje. Ik wil graag kinderen, maar ik ben nog maar zesentwintig. Ik heb nog de tijd. Voorlopig bevalt mijn leven me prima zoals het is.'

'Voorlopig,' zei Cassie, 'geldt voor mij hetzelfde. Ondanks Sam en dokter Adams, heb ik toch het gevoel dat me een groot avontuur te wachten staat.'

Dat avontuur begon meteen de volgende ochtend, toen Horrie in vliegende vaart aan kwam rijden in zijn auto, terwijl hij riep: 'Een paar honderd kilometer ten noorden van hier is een veeboer vertrapt door zijn paard.'

Hoofdstuk 4

'Bang?' vroeg Sam, terwijl hij naast Cassie in de cockpit stapte.

Zonder op een antwoord te wachten, begon hij aan knopjes te draaien en naar iemand op de grond te zwaaien toen de motor tot leven kwam.

Cassie greep de armleuningen van haar stoel stevig vast, net zoals ze bij de tandarts altijd deed voordat die begon te boren. Haar dokterstas had ze onder de stoel geschoven.

Ze kreeg een tintelend gevoel in haar borst en hoopte dat ze niet misselijk zou worden. Het vliegtuig begon over de startbaan te rijden en het lawaai van de motor was oorverdovend. Toen ze naar buiten keek zag ze dat alles steeds sneller voorbij begon te glijden, maar ze besefte pas dat het vliegtuig al was opgestegen toen de grond zich steeds verder van hen begon te verwijderen. Ze kon nauwelijks geloven dat ze vloog.

Vanuit de lucht stelde Augusta Springs, dat in 1938 een halve eeuw oud was, niet veel voor. De meeste straten, die elkaar in rechte lijnen kruisten, waren omzoomd met talrijke, maar kleine bomen. Een oase in de woestijn. Cassie kon met gemak het treinstation onderscheiden. De spoorlijn liep in zuidoostelijke richting. De renbaan. Een groepje gebouwen in het centrum van de stad. De twee grootste moesten de school en het ziekenhuis zijn. Vanaf deze hoogte zagen beide gebouwen er niet bijzonder indrukwekkend uit. Naarmate zij verder stegen, zag zij niet veel anders meer dan groepjes bomen die her en der verspreid stonden over de eindeloze rode aarde.

Geleidelijk aan trok Sam het vliegtuig recht, keek haar van opzij aan en riep boven het lawaai van de motoren uit: 'Zo ziet het er bijna allemaal uit. Kilometers en kilometers niets. Duizenden kilometers, hoewel hier nog bomen staan en die zie je wat zuidelijker ook niet meer. Naarmate je verder naar het noorden gaat, zie je steeds meer bomen.'

Hoe was het mogelijk dat die ielig ogende vleugels dit vliegtuig in de lucht konden houden? Haar handen klemden zich met witte knokkels om de armleuningen van haar stoel.

'Het is best mogelijk dat we af en toe de weg kwijtraken,' zei Sam met een grijns. 'Er zijn niet eens goede wegenkaarten om ons een houvast te geven. We zullen op oriëntatiepunten moeten letten – boerderijen, rivieren, heuvels, een groepje bomen, een droge rivierbedding. Maar daar wennen we wel aan.'

Wat haar betrof leek alles op elkaar. Hoe herkende je in vredesnaam een droge rivierbedding als er geen water in was?

'Wat gebeurt er als we ècht verdwalen?'

Hij keek haar aan en het deed haar goed te zien dat zijn ogen schitterden. 'Dat zien we wel wanneer het zover is. Maar vandaag gebeurt het in elk geval niet,' stelde hij haar gerust. 'Daar,' knikte hij, in de richting van een aan de wand bevestigde brancard, 'in die kist zit een thermoskan met koffie. Wil je een beker voor me inschenken? Met kleine beetjes tegelijk, anders gaat het er overheen. Neem zelf ook als je trek hebt. Er is ook een blikje melk en wat suiker, als je dat gebruikt.'

Ondanks het feit dat het vliegtuig af en toe in luchtstromingen belandde, slaagde zij erin zonder morsen twee bekers in te schenken. 'In deze tijd van het jaar hoeven we ons niet veel zorgen te maken om het weer. Engelsen en Amerikanen kunnen nauwelijks geloven dat wij hier nooit last hebben van ijsafzetting op de vleugels en allerlei andere barre weersomstandigheden. Het grootste deel van het jaar hebben we hier vrijwel ideaal vliegweer. Met uitzondering van de drie regenmaanden. Dan kunnen we nog lol beleven. Maar die periode begint pas in december of januari. Het kan natuurlijk ook zijn dat de regen uitblijft en er juist een grote droogte komt. Dan hebben we last van zandstormen.

We vliegen op een hoogte van anderhalve kilometer,' zei hij, en het viel haar op dat zijn stem iets rauws had. Wel leuk eigenlijk, ruw als schuurpapier. Ze nam een slokje van haar koffie en keek naar hem. Te mager, maar een leuk gezicht. Door de zon gebruind. Zo zou ze er zelf binnenkort waarschijnlijk ook uitzien. Krachtige kin. Het vaalblonde haar zoals altijd bedekt door zijn honkbalpet, die hij zelfs tijdens het vliegen droeg, ook al stond hij achterstevoren op zijn hoofd. Scherpe, rechte neus.

Toen zij wat naar voren boog om uit het raampje te kunnen kijken, begreep ze waarom hij haar had verteld nooit zonder zonnebril te vliegen. De zon scheen oogverblindend fel op het rode land onder hen, regelrecht in de grote, droge barsten die naar het binnenste van de aarde voerden.

Zij volgden een nauwelijks zichtbaar, smal zandpad. Om de zoveel tijd werd het eentonige landschap onderbroken door een boerderij, tientallen kilometers uit elkaar. Zij vroeg zich af wat mensen ertoe bracht zover van alles en iedereen verwijderd een huis te bouwen.

Het vliegtuig schokte en even was Cassie bang dat ze moest overgeven.

'Overal waar eucalyptusbomen en coolibah's groeien stroomt tijdens het regenseizoen water,' riep Sam haar toe. 'In die spleten daar en onder dat gladde zand, dat eruitziet als een droge rivier, daar naast die groepjes bomen, op al die plekken waar nu geen water is, daar kan het water tijdens de overstromingen kilometers breed zijn.'

Ze kon zich in dit landschap geen overstroming voorstellen.

'Over een paar maanden,' vervolgde Sam, 'voordat het regenseizoen begint, zal een groot deel van dit land openbarsten van droogte.'

Cassie bleef als gebiologeerd uit het raampje staren, en keek naar de monotone uitgestrektheid van het oneindige landschap.

Sam schreef iets in een klein notitieboekje dat vastgebonden zat op zijn rechterbeen. 'Logboek van de piloot,' legde hij uit. 'Ik noteer bijzonderheden in het landschap, zodat ik de volgende keer wanneer we hier overvliegen weet waar ik ben. Hé, kijk daar eens! Een hele kudde kangoeroe's!' Toen ze uit het raam keek zag ze onder zich honderden springende kangoeroe's. Hoe en waar hadden zij voedsel gevonden in dit dorre land?

Twee uur later, tegen de tijd dat zij boven een veehouderij cirkelden, was Cassie wat meer ontspannen, hoewel zij zich nog steeds vastklemde aan de armleuningen van haar stoel. Op het dak van de boerderij, dat uit golfplaten bestond, stond in reusachtige letters de naam van de eigenaar, Wilkins, geschilderd.

'Ik probeer een stuk kleigrond of een ander egaal oppervlak te vinden om op te landen,' zei Sam. Cassie zag een man met zwaaiende armen uit het huis komen rennen.

Sam zei: 'Oké, daar gaan we. Hou je vast.'

Ze bonkten over stenen en het vliegtuig trilde hevig toen het contact maakte met het ruwe terrein. Tegen de tijd dat Sam de deur had geopend, stond de man al op hen te wachten.

Sam stak een hand uit om haar van de treden omlaag te helpen. Ze voelde haar knieën knikken.

'Ik heb een Land-Rover waarmee we een kilometer of vijftien in de goede richting kunnen komen,' zei de man, zonder zich voor te stellen, 'maar de rest van de weg zult u te paard moeten afleggen. Met een auto kom je er van z'n leven niet door.'

'Hoe ver is het alles bij elkaar?'

De man negeerde haar en bleef gewoon tegen Sam doorpraten.

'Uw verpleegster kunt u beter hier laten, bij mijn vrouw. Het is ruw terrein waar we doorheen moeten, niks voor een vrouw.'

'Dit is de dokter,' zei Sam. 'Ik ben de piloot.'

De man draaide zich naar haar om en zijn onderkaak zakte langzaam omlaag. Hij krabde zich achter zijn oor. 'Nou, laten we dan maar gaan,' mompelde hij. 'Misschien is die veeboer inmiddels al dood. Het is al meer dan vierentwintig uur geleden sinds dat paard boven op hem is gevallen, als we de koerier tenminste mogen geloven. Maar die inboorlingen hebben natuurlijk geen enkel benul van tijd, dus wie zal het zeggen? De loper wacht bij de volgende ranch om jullie de weg te wijzen. Het is daar heel rotsachtig en het zit er vol ravijnen.'

'Wat deden ze dan eigenlijk met hun vee in dat gebied?' vroeg Sam. Hij was bezig ijzeren pennen in de grond te slaan om het vliegtuig te verankeren.

'Aan de andere kant van die canyons vind je het beste gras ter wereld.'

Er was een rit van meer dan drie kwartier over de droge, gebarsten, rode zandgrond voor nodig om de vijftien kilometer naar de volgende ranch af te leggen. De boerderij was niet veel meer dan een hut, maar vormde niettemin de thuisbasis voor duizenden vierkante kilometers vee. Een magere, vuile veedrijver kwam naar buiten gekuierd en wees naar de zwarte man die onder een van de bomen lag. 'Dat is jullie gids.' Hij liep naar de slapende aboriginal toe, schopte hem wakker en zei iets onverstaanbaars tegen hem. 'Ik heb een stel paarden die jullie kunnen gebruiken. Ze staan al gezadeld en wel klaar.'

Sam wendde zich tot Cassie. 'Kun je rijden?'

Zij knikte. Vanaf het moment dat John Flynn haar had verteld dat ze de baan had, had ze drie keer per week paardrijles gehad, maar ze had nog nooit ergens anders gereden dan in een manege of in het park.

'Het is een kilometer of dertig, als we die daar tenminste kunnen geloven.' Hij wees naar de zwarte, die stond te wachten.

'Heeft hij geen paard?' vroeg Cassie.

'Hij is spoorzoeker. Hij kan beter lopen.'

'Maar dertig kilometer?'

'Dat heeft hij vannacht ook gelopen,' antwoordde de man, zonder de moeite te nemen haar aan te kijken.

De eerste vijf, zes kilometer viel de rit wel mee, door laag struikgewas en zand. Gelukkig groeide hier geen spinifex, die stekelige struik, waarvan de doornen veedrijvers tot wanhoop brachten en hun dieren verwondden. Daarna begonnen de canyons. De rotsen stonden scherp afgetekend tegen de middaghemel. Sam reikte haar een sandwich aan. 'En onze gids?' vroeg zij.

Hij knikte en haalde een in vetvrij papier verpakt pakketje uit zijn zadeltas. Hij riep naar de man die met gelijkmatige tred voor hen uit rende. De man bleef staan, draaide zich om en kwam, toen hij zag dat hem iets te eten werd aangeboden, teruglopen en stak zijn hand uit. Hij glimlachte. Enkele minuten later bleef hij weer staan. Hij hief zijn handen op en gebaarde hen dat ze af moesten stijgen. Hij verliet het pad, knielde een paar meter verderop op de grond en begon te drinken uit een stroompje in de grond.

'Dat hadden we zelf nooit gevonden,' zei Sam, terwijl hij achter de man aan liep. Het water was heerlijk verfrissend. Cassie volgde Sams voorbeeld en maakte haar gezicht en haren nat.

'Hoe gaat-ie?' vroeg hij.

'Prima. Hoe ver is het nog?'

'Ik weet het niet. Op de grond heb ik weinig benul van afstanden. Nog een paar uur, denk ik.'

De zwarte man zette zijn ritmische, gelijkmatige looppas weer in. Zij klommen weer op hun paarden. Sam vormde met zijn handen een opstapje, zodat Cassie makkelijker kon opstijgen. Vervolgens sprong hij op zijn eigen paard. Ze was blij dat dominee Flynn haar had aangeraden een herenpantalon aan te schaffen, ook al zou dat sommige mensen choqueren. Zij was naar R.M. Williams gegaan, die overhemden, broeken en laarzen maakte voor schapen- en veedrijvers. Cassie had gekozen voor de uitrusting van die laatste categorie. Ze gaf de voorkeur aan de puntige, soepele laarzen met vrij hoge hakken van de veedrijvers in plaats van de plattere laarzen van de schapenfokkers. Terwijl de broeken van de schapenhouders onveranderlijk crèmekleurig waren, had Cassie er twee gekocht in de kleuren van de veedrijvers, en vandaag had ze haar blauwe exemplaar thuisgelaten en droeg ze haar grijze rijbroek. Een passend overhemd had ze bij Williams niet kunnen vinden, want de schouders waren allemaal veel te breed. Ze droeg een zachtgroene, zijden blouse, die haar als gegoten zat en juist datgene accentueerde wat ze zo graag wilde verbergen – haar vrouwelijkheid. De lichtgrijze Stetson die zij op haar hoofd droeg had een brede rand en haar ogen gingen verscholen achter een donkere zonnebril.

Dit was een wereld die zij niet kende. Er ging een huivering door haar heen. In Georgetown had ze niet kunnen dromen dat ze nog eens driehonderd kilometer zou moeten vliegen en te paard dwars door dieprode canyons zou moeten rijden om een patiënt te bezoeken.

Tegen de tijd dat zij hun bestemming hadden bereikt, vermoedde

Cassie dat hen niet meer dan twee uur daglicht restte – en dat ze morgen flink last zou hebben van zadelpijn.

In de schaduw van een groepje hoge eucalyptusbomen lag de man voor wie ze deze hele reis hadden ondernomen. Hij werd omringd door drie van zijn maten en hun paarden liepen een eindje verderop.

Sam sprong van zijn paard en hielp vervolgens Cassie met afstijgen. De liggende man deed even zijn ogen open en Cassie zag dat hij veel pijn had. Zij knielde naast haar patiënt neer en vroeg met zachte stem: 'Kun je me zeggen waar het pijn doet?'

De man bevochtigde zijn droge lippen met zijn tong en schudde nauwelijks zichtbaar zijn hoofd terwijl hij iets onverstaanbaars mompelde.

'In je buik?' vroeg zij.

Hij knikte zwakjes.

'Ik vrees dat ik je nog meer pijn moet doen. Ik moet voelen of er iets gebroken is.' Ze maakte zijn riem los. 'Doet dit pijn?' Ze duwde in zijn maag.

'Jezus Christus!' riep hij uit. Hij zette zijn tanden op elkaar toen zij hem vakkundig begon te onderzoeken.

Zij wendde zich tot Sam, zich er heel goed van bewust dat alle mannen haar stonden aan te gapen. 'Zijn broek en onderbroek moeten omlaag.'

Sam knielde, tilde met zijn linkerhand voorzichtig de billen van de man van de grond en trok zijn broek tot onder zijn heupen.

'Ik denk dat hij een gebroken schaambeen heeft. Probeer hem zo voorzichtig mogelijk op te tillen terwijl ik zijn broek helemaal uittrek.' Cassie richtte zich weer tot haar patiënt. 'Heb je na het ongeluk nog kunnen plassen?'

'Tjeezus,' hoorde ze een van zijn maten zeggen.

'Dat doet verrekte pijn,' fluisterde de patiënt hees.

'Kijk,' zei ze tegen Sam. 'Bloed in zijn onderbroek.' Ze wendde zich weer tot de man en vroeg: 'Komt de pijn in golven? Komt hij op en lijkt hij dan weg te ebben, zonder dat hij ooit helemaal weg is?'

Bij wijze van antwoord, kreunde de man slechts. Hij kon zich nauwelijks bewegen en toen haar vingers hem nogmaals aanraakten, slaakte hij een kreet van pijn.

Zij haalde haar stethoscoop uit haar tas en bevestigde de manchet van de bloeddrukmeter om zijn bovenarm. 'Polsslag van 150, dat is erg hoog.' *Zelf zal ik ook wel een hoge polsslag hebben. Moet ik hier nu gaan opereren?* 'Bloeddruk normaal, 140 over 80. Kun je me precies vertellen waar de pijn het hevigst is?' *Ik ben bang dat ik het wel weet*, dacht ze. *Hoe moet ik dit in vredesnaam aanpakken, midden in de wildernis?*

De patiënt tilde knarsetandend zijn linkerarm op en wees naar zijn onderbuik, die opgezet was en heel gevoelig. Cassie raakte hem niet meer aan. 'Genitaliën zien er normaal uit,' zei ze. Sam wist niet of ze dit alles nu tegen hem vertelde of tegen zichzelf. De andere mannen staarde alleen maar.

'Geen zwelling van het scrotum. Ik vermoed dat hij een bekkenbreuk heeft, omdat zijn buik zo opgezet is.' Ze wees naar het gezwollen gedeelte en voegde eraan toe: 'En aangezien er bloed in de urine zit, is de blaas waarschijnlijk ook gescheurd.' Wat kon ze hier in vredesnaam aan een gescheurde blaas doen? Maar dat ze iets moest doen stond vast, anders kon er een infectie ontstaan en wellicht een fatale bloedvergiftiging.

Voor een probleem als dit had ze wel eerder gestaan, maar nooit buiten een steriele operatiekamer. 'Het eerste wat ik wil gaan proberen,' zei ze tegen Sam, 'is om deze catheter in te brengen...'

'O, God,' zei een van de mannen.

'...om de druk op de blaas te verlichten.' Zij bracht het buisje aan in de slappe penis van de man, maar er kwam slechts een kleine hoeveelheid urine en bloed uit.

Ze keek naar Sam, die aan de andere kant van de patiënt zat toe te kijken. 'Voor het gebroken bekken is geen specifieke behandeling nodig, dat heelt vanzelf wel, maar een gescheurde blaas vraagt om een operatieve ingreep.' Ze leunde achterover op haar hielen.

'Ga je opereren – hier?'

'Ik heb geen andere keus en over een paar uur is het donker.'

Het enige geluid was het gezoem van vliegen. Ze herkende het angstige gevoel in haar buik.

Cassie stond op en richtte zich tot de drie mannen. 'Heren, ik zou het op prijs stellen als jullie een vuur willen aanleggen. Ik heb steriel water nodig.' Ze keek naar Sam. 'Je zult moeten helpen.'

Hij deinsde achteruit. 'Ik ben piloot, geen verpleger.'

'Dan heb ik nieuws voor je,' zei ze, terwijl ze een pakketje uit haar dokterstas haalde. 'Jij bent piloot *en* anesthesist. Zie je dit?' Ze hield het gaasmaskertje omhoog.

'Dat kan ik niet.' Sams stem klonk schor.

'Natuurlijk kun je dat,' zei zij. 'Ik ga hem een intramusculaire injectie toedienen van tien milligram morfine om hem te verdoven. Zodra hij weg begint te raken, hou je met je ene hand het masker vast en met je andere hand dit flesje ether en laat je elke drie tot vijf minuten een druppel ether op het gaas vallen. Let goed op dat het maar één druppel is, anders kan het zijn dood zijn.'

'Hoe weet ik hoeveel te veel is?'

Cassie pakte een injectienaald en een flesje. Ze stak de naald in het flesje en zoog er tien milligram uit. Ze schudde de naald heen en weer, spoot een kleine hoeveelheid heldere vloeistof in de lucht en knielde weer naast haar patiënt. Met haar linkerhand pakte ze een plukje watten uit haar tas, maakte het flesje alcohol open en bevochtigde het watje. Vervolgens wreef zij met de pluk watten over de bovenarm van de patiënt en prikte de naald erin. Een van de mannen die bij de boom stonden kreunde toen hij hoorde hoe Sam onwillekeurig zijn adem inhield.

Terwijl de patiënt langzaam in slaap raakte, keek Cassie om zich heen op zoek naar een plek om haar steriele spullen neer te leggen. Ze zei: 'Als ik dit niet doe is hij dood voordat we hem naar het vliegtuig kunnen vervoeren.'

'Wat is dat?' vroeg een van de mannen.

'Dat is een set gesteriliseerde instrumenten,' antwoordde ze, terwijl ze een paar rubber handschoenen aantrok. Verder bevatte hij novocaïne, een scalpel, verbandgaas, hechtdraad en een naald. Ze legde er steriele doeken omheen.

'Van nu af aan,' zei ze tegen Sam, 'laat je elke drie tot vijf minuten een druppel ether op dat lapje vallen.'

'Hoe weet ik hoeveel minuten het moeten zijn?'

'Als hij onrustig is, drie minuten. Als hij diep in slaap lijkt, vijf minuten. Denk eraan, niet meer dan één druppel.' Ze maakte een gedeelte van de onderbuik schoon met een met alcohol doordrenkt stuk watten en smeerde het vervolgens in met jodiumtinctuur. Ze haalde een keer diep adem, nam een scherp scalpel en maakte vlak boven het schaambeen een vijf centimeter lange, verticale incisie, die ze openhield met haar linkerduim en -wijsvinger. Zoals altijd wanneer zij aan een operatie begon, begon de adrenaline te stromen.

'Ik moet door verschillende lagen heen.' Cassie nam maar aan dat het Sam interesseerde en ze wist dat praten een deel van haar nerveuze spanning zou wegnemen. 'Deze tweede laag van glibberig vet, daar waar dat bloed uit die bloedvaten sijpelt, en dan deze laag van dik kraakbeen.'

Daar klonk het scherpe, scheurende geluid dat zij verwachtte. Nu zat er overal bloed.

Sam schrok zich een ongeluk.

'Dat hoort erbij,' stelde Cassie hem gerust. 'Nu snij ik door deze dikke spierlaag, zo, dwars door de rectale spieren.'

Een van de mannen achter haar maakte een verstikt geluid en rende weg van de boom om in het zand te gaan staan overgeven.

'De bedoeling is nu om urine uit de blaas te laten lopen en het bloed en de urine die zich buiten de blaas in de buikholte hebben verzameld kwijt te raken. De blaas moet leeg. Zodra de incisie door de spierlaag gaat, hier, ah...' Er kwam een flinke stroom bloed en urine vrij. Het stonk vreselijk.

'Ik kan een deel van de blaas zien zitten, maar ik zie niet precies waar hij gescheurd is.' Cassie stak een rubber catheter in de blaas en legde uit: 'Dat is om de vloeistof makkelijker weg te laten lopen.' Handig legde ze twee rubber drains aan, die ervoor moesten zorgen dat het bloed en de urine die al uit de blaas waren gestroomd, weg konden lopen. Met één hand gebruikte ze een hechting om de rubber catheterbuis op zijn plaats te houden en vervolgens ging ze de blaas in, waarbij ze twee hechtingen gebruikte om de spierlaag te sluiten en nog twee om de huid weer dicht te maken. Alle slangetjes staken door het onderste stukje van de vijf centimeter lange incisie naar buiten.

Alles was goed verlopen.

'Nu hoef ik hem alleen nog maar dicht te naaien.' De knoop in haar maag begon te ontspannen.

Sam bleef als gebiologeerd naar haar vingers kijken.

'Oké, je kunt ophouden met de ether.'

Ze voelde hoe haar hele lichaam zich begon te ontspannen en slaakte een diepe zucht van verlichting. Het gespannen gevoel in haar schouders begon ook weg te trekken.

Ze keek Sam glimlachend aan. 'Prima werk. Bedankt.'

Hij gooide het gaasmaskertje op de steriele doeken en zette de fles ether in het zand. Even bleef hij haar zitten aanstaren, toen stond hij op en liep weg, in de richting van de paarden die een eind verderop aan een boom stonden gebonden.

Toen zij zich omdraaide naar de vrienden van de patiënt, zag ze dat er nog maar ééntje stond. Ze vroeg: 'Kun jij misschien een brancard maken, zodat we hem naar het vliegtuig kunnen dragen en naar het ziekenhuis kunnen vervoeren?'

Ze wenste dat ze een cola had, of een beker van Sams koffie.

Ze stond op, rekte zich uit en sloeg haar armen om zich heen terwijl ze naar de bloedrode strepen keek aan de langzaam duister wordende hemel.

Hoofdstuk 5

Na een maaltijd van bonen en ongezuurd brood, samen met de kameraden van de patiënt, werd de stilte van het verlaten land verbroken door de rauwe kreten van duizenden rosékaketoe's, die de hemel verduisterden.

'Die zijn op weg naar een drinkplaats hier ergens in de buurt,' zei Sam. Er verzamelden zich meer vogels dan Cassie in haar hele leven bij elkaar had gezien. De kaketoe's streken neer in de bomen, zodat die een spookachtige aanblik boden. Vinken en grasparkieten vlogen naar de hoogste takken en hun kreten vermengden zich met die van de kaketoe's.

In de verte bevonden zich drinkplaatsen voor het vee; de vogels fladderden neer op de ruggen van de runderen en dronken met hen mee. Waar was al dat vee opeens vandaan gekomen?

Het was onmogelijk een gesprek te voeren boven de kreten van de duizenden vogels uit. Dat kon pas weer tegen zonsondergang, toen de kleur van de hemel van lavendelblauw veranderde in violet, vervolgens de kleur van geronnen bloed kreeg en uiteindelijk een adembenemende tint dieppaars aannam.

Cassie bleef naast haar patiënt zitten, terwijl Sam en de drie veedrijvers stonden te praten en te roken.

Opeens viel er een doodse stilte. Ze zag hoe Sam zijn sigaret uitstampte en naar haar toe kwam lopen. Er hing een sfeer van geladenheid in de lucht en toch klonk er geen enkel geluid.

Toen de duisternis inviel waren de opgloeiende puntjes van de drie sigaretten het enige dat je nog kon zien.

Op het moment dat Sam bij haar was, begon het – het loeien van wat klonk als duizenden koeien. 'Kom hier,' zei Sam, terwijl hij een hand op haar schouder legde, haar hand pakte en haar omhoog trok. 'Wil je iets zien dat je nooit meer zult vergeten?' Terwijl hij haar hand vasthield opdat zij niet zou struikelen in het donker, leidde hij haar tussen de bomen vandaan, door de aangename, zachte nachtlucht. Toen haar ogen aan de duisternis gewend raakten, zag zij figuren door de nacht bewegen, mannen op paarden die het vee in een kring dreven en de dieren aanmoedigden om te gaan liggen.

'Dat zijn abo veedrijvers,' zei Sam op zachte toon, terwijl hij haar hand losliet.

Breedgerande cowboyhoeden staken scherp af tegen de met sterren bezaaide tropenhemel. Ze zag de koeien met hun koppen zwaaien en ronddraaien binnen de cirkel waar een stuk of twaalf drijvers omheen reden. Sam bleef staan en zij keken naar de silhouetten in de nacht.

Aanvankelijk heel zachtjes, begonnen de veedrijvers te zingen.

'Dat heet "het vee toezingen",' legde Sam uit. 'Het maakt de dieren ervan bewust dat er mensen in de buurt zijn, zodat ze weten dat ze veilig zijn. Want zie je, als er ook maar één dier in paniek raakt, kan de hele kudde binnen een paar minuten op hol slaan en daar kan geen mens meer iets aan doen. Maar als ze "het vee toezingen" en de dieren rustig houden, worden ze niet bang.'

De stemmen van de mannen klonken hoog en Cassie kon zich niet herinneren ooit een dergelijk gezang te hebben gehoord. Het tevreden geloei vormde de achtergrondmuziek. Hetzelfde ritme werd herhaald, ditmaal een toon lager, gevolgd door een onaards geluid, een diep geklop dat mijlenver over het verlaten landschap droeg.

Cassie voelde een tinteling door zich heen gaan. Niets wat zij ooit had ervaren had haar hierop voorbereid.

Terwijl de maan hoger aan de hemel kwam te staan, reden de zangers heen en weer om het vee in de gaten te houden. De nacht was vervuld van wilde, primitieve ritmes.

Zij en Sam hadden misschien al wel een uur staan kijken toen hij zei: 'We kunnen maar beter gaan slapen, anders zijn we morgen niets waard.'

Cassie wilde naast haar patiënt slapen. Sam ging een eindje verderop liggen, op zijn rug, armen onder zijn hoofd, honkbalpet over zijn gezicht, en viel als een blok in slaap. Cassie lag naar de sterren te staren en bedacht dat dit een echt avontuur was geweest. Elke minuut, elke seconde ervan had haar het gevoel bezorgd dat ze weer lééfde. En ze had nog wel gedacht nooit meer iets te zullen voelen. Voor het eerst kwam de gedachte bij haar op dat dit jaar misschien best nog wel eens leuk kon worden. Misschien was haar vertrek uit Melbourne wel het beste dat haar had kunnen overkomen. Oom Norm wist wat hij deed toen hij haar hiernaar toe stuurde. Misschien kon ze Ray hier vergeten. Misschien was het toch wel waar dat de tijd alle wonden heelde. Ze bleef de hele nacht half wakker liggen doezelen, want ze wilde geen minuut van deze opera onder de sterren missen. Tegen de ochtend viel ze pas in een diepe slaap.

Toen ze wakker werd waren ze weg. Duizenden runderen, de mannen met hun cowboyhoeden, hun paarden, de vogels – verdwenen. Het enige dat overbleef was de vlakke, grazige vlakte, die al lag te schroeien in de zon. Verlaten. Stil.

Ze hoorde de stem van haar patiënt, krachtiger dan gisteren, zeggen: 'Zij heeft mijn leven gered, nietwaar?'

Cassie draaide zich naar hem om en zag Sam boven hen uittorenen. Zijn ogen gingen verscholen achter zijn donkere brilleglazen, toen hij antwoordde: 'Dat is volgens mij precies wat ze heeft gedaan. Je leven gered.'

'Jij hebt me geholpen,' zei ze, terwijl ze moeizaam overeind kwam, haar lichaam stijf van het slapen op de harde grond.

Er verscheen een glimlach om zijn lippen. 'Ja, da's waar ook. *Wij* hebben je leven gered.'

Sam was een rare. Tijdens de operatie had ze zijn ergernis zien veranderen in stil respect. Hij had aanvankelijk niet onder stoelen of banken gestoken dat hij het maar niets vond om met een vrouwelijke arts te moeten werken; dat had hij haar meteen al duidelijk gemaakt toen ze hem drie dagen geleden op het station van Augusta Springs voor het eerst had ontmoet.

Dominee John Flynn had haar verteld: 'In de Outback wonen in principe twee soorten mensen: zij die op zoek zijn naar avontuur en diegenen die ergens voor op de vlucht zijn.' Ze vroeg zich af tot welke van de twee categorieën Sam behoorde.

En bij welke soort zij zelf hoorde.

Eenmaal terug in Augusta Springs stond de ambulance hen al op te wachten, met dr. Adams ernaast. Hij droeg een lange, witte jas over zijn overhemd, een keurig geperste pantalon en gewone schoenen – geen laarzen met hoge hakken zoals Cassie en de veedrijvers droegen. Adams zwarte haar was kortgeknipt en goedverzorgd en zijn bril, zonder montuur, bezorgde hem een professionele uitstraling. Hij stond met rechte rug en zag er misschien niet vriendelijk, maar wel bijzonder vakbekwaam uit.

Terwijl het vliegtuig naar de hangar taxiede, opende hij de achterdeur van de ambulance. Sam zette de motor af en wachtte nog even alvorens uit de cockpit te klimmen. Hij opende de deur naar de cabine en schoof het trapje op zijn plek. Adams verscheen in de deuropening.

'Is het een spoedgeval?' vroeg hij, zijn stem koel en afgemeten.

'Nee,' antwoordde Cassie, terwijl zij opstond en naar de deur liep. 'Ik heb gisteravond een spoedoperatie uitgevoerd, maar hij moet wel worden opgenomen.'

'Wat was het?'

'Gescheurde blaas,' antwoordde zij. 'Kan iemand me helpen deze brancard naar buiten te brengen?'

Zowel Sam als dr. Adams keek haar aan. 'Natuurlijk,' zei Sam, terwijl hij haar vriendelijk uit de weg schoof en een kant van de brancard vastpakte. 'Klaar, doc?' vroeg hij aan Adams.

Adams pakte de andere kant en samen droegen zij de patiënt naar de ambulance.

Met haar dokterstas in de hand, maakte ook Cassie aanstalten om achter in de ambulance te klimmen.

Met een hand op haar arm hield dr. Adams haar echter tegen. 'Waar gaat u naar toe?'

'Met mijn patiënt mee,' antwoordde Cassie, naar hem opkijkend.

'Hij is uw patiënt niet meer,' zei Adams. 'Weet u nog wel?'

'Maar ik heb hem gisteravond geopereerd.'

'Ik beschik over bijzonder capabele verpleegsters. En, misschien verbaast dit u, maar ik heb zelf ook de nodige gescheurde blazen gedaan en ben heel goed in staat de behandeling voort te zetten. Zodra een patiënt in Augusta Springs is, valt hij niet langer onder de verantwoordelijkheid van de Flying Doctor Service. U kent de regels. Althans, dat wilde u mij onlangs doen geloven.' Hij gooide de deur dicht en liep naar de zijkant van de ambulance. Hij opende het portier, stapte in en zei tegen de chauffeur: 'Oké, Ed, rijden maar.'

Cassie staarde de wagen na. Sam hoorde haar zuchten.

'Tja, je wist van tevoren dat het alleen jouw patiënten zijn zolang ze zich hier meer dan tachtig kilometer vandaan bevinden.'

Cassie knikte. 'Maar daarom hoefde die rotzak van een Adams daar nog niet zo lullig over te doen.'

Sam keek haar aan. Ze kleedde zich niet alleen als een man, maar praatte ook als een man. 'Ik trakteer je op een biertje.'

Terwijl ze naar zijn truck liepen, begon hij te grinniken. 'Nou, dat was een heel avontuur, vond je ook niet? Wat een manier om aan een nieuwe baan te beginnen.'

Cassie stapte in de auto, deed haar hoed af en zette haar dokterstas tussen hen in. 'Inderdaad, een heel bijzondere manier.' Maar haar ergernis om het gedrag van Adams zat haar nog steeds dwars.

Terwijl zij naar Addie's reden, zei ze: 'Ik wist van tevoren dat ik binnen een straal van tachtig kilometer geen patiënten mocht behandelen, maar op de een of andere manier dacht ik toch...'

Sam stak zijn hand uit en legde hem op haar arm. 'Je went er wel aan,' zei hij. 'Adams zal wel in zijn rats zitten. Wij vormen een bedreiging voor hem. Wij behandelen patiënten gratis. Wij komen hen met het vliegtuig te hulp, waar ze zich ook bevinden. Wij worden levende legendes, doc – dat voel ik gewoon, en hij heeft geen idee wat dat voor hem gaat betekenen.'

Cassie keek hem aan. Misschien stond hij toch wel aan haar kant. 'Jij hebt gisteravond mijn maaltijd betaald. Laat mij jou nu eens op een biertje trakteren.'

Hij lachte. 'Ik geloof dat ik zelf ook nog aan het een en ander zal moeten wennen. Ik heb me nog nooit door een vrouw laten trakteren.'

'Er valt voor ons allebei nog heel wat te wennen.' En tot haar eigen verbazing beviel die gedachte haar best.

Hoofdstuk 6

De volgende ochtend reed Sam naar Addie's om te ontbijten. Vóór hem reed een gehavende oude pick-up met hoge snelheid in de richting van het station. Hij herkende noch de pick-up, noch de jonge bestuurder. De jongeman stopte met piepende remmen, sprong uit de wagen en rende naar de trein, die al een waarschuwend gefluit liet horen. De jongeman sprong op de treden van een van de stalen wagons en nog voordat Sam was langsgereden, werden er twee koffers uit de trein gesmeten en sprong de jonge chauffeur weer op het perron, terwijl hij met één hand een andere jongeman bij zijn kraag hield.

Sam grinnikte. Een ruzie? Om een meisje? Twee broers die onenigheid hadden gekregen? Terwijl hij langsreed zag hij hoe de beide jongemannen zich bukten om de koffers op te pakken en hoe een van hen het stof van zijn kleren sloeg. Terwijl de trein langzaam het station uitreed zag hij in zijn achteruitkijkspiegel hoe zij samen naar de pick-up liepen.

Toen hij drie kwartier later aan de bar bij Addie's de laatste restjes van zijn ontbijt wegwerkte en aan zijn derde kop koffie begon, was hij het voorval alweer bijna vergeten. Plotseling voelde hij een hand op zijn schouder. Iemand zei: 'Ben jij van de Flying Doctors?' Toen hij zich omdraaide, zag hij de stoffige jongeman voor zich staan die hij die ochtend achter het stuur van de pick-up had gezien.

'Ik ben Conway Sellars,' zei de jongeman. 'Wij hebben een dokter nodig op de ranch van mijn vader, in Kimundra.'

Sam keek de jongen aan. 'Wat is er aan de hand?'

'Mijn zus staat op het punt een baby te krijgen. We hebben dringend een arts nodig.'

Aha. De knaap die van de trein was geplukt was dus op de vlucht geweest voor het vaderschap.

'Mijn vader heeft me gevraagd om onderweg naar Kimundra

een arts te zoeken en dominee McLeod op te pikken, die is op het ogenblik bij de Dexheimers.'

Sam trok een landkaart uit zijn broekzak.

'Ik moest er namens mijn vader nog speciaal bij zeggen dat er naast ons huis een vlak stuk land ligt waar je goed op kunt landen. En hem moeten we ook meenemen.' Hij knikte in de richting van de jongeman die hij uit de trein had gesleurd.

Oké. Hijzelf, Cassie, de geestelijke en deze twee jongens. Dat kon het vliegtuig makkelijk aan, zolang er geen bagage was en de zuurstoftank niet mee hoefde.

'Wanneer moet de baby komen?' vroeg Sam, terwijl hij van de hoge barkruk afstapte.

'Elk moment.'

'Oké, dan gaan we de dokter halen.' Sam gooide een bankbiljet op de bar en zwaaide naar de serveerster.

Terwijl hij, gevolgd door de beide jongemannen in hun eigen wagen, naar Cassie reed, moest Sam inwendig lachen. Als ze het nu al zo druk hadden, hoe moest het dan wel niet gaan wanneer ze officieel met hun werk begonnen?

Cassie kwam in haar ochtendjas naar de deur, haar haar in de war en met de slaap nog in haar grijze ogen. 'O, Sam,' mompelde ze, terwijl ze de ochtendjas wat dichter om zich heen trok. 'Hoe laat is het? Ik heb geslapen als een...'

'Schiet op,' zei hij. 'Ze hebben je nodig bij een bevalling en het is een paar uur vliegen hiervandaan.'

Binnen een kwartier stond ze klaar en in die tijd had hij de vrijheid genomen een pot koffie te zetten in Fiona's keuken. Hij schonk de zwarte, sterke, dampende koffie in de thermoskan die hij altijd in de auto had liggen en zat al achter het stuur toen zij met haar dokterstas en zonnebril naar buiten kwam rennen.

'Geen hoed?' Hij trok zijn wenkbrauwen op.

Ze gooide haar tas in de wagen en rende weer naar binnen. Binnen enkele ogenblikken was ze weer terug.

'Wie zijn die twee jongens in de auto achter ons?'

'De één is helemaal hiernaar toe komen rijden vanaf een ranch ergens in het zuiden. Hij kwam de stad binnenracen en sleepte die andere knaap op het laatste nippertje uit de trein. Daarna hebben ze mij gevonden in de pub en vertelde die jongen achter het stuur me dat zijn zus op het punt staat een baby te krijgen. Ik vermoed dat die ander de benen had genomen om onder een gedwongen huwelijk uit te komen. De vader van het meisje heeft gevraagd of we onderweg dominee McLeod willen oppikken.'

'Dominee Flynn heeft me over dominee McLeod verteld. Hij verbindt mensen in de echt...'

'...en doopt soms nog dezelfde dag hun baby's.'

Zij wierp hem een zijdelingse blik toe.

'Nou ja, in de meeste plaatsen komt hij maar zo eens in de anderhalf, twee jaar. Het is zo'n groot gebied.' Hij legde de nadruk op het woord *groot*. 'Soms is hij het enige menselijk wezen dat de bewoners van een ranch in een jaar tijd te zien krijgen. Hij doet ook begrafenissen, soms zelfs wanneer de persoon in kwestie al meer dan een jaar dood is. Het gebeurt wel dat hij het ene moment nog een dienst staat te houden op de veranda van een boerderij om even later zijn mouwen op te stropen en te helpen bij het repareren van een vrachtwagen of een kapotte windmolen. Ik ken geen plek in dit land waar hij niet welkom is. Hij is niet iemand die God vooropstelt en de mensen op de tweede plaats laat komen. Voor zover ik weet is hij een uitzonderlijk goed mens. Ik denk dat de vader van het meisje zijn kleinkind wil laten dopen en meteen zijn dochter wil laten trouwen.'

Alvorens naar het vliegveld te gaan, reed Sam langs het basisstation. Hij sprong uit de wagen. 'Blijf jij maar zitten. Ik ga even tegen Horrie zeggen waar we naar toe gaan.'

Hij kwam meteen weer terug. 'Horrie moest alleen maar lachen. Hij zegt dat we eraan moeten geloven, of we nu al van plan waren om te beginnen of niet.'

De jongemannen staarden vol bewondering naar het vliegtuig. Ze liepen eromheen en stonden er met open mond naar te kijken.

Terwijl Sam met Pete overlegde, liep Cassie naar hen toe. 'Vertel me eens iets over de vrouw die de baby gaat krijgen.'

'Mijn zus,' zei Con, met zijn lichtblauwe ogen nog steeds op het vliegtuig gevestigd. Hij knikte naar de andere jongen, die kennelijk meer geïnteresseerd was in het vliegtuig dan in zijn aanstaande vaderschap. 'Hij wordt mijn zwager.'

'Zijn de weeën al begonnen?'

'Dat niet,' antwoordde hij en schudde zijn hoofd. 'In elk geval nog niet toen ik eergisteravond vertrok.'

Sam en Pete begonnen het vliegtuig uit de hangar te duwen. 'Klim er maar in,' zei Sam, terwijl hij de trap omlaag trok. 'Ik kan wel wat hulp gebruiken. We moeten twee extra stoelen aan de vloer verankeren. Dit toestel is berekend op vier passagiers, dus dat is precies genoeg. Kom op, jongens, werk aan de winkel.'

Het was een ochtend waar een kunstschilder van zou smullen. De hemel was kobaltblauw en toen het toestel opsteeg, zag Sam de rode aarde, hier en daar bespikkeld met donkergroene bomen, onder zich. Hij zuchtte. Het leven was goed. Hij riep over zijn schouder naar Cassie: 'Nu krijg je een heel ander landschap te zien dan gisteren. We gaan naar het zuiden, schapenland. Je ziet er veel minder bomen. Schapen kunnen met minder vegetatie toe dan koeien,' legde hij uit, ervan uitgaand dat een echt stadsmens zoiets vast niet wist.

Hij zag haar af en toe iets opschrijven in een klein notitieboekje terwijl ze uit het raampje keek. Hij glimlachte. Zij ging ook proberen herkenningspunten te lokaliseren. Goed zo, doc.

Hij draaide zich om om de andere twee passagiers te kunnen zien. Con en zijn aanstaande zwager tuurden uit het raampje. Sam had met de jongeman te doen. Je zit eraan vast, vriend, dacht hij. Het leek niet helemaal eerlijk. Met een meisje te moeten trouwen met wie hij misschien alleen maar een keer een leuke avond had gehad. De rest van je leven moeten doorbrengen met iemand die je amper kent, louter en alleen omdat jouw sperma die avond toevallig in aanraking was gekomen met haar eicel. Die knul had gewoon voorzichtiger moeten zijn. Had waarschijnlijk in de verre omtrek nergens condooms kunnen krijgen. En de menselijke natuur laat zich nu eenmaal niet gemakkelijk bedwingen. Kwestie van boffen dat het mij nooit is overkomen, dacht hij. Maar toch wel degelijk iets om bij stil te staan. Zorg dat je te allen tijde op alles bent voorbereid.

Ho, hou die dunne streep in de gaten die telkens lijkt te verdwijnen. Als het goed is, is dat de weg die naar de boerderij van Dexheimer voert. Voorbij een groepje mulga's langs een droge rivierbedding, vervolgens een haarspeldbocht en dan nog een kilometer of vijf...

Hij had overal wel kunnen landen, zo vlak was het. Er liep een paadje door het struikgewas en terwijl hij tot stilstand kwam, kwamen een man en een vrouw aangerend uit het nabijgelegen huis, dat omgeven was door een schutting om het opwaaiende zand tegen te houden. De vrouw veegde haar handen af aan een met meel bespikkeld schort, dat zij over een vale jurk droeg. De man was breedgeschouderd en van gemiddelde lengte. Hij droeg een wit overhemd met opgerolde mouwen en gewone schoenen, geen laarzen zoals iedereen hier droeg. Sam vermoedde dat hij de dominee was.

En dat was hij. Natuurlijk kon hij met hen meevliegen naar Kimundra, als ze hem ook maar weer terug zouden vliegen, want zijn auto stond hier. Hij vroeg hun even te wachten, zodat hij zijn hoed en nog wat spullen kon halen, want als hij een huwelijk en een doop moest inzegenen, had hij zijn ambtsgewaad nodig.

Zijn bruine ogen schitterden toen hij in het toestel klom. 'Nooit gedacht dat zo'n vogel nog eens speciaal zou neerstrijken om mij op te pikken.' Hij ging naast Cassie zitten. 'Een vrouwelijke arts?

Meen je dat nou?' Maar hij slaagde erin het niet als een belediging te laten klinken.

Sam steeg weer op en zette koers tegen de wind in. Hij kon slechts flarden van hun gesprek verstaan.

'Noem mij maar Don,' zei hij. 'Dat doet iedereen. De mensen hier doen niet zo formeel. Dat is een van de redenen waarom het me hier zo goed bevalt. Geen flauwekul.'

Ja, dacht Sam, dat is een ding dat zeker is. Hij bestudeerde het terrein. De enige weg die hij zag werd gevormd door sporen die waarschijnlijk in het zand waren getrokken door de ijzeren wielen van ossewagens. Golvende zandheuvels, kilometers en kilometers achtereen. Hier en daar een boerderij, omgeven door, zo op het oog, duizenden en duizenden schapen.

Hij keek recht voor zich uit de ruimte in; het leek wel of ze regelrecht op de zon af vlogen. Iets puurders bestaat er niet, dacht hij. Wanneer hij vroeger, als kleine jongen, omhoog had gekeken naar een vliegtuig dat zilverachtig schitterend door het luchtruim vloog, had hem dat het toppunt van vrijheid geleken. De ketenen van de aarde afschudden en helemaal alleen boven de beschaafde wereld vliegen, ver weg van valse schijn en spanningen en verantwoordelijkheden. Maar zo was het niet. Op dit moment was hij verantwoordelijk voor de levens van vier andere mensen in dit vliegtuig. En verder was hij deels verantwoordelijk voor de aanstaande moeder en haar nog ongeboren baby. Hij keek naar het prismatische kompas en knikte. Binnen een half uur konden ze er zijn. Hij ging wat gemakkelijker in zijn stoel zitten en trachtte vergeefs iets op te pikken van de conversatie in de cabine achter hem.

Ze arriveerden nog voor de middag en landden op het vlakke terrein naast de boerderij. Con had hem verteld dat zijn vader bezig was een landingsbaan aan te leggen, zodat de Flying Doctor altijd kon landen als dat nodig was. Ze hadden nog geen draadloze ontvanger, maar hoopten dat dominee McLeod die bij zijn eerstvolgende bezoek mee zou brengen. Ze werden bij de poort al opgewacht door drie jonge kinderen, in leeftijd ongeveer variërend tussen de acht en de dertien, die met grote ogen stonden te staren naar het vliegtuig in hun voortuin. Even later verscheen er een lange man, die naar het toestel kwam toegelopen toen Sam de deur opende.

De man keek naar binnen en zei tegen de geestelijke: 'Blij u te zien, dominee.' Vervolgens keek hij naar de jongeman wiens naam Sam nog niet kende – en bleef kijken.

Cassie greep haar tas. 'Ik ben de dokter. Ben ik nog op tijd?'

De grote man wilde iets zeggen, maar veranderde van gedachten. 'Mijn vrouw is nu bij haar. Het kind heeft veel pijn.'
Zonder op nadere uitleg te wachten, rende Cassie de vliegtuigtrap af, naar het huis.
Con en de dominee stapten ook uit. Sam volgde hen.
'Schiet op, uitstappen,' zei de grote man tegen de jongen, die zijn handen nog stijf om de stoelleuningen geklemd hield. 'Het is jouw baby die daarbinnen geboren wordt.'
Sam hoopte dat de knaap niet in tranen uit zou barsten. McLeod en Con liepen voor hem uit naar het huis. Plotseling hoorden zij een gil en tegen de tijd dat zij de veranda hadden bereikt deed het zachte gehuil van een baby de dominee glimlachen.
'Een nieuw schaapje voor Gods kudde,' zei hij.
Cassie had niet eens meer tijd gehad om haar handen te wassen of haar dokterstas open te maken.
De grote man, die met McLeod liep te praten, draaide zich om naar Con en zei: 'Vraag eens of iemand trek heeft in thee of koffie.'
Sam knikte. 'Koffie graag. Ik denk dat de dokter dat ook wel zal lusten.' Hij wendde zich tot de jongeman die zojuist vader was geworden. 'En me dunkt dat er bij jou ook wel een bakje koffie ingaat, nietwaar?'
De jongen knikte dankbaar. Sam onderdrukte de neiging een arm om zijn schouders te slaan. Hij had nog geen stom woord gezegd.
Op dat moment verscheen er een vrouw van een jaar of veertig in de deuropening van de slaapkamer. Haar vermoeide ogen glimlachten. 'Het is een jongen,' zei ze, terwijl ze de zwijgende jongeman aankeek. 'Je hebt een zoon. Als je wilt mag je zo meteen even naar binnen.'
Hij schudde zijn hoofd en keek naar de vloer.
'Hallo, Maude,' zei McLeod. 'Mag ik ook even naar binnen?'
'Natuurlijk, maar wacht even tot de dokter klaar is en we het bed hebben verschoond,' zei Maude. 'Millie wil je vast wel even zien.'
'Hoe is het met haar?' vroeg meneer Sellars.
'Ze is moe. Maar verder gaat het prima. De dokter verzorgt haar nu en onderzoekt meteen de baby.'
De vrouw liep naar de keuken.
De grote man zei: 'Don, ik wil dat er binnen tien minuten getrouwd wordt. Millie kan best vanuit haar bed trouwen. Daarna kun je de baby dopen. Heb je dat gehoord, knul?'
De jongeman keek diep ongelukkig en knikte. 'Ja meneer.'
'Ik zou me maar eens wat gaan opfrissen en zorgen dat je er netjes uitziet als je met mijn meisje wilt trouwen,' zei de vader.

De jongen stak zijn hand uit en trok Sam aan zijn mouw.
'Wil jij mijn getuige zijn?' vroeg hij.
'Hoe heet je?' grinnikte Sam.
'Tyler. Tyler Edison.'
'Nou, Tyler, ik vind het een hele eer. Natuurlijk wil ik je getuige zijn. Dat wordt dan mijn eerste keer.' Hij gaf de jongeman een stevige hand.

Toen hij weer opkeek stond Cassie in de deuropening, met een baby in haar armen die meer van een eekhoorntje weg had dan van een mensje. Cassie had iets zachts over zich, zoals een vrouw eruit hoort te zien. Even had Sam het gevoel dat zijn hart een slag oversloeg. Maar dat duurde maar heel even. Als ik getuige moet zijn, dacht hij, dan kan ik me beter ook maar eens gaan opfrissen.

Hoofdstuk 7

Fiona was nu zesentwintig en realiseerde zich dat ze kans liep een oude vrijster te worden. Toch besefte ze ook heel goed dat ze nu de tijd van haar leven had.

Vijf jaar geleden, toen ze hier pas was gearriveerd, was ze bereid geweest zich te vestigen en een gezin te stichten. Ze was zo krankzinnig tot over haar oren verliefd geworden, dat ze niet meer logisch kon denken, volkomen verblind als ze was door een hartstocht zoals ze die nog nooit had ervaren... en ook nooit meer zou ervaren.

Ze zou vast nog wel eens trouwen. Ze wilde graag kinderen, deel uitmaken van een gezin, maar het zou een huwelijk moeten zijn dat gebaseerd was op kameraadschap, niet op een overweldigende hartstocht die haar hele wezen in beslag nam.

Die allereerste keer had hij haar de kleren van het lijf gescheurd. Ze genoot van het gevoel van zijn huid tegen de hare en huiverde toen ze zijn hand tussen haar benen voelde en zijn tong langs haar tepels. Zijn wellust wond haar op en toen hij zachtjes in het zachte, gevoelige vlees aan de binnenkant van haar dij beet, spreidde zij haar benen. Haar tepels werden hard toen hij haar buik begon te likken en met zijn vingers tussen haar benen speelde.

'Mijn God, wat ben je mooi,' had hij gefluisterd.

Na twee maanden was er geen stukje van haar lichaam of haar geest meer dat hij niet kende en dat hij niet kon manipuleren om haar intens genot te schenken.

Toen hielden zijn bezoekjes opeens op. Wanneer ze hem zag knikte hij haar vriendelijk, maar onpersoonlijk toe. Een verschrikkelijk gevoel van verdriet en leegheid maakte zich van haar meester.

In haar wanhoop stortte zij zich in alle activiteiten die er in het plaatsje te beleven waren en nam zich heilig voor van nu af aan alleen nog maar betrokkenheid te voelen bij haar leerlingen. In de loop der tijd werd het verdriet minder, ook al hoopte ze nog steeds elk moment van de dag dat hij opeens weer voor haar zou staan. Wanneer ze voetstappen op de veranda hoorde schrok ze op en wanneer er ergens een telefoon rinkelde sloeg haar hart over. Na ongeveer een jaar was ze zover dat ze niet langer vierentwintig uur per dag hunkerde naar zijn aanraking, zijn stem, de blik in zijn ogen. Ze zwoer zich nooit meer op zo'n manier door een man te laten bezitten.

Dus, in plaats van haar hart voor één man te openen, opende ze het voor iedereen die in haar leven verscheen en werd het er zo druk dat er geen plaats meer was voor één speciale persoon. In vier jaar tijd had ze niet één keer alleen aan de maaltijd gezeten.

Toen had Steven Thompson haar van bijna vijfhonderd kilometer afstand opgebeld en haar verteld dat hij en andere veehouders John Flynn van de Flying Doctors hadden gevraagd een arts aan te stellen voor het immense gebied. De arts in kwestie zou gaan opereren vanuit Augusta Springs en nu had Flynn iets heel idioots gedaan – hij had een vrouwelijke arts aangesteld. Als vertegenwoordiger van alle veehouders in het gebied had Steven erin toegestemd de dame in kwestie een kans te geven, en nu moesten ze nog voor een dak boven haar hoofd zorgen. Hoewel hijzelf Fiona nog nooit had ontmoet, was een aantal van zijn collega's met de suggestie gekomen dat zij alleen woonde en het misschien wel goed zou vinden als de nieuwe dokter voorlopig bij haar in zou trekken. Voor de dokter zou het een mooie oplossing zijn.

Fiona aarzelde geen moment.

'Als het niet goed uitpakt,' zei Steven, 'kunnen we altijd nog een diplomatieke manier verzinnen om haar te laten verhuizen.' Fiona vond dat hij een prettige stem had.

'Zodra alles geregeld is, komen mijn vrouw en ik elke maand een keer langs voor FDS-bijeenkomsten en ik verheug me erop je te ontmoeten,' zei hij. 'Tot nu toe heb ik alleen nog maar positieve geluiden over je gehoord.'

'Ik heb uw zoon een paar keer ontmoet, op feestjes.'

Steven lachte. 'Dat geldt waarschijnlijk voor elke andere knappe meid binnen een straal van achthonderd kilometer.'

Ja, die reputatie had zijn zoon.

En nu was Fiona blij dat ze met het voorstel had ingestemd. Sinds haar kinderjaren in Ierland had ze geen hartsvriendin meer gehad, iemand tegen wie ze alles kon vertellen, iemand om gek mee te doen, iemand die op dezelfde... nou ja, op dezelfde golflengte zat. En met Cassie zag ze het helemaal zitten.

Ze hadden een picknickmand ingepakt en liepen door de koele avond naar het stromende beekje, naar een plekje aan de zanderige waterkant, onder een aantal reusachtige eucalyptusbomen, waarvan de takken heen en weer wiegden in het zachte briesje.

'In de regentijd is dit soms een woeste, kolkende stroom,' zei Fiona tegen Cassie.

'Dat kan ik haast niet geloven.'

'Je zult het zien.' Ze gingen er lekker bij zitten met hun aardappelsalade en hardgekookte eieren en koude kip en potjes olijven en augurken en flesjes cola, om elkaar de geschiedenis van hun leven te vertellen.

Het was onvoorstelbaar, vonden ze, hoeveel ideeën en opvattingen zij met elkaar gemeen hadden.

'Toen ik hier pas woonde miste ik vooral groen om me heen. Maar ik kwam er algauw achter dat ik het toch wel fijn vond dat hier elke dag de zon schijnt. Het is een keuze die je maakt.' Fiona plukte een grasssprietje en streek er glimlachend mee langs haar wang. 'Een keuze tussen groen onder en grijs erboven of blauw boven en goud eronder.'

'Goud?' Cassie schoot in de lach. 'Bruin zal je bedoelen.'

'Dat hangt ervan af of je ervan houdt of niet. Ik kan me niet voorstellen ooit nog ergens anders te willen wonen. Mijn familie vraagt in brieven vaak genoeg wat er in hemelsnaam te doen is in zo'n klein stadje midden in de rimboe, maar ik weet alleen dat ik het altijd druk heb. Ik verveel me hier geen moment. Ze snappen niet waarom ik zo ver weg wilde gaan wonen.'

'En waarom heb je dat gedaan?'

'Gewoon, vanwege de uitdaging. Het spannende van een geheel nieuwe omgeving. Ik hou niet van grote steden, en Ierland, och, ik weet het niet. Het leek allemaal zo vertrouwd, hoewel de mensen er beslist even aardig zijn als hier. Maar het ligt zo geïsoleerd. Het is ingesloten, alsof er geen toekomst is. Ik voelde me opgesloten tussen grijze luchten en stenen muren. En hier,' ze maakte een weids gebaar met haar arm, 'word ik niet gebonden door tradities en gebruiken – het is allemaal zo nieuw en leuk. Overal in de stad ben ik welkom. En op een dag wil ik ook nog wel eens het platteland verkennen, hoewel ze dat hier natuurlijk heel anders noemen.'

'Misschien kun je eens met ons meevliegen, als we tijdens een weekend worden opgeroepen.'

Fiona's ogen schitterden. 'Dat lijkt me geweldig. Ik heb nog nooit gevlogen en ik wilde het al toen ik heel klein was. Ik hou gewoon van alles wat nieuw is en anders...'

'En een beetje gevaarlijk?' viel Cassie haar in de rede.

'Je slaat de spijker op z'n kop.' Ze ging op haar hurken zitten, sloeg haar armen om haar knieën en keek naar Cassie. 'En jij?'

'Twintig jaar lang,' begon Cassie, 'zag ik nooit meer van mijn geboorteland dan drie weken in de zomer, wanneer mijn moeder en ik bij mijn grootouders gingen logeren.'

Haar vader had carrière gemaakt in de diplomatieke dienst. Zijn eerste standplaats, toen zij zes jaar was, was in San Francisco geweest, waar zij voor het eerst naar school was gegaan. De andere kinderen hadden haar uitgelachen en gezegd: 'Wie wilde er beweren dat Australiërs ook Engels spreken?' Ze had heel erg haar best gedaan om Amerikaans te klinken. Haar ouders vonden het heerlijk in San Francisco, waar haar vader consul was. Zij had verlangd naar Sydney en het grote Victoriaanse huis van haar grootouders, met het rode dak en uitzicht op de haven en kinderen die net zo praatten als zij en die spelletjes speelden die zij ook kende. Zes jaar later, net toen zij helemaal veramerikaanst was, net toen zij de achtenveertig staten beter kende dan haar klasgenoten, net toen zij Amerikaanse uitdrukkingen beter beheerste dan de Australische die ze al bijna vergeten was, werd haar vader overgeplaatst naar Londen.

Daar spraken ze weer op een heel andere manier Engels. Cassie raakte gedeprimeerd van het grauwe weer en de koude, vochtige winters. Zelfs haar moeder klaagde over het feit dat dit klimaat, zonder centrale verwarming, haar winterhanden en -voeten bezorgde. Na Australië en Amerika vond ze de Engelsen vreselijk stijfjes en vormelijk. Bij hen stonden tradities in hoog aanzien, terwijl de twee andere landen zich juist afzetten tegen autoriteit. Zij voelde zich niet thuis in Londen en vond het verschrikkelijk toen ze naar een kostschool werd gestuurd, waar ze haar ouders alleen nog maar in de weekends zag.

Toen ze erover klaagde, streelde haar moeder haar over haar haar en zei: 'Kom, kom, lieverd, het onderwijs zit hier nu eenmaal anders in elkaar. Er zijn hier eigenlijk geen goede dagscholen. Voor een goede opleiding moet je hier naar een kostschool. Je weet dat je vader ook op een kostschool heeft gezeten, toen hij in de Outback woonde. Een andere manier om iets te leren was er niet. In Engeland zijn kostscholen de enige goede scholen, lieverd. De meeste kinderen gaan zelfs in de weekends niet naar huis.'

Dat wist Cassie. En ze wist ook dat haar ouders 's avonds altijd uitgingen wanneer zij een weekend thuis was. Voor het diplomatieke corps zat het weekend nu eenmaal altijd vol met afspraken. Er was altijd wel een ambassade waar een of ander feest werd gehouden. Haar ouders werden altijd uitgenodigd om te komen dineren bij allerlei belangrijke mensen. Maar de zondagen waren voor het gezin, tenzij haar vader moest meehelpen bij het oplossen van de een of andere crisis. Op zondag maakten ze met z'n drieën autoritjes en verkenden het platteland in de omgeving van Londen. Op de terugweg stopten ze dan altijd in een dorpje om in een pub wat te gebruiken. 'Zo leer je de echte bevolking pas goed kennen,' had haar vader dan altijd gezegd.

Zij verafschuwde de nierpasteitjes waar hij zo dol op was, maar ze genoot van zijn gezelschap. Hij was grappig en ad rem en charmant. Haar moeder was heel mooi en zei meestal niet zoveel. Cassie had haar ouders nooit ruzie horen maken; nog nooit had ze meegemaakt dat haar moeder het niet met haar vader eens was, behalve dat ze hem af en toe vertelde dat hij te hard werkte. Vaak vroeg Cassie zich af hoe haar moeder erin slaagde altijd maar haar mond te houden. Had zij dan helemáál geen eigen mening? Haar moeder lachte om haar vaders grapjes, ook al had zij ze al honderd keer gehoord.

De hoogtepunten in Cassies leven hadden zich afgespeeld aan boord van schepen en bij haar grootouders thuis. Ze hield van de zomers. Ze genoot van de reizen die zij en haar moeder maakten, eerst van San Francisco naar Sydney en later vanuit Londen, via het Suezkanaal en de Indische Oceaan. Verscheidene keren had hun schip een dagje aangelegd in Bombay en Calcutta en hadden Cassie en haar moeder daar door de straten gezworven, ook al was hun verteld dat dit gevaarlijk kon zijn. Zij dineerden in elegante restaurants en haar moeder kocht stof voor een sari, die ze later droeg bij officiële gelegenheden in Londen.

Haar moeder was 's zomers een heel ander mens – ze lachte meer en leek jaren jonger. Ze zei tegen Cassie dat ze eens over een beroep moest gaan nadenken.

'Laat je horizon niet begrenzen door je te binden aan een man,' had ze gezegd.

'Ben jij niet gelukkig dan?'

Haar moeder had haar een snelle blik toegeworpen, maar uit haar ogen viel niets af te lezen. 'Natuurlijk wel. Maar jij behoort tot een nieuwe generatie. Jij hebt meer mogelijkheden dan je leven te leven via een man en kinderen.'

Cassie was veertien en wist niet precies wat haar moeder bedoelde.

Toen Cassie zestien was, had haar moeder kanker gekregen en Cassie had toegekeken hoe zij wegteerde en hoe haar van pijn vervulde ogen zich een weg vraten naar Cassies hart. Er was niets aan te doen. Het was zelfs niet mogelijk de ergste pijn te verlichten. Morfine was het enige hulpmiddel.

Op een dag had haar moeder Cassies hand gepakt en met zwakke stem gezegd: 'Wat ik het ergste vind is dat ik jou moet verlaten. Ik zal er niet bij zijn om te zien hoe jij slaagt in het leven. Ik zal er niet zijn om je aan te moedigen. Ik zal er niet zijn om... o, Cassie, ik zal er niet voor je zijn,' waarna zij in tranen was uitgebarsten.

'Zal ik je eens iets vertellen, mama? Ik wil dokter worden. Ik ga ervoor zorgen dat mensen niet meer zoveel pijn hoeven lijden als jij en ik ga mensen helpen zich beter te voelen.'

Haar moeders ogen begonnen te glanzen. 'Dokter? Mijn dochter, dokter? O, ik zie geen enkele reden waarom dat niet zou kunnen. Je kunt alles worden wat je wilt. Wat geweldig! Dokter. Prachtig. O, ja, dat vind ik prachtig.'

Vanaf dat moment had Cassie nooit meer getwijfeld. Zeker niet na het overlijden van haar moeder en zelfs niet toen haar vader had geprobeerd haar op andere gedachten te brengen.

Inmiddels was hij benoemd tot ambassadeur van de Verenigde Staten en waren zij samen in een huis in Georgetown getrokken dat veel te groot voor hen was. 'Nu ja, daar hoeven we verder niet over in discussie te gaan,' zei hij. 'Vrouwen worden geen dokter, Cassie. Laat dat nu maar eens goed tot je doordringen. Maar je moet zeker gaan studeren – dat hebben we altijd voor je gewild. We zullen proberen of je toegelaten wordt tot de universiteit van Georgetown, zodat je bij mij kunt blijven wonen. Je was toch niet van plan mij alleen te laten, hè?'

Nee, dat was ze niet van plan. En tot haar vaders verbijstering maakte ze moeiteloos en met prachtige cijfers haar opleiding af. Haar moeder zou er niet vreemd van hebben opgekeken.

's Zomers bezocht ze in haar eentje haar grootouders. Ze maakte de vijfdaagse treinreis naar San Francisco en genoot van elke minuut van de tien dagen die het schip er vervolgens over deed om Sydney te bereiken. Elke zomer beleefde ze een kortstondige, niet al te opwindende romance – het was de enige keer in het jaar dat zij mannen op die manier toeliet in haar leven. Zij had zich al lang geleden voorgenomen zich niet door een man of een huwelijk van haar doel te laten afhouden. Maar van de kleine romances aan boord kon ze wel genieten, want die eindigden zodra het schip de haven van Sydney binnenliep.

Het grote Victoriaanse huis van haar grootouders, met de vier verdiepingen en de rijk versierde daklijsten, was de enige plek waar Cassie zich ooit had thuis gevoeld. Het was het enige in haar leven dat nooit veranderde. Het was de plek waar zij onvoorwaardelijke liefde vond, ook al werd niet alles wat zij deed goedgekeurd. Het enige dat haar beide grootouders absoluut niet goedkeurden, was haar besluit om arts te worden.

'Dames zitten niet aan mannenlichamen,' fluisterde haar grootmoeder met een blik vol weerzin.

'En mannen die vrouwenlichamen onderzoeken dan?'

'Dat is heel iets anders.'

Maar zij slaagden er niet in haar van haar voornemen af te brengen. Op een middag nam haar grootvader haar mee naar zijn broeikas en zei tegen haar: 'Wat jij moet doen is naar huis komen en eens een paar aardige jongemannen ontmoeten. Je hebt veel te lang in het buitenland gezeten.' Hij was in de weer met een pincet en probeerde een kruisbestuiving uit te voeren op een orchidee. Sinds hij met pensioen was gegaan, was het kweken van orchideeën zijn grote passie.

'Ik ben ook van plan om naar huis te komen, opa, maar niet om te trouwen.' De herinnering aan haar moeder, die zoveel maanden lang pijn had moeten lijden, was voortdurend aanwezig.

Toen ze net vijfentwintig was studeerde ze af aan de Johns Hopkins-universiteit. Het waren vier zware jaren geweest. Ze had zich gedwongen gevoeld beter te presteren dan de mannen om te bewijzen dat vrouwen niet voor mannen onderdeden. Ze hadden obscene grappen met haar uitgehaald. Bij de colleges anatomie was zij het mikpunt van ieders spot geweest. Zelfs de meeste docenten behandelden haar alsof ze er niet thuishoorde. Maar zij konden haar niet tegenhouden. Bij haar afstuderen behoorde zij tot de besten van haar klas, maar het was een moeizame tijd geweest. De mannen om haar heen waren wreed en onvriendelijk en hongerden naar macht. Zij maakten haar duidelijk dat zij inbreuk maakte op wat zij beschouwden als een mannenwereld.

Er zat nog een vrouw in haar klas en zij werden vriendinnen omdat zij hetzelfde doel voor ogen en dezelfde problemen hadden, maar verder hadden zij totaal niets met elkaar gemeen. Op de dag dat Cassie afstudeerde, zei ze tegen haar vader: 'Ik ga terug naar Australië.' Naar huis.

Maar inmiddels waren haar beide grootouders overleden.

Haar vader belde Norm Castor. Hij deed een goed woordje voor haar en bovendien had ze haar onberispelijke resultaten van Johns Hopkins. Cassie bracht een half jaar door in het Victoria Lying-In Hospital, waar zij bevallingen leidde en keizersnedes uitvoerde. Daarna regelde dr. Castor een overplaatsing voor haar naar de eerstehulpafdeling van het Melbourne Hospital.

Cassie merkte dat zij een vreemdeling was in haar eigen land. Na twintig jaar in het buitenland te hebben doorgebracht, sprak zij niet als een Australische, was ze er niet aan gewend aan wat zij beschouwde als de verkeerde kant van de weg te rijden, en dacht zij niet eens als een Australische. Ze was eerder Amerikaanse dan Australische, maar zou nooit een Amerikaanse zijn omdat ze een Australische was. Ze vroeg zich af of ze ooit ergens thuis zou horen...

Ze vertelde Fiona over Ray Graham.

Fiona's enige reactie was: 'Dan kunnen we elkaar een hand geven, meid. Het overkomt ons allemaal. Je komt er wel overheen.'
Hetgeen voor haar een bewijs was dat Fiona er niets van begreep.

Hoofdstuk 8

Cassie mocht Horrie vanaf het eerste moment dat zij hem zag. Hij was een stevig gebouwde man met kastanjebruin haar, van net even in de dertig. Hij werkte in een klein gebouwtje, met drie kamers en een aluminium dak waarin, zoals hij zelf zei, 'een keteltje water 's zomers helemaal vanzelf begint te koken'. 'Dit is het zenuwcentrum van de Augusta Springs Flying Doctor Service,' zei hij, niet zonder trots.

Ze zaten voor zijn radioapparatuur. 'Op dit moment is het nog maar bij zesendertig ranches mogelijk om met een vliegtuig te landen. Enkele andere hebben radio's en zijn bezig met het aanleggen van landingsbanen. Ik weet niet hoeveel er verder nog zijn die niet eens van ons bestaan af weten, want die beschikken over geen enkele mogelijkheid tot communicatie, totdat zij een keer naar de stad komen of een buurman tegenkomen, die over het algemeen minstens een paar honderd kilometer verderop woont. Voor hen zal het wel even duren voordat ze eraan beginnen. Sommigen kunnen zich ook gewoon de arbeid en het materiaal niet veroorloven om een landingsbaan aan te leggen.'

Alle oproepen kwamen via hem binnen. Alle contacten met mensen binnen een straal van zevenhonderd kilometer, een gebied nog groter dan heel Frankrijk, kwamen binnen in dat kleine huisje van hem, dat lag te bakken in de zon. Het had niet eens die typische Outback-veranda eromheen, alleen een soort luifel aan de voorkant. Het lag zo'n tweeëneenhalve kilometer ten noordwesten van de stad, op een plek waar Horrie zo min mogelijk last zou hebben van storingen op de kortegolf.

'Hoe nemen mensen contact met ons op?' vroeg Cassie.

'Vroeger door middel van morse,' antwoordde Horrie, terwijl zijn sigaret uit zijn mondhoek bungelde, 'maar er waren te veel mensen die dat niet onder de knie kregen. Vervolgens vond ene Alf Traeger een typemachine uit die gewone getypte letters omzet in morse – briljante man. Tegenwoordig gaat het telefonisch. We hebben driemaal daags een vast tijdstip – om acht uur, elf uur en nog eens om kwart voor vijf – waarop we alle vaste adressen opbellen om te vragen of er nog iemand dringend om hulp of goede raad verlegen zit. Dat doe ik ook als jullie er niet zijn. Over het algemeen zijn het vragen die je gemakkelijk zult kunnen beantwoorden, wat je tegen een verkoudheid moet doen of tegen een zere keel, of misschien wel een steekwond.' Hij lachte. 'Die zal je vaak genoeg tegenkomen.'

'En als iemand midden in de nacht dringend hulp nodig heeft?' Cassie keek naar de radioapparatuur en vroeg zich af of ze daar ooit iets van zou begrijpen.

'Die zal moeten wachten. We moeten gelijk op elkaar zijn afgestemd om met elkaar te kunnen praten. Trouwens, 's nachts kunnen jullie toch niet vliegen. Als we denken dat een noodgeval moet worden besproken, kunnen we een bepaald tijdstip afspreken waarop we met elkaar kunnen praten. Dan zeg ik bijvoorbeeld "bel om zeven uur terug" en dan blijf ik hier op dat telefoontje zitten wachten.'

'En als wij dan net weg zijn voor een consultatievlucht of als ik er om een andere reden niet ben?'

'In het vliegtuig is apparatuur aanwezig waarmee wij met elkaar kunnen praten en ik kan boodschappen doorgeven. Ik kan je zelfs doorverbinden met een van de verpleegsters van de veldhospitalen of met een ranch, zodat je indien nodig noodinstructies kunt geven. En als je al bij een andere patiënt bent geroepen, kan ik je doorgeven waar je naar toe moet.'

Sam leunde met zijn stoel tegen de muur, zodat de voorpoten van de grond kwamen en had zijn honkbalpet zoals gewoonlijk achterstevoren op zijn hoofd. 'Ik stel voor dat we er voorlopig niet meer dan tweemaal per week opuit gaan om spreekuur te houden, net zolang tot we een beetje op orde zijn en een idee hebben hoe alles ongeveer gaat lopen.'

Cassie knikte. Ze droeg een goed zittende, lichtbruine gabardine broek, een roze katoenen blouse en hoge rijlaarzen. Haar nieuwe Stetson had ze op een stoel gegooid.

'Hoe komen al die mensen te weten dat wij er klaar voor zijn om op vaste tijden te gaan vliegen?' vroeg zij aan Horrie.

Sam voegde eraan toe: 'Hoe kunnen we ooit vaste tijden aanhouden als we het al zo druk hebben terwijl we nog niet eens officieel begonnen zijn?'

Horrie lachte. 'Betty komt hier over een dag of tien aan, precies wanneer we officieel van start gaan. We willen meteen trouwen. Ik ken hier verder nog niemand, dus ik zou het op prijs stellen als jullie onze getuigen zouden willen zijn.'

Cassie voelde zich buitengewoon vereerd.

'Ik moet natuurlijk voortdurend in de buurt van de radio zijn, dus misschien kan ik hier een tijdje blijven wonen.'

Zij keek om zich heen en had nu al medelijden met de bewuste Betty.

'Betty is van plan te leren hoe ze met de radio om moet gaan, zodat ze het af en toe van mij kan overnemen.'

De voorpoten van Sams stoel raakten de vloer.

Horrie zei: 'Ik zal vragen of een aantal van de grotere ranches ons spreekuren wil laten draaien. We zien wel hoe het allemaal gaat lopen. Ik denk dat ze ervoor in de rij zullen staan. En verder bezoeken jullie natuurlijk regelmatig de veldhospitalen.'

Cassie voelde een rilling over haar rug lopen. Ondanks het troosteloze landschap voelde zij de opwinding van een nieuwe uitdaging door haar lichaam suizen.

Horrie scheen haar zonder meer te accepteren. In tegenstelling tot Sam. Sam wist precies hoe hij moest omgaan met de mooie, jonge meisjes die in zijn donkere ogen staarden en plagerig naar hem glimlachten en hem uitdaagden hen te kussen en in zijn armen te nemen. Wat hij met die vrouwen moest beginnen wist hij wel, dacht Cassie, maar wat hij met haar aan moest, dat wist hij eigenlijk niet. Hij deed net alsof een denkend menselijk wezen en een vrouw twee heel verschillende dingen waren. Niet dat hij zoiets had gezegd, of dat hij niet alles deed om haar te helpen, maar er bestond een soort spanning tussen hen. Cassie wist dat hij vrouwelijke artsen maar niets vond... en hetzelfde gold voor vrouwelijke advocaten, of ingenieurs, of piloten of vrouwen in enig ander beroep dat van oudsher aan mannen was voorbehouden. Hij was beleefd genoeg. Maar waarom kon hij niet meer op Horrie lijken? Open, warm en vriendelijk.

Sam en dr. Adams. Nu reeds twee nagels aan haar doodskist.

'Nou, dat was me het avondje wel,' zei Cassie, terwijl zij de borden afdroogde die Fiona afwaste. Zij hadden zojuist een feestje gegeven voor de bestuursleden van de Flying Doctor Service, die in Augusta Springs bijeen waren gekomen om kennis te maken met Sam en Cassie en de juiste werkwijzen te bespreken.

'Ik ben er in elk geval niet slechter van geworden,' zei Fiona, terwijl ze met één arm, handen vol met sop, haar vochtige voorhoofd afveegde. 'Erelid van het bestuur!'

'Ja,' zei Cassie. 'Hoe komt het dat er geen vrouwen in zitten?'

Fiona draaide zich met opgetrokken wenkbrauwen naar haar om. 'Heb je nu werkelijk geen idee?'

'Je bedoelt omdat het een mannenwereld is?' Cassie reikte omhoog om een paar kopjes in het keukenkastje te zetten.
'Nu we het toch over mannen hebben, wat vond je ervan?'
'Wat vond ik waarvan?'
'Van de mannen hier. God, die Steven Thompson is geweldig. Hij mag dan vijftig zijn, maar hemeltjelief!'
Cassie glimlachte. 'Je hebt gelijk, en zijn vrouw vond ik ook heel aardig. Ze is beeldschoon.'
'Net als hun zoon. Hij is de hartenbreker van de streek. Palmt ze in en kijkt er niet meer naar om, en toch ken ik volgens mij geen meisje dat er niet haar hele ziel en zaligheid voor over zou hebben om met hem te dansen, al was het maar één keer.'
'Zó goed kan niemand zijn.'
Fiona liet het afwaswater weglopen. 'Daar kom je nog wel achter. Maar papa zag ik wel zitten. En ik ben het met je eens dat mevrouw Thompson er ook mag wezen. De Thompsons zijn de grote landeigenaars, de machtigste mensen hier in de omgeving. Ik heb begrepen dat hun landgoed, Tookaringa, fantastisch moet zijn. Iets van twintig of veertig miljoen vierkante kilometer.'
Cassie wist dat Fiona overdreef, maar de bedoeling was duidelijk. 'Ik had het idee dat ze me accepteerden, ook al waarschuwden ze me ervoor dat ik nog wel problemen zou krijgen met de mannen in de streek.'
'Ik heb nog nooit meegemaakt dat een waardevolle relatie tussen mannen en vrouwen níet gecompliceerd was,' zei Fiona, terwijl zij een theedoek pakte om Cassie te helpen. 'Volgens mij zijn er wel heel wat litertjes drank doorheen gegaan vanavond. Jij bent anders wel een bofkont, dat je gaat samenwerken met mannen als Horrie en Sam.'
'Horrie en Sam zijn gewoon mensen met wie ik werk. Ik zie ze niet... op *die* manier.'
'Ik ben zesentwintig en mijn hormonen razen door mijn lijf,' giechelde Fiona. 'Aantrekkelijke mannen zie ik altijd op *die* manier. En Sam en Horrie zijn beslist aantrekkelijk – niet dat Horrie net zo sexy is als Sam, maar hij is verschrikkelijk aardig.'
'Sam, sexy?' Cassie hing de theedoek aan een haakje.
'Och, kom nou. Dat ziet toch elke vrouw. Alleen al die prachtige, soepele manier van lopen van hem. Hij ziet eruit alsof hij je elk moment op het eerste het beste bed kan gooien. Wanneer hij praat kijkt hij je recht in de ogen, maar je hebt het idee dat hij in gedachten bezig is je uit te kleden. Bij mannen gedraagt hij zich heel anders. Zonder flauwekul. Hij is echt een man die zich op zijn gemak voelt in gezelschap van mannen – met mannen is hij zichzelf, maar met vrouwen flirt hij schandalig.'

'Met mij niet.'
'Hij zal wel bang van je zijn. Je bent per slot van rekening arts. Ik heb zo'n idee dat hij bij jou op veilige afstand blijft. Maar zou je hem niet eens kunnen vertellen dat ik niet altijd zo serieus ben? Ik zou me best met hem kunnen vermaken.'
'O, Fiona, volgens mij heb je te veel gedronken.'
'Nou, ik zeg niet dat je meteen met ze het bed hoeft in te duiken, maar zat er dan helemaal geen man bij van wie je dacht: daar zou ik wel eens mee willen, nu ja, je weet wel...?'
Cassie glimlachte. 'Don McLeod. Dat vind ik nog eens een echte man. Jammer dat juist *hij* gaat trouwen. Hij gaat volgend jaar terug naar Adelaide om met het meisje te trouwen met wie hij al drie jaar verloofd is. Ze hebben elkaar al anderhalf jaar niet gezien.'
'Nou, wat let je?'
'Nee,' antwoordde Cassie, terwijl zij de woonkamer inliep en zich in een stoel liet neerploffen. 'Zo is hij niet. Bovendien heb ik helemaal geen behoefte aan dergelijke dingen. Maar hij is een van de fijnste mannen die ik ooit heb ontmoet, hier of ergens anders. Hij straalt gewoon liefde uit.'
'Maar geen seks?' Fiona ging op de bank liggen. De asbakken schoonmaken en de lege bierflesjes weggooien kwam morgen wel. Het was een echte knalfuif geweest. Niemand, dacht Fiona, kon beter feestvieren dan de Australiërs.
'Ja, sexy is Don ook wel. Maar volgens mij is hij heel trouw aan zijn vriendin. Nee, hij is gewoon iemand die van mensen houdt. Zelf ben jij ook zo iemand, weet je.'
'En jij bent zeker arts geworden voor het grote geld?'
Cassie kon haar ogen amper openhouden. 'Ik ben al net zo als jij en Don. Ik was ook iemand die de mensheid wel eens eventjes zou gaan redden.'
'Hoor ik daar een verleden tijd?'
'Oké, oké, ik denk nog steeds dit geografische gedeelte van de mensheid te gaan redden. Maar voor mij lag het allemaal wat moeilijker. Ik moest ook nog eens bewijzen hetzelfde te kunnen wat mannen doen.'
'Waarom? Ik ben blij dat ik een vrouw ben. Althans, wanneer ik niet verliefd ben. Verliefd zijn is vreselijk.'
Cassie stond op. 'Fiona, beste meid, daar ben ik het helemaal mee eens. Verliefd zijn is vreselijk. En nu ga ik naar bed.'

De volgende ochtend werden zij gewekt door het aanhoudende gerinkel van de telefoon. Fiona sprong als eerste uit haar bed, hoewel ze amper in staat was de telefoon te vinden.

'Het is voor jou,' riep ze. Zonder af te wachten of Cassie haar zelfs maar had gehoord, strompelde ze terug naar haar bed.

Het was Steven Thompson.

'Jenny en ik gaan vandaag terug naar Tookaringa, maar eerst gaan we ontbijten en we hoopten dat je ons gezelschap zou willen houden. Kun je over een half uur klaar zijn?'

Cassie keek met een slaapdronken blik op haar horloge. Het was nog maar net halfacht.

'Dat lijkt me wel,' zei ze, nog steeds niet helemaal wakker.

Ze nam een snelle douche en haalde een borstel door haar korte haar, trok een lichtblauw linnen jurkje, een van haar favoriete kledingstukken, aan, deed een beetje lippenstift op en pakte haar zonnebril. Hoge hakken, besloot ze, terwijl ze haar meer praktisch ogende schoenen weer uitschopte. En misschien die ecrukleurige, breedgerande strohoed. In de hitte van de Outback was ze hoeden gaan dragen, en deze was veel charmanter dan haar Stetson.

De Thompsons arriveerden in een flinke vrachtauto. Ze had iets luxueuzers verwacht, iets slankers. Maar als ze bijna zeshonderd kilometer door de woestijn en de wildernis moesten rijden, hadden ze iets nodig dat het ruwe terrein aankon.

'Jullie gaan toch zeker niet in één dag helemaal terug naar huis?' vroeg Cassie toen Steven wegreed bij het huis van Fiona. Jennifer zat tussen hen in.

'Nee,' zei Jennifer, met haar afgemeten, typisch Britse accent. 'We logeren vannacht bij vrienden. We kennen iedereen tussen hier en thuis. In de Outback ben je altijd welkom. We krijgen allemaal zo zelden bezoek dat iedereen die toevallig langskomt meer dan welkom is.' Ze lachte. 'Nu ja, bijna iedereen.'

Vlak voor Addie's bracht Steven de wagen tot stilstand, sprong eruit en liep snel naar de andere kant om het portier open te houden.

Cassie liep achter Jennifer aan het café binnen. Ze mocht dan tegen de vijftig lopen, maar ze was slank en beeldschoon en haar peper-en-zoutkleurige haar zat onberispelijk. Waar liet ze dat in vredesnaam doen? vroeg Cassie zich af. Jennifer droeg een witzijden pak met een smaragdgroene blouse, bruin-witte schoenen met heel hoge hakken en zag eruit alsof ze een weekendje ging doorbrengen op een Engels landgoed. Ze zag er niet uit alsof ze thuishoorde in Addie's, maar ze leek zich absoluut op haar gemak te voelen.

Steven pakte eerst een stoel voor Jennifer en vervolgens een voor Cassie. Terwijl de Thompsons het menu bekeken, bekeek Cassie Steven. Fiona had gelijk. Hij was bijzonder aantrekkelijk. Brede schouders die uitliepen in een slank middel, en lang, langer dan andere mannen hier, zo'n één meter negentig. Aan zijn gebruinde en gegroefde gezicht was te zien dat het grootste deel van zijn leven zich in de buitenlucht had afgespeeld. Hij was een grote man. Grote handen. Grote voeten. Een brede glimlach. Helderblauwe ogen. Hij straalde kracht uit. Groot en sterk. Dat waren de eerste woorden waaraan je dacht wanneer je hem zou moeten beschrijven.

Vrijdagavond was hij gekozen tot voorzitter van het bestuur. Niemand kon aan hem tippen, althans niet in deze contreien.

Nadat zij hun bestelling hadden opgegeven en hij de serveerster had gevraagd hun allereerst koffie te brengen, leunde hij met zijn ellebogen op tafel en zei tegen Cassie: 'Wij zouden graag zien dat je je eerste vliegende spreekuur op Tookaringa houdt. Het is de grootste ranch in het noorden. Kom aanstaande vrijdag naar ons toe. Wij hebben veel aboriginals in dienst en velen van hen hebben gezinnen. Verder werken er nog zo'n honderd andere mensen voor ons. Het lijkt Jennifer en mij een goed idee als jij en Sam vrijdag komen en dan het weekend blijven logeren. Vrijdagmiddag kun je dan spreekuur houden op Tookaringa en dan kan je zaterdag doorvliegen naar de abo-missie, Winnamurra. Ze hebben daar geen telefoon, maar ik kan er iemand naar toe sturen om de missionaris te vertellen dat hij je kan verwachten en de zieken en gewonden alvast kan verzamelen. Voor de komende maanden kunnen jullie misschien een vast schema uitwerken. Ik stel me zo voor dat je bij je meeste consultatievluchten zult moeten overnachten. Via de radio hou je contact met Horrie voor eventuele noodgevallen en zelfs voor je drie dagelijkse vragenuurtjes. Hoe dan ook, zaterdagavond organiseren we een barbecue, zodat je wat mensen kunt leren kennen. Maandagochtend vroeg kunnen jullie dan weer vertrekken en meteen doorvliegen naar het AIM-ziekenhuis in Yancanna, zodat je kennis kunt maken met de zusters daar.'

'Klinkt goed.' Cassie vroeg zich af of de koffie haar van haar hoofdpijn zou afhelpen. Had ze gisteravond zóveel gedronken?

'Wij denken dat het wel even kan duren voordat de mensen gewend zijn aan een vrouwelijke arts,' vervolgde Steven. 'Wij zullen alles doen om je te helpen. We hebben hier een dokter nodig.'

De serveerster bracht hun koffie. Cassie dronk de hare zwart.

'Je zult merken dat hier werkelijk de aardigste mensen wonen die je je maar kunt voorstellen,' zei Jennifer. 'Toen ik hier net was kon ik het gewoon niet geloven.'

'Waar kom je oorspronkelijk vandaan?' vroeg Cassie aan de mooie vrouw.

'Uit Cambridge,' antwoordde zij, met haar heldere, zangerige stem. 'In Engeland. Daar heb ik Steven ontmoet.' Ze keek met glanzende ogen naar hem op en Cassie kon zien dat ze nog steeds verliefd waren.

'Hoe hebben jullie elkaar in Engeland leren kennen?'

Steven dronk zijn koffie in enkele teugen op en wenkte de serveerster om meer. 'Ik heb daar gestudeerd. Mijn moeder vond het noodzakelijk dat ik een goede opleiding kreeg, maar ik vond het er afschuwelijk. Ik wilde alleen maar hier zijn, paardrijden, vee drijven, zonsopgangen bewonderen, en niet opgesloten zitten in claustrofobische stadjes, aan alle kanten omringd door bomen en hekken. Ik ben er maar twee jaar gebleven, net lang genoeg om Jenny over te halen met mij mee te gaan.'

De serveerster bracht biefstuk en eieren en een grote berg geroosterd brood.

Cassie vroeg: 'Dus jij komt niet uit Engeland?'

Steven schudde zijn hoofd. Tijdens het eten praatte hij gewoon door. 'Ik ben hier geboren. Mijn moeder is hier rond 1880 vanuit Engeland naar toe gekomen, als gouvernante voor een familie die een paar honderd kilometer ten zuiden van hier woonde. Een van de jonge veedrijvers zag haar. Eén blik en hij was verloren. Het deed hem besluiten zijn baantje eraan te geven en zelf een ranch te beginnen. Dus kochten zij in het noorden een paar hectare, bouwden een hutje en schaften wat koeien aan. Ik heb er foto's van. Je zou gedacht hebben dat het geen jaar zou duren, laat staan meer dan een halve eeuw.'

Cassie glimlachte. Het eten hielp tegen haar hoofdpijn en ze begon zich wat beter te voelen.

Jennifer leunde naar voren. 'We hebben hier zo hard een dokter nodig. Als we er vijfentwintig, dertig jaar geleden een hadden gehad...' Er welden tranen op in haar ogen, maar ze huilde niet. 'Nu hebben we nog maar één kind. Blake is negenentwintig...' Haar stem haperde.

Steven legde zijn hand over de hare. 'Wij hebben vijf kinderen verloren, twee door miskramen.' Cassie vond het sympathiek klinken zoals hij het over 'wij' had. 'Toen Jenny voor de derde keer zwanger raakte, heb ik haar naar de stad gestuurd, zodat ze in de buurt van een arts zou zijn. En dat hebben we de daaropvolgende twee keer ook gedaan.'

'Als we toen een dokter hadden gehad, nu ja, nu we er een hebben hoeven sommige vrouwen misschien niet meer mee te maken wat wij hebben meegemaakt.' Jennifer keek naar Cassie. 'We hebben ook een kind verloren aan de mazelen, en een... ach, ik hoef ook niet in details te treden, maar het is heel zwaar geweest. Ik zou het nog niet toewensen aan...'

Cassie keek naar hen. Nooit zou ze iets hebben geraden van de tragedie die schuilging achter deze gezichten, waar zoveel geluk en tevredenheid van afstraalde.

‘Hoe hebben jullie je staande gehouden?’ vroeg ze.

Steven glimlachte. ‘We hadden elkaar. We hebben ook geluk en blijdschap gekend. Maar wij zitten hier niet om het over Jenny en mij te hebben. Wij willen er alles aan doen om jullie te helpen de FDS een vliegende start te geven, als je me de woordspeling wilt vergeven. En met alles, bedoelen we ook àlles, je hoeft het ons alleen maar te laten weten. We zullen de radio te allen tijde aanhouden, zoals de meeste mensen die er een hebben wel zullen doen, zodat we alle boodschappen horen en kunnen reageren op alles waarmee we je eventueel kunnen helpen. De andere leden van het bestuur zullen je ook helpen. We weten allemaal hoe belangrijk het is om hier een dokter te hebben en we hebben al veel te lang zonder gezeten. Wij staan voor je klaar.’

Op dat moment verscheen Horrie Wallace in de deuropening van het café en kwam meteen op hun tafeltje af.

‘Spoedgeval in de rimboe,’ riep hij. ‘Sam zou binnen tien minuten klaarstaan. Ik zal je naar huis rijden om je dokterstas te halen.’

Cassie stond op.

‘Dan kun je meteen wat anders aantrekken,’ grinnikte Horrie. ‘Op die schoenen kom je niet ver.’

Cassie draaide zich om naar de Thompsons. ‘Bedankt. Voor het ontbijt, voor het komend weekend. Voor het gezellige feest van gisteren. Voor alles. Zonder tegenbericht kunnen jullie ons vrijdag op Tookaringa verwachten. Richt maar een spreekkamer voor me in en laat Winnamurra weten dat we er zaterdag aankomen.’

‘We zullen een kalf slachten voor de barbecue,’ zei Steven, terwijl hij opstond. Hij stak zijn hand uit om de hare te schudden.

Horrie greep haar andere hand.

‘Kom op,’ riep hij, hoewel hij vlak naast haar stond.

Ze begonnen te rennen.

Hoofdstuk 9

Dit was inmiddels haar derde vlucht en Cassie kon nu om zich heen kijken en meer aandacht aan het vliegtuig zelf besteden dan tijdens de eerdere vluchten, toen het landschap beneden haar in zijn ban hield. De motor maakte behoorlijk wat lawaai. Je moest schreeuwen om je verstaanbaar te maken, hetgeen de conversatie automatisch beperkte tot het hoogstnoodzakelijke.

Ze boog zich naar Sam toe en vroeg: 'Heb je altijd in dit type vliegtuig gevlogen?'

'Dit vliegtuig,' zei hij, terwijl hij haar van opzij aankeek, 'is een stuk schroot, doc. Een krijgertje van weet ik hoeveel jaar oud. Luister maar eens naar die trillingen. Het materiaal is flinterdun en lekt aan alle kanten en dat betekent dat we niet al te hoog kunnen vliegen...'

'Hoe hoog vliegen we dan?'

'Zo tussen de vijfentwintighonderd en zesduizend voet,' zei hij. 'We vliegen langzaam. Maar begrijp me niet verkeerd, het heeft ook z'n voordelen. Ik geloof dat dit het eerste vliegtuig is dat in staat is zijn eigen gewicht aan lading mee de lucht in te krijgen en bovendien heeft het maar een heel korte start- en landingsstrook nodig, wat prima uitkomt met het werk dat wij doen. Maar het wordt bijeengehouden door pleisters. Ik heb er heel weinig vertrouwen in.'

'Ik voel me meteen een stuk geruster,' zei Cassie.

Sam grinnikte. 'Maar ik heb alle vertrouwen in mezelf. Zodra we het ons kunnen veroorloven kopen we een beter toestel. De FDS is een charitatieve instelling en afhankelijk van donaties, dus is er niet veel geld voor moderne vliegtuigen. Het is maar een kleine organisatie en daarom kunnen ze ons geen geld verstrekken voor het soort vliegtuig dat we *eigenlijk* nodig hebben.

Wil je een kop koffie voor me inschenken?' vroeg Sam. 'Over een minuut of twintig zijn we er, als ik tenminste de juiste koers volg.'

Vlak voordat ze wilden gaan landen, kwam er een grote man aanrennen, die hen met zwaaiende armen naar de landingsbaan loodste.

Zodra Sam de deur opende, zei hij: 'Waar is de patiënt?'

De grote man grijnsde. 'Dat ben ik. Ik voel me al een stuk beter.'

Cassie en Sam keken elkaar even aan. Zij pakte haar dokterskoffer en liep het trapje af. 'Ik zal je toch maar even onderzoeken.'

'Het zal wel maagzuur geweest zijn,' zei de man, waarna hij een grote hand uitstak en zich voorstelde. 'Ik ben Leonard Neville. Mijn vrouw is naar de volgende ranch gereden, zo'n honderd kilometer verderop, om jullie te bellen en ze is nog niet eens terug. Ik voel me weer prima.'

Het bleek dat Leonard Neville betere diagnoses stelde dan Horrie.

'Je moet het er wel met Horrie over hebben,' raadde Sam haar aan toen ze terugvlogen. 'Dit is per slot van rekening geen vliegende ambulancedienst. Elke keer als we opstijgen kost dat een bom duiten.'

'Ja, ik zal hem zeggen dat ik eventuele patiënten voortaan eerst zelf wil spreken voordat we dit nog eens doen,' zei Cassie.

Het was voor niets geweest. Verspilde tijd en geld. Twee zaken die heel belangrijk voor hen waren.

'Ons eerste spreekuur op locatie gaat vrijdag plaatsvinden,' zei ze tegen hem. 'Bij de Thompsons. Steven stelde voor dat we het weekend zouden blijven logeren om op maandag verder te vliegen naar Yancanna. Zaterdagavond houden ze dan een barbecue om ons aan allerlei mensen voor te stellen.'

Sam knikte en staarde recht voor zich uit. 'Tookaringa staat bekend om zijn gastvrijheid. Ik hoor er vaak over praten.'

Cassie leunde achterover in haar stoel en sloot haar ogen. Ze voelde zich beter dan ze zich de hele dag had gevoeld. Ik ben hier naar toe gekomen omdat ik me wilde verstoppen, omdat ik op de vlucht was voor het leven, dacht ze, en ik heb nog nooit ergens zoveel leven en actie meegemaakt. Het waren de twee drukste weken uit haar leven geweest, zo heel anders dan haar rustige studentenleven in Engeland en Amerika.

Hier begonnen wildvreemden zomaar een gesprek met je. Zodra de mensen hier hoorden dat je de nieuwe dokter was, openden ze niet alleen hun deuren, maar ook hun armen voor je. Wel moest ze toegeven dat ze soms moeite had sommigen van de snellere praters te verstaan, die vaak eigenaardige uitdrukkingen gebruikten. Maar niemand lachte haar uit om haar Amerikaanse accent. Ze had er zo lang over gedaan het zich eigen te maken en nu zou ze er het liefst weer vanaf zijn.

Het was hier nooit grauw, zoals in Londen en San Francisco, en niet vochtig zoals in Washington. Haar stadse vader zou zich hier volkomen verloren voelen, bedacht ze, maar toen herinnerde zij zich dat hij was opgegroeid in een klein, afgelegen plaatsje in westelijk New South Wales.

Ze wist best dat het onmogelijk was dat zij zich in het verleden altijd een vreemde eend in de bijt had gevoeld, waar ze ook woonde, terwijl ze zich na twee weken op dit afgelegen plekje van de wereld al volkomen thuis voelde. Maar een prettig gevoel was het wel.

Haar gepeins werd onderbroken door Sam, die haar vroeg: 'Tennis je?'

'Nee.' Ze hield haar ogen gesloten.

'Zin om het te leren?'

Ze deed één oog open. 'Niet echt. Sorry.' Ze vond zichzelf niet zo sportief. Leren paardrijden was een hele prestatie geweest. Ze staarde uit het raam naar het land dat zich uitstrekte tot aan de horizon. Aardig van hem om dat aan te bieden. Een teken dat hij zijn best deed. Ze wilde niet de indruk wekken dat ze hem afwees. 'Heb je soms zin om Horrie op te pikken en te komen eten? We hebben nog zoveel restjes van het feest van gisteravond.'

Sam trok een wenkbrauw op en keek haar van opzij aan. 'Klinkt goed.'

Cassie wist dat Fiona dat ook leuk zou vinden.

Bovendien bleek die avond dat Fiona wel kon tennissen. Het duurde niet lang of zij en Sam begonnen menig middagje door te brengen op de verlaten tennisbaan van het stadje.

Cassie, op haar beurt, bracht haar middagen door met hardop voorlezen.

Isabel Adams was tweeënveertig en zo mager dat je het uitgemergeld kon noemen. Ze lag op een bank, onder een deken en haar kastanjebruine haar lag als een waaier op het kussen. Zij begroette Cassie met een zwak glimlachje.

'Wat lief van je,' zei ze, met een stem waarin een welgemeend welkom klonk. 'Op de een of andere manier had ik niet verwacht dat je langs zou komen. Chris heeft me over je verteld. Maar ik verwacht van nieuwkomers niet dat ze mij komen opzoeken.' Isabel wendde zich tot de statige vrouw die de deur had opengedaan. 'Grace, wat denk je van een kopje thee voor ons allemaal? Dr. Clarke, dit is Grace Newcomb.' Ze stak haar hand uit om even Graces arm aan te raken. 'Ik zou niet weten wat ik zonder haar zou moeten beginnen.'

Grace glimlachte. 'De thee komt eraan. Heb je trek in komkommersandwiches?'

Cassie verafschuwde ze. 'Alleen een kopje thee, graag,' zei ze. 'Ik heb niet zo'n honger.' Isabels armen waren niet veel dikker dan lucifers.

'Ik heb nooit honger,' zei Isabel. 'Ik deed altijd zo mijn best om slank te blijven en moet je me nu eens zien. Maar laten we het niet over mij hebben. Een nieuw gezicht, wat verfrissend. Berichten uit de buitenwereld!'

'Ik kwam eigenlijk om te zien of er misschien iets is wat ik kan doen. Er zijn twee grote kisten boeken aangekomen en ik heb platen...'

'Dat is heel vriendelijk van je. Maar op de een of andere manier heb ik gewoon de energie niet om te lezen, om zo lang een boek vast te houden...'

'Zou je het misschien prettig vinden als ik je voorlas? Ik heb een heel stel van de allernieuwste boeken.'

Isabels ogen lichtten op. 'Zou je dat echt willen doen? Chris heeft een hekel aan voorlezen. Wat zou ik dat lief van je vinden. Heb je toevallig ook *Gejaagd door de Wind*?'

Cassie knikte. 'Jazeker, en het is prachtig.'

'Heb je het al gelezen? Maar dan is het niet zo leuk voor je om het nog een keer te moeten lezen...'

'Integendeel, dat zou ik juist heerlijk vinden.'

'En *Rebecca*? Dat moet ook zo goed zijn.'

'Ik heb ze allebei,' zei Cassie glimlachend.

Ze kon Isabel niet beloven elke dag te komen voorlezen, want ze kende haar werkschema nog niet, maar ze kwamen overeen dat Cassie in principe elke middag naar het huis van de familie Adams zou komen, na haar radiospreekuur van kwart voor vijf, als zij tenminste niet ergens anders nodig was.

Die week las ze Isabel drie keer voor en ze begreep zelf niet eens waarom ze het deed. Isabel was duidelijk teleurgesteld toen Cassie aankondigde: 'Dit weekend gaan we ons eerste spreekuur op locatie doen, dus dan kom ik niet.'

Ze praatten niet veel, want zodra Cassie binnenkwam, zette Grace de thee op het tafeltje naast haar en ging er zelf ook bij zitten. Zowel zij als Isabel kon nauwelijks wachten tot Cassie verder ging met de belevenissen van de bewoners van Tara en Twelve Oaks.

Cassie kreeg Chris Adams nooit te zien. Wanneer ze tegen zessen wegging, was hij nog niet thuis.

In het andere deel van haar leven kostte het haar moeite te wennen aan het stellen van diagnoses over de radio. Wel vond ze het gemakkelijker dan wanneer ze het telefonisch moest doen, omdat men haar dan aan de andere kant van de lijn voortdurend in de rede kon vallen. Ze kon niet zomaar een behandeling voorschrijven aan de hand van de symptomen, maar moest de medische achtergrond van de patiënt en de ziekte weten, hetgeen degenen aan de andere kant van de lijn vaak ergerde. Ze moest precies weten waar een bepaalde pijn zat en wat de symptomen waren, en de beller was meestal niet in staat exact te omschrijven wat de patiënt voelde. Het frustreerde Cassie mateloos. Ook vermoedde ze dat patiënten soms alleen maar opbelden omdat ze eenzaam waren, met name de vrouwen. Ze deden vaag over hun eigen symptomen en hysterisch over die van hun kinderen. Ze hunkerden ernaar een andere stem te horen. Cassie betrapte zich erop dat ze met patiënten veel vormelijker sprak dan ze gewend was, alsof ze op het toneel stond.

Een van de gesprekken bleef haar nog dagenlang dwarszitten. Het kwam van een ranch heel ver in het noorden. De eigenaar, Ian James, beschreef de symptomen van een van zijn aboriginal spoorzoekers. 'Het gaat snel bergafwaarts met die ouwe zwarte knaap. Hij is niet komen ontbijten en volgens mij heeft hij in dertig jaar nog geen maaltijd overgeslagen. Mijn vrouw houdt hem een beetje in de gaten en zij zegt dat hij er vreselijk uitziet. Hij heeft moeite met ademhalen en ik ben bang dat hij stervende is. Kunt u hem komen halen?'

'Ik zou nu graag willen dat u eerst even naar het medicijnkastje gaat en de thermometer pakt. Ik wil dat u zijn temperatuur opneemt en zijn polsslag voelt. Tel vijftien seconden lang het aantal polsslagen van de patiënt en vermenigvuldig dat met vier. Hebt u dat begrepen?'

Even bleef het stil aan de andere kant van de lijn en daarna klonk een geïrriteerde stem: 'Dokter? Luister, ik ken die man al sinds mijn kinderjaren. Ik hoef zijn temperatuur niet op te nemen en zijn pols niet te voelen om te weten hoe ziek hij is.'

'Toch kan ik geen behandeling voorschrijven zonder de benodigde informatie.'

'U hoeft niets voor te schrijven. Ik wil dat u hem komt halen en naar het ziekenhuis brengt.'

Cassie begon haar geduld te verliezen. 'Misschien hebt u wel gelijk, maar het kost niet meer dan enkele minuten om achter de informatie te komen die ik nodig heb.'

'Hoor eens,' riep meneer James woedend. 'Ik wil dat er nu meteen een dokter komt kijken bij die arme kerel!'

'Dat begrijp ik allemaal heel goed, maar ik heb echt meer informatie nodig voordat wij een vlucht van enkele uren gaan ondernemen. Wij zijn geen ambulancedienst. Het kost u maar een paar minuten...'

De verbinding werd verbroken. Hij had opgehangen. Ze wist dat op tientallen andere ranches mensen meeluisterden. Ook al hadden ze zelf geen spoedgevallen of ziektes, deze radio-uurtjes waren de hoogtepunten van hun dag. Ze luisterden mee naar de problemen van hun buren en hoorden andere stemmen, die ervoor zorgden dat zij zich minder eenzaam voelden.

Twee nachten lang zag Cassie, zodra zij haar ogen dichtdeed, alleen maar een zwarte man voor zich die lag te sterven terwijl zij om een gedetailleerde beschrijving van de symptomen vroeg. Maar ze was het alweer vergeten toen zij en Sam vrijdagmorgen op weg gingen naar Tookaringa. Ze hadden de hele week maar één korte vlucht gehad en dat was om een patiënt naar het ziekenhuis te brengen voor een blindedarmoperatie, die werd uitgevoerd door Chris Adams. Ditmaal was hij zo voorkomend haar te laten weten dat de patiënt het goed maakte, maar het bericht bereikte haar via Isabel, bij wie hij de boodschap had achtergelaten.

Zij en Sam besloten na het telefonisch spreekuur van elf uur naar Tookaringa te vertrekken, zodat ze nog op tijd zouden zijn voor een middagspreekuur. Sam zei: 'Als ik alles moet geloven wat ik heb gehoord, is het een gigantisch voorrecht om voor een barbecue bij de Thompsons te worden uitgenodigd.'

Cassie had alle oproepen van acht en elf uur netjes afgehandeld en had beloofd om onderweg naar Tookaringa langs te gaan bij een andere ranch, waar een vrouw haar been lelijk had verwond aan prikkeldraad. 'Ik kan haar op z'n minst een tetanusinjectie geven, zodat er geen koudvuur ontstaat,' zei Cassie tegen Horrie.

Ze vlogen in noordnoordwestelijke richting en de zon stond pal boven hen. 'Ik hou deze roestbak maar een beetje laag,' zei Sam. 'We hebben geen haast. Ik denk dat het nog een uurtje vliegen is naar – hoe heten ze ook alweer?'

Cassie keek op het schrijfblok op haar schoot. 'Martin. Heather Martin. Ze zei dat hun landingsstrook nog niet klaar is, maar dat eraan gewerkt wordt. Het terrein is vrij vlak.'

'Dat zal wel. Ik vraag me altijd af wat mensen daarmee bedoelen. Hun idee van vlak is meestal heel anders dan het mijne.'

Er was binnen een straal van honderdvijftig kilometer geen andere ranch te bekennen, dus was die van de Martins gemakkelijk te vinden. Rond een rechthoekig stuk land hingen tientallen rode linten te wapperen in de wind. Cassie hoorde Sam lachen. 'Wie heeft er nu in vredesnaam zoveel lint in huis?' vroeg hij, zonder een antwoord te verwachten.

Op de grond stonden zes langbenige vrouwen hen wuivend op te wachten. Zij droegen allemaal mannenbroeken, wijde overhemden en dezelfde soepele rijlaarzen met hoge hakken die Cassie droeg. Onwillekeurig wees ze naar hen toen het vliegtuig over de landingsstrook taxiede, die egaler was dan de meeste andere waarop ze wel eens waren geland.

'Ik zie ze, ik zie ze,' mompelde Sam, met een brede grijns op zijn gezicht.

Toen hij de deur opende en het trapje naar buiten duwde, hadden de zes vrouwen zich opgesteld als een ontvangstcomité. Hoewel de oudste, een vrouw van een jaar of vijfenveertig, kennelijk de moeder was, waren ze stuk voor stuk beeldschoon.

'Ik ben Estelle Martin. Dit zijn mijn dochters,' zei de moeder, terwijl ze naar hen toe kwam. 'Ik zal jullie straks wel aan elkaar voorstellen. Miranda ligt binnen – haar been ziet er niet best uit.' Alle dochters glimlachten naar Sam, terwijl Cassie langs hen heen liep, achter hun moeder aan. Zo te zien varieerden hun leeftijden zo tussen de zestien en de twee-, drieëntwintig.

Miranda lag op de bank. Ze leek op haar zussen, en er viel een krans van golvend blond haar om haar gezicht. Haar gebruinde huid benadrukte het heldere blauw van haar ogen, waaromheen rimpeltjes zaten die getuigden van jaren in de zonneschijn. Haar blouse spande strak om haar volle borsten en haar handen zaten vol schrammen en eelt van het harde werken. Toen zij glimlachte werd haar spierwitte, gelijkmatige gebit zichtbaar. Miranda droeg een korte broek en Cassie vermoedde dat Sam het liefst even had gefloten. De rode jaap op haar been zag er lelijk uit en aan de manier waarop het begon te zweren en de blik in Miranda's ogen, zag Cassie dat het meisje veel pijn had, ook al was dat aan haar glimlach niet af te zien.

'Nogal stom om zoiets te laten gebeuren, vind je niet?' zei Miranda.

Cassie knielde naast haar neer en draaide zich om naar Estelle. 'Kook wat water voor me. Ik wil de wond eerst goed uitwassen en daarna zal ik hem moeten opensnijden om bij de infectie te komen. Het is een geluk dat je contact met ons hebt opgenomen, anders had dit wel eens tot koudvuur kunnen leiden.'

Sam was, omringd door de hele schare schoonheden, de kamer binnengekomen en kon niets anders doen dan grijnzen.

De kamer was groot en goed geventileerd – zelfs met negen personen leek hij niet vol. Er lagen kleden op de vloer en de meubels waren zichtbaar met zorg gekozen. Nergens was een stofje te bekennen... en dat in een land waar onafgebroken zand opwaaide. Cassie stelde zich zo voor dat de mannen bezig waren met wat mannen zo'n beetje allemaal deden op een ranch. Vanuit de lucht had ze een grote kudde vee gezien.

Terwijl Cassie de instrumenten en de alcohol uit haar tas pakte, verdeelden de Martin-vrouwen hun aandacht tussen wat zij deed

en openlijk naar Sam staren. Misschien had Fiona toch gelijk. Voor bepaalde vrouwen had Sam sex-appeal.
'Heb je hulp nodig?' vroeg hij.
Cassie schudde haar hoofd. 'Nee, dank je. Dit is niet ingewikkeld.'
Een van de dochters kwam naast Cassie op haar knieën zitten en observeerde elke handeling die zij uitvoerde.
Cassie zei tegen Miranda: 'Ik ga je een spuitje geven, zodat je geen pijn voelt wanneer ik ga snijden. Want het gaat wel pijn doen.'
'Nee,' zei Miranda. 'Ik probeer het wel zonder. Ik wil geen verdovende middelen.'
'Het is alleen maar iets om de pijn te verlichten.'
'Nee,' protesteerde de jonge vrouw, wier leeftijd Cassie op een jaar of negentien, twintig schatte. 'Liever niet. Laat me het proberen. Als ik het niet meer uithou, dan zeg ik het wel.'
Cassie schudde haar hoofd. Achter zich hoorde ze de stem van de moeder. 'Wij zijn sterk. Ik denk dat ze er wel tegen kan.'
Cassie draaide zich om naar Estelle en zag hoe de andere dochters, zittend in stoelen of leunend tegen een muur, en eentje zittend op de grond, ingespannen zaten toe te kijken. Sam was nergens meer te bekennen.
Toen een van de dochters het gekookte water binnenbracht, sneed Cassie de rode, etterende zweer open. Ze keek hoe de pus langs Miranda's been droop. Ze voelde het meisje ineenkrimpen, maar toen ze naar haar opkeek, zag ze hoe Miranda, haar kaken stijf opeengeperst, alleen maar even knikte. Wat een lef, dacht Cassie. Zoiets had ik wel in de wildernis verwacht, waar mannen elkaar proberen te bewijzen dat ze alles aankunnen, maar niet hier. Met al die vrouwen.
Binnen tien minuten was ze klaar. 'Ze moet zeker tien dagen tot twee weken bedrust houden. Daarna mag ze er elke dag heel eventjes uit.'
De moeder knikte, maar een van de meisjes zei plagerig: 'Oké, Andy, je hebt dit natuurlijk expres gedaan om onder je werk uit te komen. Je weet dat we bezig zijn met het omheinen van die verre weide.'
'Och, stil toch,' lachte Estelle. 'Als iemand graag zover van huis werkt, dan is het Andy wel.'
'Grapje, ma.'
'Ik kan er niet tegen om zolang binnen te zitten en dat weet je best,' zei Miranda.
'Kom op,' zei Estelle. 'Meiden, zet water op. Deze mensen willen vast graag een kop thee voordat ze er weer vandoor gaan.'

Er was thee en vruchtencake en toast en frambozenjam. 'Waar ik af en toe wel eens naar hunker, dat zijn *scones*,' zei Estelle.

'Of havermoutpap zonder klonten,' zei Cassie.

Ze zaten in de reusachtige keuken, aan een tafel waar gemakkelijk twaalf mensen aan konden zitten zonder last van elkaars ellebogen te hebben.

'Zes jaar terug is mijn man overleden,' zei Estelle. 'Sindsdien hebben mijn meiden niet veel mannen meer gezien. Daarom zitten ze je de hele tijd zo aan te staren,' verontschuldigde zij zich bij Sam.

'Wil dat zeggen dat jullie met elkaar dit hele bedrijf runnen?'

'Zeker weten,' zei een van de meisjes.

'Dat is Alberta,' zei haar moeder. 'Ik zal ze meteen allemaal aan jullie voorstellen, ook al zullen jullie al die namen toch niet kunnen onthouden. We beginnen met de oudste, die zit daar, dat is Heather.'

Heather keek Sam aan met een blik vol bewondering in haar ogen. 'Zij daar is de volgende, Wilhelmina – Billy. Na haar komt Andy, die ligt op de bank. Dat is Alberta, Bertie. En daar,' wees zij, 'zit Louisa – Lou. En de jongste is onze kleine Paulie.' Cassie realiseerde zich dat, met uitzondering van Heather, al hun bijnamen jongensnamen waren. 'Inderdaad, wij runnen de ranch. Honderdduizend hectaren. Meer dan zeshonderd stuks vee.'

'Hebben jullie geen mannen nodig voor het zware werk?' vroeg Sam.

Estelle schudde haar hoofd. 'Absoluut niet. Ook toen Earl nog leefde, deden hij en ik en de meisjes al het werk. Zij zijn opgegroeid met wat jullie mannenwerk noemen. Ze vervelen zich dood met klusjes binnenshuis.'

'We worden twee keer per jaar bevoorraad door Teakle and Robbins,' zei Heather. 'Ik ben de enige die ooit in de stad is geweest. Niemand anders, behalve ma natuurlijk, is ooit van de ranch weg geweest.'

'Maar hoe gaat dat dan met kleren en schoenen en...' begon Sam.

'O, meneer Teakle weet onze maten en stuurt ons kleren wanneer we dat vragen. Jurken hebben we niet nodig en met dit soort werkkleding doe je heel erg lang.'

Cassie leunde lachend achterover in haar stoel. 'Nou, jullie zijn me wel een stelletje. Ik heb nog nooit gehoord van zoveel vrouwen die een veehouderij drijven en nooit naar de stad gaan.'

'Ik heb hen zelf leren lezen en rekenen,' zei Estelle. 'Ik ben opgegroeid in Sydney en ik ben normaal naar school gegaan. In Sydney heb ik mijn man, Earl, ontmoet. Ik was secretaresse bij de ijzerwarenwinkel waar hij werkte en zijn allerliefste wens was ooit een eigen veefokkerij te beginnen. We spaarden genoeg geld voor een aanbetaling en kochten een oude vrachtauto. We trouwden, reden hiernaar toe en zijn hier nooit meer weggegaan. Ik heb er nooit één minuut spijt van gehad.'

'Wij wel, ma. Ons spijt het zo dat je nooit hebt leren koken,' zei Lou.

'Alsof jullie zulke keukenprinsessen zijn. Wij zijn allemaal dol op het buitenleven.' Toch was het huis schoon en netjes en stond het vol met typisch vrouwelijke dingen.

Sams ogen ontmoetten die van Cassie en zij zag dat hij moeite had zijn lachen in te houden. 'Willen jullie dan niet graag eens naar de stad?' vroeg hij aan niemand in het bijzonder. 'Naar de bioscoop? Zelf kleren uitkiezen, mooie jurkjes misschien?'

Een van de meisjes schoot in de lach. 'Wat moeten wij nou met jurken?'

'Maar,' zei Sam, 'willen jullie dan niet zien hoe andere mensen leven en met hen praten...?'

'Ze weten heus wel hoe anderen leven,' zei Estelle. 'Elk jaar sturen we een bestelling naar Penguin in Londen, voor tweeënvijftig boeken. Eén voor elke week van het jaar. Ik wil wedden dat dit de meest belezen familie van heel Australië is.'

De meisjes zwegen. Toen zei Billy – althans, Cassie dacht dat het Billy was – 'Wij zijn geen gevangenen. Als één van ons hier weg wil, dan kan ze gewoon gaan. Maar er is daar niets wat wij hier ook niet hebben.'

'Mannen?' vroeg Sam.

'Daar zeg je wat,' zei Estelle, 'daar hebben we het over gehad. Als je ooit een ècht goede kok tegenkomt, stuur hem dan naar ons toe.' Langzaam keek ze de tafel rond en lachte naar haar dochters. 'Het zou wel leuk zijn om een man in de buurt te hebben, al was het alleen maar voor de afwisseling. Maar wij zijn ontzettend kieskeurig. Het zou absoluut een man moeten zijn die heel goed kan koken. En hij moet 's avonds graag lezen. Iets beters valt hier niet te doen.'

Toen ze koers zetten naar Tookaringa, zei Sam: 'Ik kan me niet voorstellen dat een man niets beters te doen zou hebben met zoveel prachtige vrouwen om zich heen.'

Hoofdstuk 10

Zelfs vanuit de lucht zag Tookaringa er al anders uit dan andere ranches. Honderden, duizenden bomen... geen bos, daar stonden ze te ver voor uit elkaar. Kilometers en kilometers eucalyptusbomen en kuddes runderen die tussen de bomen door liepen, of op het open land stonden te grazen.

Het smalle blauwe lint van de rivier verbreedde zich naarmate zij noordelijker kwamen en langs de oevers groeiden dichte bossen eucalyptussen.

'Zou die rivier wel eens droog liggen?' vroeg Sam. 'Kijk, daar. Dat moet de ranch zijn. Wauw!'

Aan de westzijde van een billabong, een doodlopende zijarm van de rivier, stond een tiental gebouwen tussen de bomen. Toen even later het eucalyptusbos minder dicht werd, zagen zij een duidelijk gemarkeerd langwerpig terrein, afgezet door wapperende witte vlaggen – de landingsstrook.

Het vliegtuig trilde, de enige indicatie dat zij geland waren. Het kwam tot stilstand voor een reusachtig gebouw dat op een schuur leek en waarvan één kant helemaal open was. Ze zagen dat het in feite een garage was. In tegenstelling tot andere ranches die zij hadden gezien, zag op Tookaringa alles er keurig netjes uit. Aan een wand van de immense garage hingen allerlei gereedschappen. Tractors stonden er glimmend bij, in plaats van als smerige stofnesten zoals bij de meeste ranches in de Outback; twee pick-ups zagen eruit alsof ze splinternieuw waren.

De landing deed zand en stof als een cycloon achter het vliegtuig opwaaien. Sam zette de motor af. Cassie zag hem zijn hand opsteken naar een groepje van ongeveer tien mannen, van wie er twee zwart waren. Wuivend en zwaaiend kwamen de mannen naderbij.

Sam stond op, liep naar de achterkant van de cabine, trok de deur open en bukte zich om het trapje naar buiten te doen. Toen draaide hij zich om naar Cassie en wenkte haar met een gestrekte arm.

'Ik kan het wel alleen,' zei ze, terwijl ze haar dokterstas pakte.
Sam haalde zijn schouders op en liep voor haar uit het trapje af. De mannen liepen, wijzend, om het toestel heen, hun gezichten vol belangstelling en ontzag.

Van achter de garage kwam Jennifer aangehold, haar peper-en-zoutkleurige haar in een gladde wrong op haar achterhoofd. Ze droeg een rijbroek en een zacht turkooizen blouse. Haar ranke middel en haar manier van lopen deden eerder denken aan een achttienjarige. Toen zij het vliegtuig naderde, strekte zij haar beide armen uit.

'Welkom op Tookaringa.' Ze wierp Sam een oogverblindende glimlach toe, haakte haar arm om die van Cassie en trok haar mee. 'We hebben op de veranda onze versie neergezet van wat wij denken dat je nodig zult hebben voor je spreekuur.'

Ze liepen over een veelbetreden pad, langs lage gebouwen. Jennifer trok Cassie mee naar het derde gebouw. 'Dit is het slaapgebouw van de mannen. Een van onze veedrijvers is gisteren van zijn paard gevallen en we weten niet of zijn been gebroken is. Hij heeft behoorlijk veel pijn, dus misschien kun je eerst even naar hem kijken.' Ze liep door de open deur een grote gemeenschappelijke ruimte binnen met een heel stel verschillende gemakkelijke stoelen en een bank. Er stond een radio en overal slingerden tijdschriften. In een boekenkast stonden tientallen boeken die, naar hun omslagen te oordelen, veelvuldig gelezen waren.

'Walt ligt daar,' zei Jennifer, terwijl zij hen voorging naar een andere grote kamer, waar een tiental veldbedden stond. Op één ervan lag een man te slapen. 'Ik denk dat zijn maten hem iets hebben gegeven om hem te helpen slapen, zodat hij de pijn niet zou voelen.' Jennifer liep glimlachend naar hem toe en schudde aan zijn schouder. Hij kreunde, maar werd niet wakker.

Cassie boog zich over hem heen en keek naar zijn opgezette voet. Hij werd niet eens wakker toen ze op zijn enkel duwde. 'Zijn enkel is alleen verstuikt, maar wel lelijk. Gelukkig niet gebroken, maar zo te zien is een van zijn tenen dat wel. Deze nagel is helemaal paars en de teen is dik. Aan een gebroken teen valt natuurlijk niets te doen. Die moet op den duur vanzelf genezen. Ik kom nog wel even bij hem kijken wanneer hij wakker is.' Nuchter was een woord dat eerder van toepassing was. 'Ik denk dat hij met een weekje of twee wel weer op de been is.'

'Wat een geluk dat het niet ernstiger is,' zei Jennifer. Ze liep weer terug door de kamers en de veranda op, waarna ze Cassie weer een arm gaf en haar naar het woonhuis zelf bracht.

Onderweg wees zij haar op de verschillende gebouwen. 'Hier liggen onze voorraden opgeslagen. We worden hier maar twee keer per jaar bevoorraad. Wij sturen bestellingen naar Teakle and Robbins en zij leveren alles af, maar we moeten het wel ergens opslaan. We hebben hier zo'n beetje onze eigen kruidenierswinkel. Ik maak lijsten van dingen die we over een periode van een half jaar nodig denken te hebben. En daar slapen de meisjes, veel gezelliger dan het gebouw van de mannen. En dat gebouw daar, vlak voor het woonhuis, is Stevens kantoor – de boekhouder en de opzichter hebben achter het kantoor hun kamers. En dit... dit, lieve kind, is Tookaringa.'

Ze waren voor de andere gebouwen blijven staan en stonden nu boven aan een helling. En daar, met uitzicht over een uitgestrekt, kort gemaaid gazon en een dozijn op gelijke afstand van elkaar staande palmbomen, stond een drie verdiepingen tellend geel met wit Victoriaans huis – inclusief krullen en tierelantijnen.

Het bood een majestueuze aanblik, maar zag er wat ontheemd uit in dit land waar maar zo weinig huizen stonden – en dan altijd nog zo laag mogelijk. Aan het eind van het vriendelijk glooiende gazon, zo'n meter of zevenhonderd bij hen vandaan, zag Cassie reusachtige eucalyptusbomen en een vijver. Op het water dreven zwarte zwanen en eenden.

'Na dertig jaar verveelt het me nog steeds niet,' zei Jennifer, terwijl zij een kneepje gaf in Cassies arm.

'Geen wonder. Het is beeldschoon.' Vanuit de bomen langs de waterkant fladderde een zwart-witte vogel met een lange snavel op. Hij stak scherp af tegen de kobaltblauwe hemel.

'Een jabiru,' zei Jennifer, die Cassies blik had gevolgd. 'Vroeger hielden we picknicks aan de oever van de billabong en roeide Steven ons wat rond in ons kleine bootje.' Het was duidelijk dat Jennifer heimwee had naar die tijd. 'Kom op, we hebben alles klaargezet op de veranda en nu moet jij ons vertellen wat je verder nog nodig hebt. Maar eerst wil je je vast wel even opfrissen en iets koels drinken. Heb je trek in een sandwich?'

Cassie zag een stuk of vijftien zwarte vrouwen en kinderen op het gazon, aan de voet van de veranda, zitten.

'Dat zijn een paar gezinnen van onze veedrijvers. Zij wonen daar achter de bomen, in kleine hutjes. Van hieruit kun je die niet zien. Wij verstrekken hun voedsel en nu we jou hebben, willen we ook in hun medische behoeftes voorzien. Toen Blake nog een gouvernante had, wilde ik hun kinderen ook laten meeprofiteren van het onderwijs. Helaas grepen maar weinigen die mogelijkheid aan. Wij behoren nu eenmaal tot verschillende culturen, en hoe graag we ook zouden willen dat zij zich naar de onze zouden voegen, daar zijn ze nauwelijks toe bereid.' Zij schudde haar hoofd. 'Waarschijnlijk begrijpen zij niet waarom wij hùn cultuur niet overnemen, waarom we zo hardnekkig zijn om in huizen te willen blijven wonen en zo hard te werken als we doen.'

De twee vrouwen stonden nu boven aan de brede trap. Aan de rechterkant van de veranda was een lange tafel neergezet, bedekt met een wit laken. Aan de linkerkant, die was afgeschermd, stond gemakkelijk tuinmeubilair, inclusief een houten schommel, die aan het plafond hing. Cassie had nog nooit zo'n groot huis gezien.

'Kijk eerst maar eens of je nog iets anders nodig denkt te hebben.'

Dat zou Cassie pas kunnen zeggen zodra zij wist wat haar patiënten zoal mankeerden. 'Graag wat gesteriliseerd water. Verder heb ik hier volgens mij alles. Ik hoop dat Sam de kist meeneemt uit het vliegtuig.' Ze zette haar dokterstas op de tafel.

'IJsthee?'

'Klinkt goed. Jullie hebben hier zeker jullie eigen generator?'

Jennifer lachte. 'Toen ik uit Engeland wegging beloofde Steven me dat het mij hier nooit zou ontbreken aan iets wat ik daar wel had. Hij heeft woord gehouden. Onlangs heeft hij zelfs een zwembad aangelegd achter het huis. Helemaal onder glas, met kooien vol papegaaien en grasparkieten en kaketoe's. De volgende keer moet je je zwempak maar meenemen.'

'Ik dacht dat dit de droge Outback was.'

'De bronnen hier hebben nog nooit drooggestaan, maar in de dertig jaar dat ik hier nu woon is het drie keer voorgekomen dat de droogte zo hevig was dat we negentig procent van onze veestapel kwijtraakten.'

Cassie staarde haar aan.

Jennifer gaf een klopje op haar arm. 'O, het was niet altijd makkelijk. Maar dat zou alleen maar vreselijk saai zijn geweest. Het is een opwindend leven geweest. Zo, hierbinnen kun je je wassen, dan ga ik intussen voor de ijsthee zorgen.'

Een half uur later, toen Cassie de veranda opliep voor haar eerste spreekuur, stond de kist met al haar spullen op tafel, maar Sam was in geen velden of wegen te bekennen.

Toen zij die avond met Jennifer en Steven aan tafel zaten, zei Sam: 'Ik geloof niet dat ik ooit zo lekker heb gegeten.'

'Ruby is al meer dan twintig jaar bij ons,' zei Jennifer. 'Wanneer ze je ooit proberen wijs te maken dat aboriginals niet hard kunnen werken en altijd maar op *walkabout* gaan, dan kennen ze ons personeel nog niet.'

'Nu ja,' zei Steven, 'ons huispersoneel en onze veedrijvers mogen dan wel niet regelmatig op *walkabout* gaan, maar heel veel anderen doen dat wel degelijk.'

Jennifer glimlachte. 'Ik zeg ook niet dat ze het geen van allen doen, maar de mensen die voor ons werken zijn ons al jaren trouw en werken keihard.'

'Wat is een *walkabout*?' vroeg Cassie.

Sam antwoordde: 'Hangt ervan af aan wie je dat vraagt. De meeste rancheigenaars die ik ken zullen je vertellen dat het niets anders is dan een manier voor een zwarte om ervandoor te gaan wanneer hij geen zin heeft om te werken. Hij zal nooit aankondigen dat hij van plan is om te gaan; op een dag is hij gewoon verdwenen en uiteindelijk hoor je dan van iemand anders dat hij een *walkabout* is gaan maken. Maar ik denk dat het een spirituele betekenis heeft. Een tocht waarbij ze op zoek gaan naar iets, misschien wel naar de geesten van hun voorvaderen.'

'Dat denk ik ook,' merkte Jennifer op. 'Wij vinden het vervelend wanneer zij zich niet aan onze cultuur willen aanpassen. Wij...'

'Jennifer bedoelt de blanken,' zei Steven.

'De mensen die zich heer en meester hebben gemaakt van het land van de zwarte bewoners,' vervolgde Jennifer.

'Zover zou ik niet willen gaan.' Stevens stem kreeg iets kribbigs.

'Maar wij willen dat zij ons soort kleren dragen, in onze God geloven...'

Nu was Sam degene die haar in de rede viel. 'Dat wil zeggen, de God van de christelijke blanke...'

Jennifer knikte. '...en dat ze in huizen gaan wonen, net als wij.'

'Dat zullen ze nooit doen,' zei Steven.

'Ons soort huizen bezorgt hen claustrofobie,' vertelde Jennifer. 'Zij geven er de voorkeur aan onderkomens te bouwen van boomtakken, tijdelijke behuizingen in de open lucht, zodat zij in direct contact blijven met de natuur en waaruit ze weer kunnen vertrekken zodra ze vies worden of zin hebben om met z'n allen op *walkabout* te gaan.'

Steven zei: 'Wanneer ze in huizen gaan wonen, maken ze er een zooitje van. Ze hebben geen benul van onze normen en waarden...'

'En wij niet van de hunne,' wierp Sam in het midden. 'Volgens mij zijn ze veel... veel spiritueler ingesteld dan wij. Zij leven in harmonie met de natuur, respecteren hun voorouders.'

Glimlachend om de verwante ziel die zij in Sam herkende, voegde Jennifer eraan toe: 'Het is een vriendelijk, vreedzaam volk.'

'Jennifer is dol op die abo's,' zei Steven. 'De nobele wilde, en meer van die onzin. Ze ziet hen nooit als vies en lui. Al haar schilderijen zijn voorstellingen van hen en hun land.'

'Schilderijen?' vroeg Cassie, die het gevoel had zich in een vreemd land te bevinden. Dit was zo heel anders dan het Australië dat ze kende van de zomervakanties uit haar jeugd. In Melbourne had ze wel eens aboriginals gezien, maar ze wist niets van hun cultuur.

'Jenny schildert,' zei Steven. 'Ze maakt prachtige dingen.'

'Hij is bevooroordeeld,' zei zijn vrouw glimlachend.

'Mag ik je schilderijen eens zien?' vroeg Cassie.

'Natuurlijk. Ik heb er op dit moment niet veel in huis. Er zijn altijd wel mensen aan wie ik ze cadeau geef. Huwelijkscadeaus. Verjaardagen. Mensen die op bezoek komen en er eentje mooi vinden. Ik heb het schilderen jaren geleden ontdekt, toen Steven vaak weken achtereen van huis was om vee bijeen te drijven en misschien maar eens in de zes weken thuiskwam. Nu doet Blake dat allemaal voor hem. Tegenwoordig blijft hij godzijdank dichter bij huis. Maar het schilderen heeft me erdoorheen geholpen toen ik hier pas woonde en nog dacht dat alleen zijn hetzelfde was als eenzaam zijn.'

Een donker dienstmeisje bracht het dessert binnen, een groot, luchtig, rond gebakje, bedekt met slagroom en rode en groene vruchten. Haar jurk zat strak om haar omvangrijke lichaam en Cassie vond het grappig om te zien dat het meisje geen schoenen droeg en met haar blote voeten over de hardhouten vloer liep.

Sam stond op het punt een sigaret op te steken, maar stak, na een blik op Cassie, het pakje weer terug in zijn linker borstzakje.

Even later werd de koffie geserveerd.

'We hebben hier, verspreid over ons hele gebied, heel wat zwangere vrouwen wonen,' zei Jennifer. 'Misschien kunnen we een volgende keer proberen hen zover te krijgen dat jij ze mag onderzoeken. Het kan wel even duren voordat we hen daartoe hebben overgehaald. Steven heeft een paar ideetjes om hen om te kopen.'

'Hoe komt het dat er zoveel aboriginals voor jullie werken?'

'Het zijn fantastische spoorzoekers,' antwoordde Steven. 'Veedrijvers. Kunnen als geen ander met vee omgaan. Kunnen geweldig paardrijden. En zijn daar ook trots op. Ik heb nog nooit een luie veedrijver meegemaakt. Volgens mij is het aangeboren. En wanneer je er eentje aanneemt, komt zijn familie hier automatisch ook wonen. Wij betalen hen niet veel, anders zouden we er nooit zoveel in dienst kunnen hebben, maar we geven hun gezinnen te eten, bieden hen onderwijs als ze dat willen...'

'...wat dus meestal niet het geval is,' zei Jennifer.

'Inderdaad. Jammer maar waar.'

'Waarom jammer?' vroeg Jennifer. 'Wat kunnen wij hen leren over de manier waarop zij hun leven willen inrichten?'

'Wij kunnen hen iets leren over een manier van leven waaraan zij zich zullen moeten aanpassen,' antwoordde Steven, hoewel Cassie het idee had dat zij over dit onderwerp al vele malen eerder hadden gediscussieerd. Hij richtte zich tot haar. 'Morgen ga je je eerste ervaring opdoen met een aboriginal missiepost, nietwaar?'

'Yancanna?'

'Nee, dat is een AIM-ziekenhuis. Dat is pas maandag. Morgen ga je naar Narrabinga. Dat wordt geleid door een katholieke non.'

De vrouw droeg een korte broek. Dat leek Cassie een gunstig teken. Iets wat zij hier in de tropen ook graag zou doen, want het was hier veel te heet voor lange broeken. De mannen die zij tot nu toe had gezien droegen allemaal korte broeken en kniekousen. Dat laatste vond ze eigenlijk een beetje overdreven. Als deze vrouw een korte broek kon dragen, kon Cassie het zelf misschien ook eens proberen. Als de mensen er tenminste eerst aan gewend waren haar in een mannenbroek te zien. Niet meteen te veel tegelijk veranderen.

De korte broek die de non droeg was wijd en aan de lange kant. Hij voegde in elk geval niets toe aan haar vrouwelijkheid. Ze was in geen enkel opzicht aantrekkelijk te noemen. Haar muisgrijze haar zag eruit alsof ze een bloempot op haar hoofd had gezet en het langs de rand had afgeknipt. Op het puntje van haar neus droeg ze een bril met een schildpadmontuur.

'Godzijdank,' zei de vrouw. 'Ik ben zuster Ina.' Ze gaf Cassie een stevige handdruk. 'We hopen binnenkort een radio te krijgen, maar voorlopig hebben we die nog niet en we hebben een medisch spoedgeval.'

Zonder verder nog iets te zeggen, draaide zij zich om en rende in looppas naar een laag, uit golfplaten opgetrokken gebouwtje dat in de schaduw lag van een paar reusachtige palmbomen.

Met haar dokterstas in haar hand ging Cassie achter haar aan. Binnen, op de aarden vloer, lag een zwarte man. Hij lag op zijn buik, en met zijn gezicht afgewend van de deuropening, maar hij had zijn armen naast zich uitgestrekt, alsof hij ter plekke was neergevallen. Tussen zijn schouderbladen, halverwege zijn rug, stak een speer van bijna anderhalve meter lang.

'Goeie God!' riep Cassie uit.

'Hij is hier nog geen uur geleden aangekomen en wij weten niet hoe we dat ding eruit moeten krijgen.'

Cassie knielde naast hem neer. 'Hoe lang is hij al buiten bewustzijn?' vroeg ze.

De stem van de non klonk somber. 'Hij is niet bewusteloos.' Ze zei iets wat Cassie niet verstond en de man opende één oog. Hij kreunde en deed zijn oog weer dicht. Zij zag dat de speer rakelings, maar dan ook echt rakelings, langs zijn ruggegraat was gegaan. Hij had kennelijk geen wervels versplinterd, anders was hij op slag dood geweest. Vanuit de hoek waarin de speer in zijn rug stond, leidde zij af dat hij dicht bij het hart zat, maar als hij de aorta had doorboord was de man al dood geweest. Op zoiets had haar studie geneeskunde haar niet voorbereid.

Op dat moment kwam Sam binnenlopen.

'Mijn God,' zei hij.

'En de mijne,' zei zuster Ina. 'We proberen een manier te verzinnen om dat ding eruit te krijgen. Penibele toestand, vind je niet?'

'Zeg dat wel! Hiervoor hebben we andere instrumenten nodig dan die ik bij me heb.' Cassie ging staan. 'Hebben jullie hier misschien buigtangen of moersleutels?'

'Jazeker, in de werkplaats,' zei de non. 'Kom maar mee.'

Cassie keek naar Sam. 'Ik heb het gevoel dat ik jou hierbij nodig zal hebben. Jij beschikt duidelijk over meer spierkracht dan ik.'

'Gelukkig maar,' zei hij grijnzend.

Zij glimlachte niet terug.

In de werkplaats vonden zij Stillson-buigtangen en -moersleutels. 'Laten we hopen dat het hiermee lukt.'

Toen alles klaarstond, zei Cassie tegen zuster Ina, die ook verpleegster was: 'U zult de narcose moeten toedienen.' Ze pakte het gaasmaskertje en een fles ether uit haar tas.

'Hoef ik dat dit keer niet te doen?' vroeg Sam, opgelucht.

'Nee, jou heb ik nodig om dat verrekte ding eruit te trekken.'

Sam keek haar aan.

'Je moet heel goed uitkijken,' vervolgde zij, 'om geen ruggewervels te breken.' Ze zag de niet-begrijpende blik in zijn ogen. 'Ruggewervels zijn de onderdelen van het beenderstelsel waaruit de ruggegraat is opgebouwd. Teneinde geen wervels te breken, zul je die speer er rechtstandig uit moeten trekken. Geen extra kracht gebruiken, alleen maar recht trekken.' Ze wendde zich tot Ina. 'Terwijl jij de ether toedient en Sam trekt, moeten een paar andere mensen de patiënt plat op de grond houden, zodat Sam kracht kan zetten. Kun je er een paar sterke mannen bij roepen?'

Ina verdween.

'Wat gebeurt er als ik toch een wervel breek?' vroeg Sam.

Cassie wierp hem een snelle blik toe. Daar had ze zelf ook al aan gedacht. 'Gewoon niet doen.'

Ina kwam terug met twee grote aboriginals en legde hun uit dat zij de patiënt tegen de grond gedrukt moesten houden zodat Sam de speer uit de rug van de man kon trekken.

'Zorg dat hij niet beweegt,' zei Cassie. Zij knikte naar Ina. 'Oké, en nu de ether, met één druppel tegelijk,' zei ze, en legde haar uit hoe ze het moest doen. Zij knielde naast de patiënt, drukte met haar handen op de huid naast de speer en zei tegen Sam: 'Zet een voet op zijn billen, zodat je kracht kunt zetten. Hij voelt er niets van. En nu trekken, voorzichtig maar stevig.'

De speer gaf geen millimeter mee.

Sam begon te transpireren. Het was heel warm in de hut.

'Oké,' zei Cassie. 'Probeer hem nu telkens een heel klein stukje te draaien met die moersleutel.'

De speerde draaide een beetje, maar ook niet meer dan dat. 'Nu zachtjes trekken,' zei ze. 'Probeer eens eerst te draaien en dan meteen te trekken.' Toen hij dat deed, bleef de huid aan de speer vastzitten. 'Stop!' riep zij uit. 'Kijk. Wanneer je draait, blijft de huid plakken. Je moet hem er een heel klein stukje uittrekken en dan weer terug laten zakken, zodat ik de huid kan losmaken van de speer.'

'O, die arme man,' jammerde Ina, terwijl zij weer een druppel ether op het gaasje liet vallen.

'Trek hem er langzaam uit, nú,' zei Cassie op bevelende toon, terwijl zij zelf op de rug drukte, zodat de huid zich niet om de speer vast zou draaien. 'Maar laat hem telkens een stukje terugglijden. De huid mag niet scheuren.' Ze besefte dat al die zweetdruppels op haar lichaam niet van de warmte kwamen.

Ook Sams gezicht glom van het zweet. Hij hield even op om uit te rusten en Cassie keek naar hem op. Toen draaide hij de speer weer om met de moersleutel en trok behoedzaam.

'Wacht, je trekt de huid mee omhoog. Nu even langzaam draaien en niet omhoog trekken. Juist, goed zo. Oké, ga verder, draaien.'

Het kostte Sam ongeveer een kwartier om in een bepaald ritme te komen. Telkens draaide hij de moersleutel een beetje, wrikte en trok, terwijl Cassie ervoor zorgde dat het vel niet aan de speer bleef vastzitten. Langzaam begon de speer los te komen.

Het duurde meer dan een uur voordat de speer met een zuigend geluid loskwam; meteen begon het bloed uit de wond te spuiten. Snel drukte Cassie de wond met haar duim en wijsvinger dicht en pakte een collodionkompres dat zij stevig op het gat drukte. Toen pakte ze een injectienaald en diende de man een dosis adrenaline toe.

'Hoe is dit gebeurd?' vroeg Cassie, terwijl zij opstond.

Ina overhandigde haar de fles ether en het gaasje. 'Waarschijnlijk de een of andere stamwet overtreden. Daar zullen we wel nooit precies achter komen. In elk geval is degene die was aangewezen om het doodvonnis uit te voeren niet in zijn opdracht geslaagd. Denk je dat hij het redt?'

Cassie wist het niet. 'Sam heeft zijn best gedaan.' Ze zag dat hij verdwenen was. 'Ik heb geen idee. Ik heb nog nooit iets dergelijks meegemaakt. Als wij later waren gekomen was hij nu dood geweest.'

'Gods wegen zijn ondoorgrondelijk,' zei Ina glimlachend. 'Heb je soms trek in een kopje thee?'

'Eigenlijk niet,' zei Cassie. 'Ik heb meer zin in iets kouds.'

Ina schudde haar hoofd. 'Sorry. Hebben we hier niet.'

Sam stond onder een van de palmen een sigaret te roken.

Wat Cassie op het spreekuur onder ogen kreeg waren voornamelijk zweren en littekens van lepra, een ziekte die inmiddels vrijwel was uitgeroeid, en gevallen van framboesia. Oude, verwaarloosde verwondingen. Allemaal vrouwen. Of kinderen.

Een jong meisje, zo te zien nog geen twaalf jaar oud, had strepen op haar buik. 'Als ik niet beter wist zou ik bijna denken dat het zwangerschapsstrepen zijn,' merkte Cassie op.

'Dat zijn het ook,' zei Ina, die al de hele ochtend vlak naast haar stond. 'Ze krijgen kinderen wanneer ze zelf nog kind zijn. Je moet goed begrijpen dat de mannen de vrouwen en jonge meisjes naar believen gebruiken. Het kan gebeuren dat ze over een pad lopen en een vrouw of meisje tegenkomen waar ze wel zin in hebben, en dan nemen ze haar ter plekke. Het betekent niets voor hen.'

'En voor de vrouwen ook niet?'

Ina haalde haar schouders op. 'Wie zal het zeggen? Ze lijken het in elk geval niet erg te vinden. Maar als ik me voortdurend uit het veld liet slaan door hun manier van leven, dan zou ik hier niet thuishoren. Ik woon tenslotte in hun land. Ik probeer er echter wel op toe te zien dat de vrouwen en kinderen niet al te erg worden geslagen. In wezen zijn de aboriginals heel zachtmoedige mensen. Ze denken alleen anders dan wij. Zij leven bij de dag, zonder aan de toekomst te denken. Wat ze op een bepaald moment willen, dat nemen ze gewoon. De stamwetten zijn niet van toepassing op de vrouwen en mocht dat toch zo zijn, dan zijn de vrouwen zich daar niet van bewust. Vrouwen mogen geen stamceremonieën bijwonen of zelfs maar op de hoogte zijn van de wetten.'

Cassie staarde Ina ongelovig aan. 'Hoe hou je het uit tussen die mensen? Word je er niet helemaal stapel van?'

Ina glimlachte enigszins melancholiek. 'Ik weet het eigenlijk niet. Ik dacht dat het door God kwam. Daarom ben ik hiernaar toe gekomen. Nu vind ik het hier prettig. Ik zou niet terug willen naar Engeland. Hier kan ik hun problemen in elk geval op hun onwetendheid schuiven, of op hun onschuld, hoe je het ook noemen wilt. Waar kan ik de problemen van de moderne beschaving op schuiven? In onze wereld weten de mensen heel goed waarom ze sommige dingen niet zouden moeten doen, maar ze doen ze toch.'

De meest voorkomende klacht was kiespijn. Cassie trok elf kiezen. De enige tangen die ze voor dat doel bij zich had waren voor boven- en ondertanden en voor afgebroken stompjes.

'Je zult merken dat de vrouwen er heel stoïcijns onder blijven wanneer hun kiezen worden getrokken,' zei zuster Ina.

Eerst waren ze gek van de pijn en als de dood voor de dokter en haar instrumenten, maar zodra de kies eruit was, was elke opgeluchte patiënt een heel ander mens. Het trekken van de kies deed veel minder pijn dan wat de patiënt al achter de rug had. Meestal was de patiënt alleen maar stomverbaasd als hij of zij merkte dat na het verwijderen van de rotte kies de afschuwelijke pijn verdwenen was.

Om drie uur 's middags was ze eindelijk klaar om te vertrekken. Het zweet droop van haar gezicht en in haar ogen, waar het prikte van het zout. Ze veegde het zweet telkens weg met een zakdoek, die al snel doorweekt was.

'Vandaag zijn alleen de zwaarste gevallen gekomen,' zei Ina tegen haar. 'Maar voor je het weet heeft iedereen gehoord dat jij een eind kan maken aan kiespijn en dat je die man het leven hebt gered. De volgende keer hoop ik een paar zwangere vrouwen over te halen zich door je te laten onderzoeken, maar ik kan niets beloven. Misschien willen ze hun kinderen laten inenten. Het zal tijd kosten. Ze hebben nog nooit medische verzorging gehad.'

'Hoe lang woon je hier al?' vroeg Cassie, die zo moe was, dat ze bang was niet meer over voldoende energie te beschikken om naar het vliegtuig te lopen. Ze wist dat het verzengend heet zou zijn in het toestel, dat al meer dan zes uur in de brandende zon had gestaan.

'Zeven jaar,' antwoordde de vrouw, terwijl zij het zweet van haar slapen wiste.

Sam stond, niet ver van het vliegtuig, in de schaduw van een palmboom. Toen hij Cassie aan zag komen, trapte hij zijn sigaret uit en wilde haar dokterstas van haar aanpakken.

'Die kan ik zelf wel dragen,' zei ze.

'Tot volgende maand,' zei hij tegen de non, waarna hij voor Cassie in het vliegtuig sprong. Hij wachtte tot zij binnen was, trok het trapje op zijn plek en sloeg de deur dicht.

'Bedankt, hè!' riep Ina.

Cassie zonk achterover in haar stoel en sloot haar ogen. God, wat een hitte.

Hoofdstuk 11

Jennifer wierp één blik op Cassie en besloot meteen dat zij een dutje zou gaan doen voor de barbecue van die avond. Als Jennifer om zeven uur niet zachtjes op haar deur had geklopt, had Cassie waarschijnlijk nog uren doorgeslapen.

Er bevonden zich geen andere ranches binnen een straal van honderdvijftig kilometer van Tookaringa, maar de Thompsons hadden iedereen uitgenodigd die enkele uren rijden bij hen vandaan woonde. Hun opzichter en zijn vrouw, Stevens boekhouder, al het personeel van de ranch, alle veedrijvers en koeienjongens die niet diep in de bush zaten, de tuinman en zijn vrouw, de twee monteurs, de veearts – iedereen die voor hen werkte was uitgenodigd om kennis te komen maken met de nieuwe dokter, inclusief een stuk of vijfentwintig kinderen.

'Ik vind het heerlijk,' zei Jennifer, terwijl zij op de rand van Cassies bed kwam zitten. 'Nergens ter wereld tref je zoveel gelijkheid aan als in Australië. In Engeland zou je je personeel nooit uitnodigen op een feest. Natuurlijk zijn er ook nog een heleboel mannen die op dit moment honderden kilometers verderop vee bijeendrijven. Ik wilde dat Blake erbij kon zijn. Hij vindt je vast heel aardig.'

'Ik geloof niet dat ik iets geschikts bij me heb om aan te trekken,' zei Cassie, met een blik op Jennifers perzikkleurige zijden jurk, die haar volmaakte figuurtje prachtig deed uitkomen.

'O, de meeste vrouwen die vanavond komen dragen niet van die feestelijke dingen, hoor. Maar je gaat me toch niet vertellen dat je een rijbroek aantrekt?'

'Nee, ik heb wel een jurk bij me.'

Jennifer zei dat ze het een snoezig japonnetje vond. Toen zij samen de trap afliepen, waren alle ogen op hen gericht. Cassies korte, kastanjebruine haar lag als een stralenkrans om haar hoofd. Haar rood met wit gestippelde jurkje van fijn batist baarde opzien onder de vrouwen – zoiets hadden ze nog nooit gezien. Aan Jennifers elegante verschijning waren ze gewend, maar de nieuwe dokter in zo'n mooie jurk te zien maakte haar, nu ja, minder professioneel. Minder ongenaakbaar.

'Alle mannen zullen met je willen dansen,' fluisterde Jennifer.

'Ik praat net zo lief de hele avond met de vrouwen,' mompelde Cassie. 'Zij zijn tenslotte degenen die mij het meest nodig zullen hebben.'

'Dat is helemaal niet gezegd.' Jennifer liet haar arm los. 'En trouwens, met de vrouwen kun je praten wanneer je maar wilt. Dansavonden zijn er om tijd door te brengen met het andere geslacht.'

Cassie keek om zich heen. Ze zag geen potentiële Ray Grahams. Geen gevaarlijke types. Misschien moest ze vanavond maar eens gewoon plezier maken. Dansen met de veedrijvers, de paardenliefhebbers, de monteurs, de werklui en de knechten. Zich een beetje laten gaan.

Ze rook gebarbecued rundvlees. Het had de hele dag al liggen roosteren boven de vuren. Op het glooiende gazon, dat langzaam afliep naar de billabong, waren drie meter lange tafels neergezet die reusachtige schalen salades en bonen torsten. Crackers en pompoenbrood, enorme rode tomaten, dikke plakken kaas, kannen melk en ijsthee stonden om en om uitgestald op de lange schraagtafels.

Daar was Steven. 'Goedenavond, dames. Lieve deugd, wat zien jullie er beeldschoon uit. Kom eens hier – ik heb hier twee Tom Collinses klaarstaan, die ik speciaal voor jullie eigenhandig heb gemixt.'

'Zolang het maar in een groot glas zit en heel koud is,' zei Cassie.

'Je vriend daar,' Steven knikte in de richting van Sam, die met een paar van de veedrijvers stond te praten, 'lijkt het meer op bier te houden. Wist je wel dat wij Aussies per hoofd van de bevolking meer bier drinken dan in welk ander land ook?'

Cassie vroeg zich af of dat iets was om trots op te zijn.

'Al die slungelige koeienjongens gaan zich vanavond eens uitgebreid aan je vergapen,' zei Steven grijnzend. 'Ze zijn stuk voor stuk doodverlegen in het bijzijn van vrouwen, maar reken maar dat ze allemaal met je willen dansen, of je nu de dokter bent of niet. Niet zenuwachtig worden wanneer je hen op je af ziet komen. We krijgen hier niet zoveel vrouwen te zien die eruitzien zoals jij.'

'We krijgen hier sowieso niet veel vrouwen te zien,' zei Jennifer. 'Eigenlijk alleen maar de meisjes die hier werken. De mannen vonden het prettig toen we een gouvernante hadden, toen Blake nog klein was. Maar dat is lang geleden.'

'Jullie zitten wel erg ver van scholen verwijderd, is het niet?'

'Jammer genoeg wel,' zei Jennifer. 'We hebben ons altijd gouvernantes kunnen veroorloven, maar na een jaar of zo gingen ze natuurlijk altijd trouwen. Eén vrouw tussen al die mannen, moet je nagaan. Maar in de bush wonen honderden gezinnen die geen gouvernantes kunnen betalen en die zelf niet voldoende opleiding hebben gehad om hun kinderen iets bij te brengen. Sommige kinderen hebben geluk en leren lezen en rekenen. Het is een van de grote nadelen van het stichten van een gezin in deze contreien. Wanneer een kind het geluk heeft de leeftijd van een jaar of twaalf te bereiken, moeten de ouders het naar een kostschool in de grote stad sturen. Dat is natuurlijk ook verschrikkelijk kostbaar en de meeste mensen kunnen zich dat niet veroorloven. Diegenen onder ons die het geld wel hebben, betalen er op een andere manier voor. Wij verliezen onze kinderen vroeg. En dat is een hoge prijs voor het pioniersleven.'

'En dan zijn wij altijd nog bevoorrecht geweest,' zei Steven. 'Wij konden ons gouvernantes en goede scholen veroorloven. Blake heeft economie gestudeerd. Niet dat hij er ook maar iets aan heeft, want hij wil toch niets anders doen dan op de ranch werken. Maar hij heeft een goede achtergrond.'

'Zo, zo, doc,' klonk Sams stem achter Cassie. 'Ik had je bijna niet herkend.'

Toen zij zich omdraaide, stond hij naar haar te kijken. Nerveus, hield ze haar glas in de lucht en maakte een pirouette. 'Zie ik er soms niet professioneel genoeg uit?'

'Je ziet er op en top vrouwelijk uit,' zei hij. Hij wendde zich tot Steven, en vroeg: 'Mag ik nog een biertje pakken?'

'Zo, dus jij bent degene die mijn zwarte knecht heeft vermoord?'

Steven sloeg zijn arm om de schouders van de spreker, een stevige, grijze man. 'Ian, je weet niet wie dit is. Dit is de nieuwe dokter...'

'Ze weigerde naar een van mijn jongens te komen kijken toen ik dat vroeg en nu is hij dood.'

Cassies nekharen gingen overeind staan. Ze zag dat Sam zich weer omdraaide en naast haar kwam staan.

'Ik heb u gevraagd zijn temperatuur op te nemen en...'

'Hij is dood.'

Steven zei: 'Waarschijnlijk was hij toch niet meer te redden.'

Ian James keek Cassie aan. Toen draaide hij zich om en liep weg. Cassie had wel door de grond willen zinken.

'Trek je er maar niets van aan,' zei Steven. 'We vergissen ons allemaal wel eens.'

'Ze trekt het zich wèl aan,' zei Sam. 'En het was geen vergissing. Hij legde gewoon de hoorn op de haak. Ik heb het zelf gehoord.

Hij weigerde zijn medewerking. Er is een verschil tussen de FDS en een vliegende ambulancedienst. Cassie moet zich ervan overtuigen dat het om een medisch spoedgeval gaat voordat ik het vliegtuig zelfs maar de hangar uitrij. Het is veel te duur en bovendien zou het tijdverspilling zijn.'

O, dank je wel, Sam, wilde Cassie zeggen.

'Om mij een beeld te kunnen vormen, moet ik de medische achtergrond en de symptomen van de patiënt kennen. Meneer James weigerde mij iets te vertellen.'

Steven gaf Cassie een schouderklopje. 'Denk er maar niet meer aan,' adviseerde hij haar.

Vrijwel meteen kwamen er enkele mannen aanslenteren, die zich door Sam aan Cassie lieten voorstellen. Sam liep weg om een praatje aan te knopen met een paar van de jongste vrouwen die in een groepje bij elkaar stonden. Na een tijdje verloor Cassie hem uit het oog.

Eenmaal hersteld van Ian James' aanval, besefte zij dat het leuk was omringd te worden door mannen die ze niet kende, maar die bewonderend naar haar keken en malle dingen tegen haar zeiden. Ze merkte dat ze met het aantrekken van haar feestjurk, haar bruuske manier van doen en haar identiteit als arts achter zich had gelaten.

Toen de zon langzaam onderging aan een helderrode hemel, begon de avond af te koelen en ontstond er een gezellige, uitgelaten sfeer. Jennifer en Steven zagen erop toe dat Cassie aan iedereen werd voorgesteld. Zij kwam tot de slotsom dat ze nog nooit zulke aardige mensen had ontmoet.

Tijdens de maaltijd zat ze tussen twee van de veedrijvers en tegenover drie anderen. Slechts een van hen was een echte prater en Cassie moest zoeken naar gespreksonderwerpen, maar toch was het heel gezellig.

Na het eten, toen de sterren aan de hemel begonnen te schitteren, hoorde ze op de veranda iemand een viool stemmen. Even later klonken er trompetklanken door de nacht. Er voegden zich nog enkele andere instrumenten bij en het dansen begon. De openslaande deuren naar de woonkamer stonden wijd open, zodat de ruime veranda en de reusachtige woonkamer een soort balzaal werden. Kleden werden opgerold en de vloeren bleken glanzend in de was gezet. De veranda werd verlicht door lampionnen en de band speelde pittige Amerikaanse deuntjes, afgewisseld met langzame foxtrots.

Cassie werd de hele avond doorgegeven van de ene man naar de andere, zonder ook maar even te kunnen uitrusten. Ze stierf intussen van de dorst, toen haar zoveelste partner werd afgetikt door Sam. Na enkele minuten zei ze: 'Je danst heel goed.' Hij leidde haar zwijgend over de vloer. 'En verder vind ik je een prima doktersassistent,' voegde ze eraan toe.

Hij begon te lachen. 'Wat was ik goed gisteren, hè? Met die speer.'

Cassie kreeg een ondeugende blik in haar ogen. 'Zal ik al die meisjes daar eens vertellen hoe geweldig je bent?'

Hij schudde zijn hoofd en draaide haar rond. 'Dank je, maar doe geen moeite. Daar komen ze zelf wel achter.'

De band zette een snelle Amerikaanse jitterbug in, 'Elmer's Tune'. De meeste paren verlieten de dansvloer.

'Wil je je hieraan wagen?' vroeg Sam met opgetrokken wenkbrauwen.

'Dacht je dat ik het niet kon?' vroeg zij, op plagerige toon.

'Oké, doc, we zullen ze eens wat laten zien,' en meteen duwde hij haar draaiend van zich af en greep haar bij de hand toen ze weer terugzwierde. 'Nou, nou, ik ben onder de indruk,' en daar dansten ze weg.

De dansvloer was nu vrij en iedereen keek naar hen en klapte mee op de maat van de muziek. Cassies rok zwierde wijd uit toen ze om Sam heen cirkelde. Zijn greep was licht, maar stevig en zijn gezicht straalde van plezier. Hij was goed en dat maakte het haar gemakkelijk hem te volgen. Ze merkte dat hij extra passen inlaste, bij wijze van uitdaging aan haar om hem bij te houden.

Toen het nummer was afgelopen, werd er luid geapplaudisseerd. Zij keken elkaar lachend aan en Sam maakte een diepe buiging. Een echte uitslover. Cassie maakte een revérence. Ze voelde dat een deel van haar dat tot nu toe verborgen had gezeten, aan de oppervlakte kwam. Niet zozeer vanwege Sam, maar meer vanwege de Outback. Alles was hier zo nieuw en ze genoot er met volle teugen van.

Toen Cassie en Sam maandagochtend naar Yancanna vertrokken, waren zij het erover eens dat ze een buitengewoon weekend hadden gehad. Ze waren allebei onder de indruk van de kwaliteit van Jennifers schilderijen van aboriginals, van het weidse, rode land, van de bomen, de rotsen en de uitgestrekte vlaktes.

Ze hadden veel geleerd, waren lekker uitgerust, hadden gebridged en heel veel gelachen. Cassie had echt het gevoel er met de Thompsons twee nieuwe vrienden bij te hebben.

Zij en Sam hadden zoveel meegemaakt. Ze hadden samen gewerkt en gespeeld. Hij had haar tijdens het dansen in zijn armen gehouden en toch had zij niet het gevoel hem nu beter te kennen.

En misschien was dat maar goed ook.

Ze vlogen nu recht boven Yancanna, maar vanuit de lucht was het nauwelijks te zien. Zo te zien stonden er niet zoveel gebouwen als op Tookaringa. Er was een postkantoor, het AIM-ziekenhuis en een winkel. Er stonden slechts vijf huizen, tenzij je het politiebureau meetelde, dat ook als woning van de enige politieman dienst deed. Cassie vroeg zich af waarom er een postkantoor was, maar zou erachter komen dat het dienst deed voor een gebied van meer dan tienduizend vierkante kilometer.

De twee nonnen, die tevens verpleegster waren, Marianne en Brigid, waren voor in de twintig en waren nu negen maanden in Yancanna. Brigid was ergens in de bush bij een bevalling gaan helpen, maar Marianne en de één meter negentig lange politieman, Walt Davis, door iedereen 'Chief' genoemd, stonden het vliegtuig op de landingsstrook achter het ziekenhuis op te wachten.

Marianne droeg het traditionele witte verpleegstersuniform. Zij was een knappe jonge vrouw. Haar donkere wenkbrauwen accentueerden haar bijna zwarte ogen en ze was voortdurend bezig haar weerbarstige haar, dat al even donker was als haar ogen, uit haar gezicht te strijken.

'Jullie hebben geen idee hoe blij we zijn om hier eindelijk een dokter te hebben,' zei ze, terwijl ze Cassie een hand gaf.

De Chief nam Cassies dokterstas van haar over. Hij was de grootste man die ze ooit had gezien. Hij had brede schouders en een bruin, verweerd gezicht, waaraan het buitenleven goed was af te zien, ook al kon hij nog geen dertig zijn. Hij schudde Sam de hand.

Marianne legde uit dat het Brigid heel erg speet het eerste bezoek van de dokter te moeten missen en ging hen tegelijkertijd voor naar het ziekenhuis. Net als alle ziekenhuizen in de Outback, telde het twee verdiepingen en was het opgetrokken uit beton, om termieten te weren. Een brede trap voerde omhoog naar de veranda, waarvan de dubbele deuren toegang gaven tot een ruime hal. De vloeren waren van glanzend gewreven eucalyptushout en de grote ziekenzaal en apotheek zagen er smetteloos uit. De apotheek, die tevens werd gebruikt voor kleine operaties en de behandeling van patiënten die hier niet verbleven, was uitstekend uitgerust. Links van de hal bevond zich een ziekenzaal met drie bedden, die op dit moment niet bezet waren. Aan de andere kant van de hal, aan de rechterkant, bevond zich een grote zitkamer en daarachter was de keuken. Deze twee ruimtes waren voor een gebied van enkele duizenden vierkante kilometers de enige plek waar men elkaar kon ontmoeten.

'Met Kerstmis komt iedereen, van kilometers in de omtrek, hier bij elkaar,' zei Marianne. Zij keek glimlachend op naar de Chief.

'Hij heeft "A Christmas Carol" van Dickens voorgelezen en het was prachtig.'

Cassie zag meteen dat Marianne stapelgek was op de Chief. Marianne vervolgde haar rondleiding door het ziekenhuis. Er waren twee badkamers met porseleinen baden en wastafels. Boven waren de slaapkamers van de zusters, gerieflijke kamers met deuren naar een veranda. Vanaf deze veranda konden zij kilometers ver kijken. Ze konden de coolibah's langs de rivierbedding zien en misschien zelfs de rivier zelf wanneer er water in stond. Zij zagen het zand in kleine gele wolkjes opstuiven en kuddes kangoeroes over de vlaktes stormen. Vreemdelingen konden zij al van kilometers afstand zien aankomen.

'We hebben de mensen laten weten dat je hier tegen elven zou zijn,' zei Marianne, 'maar we hebben op dit moment geen spoedeisende gevallen. Af en toe lijken wij zelf wel artsen. Wij trekken kiezen...' Ja, dat leek wel de meest voorkomende klacht hier, zover van de bewoonde wereld, dacht Cassie peinzend. '...En als de vrouwen het zich niet kunnen veroorloven naar Brisbane of naar Adelaide, of zelfs maar naar Augusta Springs te gaan om de geboorte van hun baby af te wachten, fungeren Brigid en ik ook als vroedvrouw. Natuurlijk zijn we altijd bang dat er eens iemand een keizersnede nodig zal hebben, want die mogen wij niet uitvoeren. Maar we hebben wel al een aantal stuitbevallingen gehad en daar zaten een paar riskante bij ook. We proberen hen wel naar het ziekenhuis te halen, maar meestal komt het erop neer dat wij naar hun ranch toe moeten.'

'Ik ben onder de indruk,' zei Cassie. Zelf had ze het idee gehad twee jaar te gaan werken op een afgelegen plek – maar Yancanna was echt aan het eind van de wereld.

De Chief stond met Sam te praten. 'We hebben onlangs nog een tragedie meegemaakt. Drie weken geleden heeft dat struikgewas daar,' hij wees naar de eindeloze kilometers mulga, 'weer eens twee slachtoffers gemaakt. Twee jongetjes, drie en vier jaar oud, zijn erin verdwenen. Mevrouw Benbow liet hen even achter op de veranda om iets te eten te halen en toen ze terugkwam waren zij verdwenen. Zonder een spoor achter te laten. Een kilometer of tien ten oosten vanhier. Iedereen binnen een straal van vijftig kilometer heeft meegezocht. Zelfs 's nachts is er door gezocht, maar zelfs de allerbeste aboriginal spoorzoekers hebben geen spoor meer van hen gevonden. Helemaal niets. De moeder is helemaal gek van verdriet.'

'Dat zou ik ook zijn,' zei Cassie, huiverend bij de gedachte alleen al.

Marianne knikte. 'Ik heb gehoord dat zij er midden in de nacht op uitgaat om hen te roepen. Ze maakt elke avond het eten klaar en wanneer ze aan tafel gaat zegt ze tegen haar man dat ze nog even moeten wachten tot de kinderen binnenkomen van het buiten spelen.

Ik zal een pot thee zetten,' zei Marianne. 'Ik denk niet dat er vandaag veel mensen zullen komen. Waar we jou hoofdzakelijk voor nodig zullen hebben is het geven van advies wanneer we ergens zelf niet uitkomen of wanneer we een spoedgeval hebben. We hadden op z'n minst vijf, zes levens kunnen redden wanneer er een dokter ter beschikking was geweest, daar ben ik van overtuigd. Je weet niet half hoe blij we zijn met de wetenschap dat jij nu in de buurt bent. Een ogenblikje.'

Cassie keek uit het raam. Ze hoorde de Chief tegen Sam zeggen: 'Ja, ik beheer hier een gebied dat groter is dan welk ander gebied in het hele land dan ook. Toen ik vijf jaar geleden uit Engeland kwam had ik geen idee waar ik aan begon. Ik ben de enige politieman in een gebied dat groter is dan de meeste Europese landen!' Hij lachte niet zonder enige trots. 'Ik heb een heleboel functies. Ik ben de beschermer van de aboriginals – mensen op wie ik heel erg gesteld ben geraakt. Zij nodigen mij, als eerste blanke man, uit om hun nachtelijke dansfeesten en inwijdingsceremonieën bij te wonen. Vrouwen worden vanzelfsprekend niet toegelaten. Vrouwen betekenen helemaal niets voor hen. Maar ik voel mij bevoorrecht hun vertrouwen te genieten. Ik mag hen graag. Ik bewonder hun integriteit en hun capaciteiten. Ze kunnen spoorzoeken zoals geen blanke dat ooit zal kunnen. Ze hebben stamwetten en tradities waarvoor ik respect heb. Ze weten precies wat ze wel en wat ze niet moeten doen. Het is een eenvoudige samenleving met een zuiver begrip van goed en kwaad, maar ze raken in verwarring wanneer wij erop aandringen dat zij zich aanpassen aan onze wetten en tradities.'

Sam zei iets dat Cassie niet kon verstaan en toen vervolgde de Chief zijn verhaal weer. 'Ik ben griffier van de rechtbank. Wanneer een probleem uit de hand loopt en de rechterlijke macht eraan te pas moet komen, roep ik het hof bijeen en ben ik tegelijkertijd de rechter en de jury. Dat hebben de mensen liever dan dat ze moeten wachten tot er ooit eens een echte rechter deze kant op komt.'

Cassie liep de veranda op en keek naar het landschap; het benam haar de adem. 'Vind je dat niet overweldigend?'

'Nee.' Hij grijnsde en zijn brede schouders zagen eruit alsof hij er het gewicht van de hele wereld op kon torsen. 'Ik speel graag de baas. Het bevalt me hier. Hoe warmer het wordt, hoe beter ik kan werken. Ik ken hier elke levende ziel die in deze omgeving woont, er is geen huis waar ik niet welkom ben. En nu de zusters een radio hebben, zitten we 's avonds soms bij elkaar om te horen wat er zoals gaande is in de rest van de wereld. Wanneer iemand in mijn district over de radio met jou praat, kan ik meeluisteren en wanneer ik denk dat ik kan helpen, dan kom ik.'

'Ben je altijd te paard?'

De Chief schudde zijn hoofd, zodat zijn blonde haar over zijn voorhoofd viel. Afwezig reikte hij in zijn borstzakje, haalde er een tandenborstel uit en begon zijn tanden te poetsen. 'Wanneer er een weg is gebruik ik de auto, maar er zijn niet zoveel geschikte wegen. De wegen die er zijn, zijn vaak onbruikbaar. In het regenseizoen zijn ze vaak overstroomd. Tijdens de droogte waait het zand eroverheen, hoewel we daar hier, met al die bomen, minder last van hebben dan verder naar het zuiden.'

'Ben je nooit eenzaam?' Hij stond nog steeds zijn tanden te borstelen en Cassie kon haar lachen bijna niet meer inhouden.

De Chief stak zijn tandenborstel weer in zijn borstzakje. 'Dat vragen al mijn familieleden in Engeland ook altijd. In de vijf jaar dat ik hier nu ben, heb ik me nog geen seconde eenzaam gevoeld. Ik kom elke dag tijd te kort.'

'Net als wij,' zei Marianne, die binnenkwam met een dienblad met vier kopjes.

Op dat moment hoorden ze iemand de trap opkomen, en even later kwam er door de openslaande deuren een vrouw binnen van onduidelijke leeftijd, met een gezicht dat getaand en gegroefd was door het jarenlange buitenleven.

'Dit is Hermione,' zei Marianne. 'Zij beheert het postkantoor – haar man drijft de kroeg en de winkel.'

Cassie kon zich niet voorstellen dat het echtpaar een bijzonder druk bestaan leidde.

Hermione droeg een vormeloze jurk, een witte en een gele sok en vuile tennisschoenen, waarbij van de ene bij de teen een stuk was weggeknipt. Op haar hoofd stond een oude, gehavende, breedgerande strohoed. Ze stak hen een stapeltje brieven toe. 'Ik dacht dat jullie die wel meteen mee konden nemen, anders moeten ze hier op meneer Miner blijven liggen wachten en het kan nog wel een dag of tien duren voordat die komt.'

Sam nam de brieven aan.

Marianne ging nog een kopje pakken.

Cassie vroeg zich hardop af waar de post vandaan kwam, waar de patiënten vandaan kwamen, waar de mensen vandaan kwamen. Er konden in dit hele stadje niet meer dan tien, twaalf mensen wonen.

'Een deel van de post is gericht aan of komt van het ministerie van Onderwijs,' zei Hermione, met een stem die klonk alsof ze haar hele leven zwaar gerookt had. 'Zo krijgen kinderen hier hun scholing. Per post.'

'Wij liggen hier langs de veeroute,' voegde de Chief eraan toe. 'Het ziekenhuis is een soort verzamelpunt. Elke man binnen een straal van tweehonderd kilometer verzint wel eens een reden om hier naar toe te komen en zich aan Brigid en Marianne te vergapen.' Hij lachte toen Marianne bloosde. 'Iedereen die langskomt kan meeëten.'

'Wij doen tevens dienst als bibliotheek,' zei Marianne. 'Iedereen die een boek uit heeft brengt het bij ons. We hebben inmiddels al een aardige collectie. Maar wanneer er een ploeg veedrijvers langskomt en ze nemen allemaal een boek mee, dan slinkt onze voorraad weer drastisch. Maar mensen blijven ons boeken geven. Hou dat vooral in gedachten voor als je er eens een paar overhebt. We kunnen altijd boeken gebruiken. Volgens mij zijn er nergens ter wereld mensen die zoveel lezen als de mensen hier, in de Outback.'

'Wie niet leest, loopt kans om stapelgek te worden,' zei Hermione.

Aangezien er geen patiënten waren, bleven ze niet lang op Yancanna. Alvorens te vertrekken, stemden ze af op het Flying Doctor radio-uurtje van elf uur en informeerden bij Horrie of er nog spoedgevallen waren. Er hadden twee ranches gebeld met een paar kleine probleempjes en Cassie diende hen van advies.

'Doe me een lol, ja?' zei Horrie. 'Kom zo snel mogelijk terug. Betty is hier en we willen vanavond nog trouwen. Jullie kunnen het spreekuur van kwart voor vijf doen, daarna trouwen wij en dan kunnen we vanavond met z'n allen gaan eten.'

Toen Cassie in het vliegtuig achteroverleunde en haar ogen sloot, bedacht zij dat ze, ook al mocht ze Horrie nog zo graag, toch wel erg blij was dat zij Betty niet was. Het idee om in dat kleine golfplaten hutje te moeten wonen. Je moest wel erg veel van een man houden om dat over je kant te laten gaan. Stel je voor dat dàt je leven was.

Ze vroeg zich af hoe haar leven zou zijn verlopen als Ray niet had besloten om terug te gaan naar zijn vrouw.

In elk geval kon haar leven nu alle kanten op. Bestonden er alleen beperkingen wanneer er een man in je leven was? Ze zuchtte, ze wist het niet. Misschien was ze zelfs op het punt beland dat ze blij was met de beslissing die Ray Graham had genomen. Misschien was dit de plek waar zij het avontuur zou vinden. Waar anders had ze een speer uit de rug van een aboriginal moeten halen? Waar anders zou ze honderden, soms zelfs duizenden kilometers per week vliegen? Hoe had ze anders mensen als Steven en Jennifer kunnen leren kennen? Mensen als Fiona? Als Don McLeod? Als al die mensen in Yancanna en zuster Ina in Narrabinga?

Nergens anders, dat wist ze best. Met een glimlach op haar gezicht viel ze in de stoel naast Sam in slaap.

Horrie en Betty stonden hen al op te wachten op het vliegveld. Betty was een levendig blondje, met krullen en een kinderlijk gezichtje, dat nauwelijks tot Horries schouders reikte. Zij droeg een witzijden mantelpakje en aan haar kleine strohoedje was een voile bevestigd en bloemen, die langs haar gezicht en over haar oren vielen.

Onderweg naar de kerk, tijdens de plechtigheid en ook toen zij weer terugliepen door het gangpad, had zij zich stevig vastgeklemd aan Horries arm.

'Wat een schatje,' zei Sam, toen hij en Cassie achter hen aan liepen door het gangpad van de kerk. Horrie had hun zelfs niet de tijd gegund zich om te kleden.

'Betty Wallace,' zei Betty. 'Vinden jullie het geen mooie naam? Ik vraag me af of ik er ooit aan zal wennen.'

Ze zetten koers naar Addie's, waar Sam champagne bestelde om een dronk mee uit te brengen op het pasgetrouwde stel.

Betty giechelde. 'Is het niet geweldig? Stel je voor – als ik met iemand in Kerrybree was getrouwd, was ik een doodgewone huisvrouw geworden. Maar hier kan ik mijn man echt bijstaan in zijn werk.'

'Inderdaad,' grinnikte Horrie, terwijl hij haar hand bijna fijnkneep. 'Maar ik denk dat ik nog even tot morgen wacht voor ik je morse ga leren.'

Zij keek glimlachend naar hem op. 'Is hij geen man uit duizenden?' vroeg zij, aan niemand in het bijzonder.

Sam zei: 'Dit is een rondje van mij,' toen de serveerster de fles champagne kwam brengen. 'En de steaks zijn ook voor mijn rekening.' Hij hief zijn glas. 'Op een leven vol geluk.'

Horrie knikte instemmend.

Op dat moment voelde Cassie opeens een hand op haar schouder. Toen zij zich omdraaide keek zij in het gezicht van Chris Adams.

'Het spijt me dat ik jullie moet storen,' zei hij, zonder een spoor van spijt in zijn stem. 'Ik ben al meer dan een uur naar je op zoek.'

Cassie keek hem aan en bracht het champagneglas naar haar lippen. Chris stak zijn hand uit en pakte het glas. 'Nee,' zei hij. 'Geen champagne. Ik heb je nodig.'

Hij heeft me nodig?

'Ik moet een hand amputeren,' zei hij. 'De een of andere malloot heeft geprobeerd dynamiet te gebruiken en kon niet snel genoeg wegkomen. Zijn halve hand ligt eraf, alleen het bot zit er nog aan. Ik moet amputeren en snel ook.'

Cassie zette haar glas op tafel. 'Waarom ik? Ik neem aan dat dr. Edwards...'

'Dr. Edwards,' zei Chris met ijzige stem, 'is niet in staat om te werken.'

Niemand zei iets.

'Hij is stomdronken en ik heb nu meteen een anesthesist nodig.'

Cassie stond op. 'Natuurlijk.'

Zij wendde zich tot Horrie en Betty. 'Het spijt me. Misschien zijn jullie hier nog wanneer ik klaar ben. Ik kom nog wel even langs. Zo niet, morgen...'

Chris draaide zich abrupt om en liep voor haar uit, zonder zelfs maar de deur of het portier van zijn auto voor haar open te houden. Hij startte de motor en wachtte tot zij het portier had geopend en naast hem was komen zitten.

De hele weg naar het ziekenhuis zei hij geen stom woord.

Hoofdstuk 12

'Wat is er aan de hand, mevrouw Anderson?' Cassie was er niet aan gewend op afstand een diagnose te stellen, zonder de patiënt te zien.

'Hij voelt een druk op zijn borst. Volgens hem voelt het alsof iemand erbovenop staat.'

Cassie knipte een schakelaar om. Het grote voordeel, bedacht zij zich, was dat de een de ander niet kon onderbreken. De schakelaars moesten gelijk staan. 'Zit de pijn op één plek?'

'Ogenblikje.' Cassie hoorde de vrouw iets roepen.

Even later kwam er een mannenstem aan de telefoon. 'Nee, de pijn zit niet op één plek. Ik voel hem naar mijn nek trekken en in mijn schouders en dan weer omlaag door mijn linkerarm.'

Het was zijn hart.

Zijn stem vervolgde: 'Ik voel de pijn in mijn elleboog, maar er mankeert niks aan mijn elleboog. Ik heb hem niet gestoten of zoiets.'

'Wanneer komt de pijn op?'

'Nou,' antwoordde de krakende stem, 'vooral 's morgens vroeg wanneer ik net aan het werk ben. Soms doet het zo'n pijn dat ik op moet houden met werken en even moet gaan zitten totdat de pijn is weggetrokken.'

Hoeveel moest ze hem vertellen? 'Dat zijn typische verschijnselen van hartkramp of angina pectoris. U kunt zich voorlopig beter niet te zeer inspannen, totdat ik u kan onderzoeken en we precies weten wat er aan de hand is.'

'Wat kan ik er verder zelf aan doen?'

'Rustig aan. Geen grote inspanningen. Laat iemand anders het zware werk doen. Wij komen morgen langs om een ECG te maken en dan nemen we meteen nitroglycerinetabletten voor u mee.'

'Ik heb niemand door wie ik mijn werk kan laten doen.'

'Ik zou er toch maar voor zorgen. Luistert uw vrouw mee?'

Op de achtergrond klonk een vrouwenstem. 'Hier ben ik.'

'Oké, u hebt alles gehoord wat ik heb gezegd. Zorg dat hij zich niet inspant. De symptomen zijn niet gevaarlijk. Als het erger wordt of als hij nieuwe symptomen krijgt, laat mij dat dan weten. Wij komen morgen.'

'Ik doe mijn best. Moet hij naar bed?'

'Dat is niet beslist noodzakelijk. Zorg alleen dat hij niet te veel doet en laat hem rusten wanneer hij die pijn weer krijgt.'

Dat was het laatste gesprek van die dag. Het was halfzes. Cassie wendde zich tot Horrie. 'Heb je gehoord dat ik tegen de moeder van dat meisje heb gezegd dat jij om zeven uur zou bellen om te horen of de koorts al is gezakt? Voor zover ik weet ben ik de hele avond thuis. Als ik ergens anders ben, laat ik het je even weten.'

'Ik dacht dat je naar mevrouw Adams ging.'

Cassie lachte. 'Hoe weet jij dat nu weer?' Eigenlijk verwachtte ze niet eens een antwoord. Ja, ze was inderdaad van plan op weg naar huis even bij Isabel aan te wippen om haar voor te lezen. Zij en Fiona aten vanavond restjes – kipsalade van het restje kipstoofpot die ze gisteren hadden gegeten. Ze had dus geen haast om naar huis te gaan.

Na haar bezoek aan Tookaringa had ze Isabel bijna niet meer voorgelezen en sinds die amputatie van twee dagen geleden had ze ook niets meer van Chris gehoord. Hij had haar amper bedankt.

Zij keek om zich heen. In nog geen twee dagen had het aluminium hutje een heel andere aanblik gekregen – vooral de ruimte naast de radiokamer, de ruimte die dienst deed als keuken annex woonkamer voor Horrie en Betty.

'Horrie heeft me beloofd dat we een veranda om het huis gaan bouwen,' zei Betty, 'vooral aan de achterkant, zodat we 's avonds lekker buiten kunnen zitten.' Ze leek het helemaal niet erg te vinden hier te moeten wonen.

'Ze kent al vijf letters,' zei Horrie, die het over morse had. 'Ze leert snel.'

'Of je bent een goede leermeester, òf je bent bevooroordeeld,' zei Sam. Totdat Flynn Cassie haar eigen auto kon geven, moest hij haar om acht uur, elf uur en kwart voor vijf hiernaar toe rijden voor het radiospreekuur.

'Zet mij even af bij dr. Adams,' zei Cassie, toen zij naast Sam in de pick-up was gestapt.

'Misschien worden jullie wel dikke maatjes.'

'Dat betwijfel ik. Volgens mij heeft hij zich laatst doodgeërgerd aan elke seconde dat ik hem assisteerde.'

'Heeft hij je wel bedankt?' Sam draaide de klep van zijn honkbalpet naar zijn achterhoofd.

'Nauwelijks. Maar één ding moet ik hem nageven... hij is een verdraaid goede chirurg. Ik was erg onder de indruk.'

Sam zei niets, dus keek Cassie maar wat uit het raampje. 'Hoe is het hier 's winters?'

Sam keek opzij. 'Probeer je van onderwerp te veranderen?'

'Nee hoor,' zei ze, nog steeds naar buiten kijkend. 'Wat mij betreft valt er niets meer te vertellen over Chris Adams.'

'De winters zijn koud. 's Nachts kan het zelfs vriezen. De rest van het jaar is het alleen maar stoffig, maar dat had je zelf al gezien.' In de lucht hing een constante roze gloed, het resultaat van onophoudelijk opwaaiend stof en zand. 'Bij een stofstorm kun je alle luiken potdicht doen en binnen toch een paar kilo stof over alles heen krijgen. Voor vliegen geldt hetzelfde. Meestal vliegt een vliegtuig op eigen kracht, maar in stofstormen, wauw! Of wanneer het bloedheet is, dat zul je over een paar maanden wel merken, dan is er heel veel turbulentie. Daar waar je nu nauwelijks ziet dat er de rivier de Orilla is, kunnen we er in maart in zwemmen. Kijk maar eens naar de manier waarop al dat zand zich een weg baant door de oostkant van de stad. In maart en april kunnen we picknicken aan de oever van de rivier. Misschien al eerder.'

'Waarom slaan de aboriginals altijd in het midden ervan hun kamp op?'

Sam haalde zijn schouders op. 'Waarom niet? Ze wonen niet graag in de stad, in gebouwen. Jij en ik zijn hier net te laat aangekomen om het hoogtepunt van het jaar mee te maken, de rivierraces.'

'Met boten, bedoel je? Waar dan? Toch zeker niet op de Orilla?'

Sam lachte. 'Eigenlijk zou ik niets moeten zeggen en het je volgend jaar zelf laten ontdekken. Ze hebben het afgekeken van de *Henly-on-Todd*-races in Alice. Ze hebben boten zonder bodem en ik heb begrepen dat ze waanzinnig versierd zijn. Het is *de* grote gebeurtenis van het jaar.'

Terwijl zij naar het centrum van het stadje reden, keek Cassie om zich heen. In een langwerpig, laag houten gebouw, was het plaatselijke warenhuis, Teakle and Robbins, Ltd. gevestigd. Daarnaast zat de kapper. Vervolgens kreeg je een van de twee slagerijen die de stad rijk was, en daarna nog een kapper en een schoenenwinkel. Er was een drogisterij, die tevens dienst deed als melksalon, waar je heerlijke frisdrankjes kon krijgen. Vlak ervoor stond de enige benzinepomp van de stad. Aan de overkant van de straat zat de elektricien, daarnaast de groentewinkel, een reisbureau, een biljartzaal en een pension – voornamelijk bewoond door ambtenaren die hoopten snel weer uit Augusta Springs te kunnen vertrekken, en hier geen huis te hoeven kopen. Op de volgende hoek was Addie's, met daarnaast de bioscoop en het kantoor van de veearts en het laboratorium. Een eindje verderop bevond zich de praktijk van de dokters Adams en Edwards. Nog wat verder zat de zadelmakerij, waar veedrijvers ook hun kleding en laarzen konden kopen. Het laatste gebouw huisvestte een winkel in bouwmaterialen, de andere slager, de enige damesmodezaak, en een Chinees restaurant. In de volgende straat stond de lagere school. De school telde twee verdiepingen en de begane grond werd in beslag genomen door de gymnastiekzaal. In dezelfde straat bevond zich het gerechtsgebouw, dat over één enkele cel beschikte, waarin zo nu en dan wel eens een aboriginal een nachtje zijn roes uitsliep. Ernaast stond het hotel, dat er vanbuiten heel mooi uitzag, maar dat vanbinnen heel erg verwaarloosd was, met overal loslatend behang. Voor mensen die op doorreis waren en geen kamer meer konden krijgen bij Addie's, was dit een laatste toevluchtsoord. Het mooiste eraan was nog wel het groepje reusachtige palmen waaraan het zijn naam had ontleend, 'The Royal Palms'.

'"Royal", waar halen ze het vandaan?' mompelde Sam binnensmonds, toen ze het hotel passeerden.

'Een beetje hooggegrepen is het wel,' beaamde Cassie.

'Heb je een lijfwacht nodig?' vroeg Sam, toen hij de wagen voor het huis van de familie Adams tot stilstand bracht.

Cassie schudde haar hoofd, maar vond het wel een aardig gebaar van Sam. Eigenlijk had ze zoiets niet van hem verwacht. 'Nee, hij is er toch nooit. Ik ga Isabel een uurtje voorlezen en dan vertelt zij mij waarschijnlijk dat dr. Adams mijn hulp maandag bijzonder op prijs heeft gesteld. Hij praat nooit rechtstreeks met mij.'

'Ik ga even kijken of Fiona een biertje voor me heeft,' zei Sam. 'Zal ik tegen haar zeggen dat je wat later thuiskomt?'

'Vertel haar alleen maar waar ik ben. Als ze zo'n honger heeft dat ze niet op me kan wachten – het eten staat in de koelkast. Het is een koude schotel. Ik ben vóór halfzeven thuis.' Zo, zo, dus Sam ging bij Fiona langs?

Isabel en Grace zaten al op haar te wachten. Grace had sandwiches met waterkers klaargemaakt en een cake gebakken. Alles stond klaar op het tafeltje naast de stoel waar Cassie altijd zat. Zodra Cassie binnenkwam ging ze thee zetten. Cassie zag echter onmiddellijk dat Isabel pijn had. Nam ze misschien geen morfine meer? Er was geen enkele reden om zoveel pijn te moeten lijden.

'O, we zijn zo blij dat je er weer bent.' Isabel stak haar magere armen verwelkomend uit. 'Wij kunnen bijna niet wachten om te horen hoe het verder gaat. We wilden absoluut niet stiekem kijken of Ashley Melanie laat vallen wanneer hij hoort dat Scarlet van hem houdt.'

Na een half uur begon het wekkertje dat naast Isabel stond te rinkelen. Zij schudde haar hoofd, want ze ging helemaal op in het verhaal dat Cassie voorlas. 'Tijd voor mijn medicijnen,' zei ze.

Grace stond op en ging naar de keuken. Even later kwam ze terug met een injectienaald. Isabel zou nu al snel in slaap vallen. Grace ging weer zitten.

Cassie had nog maar net vijf minuten verder gelezen, toen de voordeur opengind en dr. Adams binnenkwam, met zijn zwarte dokterstas in zijn hand. Hij zag er keurig netjes en fris uit, alsof hij zich nog maar net had aangekleed. Aan het papier waarin een van de pakjes die hij bij zich had was verpakt zag Cassie dat het van de slager kwam. Hij verdween naar de keuken, maar kwam weer binnen voordat zij klaar was met voorlezen. Met een koud drankje in zijn hand stond hij in de deuropening tussen de woonkamer en de hal, en keek toe hoe zij zat voor te lezen.

Cassie zag hoe Isabels ogen, dank zij de morfine, steeds glaziger werden. Zij sloeg het boek dicht.

'Morgen verder,' zei ze, 'als er zich tenminste geen spoedgevallen voordoen.'

Graces ogen glinsterden. 'Dit is het hoogtepunt van onze dag.' Zij stond op en knikte naar Chris. 'Goedenavond, dr. Adams. Ik moest maar weer eens gaan.' Zij bukte zich en gaf een klopje op Isabels hand. 'Tot morgenochtend.' Ze pakte haar tasje van de schoorsteenmantel en ging weg.

Isabel zuchtte. 'Een dutje,' zei ze, nauwelijks in staat haar ogen open te houden. 'Even een heel klein dutje, voor het eten.' Zij en Chris hadden nog geen woord tegen elkaar gezegd.

Chris zette zijn glas neer, tilde haar op en droeg haar van de bank naar de slaapkamer, waar hij haar op bed legde en toedekte met een dunne deken.

'Niet de deur dichtdoen,' zei zij.

'Natuurlijk niet,' zei hij. 'Dat doe ik toch nooit.'

Toen hij zich weer naar Cassie omdraaide, vroeg hij: 'Heb je ook trek in een koel drankje?'

Zij schudde haar hoofd. 'Ik moet er echt vandoor. Ik moet nog eten klaarmaken voor Fiona.'

'Ik maak de allerbeste Tom Collins uit de omgeving,' zei hij. 'Je hebt vanavond toch geen dienst, wel?'

Cassie glimlachte. Hij deed zijn best om aardig te zijn. Het was zijn manier om haar te vertellen dat hij haar hulp op prijs had gesteld. 'Nu ja, misschien, maar...'

'Ik heb net twee prachtige steaks gekocht. Isabel heeft nooit genoeg trek om te eten. Ik had een beetje gehoopt dat je mee wilde blijven eten. Niet dat ik zo'n goede kok ben,' zei hij, 'maar ik kan een prima steak bakken en met gebakken aardappelen ben ik ronduit fantastisch.'

'Hoe kan ik nu nee zeggen op zo'n aanbod?' Eigenlijk was ze liever naar huis gegaan, naar Fiona – maar hij deed zo zijn best. 'Laat me Fiona even bellen.'

Fiona zei: 'Je pilootje is hier. Ik zal hem jouw maaltijd aanbieden.'

'Horrie zou om zeven uur nog iemand bellen. Mocht hij me nodig hebben, dan weet je me te vinden. Ik maak het niet laat.'

'Toe maar. Dus Chris heeft iets goed te maken? Hij weet dat hij in jou een betere bondgenoot heeft dan in die dronkelap van een Edwards. Geef hem geen duimbreed toe, hoor. Laat die rotzak maar werken voor elke glimlach.'

Cassie begon te lachen.

Ze liep naar de keuken, waar Chris steaks stond te bakken. Op de porseleinen tafel in het midden van de keuken lagen sla, uien en tomaten.

'Zal ik de sla doen?' bood Cassie aan.

Chris stond over de pan gebogen en knikte. 'Prima.'

Hij was geen man van veel woorden, besloot Cassie. Ze wilde dat ze een paar groene paprika's had. Misschien kon ze een moestuin aanleggen en ook wat kruiden kweken. Er lag hier nooit veel groente in de winkel. Ze kon wat zaden bestellen: spinazie, radijs, paprika's, uien. Ze kon een tuin aanleggen achter het keukenraam, waar laat in de middag altijd schaduw was.

Chris keerde de steaks. 'Hoe heb je de jouwe graag? Als je hem maar niet goed doorbakken wilt.'

'Nee, eerder kort gebakken. Maar ook weer niet rauw.'

Hij pakte wat bestek uit een lade en liep naar de keukentafel. 'Als ik je passend zou willen bedanken voor je hulp van laatst, zou ik met je naar het beste restaurant van Sydney moeten vliegen.'

'Ik ben blij dat ik kon helpen. Het was een afschuwelijke operatie. Ik had nog nooit een amputatie gezien.'

'God, ik heb er zo'n hekel aan. Meestal kunnen de patiënten het psychisch niet accepteren. Ze denken dat hun geamputeerde been pijn doet, ze weigeren te kijken naar de plek waar een hand heeft gezeten. Ze voelen zich nooit meer compleet. Maar die kerel is een geval apart. Hij maakt er al grapjes over. Zegt dat het zijn eigen stomme schuld was en dat hij de volgende keer voorzichtiger zal zijn.'

Cassie zette de sla op tafel.

Chris haalde de twee steaks uit de pan en legde ze op borden. Het viel haar op dat hij het zachte middengedeelte uit zijn stuk vlees had gesneden; dat bewaarde hij voor Isabel.

Ze zocht naar iets om te zeggen. Hij maakte het haar niet gemakkelijk.

'Hoe lang wonen jullie hier al?' vroeg ze, terwijl ze ging zitten.

Hij haalde zijn schouders op. 'Een jaar of achttien, negentien, maar ik kan er een paar jaar naast zitten. Meteen na mijn afstuderen zijn we hiernaar toe gekomen.'

'Wat ter wereld bracht jullie ertoe om hier te gaan wonen?'

Hij keek haar aan. 'Hetzelfde wat ons allemaal ertoe heeft gebracht deze en soortgelijke plekken op te zoeken. Voorbij het grote onbekende. Dat klinkt wat onwerkelijk, vind je niet? Ik denk dat iedereen hier, en in elke stad en op elke ranch in de Outback, een beetje excentriek is. Sommigen zijn zelfs een flink eind heen. Dat zul je nog wel merken. Je zult er nog heel wat tegenkomen in deze uithoek van de beschaving. Izzie en ik dachten hier in geen geval langer dan drie jaar te blijven.' Hij lachte, maar het was geen vrolijke lach. 'Het leek ons een avontuur.'

'En was het dat?'

'Ik weet niet of dat het juiste woord ervoor is. Ik heb niet veel geavonturierd. Na een jaar of tien heb ik een advertentie gezet voor een compagnon en daar kwam Jon Edwards op af. Samen wisten we genoeg geld bij elkaar te krijgen voor het ziekenhuis en we namen een aantal verpleegsters in dienst. Onze groei hield gelijke tred met die van de stad. Toen wij hier pas waren, woonden hier niet meer dan een paar honderd mensen.

'Deze aardappeltjes zijn verrukkelijk. En je Tom Collins ook.'

Hij knikte, zonder haar aan te kijken.

'Waarom zijn jullie gebleven?'

Nu keek hij op. 'Laksheid.'

Zij glimlachte. 'Welnee. Je lijkt me niet het luie type.'

Hij schudde zijn hoofd. 'Iedereen kent me hier. Ik heb heel veel energie in deze stad gestoken, en nu heb ik niet voldoende energie meer over.'

Cassie keek hem aan. Hij kon nooit ouder zijn dan begin veertig. Waar was zijn levenslust gebleven?

'Dus als ik het goed begrijp ben jij ook een beetje excentriek?'

Hij nam zijn bril af, wreef met zijn stropdas de glazen schoon, zette hem weer op en zei: 'Een vierkante paal in een rond gat, zo zou je het kunnen noemen.'

De telefoon begon te rinkelen. Het was Horrie. 'Sam is al naar je onderweg. Het lijkt me het beste wanneer je zelf even met mevrouw Dennis praat. Het meisje heeft nu meer dan veertig graden koorts.'

Cassie wendde zich tot Chris. 'Ik moet weg. Heel hartelijk bedankt voor de gastvrijheid.'

Ze hoorden Sams voetstappen op de veranda. Even later stond hij, met zijn honkbalpet omgekeerd op zijn hoofd, in de deuropening. 'Klaar?' Hij keurde Adams nauwelijks een blik waardig.

Op dat moment klonk Isabels zwakke stem: 'Chris?'

Chris ging naar de slaapkamer en Sam draaide zich om en liep snel de verandatrap weer af.

'Horrie maakt zich zorgen,' zei Cassie.

'Ach, ja, hij maakte zich ook al zorgen om een hartaanval die achteraf geen hartaanval bleek te zijn.' Sam startte de pick-up.

Binnen een kwartier arriveerden ze bij het radiostation.

Horrie zat al op hen te wachten. 'Ik heb tegen mevrouw Dennis gezegd dat we om vijf over halfacht terug zouden bellen. Nog drie minuten.'

Cassie hoorde aan de stem van de vrouw dat ze op het punt stond hysterisch te worden. 'Ik krijg Rosie niet meer wakker.' Er klonken tranen in haar stem. 'Ze gloeit van de koorts.'

'Hebt u ijs?'

'Nee.'

'Maak dan washandjes en handdoeken nat en leg die op haar. Hou haar zo koel mogelijk.' Ze keek even naar Sam. 'Kunnen we 's nachts vliegen?'

Hij hield zijn hoofd een beetje scheef. 'Lijkt me onwaarschijnlijk. Geef eens, dan kan ik haar vragen naar de landingsmogelijkheden, hoewel ik geen flauw idee heb waar die mensen in vredesnaam zitten.'

Nee, er was geen landingsstrook. Ja, ze werden omringd door bomen. Ze hadden maar één auto, dus ze konden geen koplampen gebruiken om een landingsplaats te verlichten. Maar ongeveer een kilometer verderop lag wel een vrij vlak veld.

Sam gaf de microfoon weer aan Cassie. 'Onmogelijk,' zei hij. 'We kunnen hier vlak voor zonsopgang vertrekken, maar tegen de tijd dat we daar aankomen moet het licht zijn. Ik denk dat het ongeveer een uur vliegen is.'

Cassie herhaalde zijn woorden voor mevrouw Dennis en zei dat ze om vijf uur weer contact zou opnemen om te horen of hun komst nog noodzakelijk was.

Om vijf uur, toen het nog donker was, vertelde mevrouw Dennis hun dat zij nog steeds doodongerust waren. De temperatuur van het meisje was nu opgelopen tot eenenveertig graden en ze was volledig buiten bewustzijn.

'We gaan,' zei Sam.

Cassie had nauwelijks geslapen. Toen Sam haar om halfvijf oppikte om naar het vliegveld te gaan, had ze meteen al willen vertrekken, maar hij wilde eerst de motor en de cockpit nog grondig controleren, met speciale aandacht voor de gyroscopische instrumenten en zei dat ze toch moesten wachten tot het licht genoeg was om daarginds te landen. 'Gelukkig hebben we een verlichte startbaan,' zei hij.

'Lucht- en stijgingssnelheid regelen zichzelf zolang de stijgingspositie maar juist is,' zei Sam tegen zichzelf.

Cassie vond het een onnoemelijk eenzaam gevoel om door de duisternis te vliegen. Ze stegen naar drieduizend meter en vlogen vervolgens verder in noordoostelijke richting. Cassie vroeg zich af hoe Sam wist of ze niet ondersteboven vlogen. Ze voelde zich gewichtloos, gedesoriënteerd en haar enige houvast was het smalle streepje ochtendgloren in het oosten.

Toen ze exact om zes uur op de plaats van bestemming waren, kregen ze te horen dat het meisje een kwartier eerder was overleden.

'Als we een half uur eerder waren geweest,' vroeg Sam, 'had je haar dan nog kunnen redden?'

'Wie zal het zeggen?' antwoordde Cassie, zich afvragend of ze ooit aan de dood gewend zou raken.

Hoofdstuk 13

'Maar iedereen gaat naar de zaterdagse dansavond.'

'Niet iedereen,' zei Cassie. In haar vrije tijd wilde ze zo weinig mogelijk met mannen te maken hebben. 'Ik ben moe. Ik heb een zware week achter de rug. Ik wil mijn haar wassen en met niemand hoeven praten en een boek lezen.'

Fiona stond vanuit de deuropening naar Cassie te kijken, die languit op haar bed lag. 'Zit je ergens mee?'

'Hoe bedoel je? Mag ik soms niet doen waar ik zin in heb?'

'Natuurlijk wel. Maar de mensen zullen heel teleurgesteld zijn. Er is hier zo'n gigantisch mannenoverschot. Ze komen overal vandaan, alleen maar om even een vrouw van dichtbij te kunnen zien. Sommigen van hen moeten al hun moed verzamelen om een vrouw ten dans te vragen.'

Cassie zei: 'Ik weet zeker dat ze het zonder mij ook wel redden. Ik heb wat tijd voor mezelf nodig.'

Fiona haalde haar schouders op. 'Ik heb het gevoel dat er meer achter zit. Maar, het zij zo.'

'Ik heb nog wel een voorstel dat je misschien zal bevallen. Ik heb Sam gevraagd of we het volgend weekend naar Burnham Hill kunnen vliegen. Eerst wilden we woensdag gaan, maar toen bedacht ik dat jij ook mee zou kunnen als we zaterdag zouden gaan. Hij vond het best. Wat denk je ervan?'

'O, Cassie!' Fiona kwam de kamer binnen en liet zich op het bed vallen. 'Dat lijkt me enig!'

'Oké, maar zeur dan verder niet meer over dat dansen van vanavond. Of van de komende zaterdagavonden, oké?'

'Ik weet dat je kunt dansen. Sam zei zelfs dat je geweldig danst.'

'Dat was waarschijnlijk om over zichzelf te kunnen opscheppen.'

'Kunnen jullie niet zo goed met elkaar overweg? Ik bedoel...'

'Voor zover ik weet kunnen we prima met elkaar overweg. Er valt heel goed met hem samen te werken, ook al vindt hij het maar niets om met een vrouw te moeten werken.'

'Volgens mij is hij daar inmiddels wel overheen. Hij heeft veel respect voor je.'

'En dat moet vooral zo blijven. Ik heb ook respect voor hem.'

Fiona stond op. 'Oké, ik ga lekker plezier maken en jij blijft hier zitten kwijnen.'

'Weet je wel wat ik de afgelopen week allemaal heb gedaan? Afgezien van het feit dat ik geen moment voor mezelf heb gehad vanwege Tookaringa en Narrabinga het vorig weekend, ben ik maandag naar Yancanna geweest, heb het huwelijk van Horrie en Betty bijgewoond en geassisteerd bij een amputatie en ben ik op woensdag bij een spoedgeval geroepen waar het meisje in kwestie bij mijn aankomst al overleden bleek te zijn. Donderdag heb ik spreekuur gehad en volgens mij heb ik deze week alleen al een stuk of dertig tanden en kiezen getrokken...'

'Oké. Oké.'

Maar toen Fiona weg was, dwaalde Cassie rusteloos door het huis. Ze waste haar haar, maar slaagde er niet in lang genoeg op een stoel te blijven zitten om te kunnen lezen. Om een uur of elf slenterde ze, in haar oude badstoffen ochtendjas, de veranda op en bleef net zolang in de duisternis zitten staren totdat ze de blaadjes aan de bomen aan de overkant van de straat kon onderscheiden. Van drie straten ver kon ze de muziek horen die bij Addie's vandaan kwam. Bij het horen van de tonen van een saxofoon werd zij overvallen door een gevoel van vreselijke eenzaamheid. Misschien had ze toch beter met Fiona kunnen meegaan.

Ze wist echter dat het gezelschap van anderen haar niet zou verlossen van het gevoel dat zij alleen op de wereld stond. Heel even had zij gedacht misschien bij iemand te horen, gevoeld dat zij de belangrijkste mens op aarde voor iemand was, gehoopt dat zij in iemands leven paste. Maar Ray Graham had haar getoond dat het niet zo was. Zij was dus toch alleen.

Ook al waren de mensen hier nog zo aardig voor haar, toch wist Cassie dat dit maar een tussenstation was. Na een jaar of twee zou ze hier weer weggaan en niet lang daarna zou niemand zich haar naam nog herinneren. 'O ja, die vrouwelijke arts.' Niemand zou haar vertrek uit hun leven betreuren...

Op dat moment hoorde zij iemand met snelle, doelbewuste tred door de straat lopen. Vanuit haar stoel tuurde Cassie de duisternis in. Het was Chris Adams die daar kwam aanlopen, maar hij keek niet op of om.

Toen hij haar huis passeerde, riep zij: 'Goeienavond, Chris.'

Hij bleef staan en keek in haar richting. 'Fi? Ben jij dat, Fiona?'

'Nee.' Zij stond niet eens op uit haar stoel. 'Ik ben het, Cassie.'

'O, goedenavond,' zei hij, en ze durfde er een eed op te doen dat hij zijn hoed voor haar zou hebben afgenomen als hij er een op had gehad, zo vormelijk klonk hij. 'Wat doe jij nu thuis op een zaterdagavond?'

'Ben je bezig aan je avondwandelingetje?'

'Zo zou je het kunnen noemen.' Hij bleef even staan, maar in het donker kon ze zijn gezicht niet zien. 'Een prettige avond nog,' zei hij, terwijl hij weer snel verderliep, de straat uit, in de richting van het einde van de stad.

Eigenaardige man. Geen type voor een gezelligheidspraatje. Gaf geen millimeter van zichzelf bloot. Ook tegen zijn patiënten was hij kortaf, een beetje neerbuigend zelfs. De arts als God. Geen ongewoon verschijnsel. Ze vroeg zich af of er ijswater door zijn aderen vloeide.

Eenmaal in bed viel ze in slaap met het boek dat ze de hele avond al had proberen te lezen in haar handen. Toen ze de volgende ochtend wakker werd, lag het boek op de grond en waren haar dekens helemaal losgewoeld, alsof er een heel leger over haar bed was gemarcheerd. Haar kussen was nat van de tranen en ze herinnerde zich hoe dat kwam. Ze had van Ray Graham gedroomd, zijn lippen op de hare gevoeld, zich herinnerd hoe het had gevoeld wanneer hij haar in zijn armen hield.

Nooit meer, zei ze tegen zichzelf. Nooit, nooit meer.

Ze vlogen die week maar één keer uit en dat was naar een consult op een van de ranches, waar de vrouw van de eigenaar zeven maanden zwanger was. Hun andere drie kinderen, allemaal onder de vijf, waren niet ingeënt. Aangezien zij meer dan driehonderd kilometer van de stad woonden, hadden zij zelfs nog nooit van hun leven een arts gezien. Verder bekeek Cassie de ingegroeide teennagel van de kok en de verstuikte enkel van een van de veedrijvers. Vandaar vlogen zij naar een naburige ranch, waar Cassie de gebroken poot van een hond zette en zowel de aanwezige kinderen als drie volwassen aboriginals hun inentingen gaf. Het kindermeisje was al drie dagen aan de diarree, dus drong Cassie erop aan dat zij met hen zou terugvliegen naar Augusta Springs. De arme jonge vrouw kon amper op haar benen staan. Sam hielp haar op de stretcher in het vliegtuig. Wanneer zij ergens consult hield, hield hij zich meestal wat op de achtergrond en babbelde met iedereen. Overal waar hij was, hoorde Cassie lachen.

Die zaterdag, toen Fiona geen les hoefde te geven, ontbeten zij gedrieën bij Addie's, alvorens naar Burnham Hill te vliegen, een schapenranch van meer dan achthonderdduizend hectaren. Aan een van de andere tafeltjes zaten Heather Martin en een van haar zusjes.

Sam boog zich over de tafel heen en fluisterde: 'Er gebeurde zoiets raars, gisteravond. De meisjes Martin stonden opeens voor mijn deur en zeiden dat ze in de stad waren en niet wisten waar ze konden overnachten. Of ze bij mij konden slapen!'

Cassie fronste haar wenkbrauwen.

'Nee, nee,' grinnikte Sam. 'Ik heb hier bij Addie's een kamer voor hen geregeld. Ze zijn met die oude pick-up helemaal hiernaar toe komen rijden om mij op te zoeken. Ik heb gezegd dat we vandaag weg moesten.'

Cassie schoot in de lach. 'Jij kunt er ook niets aan doen dat ze je onweerstaanbaar vinden.'

'Nou ja, het zijn leuke meiden, maar ik ben natuurlijk wel de enige man die ze ooit hebben gezien, afgezien van hun vader dan, en de mannen die hun voorraden komen bezorgen.'

'Ze zijn beeldschoon,' zei Fiona, die naar de beide meisjes had zitten kijken.

'Ik heb gezegd dat ze eens met Cully moeten gaan praten,' zei Sam. 'Hij is een fantastische kok en die hebben ze nu juist nodig.'

'Ik kan me niet voorstellen dat hij er zin in heeft om hier weg te gaan en in de rimboe te gaan wonen,' opperde Fiona.

'Tja, ach, ze hebben daar thuis natuurlijk nog wel vijf van die schoonheden rondlopen,' zei Sam.

Cassie zwaaide naar Heather en haar zus en de meisjes kwamen meteen naar hun tafeltje.

Nadat ze aan elkaar waren voorgesteld, stelde Fiona voor: 'Jullie moeten vanavond naar de wekelijkse dansavond komen – het barst er altijd van de jongemannen.'

Heather kon haar ogen niet van Sam afhouden. 'Kom jij ook?'

Hij knikte. 'Ik denk het wel.'

'Oké, dan komen wij ook,' zei Bertie. Of was het Billie?

Gedurende de vlucht keek Cassie naar Fiona, die op de vloer van het vliegtuig zat gehurkt, zo dicht mogelijk bij Sam, en ademloos naar hem luisterde.

'Oké, je zult op je knieën moeten gaan zitten om uit het raampje te kunnen kijken,' zei Sam tegen Fiona. 'Kijk, dat daar zijn stapelwolken. Wanneer je van die witte ziet, die eruitzien als kastelen, van die grote poederdonzen die op suikerspinnen lijken... dat zijn stapelwolken. Nou, zolang ze hoog blijven, ver boven het land en goed bol en in beweging blijven, is er niets aan de hand, maar ze worden gevaarlijk zodra ze zich opbouwen tot een enorme, torenhoge massa die langzaam naar de aarde daalt.' Cassie keek uit het raampje en zag een valk naast het toestel meevliegen. Sam zette de daling in. Dit moest een grotere ranch zijn dan zij had gedacht – er stonden tientallen auto's en pick-ups. Zoveel had ze er, afgezien van in Augusta Springs, nog nergens gezien.

Sam keek om en riep naar haar: 'Kijk eens wat een opkomst! Zo te zien is iedereen uit de wijde omgeving ziek!'

Fiona krabbelde overeind van de vloer, kroop terug naar de stoel achter Cassie en maakte haar veiligheidsgordel vast.

'Ik had niet verwacht dat vliegen zo spannend zou zijn.'

'Dat is het ook niet altijd, wanneer je een paar uur achter elkaar op je stoel zit.'

Een auto dreef een kudde paarden weg van de landingsbaan. De dieren galoppeerden in steeds groter wordende cirkels rond terwijl de wagen achter hen aan reed. Sam zette toch koers naar de landingsstrook, recht tegen de aanstormende kudde in, en toen hij landde draafden de dieren in een gigantische stofwolk aan beide zijden langs het toestel heen. God, hij had wel lef.

Het vliegtuig kwam rustig tot stilstand en Cassie zag dat stenen en rotsblokken van de landingsbaan waren verwijderd, want die lagen opgestapeld langs de kant. Ik zou een slechte piloot zijn, dacht ze. Ik zou veel te voorzichtig zijn. Sam nam risico's waaraan zij zich nooit zou wagen. 'Volgens mij krijg jij een kick van gevaar,' riep ze tegen hem toen het vliegtuig stilstond.

Lachend sprong hij overeind. 'Zo, dames, we zijn er. Burnham Hill, de grootste schapenfokkerij die je je kunt voorstellen.'

'Het lijkt wel een complete stad.'

'Nee, hoor.' Hij opende de deur en duwde het trapje op zijn plek. Hij sprong op de grond en stak zijn hand omhoog om Fiona te helpen. Cassie bleef even in de deuropening naar de menigte mensen staan kijken. Er heerste een enorme bedrijvigheid.

Een lange, slanke man, in de crèmekleurige rijbroek die schapenmannen graag droegen, schudde Sam de hand. Cassie liep het trapje af.

'Dit is Dan Mason,' zei Sam toen hij hen aan elkaar voorstelde. 'Hij is de eigenaar van Burnham Hill.'

'Waar komen al deze mensen vandaan?' vroeg Cassie.

Mason zwaaide met zijn arm. 'Sommigen komen van de opaalvelden, bijna vijfhonderd kilometer hiervandaan, en hebben hier vannacht gekampeerd. Anderen komen van verschillende ranches uit de omgeving, waarvan de verste zo'n honderdtwintig, honderddertig kilometer verderop liggen. De zwarten komen voornamelijk uit de heuvels en de spoorwegmensen, die langs het spoor wonen, zijn met z'n allen in die vrachtwagen gekomen die op een bus lijkt. We hebben hier een volle dag werk voor je, doc.'

Alweer doc.
Cassie zei tegen Sam: 'Wij hebben in onze hele eerste maand nog niet zoveel mensen bij elkaar gezien.'
'Hulp nodig?' vroeg hij.
Ze haalde haar schouders op. 'Waarom? Ga je liever met de mooie meisjes flirten? Ga je gang. Als ik je nodig heb, laat ik het je wel weten.'
Sam wierp haar een eigenaardige blik toe en fluisterde Fiona iets toe alvorens weg te lopen.
Dan Mason zei: 'Toen we ons vanmorgen vroeg begonnen te realiseren hoeveel mensen er kwamen, hebben we deze tent maar opgezet, die we normaalgesproken voor feesten gebruiken, tegen de zon. Je kunt moeilijk de hele dag in de zon blijven staan. Mijn vrouw, Nancy, komt straks ook nog langs. Zij probeert een maaltijd te maken voor al deze mensen. Als je iets nodig hebt, moet je het haar even laten weten. Water of zoiets, zie maar. We hebben hier ook een tafel neergezet. Wat heb je nog meer nodig?'
'Zo is het prima,' zei Cassie.
'Kan ik iets doen?' vroeg Fiona.
'Graag. Ik wil van elke patiënt een medische status hebben. Wil jij die voor me bijhouden?'
'Natuurlijk wil ik dat.' Haar ogen glinsterden toen Cassie haar een notitieboek overhandigde.
Cassie gaf inentingen en trok tanden en kiezen. Ze had absoluut niet geweten dat zoveel mensen last hadden van kiespijn – het leek wel de meest voorkomende kwaal in de Outback. Misschien moesten ze overwegen eens een keer een tandarts mee te nemen. Ze sneed een steenpuist open en vroeg zich af waarom alle aboriginal kinderen ontstoken ogen en loopneuzen hadden. Er zaten vliegen rond hun ogen, die de reeds ontstoken plekken nog verder infecteerden.
Verder was er een keelontsteking, een gebroken enkel, gescheurde gewrichtsbanden, magen die van streek waren, een gebroken arm die niet goed was gezet, en drie zwangere vrouwen, die Cassie liever in een van de slaapkamers wilde onderzoeken, als dat mogelijk was.
Om één uur kwam Nancy Mason naar haar toe. Zij veegde haar met meel bedekte handen af aan het schort dat haar gezette lichaam bedekte. 'Het eten is klaar,' riep zij. 'We zullen er een lopend buffet van moeten maken, want ik heb niet genoeg tafels en stoelen voor iedereen.' Maar eten was er in ruime mate.
Aan één kant van de lange tafel die vanuit de eetkamer naar de veranda was gesleept, lag een reusachtige ham. 'Als jullie hier nu in de rij gaan staan,' instrueerde Nancy hen, 'dan komt iedereen

aan de beurt.' Ze wendde zich tot Fiona. 'Ik hoop in hemelsnaam maar dat er genoeg is. Wie had er nu kunnen denken dat er vierenveertig mensen zouden komen opdagen?'

Er waren gebakken aardappelen en grote zelfgebakken broden. Er stonden dienbladen vol sausjes en kruiden en een hele berg kool, wortel en appelsalade. Er stond een hartige taart van pastinaken en wortels, er waren plakjes tomaat en boontjes met gehakte amandelen. Op een kleinere tafel stonden vijf taarten. Nancy beantwoordde Cassies onuitgesproken vraag met: 'Die taarten zijn gebracht. Die heb ik niet gemaakt. Het enige wat ik heb gedaan zijn de ham en de aardappelen.'

'Dat zijn nog eens goeie buren,' zei Sam. 'Dat ben jij zeker niet gewend, hè?'

Niet in Washington, D.C. in elk geval, of in Londen of zelfs in San Francisco. Cassie luisterde naar de vrouwen die onderling recepten uitwisselden en het hadden over het gedwongen verblijf in de stad – Adelaide of Brisbane, en soms Augusta Springs – om de geboorte van hun baby's af te wachten. De mannen, die zich aan de andere kant van de veranda verzameld hadden, praatten over schapen en paardenrennen. Toen ze naar het smalle gazon keek dat langs het witgeschilderde huis was aangelegd, zag ze Sam, met zijn onafscheidelijke honkbalpet in zijn broekzak gepropt, met zijn armen om twee meisjes staan. Hij grijnsde vrolijk, terwijl zij lachend naar hem opkeken.

Ze zouden niet voor het invallen van de duisternis terug zijn in Augusta Springs. 'Geeft niet,' zei Sam. 'Het vliegveld is verlicht. Dat is heel iets anders dan landen bij een ranch, waar ze niet voor nachtelijke landingen zijn uitgerust. Er staat ook een baken.'

Maar Nancy en Dan Mason haalden hen toch over de nacht bij hen door te brengen. Sam nam via de radio contact op met Horrie en er waren geen spoedgevallen. Er waren helemaal geen dringende oproepen geweest.

'Als je wilt kunnen we morgenochtend meteen vertrekken,' zei hij tegen Cassie.

'En de meisjes Martin dan? Wat zullen ze teleurgesteld zijn.' Ze bedoelde het als een plagerijtje, maar het klonk heel anders.

Sam kneep zijn ogen half dicht en keek haar aan. 'Ik wil niet dat een vrouw voor mij kiest. Ik kies liever zelf.'

'Het is dus altijd zo dat een man het initiatief moet nemen?' Er lag een bijtende klank in haar stem.

Sam bukte zich om een grasspriet te plukken en stak die in zijn mond. 'Tuurlijk.'

'Is het niet enig allemaal?' zei Fiona, toen zij zich bij hen voegde. 'Reuze bedankt dat jullie me hebben meegevraagd. Ik amuseer me kostelijk. Ik wist niet dat vliegen zo... o, hoe moet ik dat nu zeggen? Zo opwindend kon zijn.' Fiona was niet eens moe. 'Ik had er geen idee van dat jouw leven zo... nou ja, ik denk niet dat jij je wel eens eenzaam zult voelen, wel? Al die mensen die zo blij zijn dat jij ze wilt helpen. Zodra je ze leert kennen maak je al deel uit van hun leven. Zo voel ik dat nu ook wanneer ik een klaslokaal binnenstap. Ik blijf voor altijd deel uitmaken van de levens van die kinderen, of ze zich later nu nog mijn naam herinneren, of wat ik hen geleerd heb of hoe ik eruitzag.'

Jij zult je wel nooit eenzaam voelen... dacht Cassie.

De volgende ochtend om zes uur begon er keihard een koebel te rinkelen. Cassie had de hele nacht geprobeerd heel stil te blijven liggen, om Fiona niet wakker te maken. Nu gaf zij haar een duw tegen haar arm.

'Hé, wakker worden.'

'Hmpf,' mompelde haar vriendin.

Cassie zwaaide haar benen over de rand van het bed en keek uit het raam. Was elke ochtend in de Outback zo prachtig? Ze schoot de kleren aan die ze over een stoelleuning had gelegd en gleed met haar tong over haar tanden. Ze vond het vervelend dat ze geen tandenborstel bij zich had. Ze zou er een in haar dokterstas stoppen, zodat ze voortaan niet zo'n vieze smaak in haar mond hoefde te hebben wanneer ze onverwacht ergens bleven overnachten. Ze trok haar laarzen aan en keek in de spiegel boven de toilettafel. Ze pakte een kam en haalde die haastig door haar haren. Ze nam niet eens de moeite wat lippenstift op te brengen alvorens naar buiten te lopen en het ochtendgloren te begroeten.

Dan Mason stond buiten al met zijn voorman te praten. Stof dwarrelde op rond de hoeven van de paarden die door drie van de knechten werden gezadeld. Cassie wandelde over het korte gras naar een heuvelrug zo'n vierhonderd meter verderop. Ze zag dat Sam het vliegtuig al aan het controleren was.

Hoewel het licht genoeg was om goed te kunnen zien, was de zon nog niet zichtbaar aan de horizon. Toen Cassie de heuvel had beklommen, in de hoop de zon te zien opkomen, zag ze tot haar verrassing een beekje tussen de hoge eucalyptusbomen door kabbelen. Achter de bomen kwam de zon op. Ook al bood het niet zo'n dramatische aanblik als wanneer er wolken waren geweest, of grote hoeveelheden stof, toch was het een adembenemend gezicht in dit landschap. Cassie kon in elke richting de horizon zien. Het land was vlak, vlak, vlak. Toen de reusachtige oranje bol langzaam opkwam en zijn oogverblindende stralen als tentakels over het land verspreidde, werd het hele landschap bedekt met de gulden gloed die de voorbode was van wéér een dag waarop je op geen enkele manier aan de hitte kon ontsnappen.

Als ze het begin oktober drie minuten na zonsopgang al zo warm kon hebben, hoe moesten de zomers hier dan wel zijn? vroeg Cassie zich af.

'Wat voel je je dan nietig, hè?' klonk Sams stem achter haar.

De koebel begon weer te klingelen.

'Het ontbijt zal wel klaar zijn. Daarna wilde ik graag meteen weg. Het is per slot van rekening onze vrije dag en ik heb een paar dingen op het programma staan.' Hij keek haar na toen zij de heuvel weer begon af te dalen en volgde haar hoofdschuddend.

Hoofdstuk 14

'Sam gaat mij leren vliegen,' zei Fiona opgewonden. 'Is dat niet geweldig?'

Cassie, die groenten stond te snijden, keek op. 'Hoe kom je daar opeens bij?'

Fiona schonk een kopje thee in. Ze kwam net terug van een partijtje tennis met Sam en zag eruit als het toonbeeld van stralende gezondheid. 'Ik zei tegen hem dat ik vliegen zo romantisch vond en dat ik er helemaal verliefd op was geworden toen we die keer naar Burnham Hill gingen. Soms lig ik 's nachts in bed en zie ik mezelf heel hoog in de lucht, vliegend als een adelaar. Hij zei: "Als je dat werkelijk zo voelt, zal ik je leren vliegen." Mijn eerste les is aanstaande zaterdag. Ik vind het heel spannend.'

Cassie deed de worteltjes in een pan en vroeg, zonder Fiona aan te kijken: 'Is er iets tussen jou en Sam?'

'Ja.' Fiona's ogen straalden. 'En het is iets heel nieuws voor mij – vriendschap met een man. Ik geloof niet dat ik wel eens een man als vriend heb gehad. Ik bedoel dus een èchte vriend. We vinden elkaar aardig, maar er slaat geen vonk over, als je dat soms bedoelt. Maar ik kan geweldig met hem opschieten. We praten over alles.'

Cassie keek haar aan. 'Kun je echt goede vrienden zijn met een man? Ik betwijfel het.'

'O, Cassie, hou nu toch eens op het jezelf en alle mannen kwalijk te nemen dat je een keer de bons hebt gekregen. Ik heb ook een ongelukkige liefde gehad. Wie niet? Het heeft jaren geduurd voordat ik eroverheen was. Maar volgens mij word je er niet slechter van. Als we het nooit hadden meegemaakt zouden we onuitstaanbare wezens zijn. Hoe zouden we dan met anderen kunnen meevoelen? Ik wens iedereen een klein beetje pech en minstens één afwijzing in de liefde toe. Dat houdt ons nederig.'

'Ach, nonsens. Ik zou er veel beter aan toe zijn als Ray mij niet zo rot had behandeld.'

'Misschien dat je dan op dit moment gelukkiger was geweest,

maar ik wil wedden dat je van de ervaring hebt geleerd,' wierp Fiona tegen. 'Dat jij nu niet gelukkig bent is niet Ray's schuld. Goed, hij heeft je ellendig behandeld. Maar afgewezen worden is niet het einde van de wereld. Het is de manier waarop je hebt gereageerd waardoor je zo verbitterd bent geworden. Je staat jezelf niet meer toe ook maar één man te vertrouwen. Dat mag je niet van jezelf, omdat je bang bent opnieuw gekwetst te worden. Cassie, het grootste deel van de tijd ben je gewoon een lief, goed mens. Je praat met mij over je diepste gevoelens en je voelt je op je gemak in het gezelschap van andere vrouwen. Je bent fantastisch met kinderen. Voor zover ik heb gehoord weet je zieken heel goed te troosten en op hun gemak te stellen. Alle patiënten zijn dol op je. Maar je verstopt je voor aantrekkelijke mannen die je wellicht in verleiding zouden kunnen brengen.'

Fiona legde een hand op Cassies arm. 'De muur die jij tussen jezelf en mannen hebt opgetrokken is bijna zichtbaar.'

'Hé, mijn leven zoals het nu is bevalt me prima.'

Fiona ging op de enige stoel zitten die de keuken rijk was. 'Je bent veel aardiger tegen Horrie dan tegen Sam. En tegen Steven Thompson ben je ook aardig, maar alleen omdat hij oud genoeg is om je vader te kunnen zijn. Maar wacht maar eens tot je zijn zoon leert kennen. Blake zal je uitdagen, en hoe, en je zult hem nog koeler en afstandelijker behandelen dan Sam. Besef je wel dat je je heel mannelijk gedraagt zodra je in gezelschap bent van aantrekkelijke mannen?'

'Je hebt het helemaal mis. Ik heb mijn redenen om mannen op een afstand te houden en die hebben niet allemaal met Ray Graham te maken. Ik heb me door mijn studie aan de medische faculteit heen moeten vechten. Weet je wel dat ze bij elk college anatomie misselijke opmerkingen maakten over vrouwen en dat ze daarbij dan naar mij keken om te zien of ik er tegen kon?' De herinnering deed haar gezicht verstrakken. 'Weet je wel hoezeer mannen zich bedreigd voelen door een vrouw die zich begeeft op wat zij als hun terrein beschouwen?'

Fiona tikte met haar vingers op de tafel. 'Zal ik je eens wat vertellen? Volgens mij mogen mannen en vrouwen elkaar niet eens. Volgens mij voelen wij ons voortdurend bedreigd door het andere geslacht. Zij maken dat wij ons onzeker voelen. Maar we voelen ons wel degelijk tot hen aangetrokken. Misschien simpelweg vanwege de seks. Misschien vanuit een verlangen om te voelen dat wij voor iemand anders de belangrijkste persoon ter wereld zijn, en meestal is het een man met wie wij de rest van ons leven gaan doorbrengen. Misschien komt het omdat we samen twee delen van één geheel vormen. Yin en yang. En dan is het best mogelijk dat we elkaar niet mogen, maar daarom kunnen we nog wel van elkaar houden. Wij willen graag mooi zijn in de ogen van een man. We spelen spelletjes met het andere geslacht, maar niet met onze beste vrienden. En toch is het al duizenden jaren zo dat mannen en vrouwen zich niet compleet voelen zonder het gezelschap van iemand van het andere geslacht.'

Fiona had gelijk. Ze trok inderdaad een muur om zichzelf op zodra er een aantrekkelijke man in haar leven kwam. Ergens wist Cassie best dat zij zich op dergelijke momenten afvroeg hoe ze eruitzag, of ze haar haar wel had gekamd, of ze nog lippenstift op had, of de man naar haar keek.

'Ik begrijp het niet, Cassie. Ik kan veel beter met vrouwen opschieten. Met vriendinnen kan ik veel intiemer praten, hoewel ik met de meesten ook niet over dit soort dingen praat. Dat kan ik alleen met jou en Ally.' Ally was Fiona's jongere zus. 'Alleen tegen jou en Ally kan ik zeggen, ja, ik ben met een man naar bed geweest en ik was niet met hem getrouwd, en Jezus Christus, ik heb ervan genoten. Ik vond het heerlijk. En ergens hou ik nog steeds van die man, ook al vind ik hem niet zo aardig meer.'

Cassie zuchtte. 'Fiona, jij bent de aardigste vrouw die ik ooit heb ontmoet. Zelfs met mijn moeder kon ik niet zo goed praten.'

'O, Cassie, tegen onze moeders vertellen we toch nooit wie we werkelijk zijn, daarvoor hechten we veel te veel waarde aan hun goedkeuring. Mijn moeder zou een beroerte krijgen als ze mij "shit" hoorde zeggen. Maar bij een goede vriendin geven we onszelf bloot en dat versterkt de vriendschap juist. We kunnen eerlijk en oprecht zijn, maar wanneer we dat in een man zoeken, in de hoop dat hij niet alleen onze minnaar maar ook onze beste vriend zal worden, dan gebeurt dat gewoon niet. Wij moeten hem behagen en dat hoeven we niet bij onze beste vriendinnen. Begrijp me niet verkeerd. Vriendschap moet je onderhouden, je moet er tijd in steken en je moet haar koesteren. Alleen bij echte vrienden kun je werkelijk jezelf zijn.'

'Ik geloof dat jij de eerste echte vriendin bent die ik ooit heb gehad,' zei Cassie.

'Ik heb al mijn leven lang goede vriendinnen gehad, maar nog nooit zo een als jij. De dingen die ik jou heb verteld, heb ik nog nooit aan iemand anders verteld.'

Cassie liep naar Fiona toe en legde een hand op haar schouder. Ze bukte zich en gaf haar een zoen op haar wang.

'Toen ik naar de Outback kwam, was ik op de vlucht. En nu vind ik mezelf hier, mede dank zij jou, misschien weer helemaal terug.'

Op dat moment ging de telefoon en Fiona sprong van haar stoel.

Ze kwam meteen weer terug. 'Tookaringa aan de lijn voor jou. Een spoedgeval.'

'Niet via het radiostation?'

'Ze bellen rechtstreeks. Horrie heeft doorgegeven waar ze je konden bereiken.'

Aangezien de weinige telefoonkabels in de Outback gewoon langs hekken en bomen waren gespannen, functioneerde het systeem niet altijd even goed.

Jennifers stem klonk heel dringend. 'Cassie, godzijdank. We hebben hier een probleem. Steven is er niet, maar ik geef je snel mijn zoon aan de lijn.'

Een onbekende mannenstem begon te spreken. 'We waren aan het tennissen toen een van onze gasten, Eva Paul, opeens haar racket op de grond gooide en naar haar keel greep. Ze stampte op de grond en probeerde te spugen. Er was een horzel in haar mond gevlogen en die heeft haar gestoken. Het is nog geen kwartier geleden gebeurd. Hij heeft haar achter op haar tong gestoken. Haar tong is gezwollen en ze heeft moeite met ademen. Ze is helemaal in paniek. We hebben haar koud water te drinken gegeven en ijs om de zwelling tegen te gaan.'

Op de achtergrond, hoorde Cassie Eva's moeizame ademhaling.

'Ze begint blauw te worden. Haar gezicht en lippen zijn bleek, en ze zweet zich een ongeluk.'

O, lieve God, dacht Cassie.

'Hoe snel kun je hier zijn?' vroeg Blake Thompson.

'Tegen de tijd dat ik er ben is ze dood. Je zult een tracheotomie moeten uitvoeren.'

'Wat?'

'Je zult een...'

'Wàt moet ik doen?'

'Luister nu goed. Een zwelling in de epiglottis blokkeert de toegang tot de luchtpijp en kan dood door verstikking tot gevolg hebben. Wat jij nu moet doen is een opening snijden in de luchtpijp, vlak onder de adamsappel.'

Het bleef stil aan de andere kant.

Cassie vervolgde: 'Laat, terwijl wij praten, iemand een klein, scherp mes steriliseren, snel, en een kort rubber slangetje zoeken, misschien in de schuur of zo. Misschien ligt er wel een stukje gasslang. Schiet op!

Luister goed, zodat je het goed begrijpt. Achter de tong ligt de keelholte, waarachter de keel zich opsplitst in twee pijpen. De ene is voor het doorslikken van eten en drinken, en de andere is voor lucht. Dat is de luchtpijp. De luchtpijp heeft een losse klep die zich sluit zodra er voedsel wordt doorgeslikt. Een zwelling blokkeert de doorgang naar de luchtpijp; als er niet snel iets gebeurt zal ze stikken. Als we in een ziekenhuis waren, zouden we een buisje in de luchtpijp kunnen aanbrengen, maar jullie zitten zeshonderd kilometer van het dichtstbijzijnde ziekenhuis verwijderd.'

'De enige operaties die ik ooit heb uitgevoerd waren castraties van jonge dieren.'

'Als je dit niet doet, gaat ze dood en wel binnen enkele minuten. Door zuurstofgebrek zal ze zo meteen buiten bewustzijn raken. Geef me je moeder aan de telefoon en sleep, terwijl ik met haar praat, de bank zo dicht mogelijk bij het toestel. Haal ook een paar van je mensen naar binnen. Je hebt een paar sterke mannen nodig om ervoor te zorgen dat ze stil blijft liggen.'

Daar klonk Jennifers stem aan de lijn. 'Oké, Cassie. Hij sleept de bank dichterbij, maar ik geloof dat Eva wegraakt. O, goeie God! Wat een geluk dat we hier nog een paar sterke mannen hebben. Wat kan ik doen?'

'Jij kunt de telefoon bij Blakes oor houden, of anders alles wat ik zeg aan hem doorgeven. Goed, als de bank nu dicht genoeg bij de telefoon staat, zodat hij kan opereren en mij tegelijkertijd kan horen, leg dan haar hoofd en nek over de leuning en laat de sterkste man in de kamer...'

'Dat is Blake.'

'De op één na sterkste man dan.' In hemelsnaam, ga nu niet op alle slakken zout leggen, wilde Cassie schreeuwen. 'Laat de sterke man haar hoofd tussen zijn handen houden, en wel zo stevig dat ze zich niet kan bewegen, hoe erg ze ook tegenstribbelt. Laat hem een andere kant op kijken, zodat hij zich kan concentreren op het vasthouden van haar hoofd en nergens anders op. Dit is van absoluut levensbelang. En laat Blake nu naar de keuken rennen, en ik bedoel rènnen, om zijn handen te wassen en terug te komen met een steriel mes.'

Daar was Jennifers stem weer aan de lijn. 'Cassie, hij is zo terug. O, lieve deugd...'

'Niets zeggen, Jenny.' Ze wendde zich tot Fiona, die naast haar was komen staan. 'Wil je even een stoel voor me pakken? Ik ben hier nog wel even bezig.'

Op dat moment klonk Blakes stem weer: 'Hier ben ik.'

'Geef de hoorn aan je moeder, zodat zij elk woord dat ik zeg aan jou kan doorgeven. Aarzel niet, of het meisje is verloren.'

'Oké,' zei Jennifer.

'Laat Blake de adamsappel zoeken en ongeveer een centimeter eronder een verticale incisie maken. De incisie moet ongeveer drieëneenhalve centimeter lang zijn.

Zodra hij begint te snijden en zeker weet dat hij in het midden van de hals zit, exact in het midden, laat hem dan verder snijden tot er lucht uitkomt. Maak je geen zorgen om het bloeden. Zodra er lucht in of uit begint te stromen, zal het bloeden minder worden.'

Op de achtergrond hoorde Cassie het meisje moeizaam ademhalen.

'Ze is nu helemaal blauw en je ziet alleen nog het wit van haar ogen, net alsof ze dood is. Ze is bewusteloos.' Jennifers stem klonk doodsbang.

Blake zei tegen zijn moeder: 'Ik geloof dat ze dood is.'

'Laat hem doorgaan. Hij moet er echt, absoluut zeker van zijn dat hij precies in het midden zit en zorgen dat hij daar blijft. Als hij dat zeker weet moet hij in de luchtpijp snijden, of ze nu dood is of niet.'

'Ze ademt weer,' zei Jennifer.

'Dan is er iets verkeerd gegaan.' Cassie realiseerde zich dat ze zat te schreeuwen. 'Of hij zit niet in het midden, òf hij is niet diep genoeg gegaan. Laat hem precies in het midden blijven.'

'Hij heeft de luchtpijp geopend en er stroomt lucht naar binnen en naar buiten. O, God, wat een bloed!'

'Mooi zo. Steek het buisje in het gat. Dek de wond af met schone doeken, zakdoeken of servetten. Prik een grote veiligheidsspeld in een hoek van negentig graden door het deel van de buis dat eruit steekt, zodat hij niet in haar luchtpijp glijdt. Is ze bij bewustzijn?'

'Ja, en het buisje doet haar pijn.'

'Zeg hem dat hij zijn vingers aan beide zijden van de wond drukt om het bloeden te stoppen en het gat droog te houden. Het maakt niet uit waar het bloed terechtkomt of hoeveel ze verliest, zolang het maar niet meer in dat gat komt!'

Het bleef even stil en toen zei Jennifer: 'Het bloed druppelt nu alleen nog maar.'

'Dat is prima. Er zal de hele nacht iemand bij haar moeten blijven om ervoor te zorgen dat het buisje goed blijft zitten. Het is bijna donker, dus wij kunnen nu niet komen. Maar we vertrekken zodra het licht is en zijn om een uur of negen bij jullie. Ze redt het wel. Geef mij de dokter nog maar even,' zei ze, met een glimlach in haar stem.

Blakes stem antwoordde. 'Hier ben ik,' was het enige dat hij zei.

'Goed werk.'

'Ja, ach.'

De volgende ochtend landden zij om negen uur tweeëntwintig op Tookaringa. Blake Thompson stond hen naast zijn pick-up al op te wachten bij de landingsbaan. Toen Sam de vliegtuigdeur openduwde, stond hij tegen zijn auto geleund, zijn gezicht in de schaduw van een grote Stetson. Blake kwam met grote, lange passen naar hen toe, waarbij de hakken van zijn laarzen elkaar telkens even raakten. Hij liep als een man die eraan gewend is dagen achtereen in het zadel te zitten, en toch had zijn tred een bijna katachtige gratie. Hij stak zijn hand uit om Sam te begroeten.

'Blake Thompson.'

Sam knikte en Cassie vermoedde dat hij zich aan Blake voorstelde, hoewel zij achter zijn rug stond en niet kon horen wat hij zei.

Zij stak haar hand al uit voordat ze uit het vliegtuig was gestapt. 'Dokter Thompson?'

Blake lachte. 'Jij wist wel heel goed waar je mee bezig was, zoals je me erdoorheen hebt geholpen.'

Ze liepen in de richting van de pick-up.

'Hoe gaat het met de patiënte?'

'Zo te zien wel goed. Ze heeft veel geslapen. Vanmorgen leek ze geen pijn te hebben.'

God, wat was hij knap, nog knapper zelfs dan zijn vader. Maar wat had ze anders verwacht met ouders die zo knap waren als de zijne? Hij was forsgebouwd en torende hoog boven haar uit. Hij was zeker tien centimeter langer dan Sam. Brede schouders.

'Als we een beetje inschikken, kunnen we met ons drieën op de voorbank,' zei hij. Hij hield het portier voor Cassie open. Zij ging in het midden zitten, terwijl Sam haar dokterstas achterin zette.

'Ik ben blij dat er een telefoon in de buurt was,' zei Cassie. 'Een paar minuten later en ze was dood geweest.'

Blake bracht de wagen vlak voor het huis tot stilstand en keek haar aan. Zijn ogen waren kobaltblauw.

Sam zei: 'Ga jij maar vast naar binnen. Ik pak je tas wel.'

Cassie rende de verandatrap op en de woonkamer binnen, waar Jennifer naast de patiënte zat, die rechtop zat. Na een kort onderzoek zei Cassie: 'Ik had het zelf niet beter kunnen doen. De zwelling is al aan het afnemen en wij nemen haar mee naar het ziekenhuis om de buis te verwijderen. Morgen kunnen we de wond sluiten. Je zult er bijna niets van zien,' stelde ze de jonge vrouw gerust.

'Hebben jullie al ontbeten?' vroeg Jennifer.

'We kunnen niet blijven,' zei Cassie. 'We moeten nog bij een andere patiënt langs en bovendien wil ik deze jongedame in het ziekenhuis hebben.'

'Ze was hier te gast, maar ze komt uit Brisbane,' zei Jennifer. 'Ik zal haar kleren inpakken, dan kan ze zodra ze uit het ziekenhuis komt vanuit Augusta Springs de trein of het vliegtuig naar huis nemen. Dat was ze toch al van plan.'

'Dan kan ik nu maar beter meteen gaan tanken,' zei Sam tegen Blake.

'Kom maar mee,' zei Blake. 'Kun je het vliegtuig naar de pomp taxiën?'

'Zo niet, dan kunnen we een paar vaten vullen en het op die manier volgooien.'

Jennifer zei: 'Ik zal Eva's spullen inpakken en haar en Cassie naar de garage rijden, zodat we jullie niet te lang hoeven ophouden.'

Sam knikte en hij en Blake liepen weg.

Nadat Eva in haar stoel was geïnstalleerd, ging Cassie naast haar zitten. Blake kwam nog even binnen en omhelsde Eva. 'Vervelend dat je zo'n pech hebt gehad.'

Zij glimlachte zwakjes. 'Bedankt voor het redden van mijn leven.'

Voordat hij uit het vliegtuig sprong, keek hij nog even naar Cassie. Sam sloeg de deur dicht en ging naar de cockpit.

Toen zij over de baan taxieden, zag Cassie dat Blake en zijn moeder hen nakeken, hij met zijn hoed in zijn hand. Zo bleven zij staan totdat ze niet meer waren dan kleine stipjes.

Terwijl ze uit het gezicht verdwenen, dacht zij: *Dus dat is Blake Thompson.*

Ogen van het zuiverste hemelsblauw.

Hoofdstuk 15

Ze hadden het zo geregeld dat hun volgende consult op Tookaringa op oudejaarsdag zou plaatsvinden. Cassie had gehoord dat mensen soms helemaal uit Sydney en Melbourne kwamen om de beroemde nieuwjaarsfestiviteiten op Tookaringa mee te kunnen maken.

Ze had er bij Fiona op aangedrongen ook mee te gaan, de Thompsons hadden haar immers ook uitgenodigd, maar Fiona had de uitnodiging vriendelijk afgeslagen. Als je in aanmerking nam hoeveel ze van feesten hield, had ze er geen bijzonder goede reden voor kunnen geven.

'Het wordt werkelijk hèt galagebeuren van het jaar,' had Cassie gezegd.

Fiona wuifde haar woorden weg. 'Reden te meer voor mij om hier te blijven en de boel bij Addie's wat op te vrolijken.'

'Je bent nog nooit op Tookaringa geweest.'

Fiona schudde haar hoofd. 'Het staat niet erg hoog op mijn lijst van prioriteiten. Ik kan Jennifer en Steven zien wanneer zij naar de stad komen. Niemand zal me missen. Zeur er nu maar niet meer over, Cassie. Ik heb er geen zin in.'

'Maar waarom niet?'

Fiona stond op en liep naar de keuken. 'Ik heb er mijn redenen voor.'

Fiona had Cassie geholpen om speciaal voor het feest een nieuwe jurk te maken. In Augusta Springs was niets feestelijks te vinden. Nu vroeg zij zich af of hij niet wat overdreven was.

'Als je geen mannen in je leven wilt, waarom zou je dan zo'n jurk dragen?' vroeg Fiona.

'Je moet eens wat meer van het leven genieten,' vervolgde Fiona. 'Nadat het mij was overkomen, wist ik dat ik zo niet verder wilde leven, helemaal afgesneden van de rest van de wereld. De enige die ik toeliet in mijn leven, in mijn hart, waren mijn leerlingen. Maar dat was niet genoeg. Uiteindelijk besloot ik iedereen toe te laten. Mijn hart is groot genoeg voor iedereen. En zodra ik dat had besloten, werd alles veel gemakkelijker.'

'Je laat *iedereen* toe? Maar dat betekent dat je ooit weer gekwetst zult worden.'

Fiona haalde haar schouders op. 'Misschien. Maar niet meer zo erg. Niet zo erg als toen één man mijn hele hart, geest en leven beheerste. Het is nu zo druk in mijn hart dat niemand er de boventoon kan voeren. En Cassie, ik zweer je dat het gezonder is dan de manier waarop jij het aanpakt, door geen enkele man toe te laten. Volgens mij ben jij tot in de verre, verre omtrek de enige alleenstaande vrouw om wie de mannen elkaar niet staan te verdringen. En als je in de spiegel kijkt, zouden de mannen die alleen op het uiterlijk afgaan nu in een lange rij voor onze deur moeten staan. Maar je zegt zelf dat er in de afgelopen paar maanden geen enkele man ook maar een poging heeft gedaan je mee uit te vragen. Je schrikt ze af, Cassie, echt waar.'

'Het maakt me niets uit.' Ze liet de nieuwe jurk van roze chiffon over haar hoofd glijden en maakte een pirouette voor de passpiegel aan de binnenkant van de kastdeur.

'Kijk nu toch eens!' riep Fiona bewonderend uit. 'Je hoeft er niet eens iets voor te doen. Je hoeft hen alleen maar te behandelen als doodgewone mensen. Zorg dat ze zich niet inferieur voelen. Wees een beetje aardiger voor mannen, Cassie. Ik heb zelf op dit moment ook helemaal geen behoefte aan een relatie, maar daarom is het nog wel leuk om te flirten.'

'Ik heb nooit geweten hoe ik dat moet aanpakken.'

'Jij bent ook altijd zo serieus. Begrijp me nu niet verkeerd. Dat is tegelijkertijd een van je goede kanten. Een dokter hoort serieus te zijn, anders hebben de mensen geen vertrouwen in hem. Haar. Maar je hoeft je niet altijd als een arts te gedragen. Ga jij nu maar fijn naar Tookaringa en laat je eens gaan op oudejaarsavond.'

Misschien moest ze dat maar doen. Ze was hier nog geen man tegengekomen voor wie ze op haar hoede zou moeten zijn. Ze waren bijna allemaal net als Sam en gaven de voorkeur aan malle giechelmeisjes die vol aanbidding naar hen opkeken. Die hen achter schuurtjes stonden te zoenen terwijl zij spreekuur hield. Ze kon goed met Sam samenwerken. Nee, beter dan dat. Hun samenwerking was uitstekend. Hij bestuurde het vliegtuig en praatte niet al te veel tegen haar, tenzij hij haar opmerkzaam wilde maken op iets dat haar wellicht zou interesseren. Als ze hem nodig had hielp hij haar zonder te klagen. Hij was aardig tegen de mensen die zij ontmoetten, meer dan aardig zelfs. Op de een of andere manier noemde hij hen altijd binnen de kortste keren bij hun voornaam. Hij onthield wie hoeveel kinderen had en waar ze oorspronkelijk vandaan kwamen. Hij wist hoe lang ze al op hun ranches woonden. Als het veedrijvers waren wist hij voor wie ze werkten. Hij wist hoe groot elke ranch was en hij wist van alles over de omgeving. *Daarbeneden ligt de weg die Dick Highland met zijn blote handen heeft aangelegd.*

Of: *Zie je die hoop stenen daar? Die ligt daar al meer dan zeventig jaar. Er loopt een weg langs en lang geleden hebben een stel veedrijvers die stenen opgestapeld als een teken voor anderen dat er op die plek water is.*

Of: *Matt Warden verscheept dit jaar zesduizend stuks vee.*

Maar hij praatte niet veel over zichzelf en vroeg haar eigenlijk nooit hoe het voor haar was geweest om op te groeien buiten Australië. Cassie wist dat hij elke week met Fiona tenniste en haar in de weekends vlieglessen gaf, maar verder had ze eigenlijk geen idee wat hij in zijn vrije tijd zoal deed, hoewel ze anderen wel over hem hoorde praten. De mannen mochten hem graag. 's Avonds zat hij vaak bij Addie's, speelde een spelletje dart, dronk een biertje en luisterde naar de sterke verhalen van de veedrijvers.

Ook merkte ze dat de meisjes stapelgek op hem waren. Maar er was er niet één die zijn speciale voorkeur had. 'Je ziet hem elke zaterdagavond met een ander,' zei Fiona tegen Cassie toen ze een keer thuiskwamen van een dansavond. 'Hij houdt niemand aan het lijntje. En wauw, wat kan hij dansen! Wanneer ik met hem dans voel ik me zo licht als een veertje.'

'Als je niet oppast word je nog verliefd op hem, ook al denk je nu nog dat het platonisch is. Zulke dingen gebeuren wanneer je er het minst op bedacht bent.'

Fiona dacht een ogenblik na. 'Dat lijkt me niet waarschijnlijk. Ik beschouw Sam echt als een goede vriend, meer niet. Maar als ik verliefd word, dan word ik maar verliefd. Als ik mezelf nooit meer openstel voor de mogelijkheid weer gekwetst te worden, stel ik mezelf ook nooit meer open voor de mogelijkheid hartstocht te ervaren.'

'Jij bent ook allesbehalve consequent, hè?'

'Ik citeer een van mijn favoriete schrijvers, Ralph Waldo Emerson. Hij zei: "...consequent zijn is het schrikbeeld van de kleinen van geest."' Ze lachte. 'Laten ze van mij nooit beweren dat ik klein van geest ben.'

'Of klein van hart.' Cassie wilde dat ze meer op Fiona leek.

Na het spreekuur, om vier uur, zei Jennifer: 'Het zal wel laat worden vanavond, dus misschien wil je na een lange werkdag wel een dutje doen. Je ziet eruit alsof je dat wel kunt gebruiken.'

Cassie knikte dankbaar.

'Wil je soms ook iets eten? We eten pas laat. Een lekkere sandwich met koud lamsvlees?'

Zodra ze geland waren, was Sam verdwenen. 'Hij is in de keuken,' zei Jennifer, terwijl zij naar het lage gebouw wees dat nog net zichtbaar was door het glas dat het zwembad omringde. 'Ik denk dat het hem om de nieuwe kokkin te doen is. Een schatje.'

'Ik dacht dat jullie kok een man was.'

'Steven heeft hem ontslagen. Als iemand na een jaar nog steeds een steak niet kort kan bakken, dan is er volgens Steven geen hoop meer. Voor dit nieuwe meisje komen alle jongens zo vaak ze kunnen naar de keuken. Ze kookt niet alleen voortreffelijk, maar ze heeft bovendien een glimlach waarmee je een donkere kerker zou kunnen verlichten.'

Zo te horen was het niet onwaarschijnlijk dat Sam in de keuken zat.

'Kom eens kijken of mijn jurk niet een beetje overdreven is voor het feest.'

'Op onze feesten is niets overdreven. Mary Ellen Fonteyn zal ons allemaal naar de kroon steken. En de rest van de mensen uit deze omgeving weet in de verste verte niet wat in de mode is. Je kunt aantrekken wat je wilt. Het maakt me niet uit wat je draagt, want ik weet zeker dat alles jou beeldschoon staat.'

Zelf dacht Cassie daar heel anders over.

'Blake is ook weer een paar weken thuis voor de feestdagen. Ik denk dat jullie het samen wel zullen kunnen vinden.'

'Niet al te goed, hoop ik, Jenny. Ik heb op dit moment geen ruimte voor een man in mijn leven.'

'Je hoeft ook niet meteen met hem te trouwen,' zei Jennifer.

Er waren meer dan honderd gasten op het feest. Een stuk of twaalf van hen logeerden in het grote huis en Cassie had al met een aantal van hen kennis gemaakt. Het orkest speelde op het gazon, zodat er op de veranda en in de woonkamer ruimte was voor de dansers. Overal hingen lampions en zelfs de palmbomen waren versierd met kerstverlichting. Alle leden van de Augusta Springs Flying Doctors Council waren aanwezig, met hun echtgenotes. Zelfs Don McLeod had zijn agenda zo weten te plooien dat hij erbij kon zijn. Cassie was blij hem te zien. Ze besloot Fiona's advies om alle remmen eens los te gooien toch maar niet op te volgen. Ze moest aan haar reputatie denken.

De twee feesten op Tookaringa die zij tot nu toe had bijgewoond, waren de eerste waarop zij zich ooit echt had geamuseerd. Aussies waren de aardigste, meest gastvrije, openhartigste mensen die zij kende. Amerikanen hadden de reputatie vriendelijk te zijn, maar dat was niets vergeleken met de manier waarop deze mensen je behandelden alsof ze je al jaren kenden en je meteen in hun leven betrokken. Het was een fijn gevoel.

'Zullen we dansen?' klonk Stevens stem achter haar. 'Iemand zal toch de eerste moeten zijn.'

Hij pakte haar hand en nam haar mee de veranda op, naar het afgeschermde gedeelte dat toegang gaf tot de woonkamer.

'Een droevig lied,' zei hij. 'Maar je kunt er goed op dansen.'

Cassie herkende het nummer onmiddellijk... 'I'll never smile again.'

Hij leidde haar, zachtjes meeneuriënd met de muziek, soepel over de dansvloer. 'Jij bent een grote aanwinst voor deze streek, weet je dat?'

'Ik hoop het,' zei Cassie, die zijn passen met gemak kon volgen. 'Het bevalt me hier prima.'

'Zelfs degenen onder ons die hun twijfels hadden over een vrouwelijke arts zijn helemaal overstag gegaan.'

'O? Was jij er ook niet zo enthousiast over?'

Er kwam nog een aantal dansparen op de vloer.

'Had je dat dan verwacht? Er zijn nog steeds heel wat mensen – overigens stuk voor stuk mensen met wie je nog niets te maken hebt gehad – die sceptisch staan tegenover de vraag of een vrouw wel in staat is juiste diagnoses te stellen en goed te opereren. Maar ik weet zeker dat je hen uiteindelijk allemaal voor je zult winnen.'

'Ik hoop dat je gelijk hebt. Ze hebben geen keus, is 't wel?'

Het orkest zette een snel nummer in. 'Hoe moet je hierop dansen?' vroeg Steven. 'Is dit een jitterbug?'

Cassie wilde zijn vraag juist beantwoorden toen Sam naar hen toe kwam. 'Sorry, Steven, dit is mijn dans.' Hij pakte Cassies hand en zwierde haar in het rond. Op het vorige feest hier waren zij de topattractie van de dansvloer geweest. Ditmaal trokken zij eveneens veel publiek, maar kregen ook gezelschap van een aantal andere jonge dansparen. Sam maakte het haar zo gemakkelijk, dat ze hem kon volgen zonder erbij te hoeven nadenken.

Toen de muziek was afgelopen, zei Sam: 'Kom op, dan gaan we iets kouds drinken.'

Maar Cassies blik was op Blake Thompson gevestigd, die tegen de deur stond geleund. Hij stond haar met een geamuseerde blik aan te staren.

Sam volgde haar blik. 'Uh-oh,' zei hij.

Toen Cassie er later aan terugdacht, wist ze niet meer of Sam gewoon was weggelopen, of dat hij naar iemand anders was gegaan, kortom wat er met hem gebeurd was. Hij hield op te bestaan. Net als alle anderen.

Nee, dacht ze. Nee. Nee, nee, nee.

Blake baande zich een weg over de dansvloer, pakte haar hand en legde zijn andere arm om haar middel. Hij zei geen woord, maar trok haar dicht tegen zich aan en begon te dansen, terwijl hij haar diep in de ogen keek. Ze voelde zijn lichaam tegen het hare. Ze voelde zijn volgende pas nog voordat hij hem had gezet.

Een ogenblik lang wilde ze niets anders dan heel hard wegrennen, Sam zoeken en tegen hem zeggen: *Laten we gaan. Vanavond nog.* Maar ze voelde Blakes benen tegen de hare en zijn hand waarmee hij haar tegen zich aan trok.

'Zal ik je vertellen wat ik allemaal van je weet?' vroeg hij. 'Je professionele vernisje verbergt een warm hart. Je bent een idealist. Je hebt keihard moeten knokken voor een plaatsje in een mannenwereld en nu durf je je vrouwelijkheid niet meer te tonen. Maar verstoppen kun je die evenmin. Je hebt een vrouwenlichaam dat heel vrouwelijk beweegt en je bent diep gekwetst door een man. Je bent niet van plan je ooit nog door een andere man te laten misbruiken.'

Ze miste een pas en viel bijna over zijn voet.

'En als je kust, leg je er volgens mij je hele hart en ziel in.' Hij trok haar nog wat dichter tegen zich aan, zodat hun lichamen versmolten.

Hou toch op, zei ze tegen zichzelf. Hou je hoofd erbij. Laat hem je dit niet aandoen.

'En wat weet ik van jou?' Ze probeerde koket te klinken. 'Met een babbel als de jouwe, zul je overal wel een spoor van gebroken harten achterlaten.'

Haar lichaam kwam tot leven in Blakes armen.

Toen de muziek weer ophield, haalde hij zijn arm van haar middel weg, maar haar hand liet hij niet los. Hij voerde haar mee, de veranda af. 'Kom, dan kun je me vertellen hoe je aan dat Amerikaanse accent komt en waarom zo'n mooie dame als jij dokter is in plaats van getrouwd en moeder.'

'En jij dan?'

'Het enige wat je op dit moment van mij hoeft te weten is dat ik de eerstvolgende man ben die jou gaat kussen.'

Ze stonden nu bij de lange tafel die dienst deed als buffet. 'Wat wil je drinken? Limonade?'

Ze lachte. 'Wat dacht je van een biertje?'

Hij pakte twee flesjes van de tafel. 'Volgens mij heb je er niet eens een glas bij nodig, wel?'

'Hoe kom je erbij dat ik jou zou willen kussen?'

Zijn gezicht stond ernstig. 'Ik betwijfel of een van ons iets te zeggen heeft over wat er de komende vierentwintig uur gaat gebeuren. Misschien daarna, hoewel ik dat niet zeker weet. Ik wist het zodra ik je zag. En jij wist het ook. Toen je mij vanavond zag staan wist ik gewoon dat je precies hetzelfde voelde.'

Ze wilde dat het gevoel zou verdwijnen. Maar dat deed het niet. Haar bloed stroomde sneller door haar aderen en in haar hals begon een ader te kloppen. Ze wilde haar hand erop leggen, opdat hij het niet zou zien.

Blake streelde het plekje met zijn vingers en zei: 'Laat maar, ik zal er een kus op geven.'

Hoofdstuk 16

Waar ze ook was en in wiens armen ze die avond verder ook nog danste, zijn blik volgde haar overal. Om middernacht kwam hij bij haar terug, nam haar, zonder iets te zeggen, in zijn armen alsof ze daar thuishoorde en trok haar zo dicht tegen zich aan dat ze zijn hart voelde kloppen. Hun benen raakten elkaar en zij keek naar zijn hand die de hare vasthield. Er zaten littekens op.

Hij zag haar kijken en zei: 'Brandwonden. Van lang geleden.' Hij keek naar haar mond. Hij had gezegd dat hij haar zou kussen voordat de avond ten einde was. Een kusje kon toch geen kwaad? Eén kus.

Midden in een nummer hield hij op met dansen en pakte haar bij de hand. 'Kom, laten we naar de billabong wandelen.'

De muziek vergezelde hen toen zij de grashelling afliepen, de duisternis in. Blake bleef niet staan, maar liep, met Cassies hand in de zijne, zelfverzekerd door de nacht. Waarschijnlijk had hij hier al heel vaak op dit tijdstip gelopen, misschien als kleine jongen wel om een nachtelijke duik in de vijver te nemen.

In het licht van de maansikkel stonden de hoge eucalyptusbomen scherp afgetekend langs de waterkant. Onder de bomen bleef hij staan en draaide zich naar haar om. Ze kon vaag zijn gelaatstrekken onderscheiden. De klanken van het orkest dreven zachtjes in hun richting.

Hij trok haar naar zich toe en nam haar in zijn armen. Op haar neerkijkend, zei hij: 'Op jou heb ik mijn hele leven gewacht.' Toen waren zijn lippen op de hare, teder en zacht, totdat zijn tong over haar lippen gleed en ze dwingend opende. Cassie wilde allang niet meer tegenstribbelen. Ze kon niet meer logisch nadenken en het enige dat ze nog dacht was dat ze nog nooit zo grondig gekust was.

Hij kuste haar oor en de kloppende ader in haar hals en vervolgens gleden zijn kussen vederlicht over haar wang, totdat zijn lippen opnieuw de hare vonden en zij zichzelf hoorde zuchten.

Onverwacht begon hij te lachen, verbrak de omhelzing en trok haar mee naar de waterkant.
'Oké, vertel op,' zei hij.
'Wat moet ik je vertellen?'
'Alles. Ik wil alles van je weten.'
Ze proefde nog steeds zijn mond op de hare. 'Je zou het een saai verhaal vinden.'
'Laten we deze relatie nu niet beginnen met zo'n belachelijke vooronderstelling. Ik weet wel beter en jij ook. Ik wil weten waar dat Amerikaanse accent vandaan komt. Waarom je naar de Outback bent gekomen, waarom je niet getrouwd bent, wie je bent, wat je voelt en denkt. Waarom je arts bent. Ik wil weten van welke mannen je hebt gehouden, of je broers en zusters hebt en wat precies je relatie met die piloot is. Ik wil weten of je kunt paardrijden en hoe je het vindt om meer dan vijftienhonderd kilometer van een grote stad te wonen. Hoe je over aboriginals denkt en over volle maan. Of je van honden houdt en, eens even zien, heb ik het belangrijkste nu allemaal gehad? Ik geloof het wel.'
'Hoef je niet te weten of ik al dan niet in God geloof?
Hij lachte. 'Kijk eens omhoog naar die sterren.'
De tropenhemel was bezaaid met schitterende diamanten. 'Ik heb mezelf voorgenomen dat ik op een nacht onder die sterren zal slapen,' zei ze.
'Dat doen we dan een keer. Zelf slaap ik bijna altijd onder de sterrenhemel. Zij zijn God. Kijk naar de maan. Ook de maan is God. Zo'n vraag hoef ik je dus niet te stellen.'
Haar lichaam zinderde. Ze wilde dat hij haar weer kuste.
'Ik ben opgegroeid in Engeland en San Francisco. Mijn vader is diplomaat. Op dit moment is hij onze ambassadeur in Washington. Mijn moeder was net overleden en ik wilde niet dat hij alleen bleef, dus ging ik naar de universiteit in Georgetown en daarna naar Johns Hopkins. Ik had al sinds mijn zesde niet meer in Australië gewoond. Ik ben nu ongeveer anderhalf jaar terug.'
'Waarom ben je niet getrouwd?'
'Waarom ben jij niet getrouwd?'
'Goeie vraag,' knikte hij, terwijl hij haar hand nog wat steviger vastgreep. 'Ik moet je het antwoord schuldig blijven. Tot vanavond was ik nog nooit iemand tegengekomen met wie ik de rest van mijn leven eventueel wilde doorbrengen of met wie ik zelfs maar onder de sterren wilde slapen. En nu jij.'
'De enige man van wie ik ooit meende te houden ging terug naar zijn vrouw.'
Blake zweeg.
'Wat nog meer? Ik ben al je vragen vergeten. O, ja, ik ben nog

nooit een hond tegengekomen die ik niet leuk vond en ja, ik kan paardrijden.'

'Aboriginals?'

'Ik geloof niet dat ik die vraag kan beantwoorden. Vraag me of ik je moeder graag mag, of meneer Highland of iemand anders en ik kan het je meteen vertellen. Maar een hele groep mensen? Een heel volk? Ik beoordeel hen liever individueel.'

Even bleef hij haar zwijgend aankijken en toen gleed er een wolk voor de maan en verdwenen hun gezichten in de duisternis. 'Nou, Cassandra, volgens mij zijn wij voorlopig nog niet van elkaar af.' Hij boog zich naar voren en drukte zijn mond op de hare. Ze voelde zijn tong en wenste hem op haar borst. Ze wilde zijn lippen om haar tepels voelen, voelen hoe hij haar zachtjes beet en zijn tong over haar lichaam liet glijden.

Ze maakte zich van hem los. 'Hé, rustig aan,' zei ze, zich ervan bewust dat ze beefde.

'Oké. We hebben nog een heel leven voor ons.'

Hou op!

Hij nam haar bij de hand.

'Hoe komt het dat je zoveel over mij wist?' vroeg ze, terwijl ze langzaam de heuvel begonnen op te lopen, in de richting van het schitterend verlichte huis.

Hij lachte. 'Dat je een keer door een man gekwetst bent, bedoel je? Dat zag ik aan die blik van je. Een boze jonge vrouw. Tegelijkertijd hou je je ogen enigszins neergeslagen, alsof dat gevaar kan afwenden. Toch zie je er net zo kwetsbaar uit als... als een gewond hert.' Hij kneep zachtjes in haar hand.

Het ging er nog steeds vrolijk aan toe op het feest en het orkest speelde 'Frenesi'.

'Goed orkest,' zei Cassie.

'Wij laten hen elk jaar overkomen uit Adelaide,' zei Blake. Hij bleef staan en draaide haar naar zich toe. 'Had ik gelijk of niet?'

'Eigenlijk ken ik je helemaal niet goed genoeg om je al die dingen te vertellen.'

'Klinkklare onzin,' zei hij, met een doordringende blik. 'Wij kennen elkaar inmiddels al beter dan we de meeste mensen in ons leven hebben leren kennen. We kennen alleen nog niet alle details. Het zal leuk zijn om elkaar die te vertellen, maar in feite doen ze er niet toe.'

Vanaf de overkant van het gazon stond Jennifer naar hen te zwaaien. Sam en de kokkin waren nergens te zien.

Had Fiona haar niet gewaarschuwd? Had zij niet gezegd: *Vanavond zal je de zoon en erfgenaam, Blake, ontmoeten. Wees voor-*

zichtig. Hij heeft al door de hele streek, misschien wel het hele continent, een spoor van gebroken harten achtergelaten.

Toen zij bij de tafel aankwamen, die nog steeds vol stond met allerlei lekkernijen, pakte Cassie een bord en legde er een paar plakken ham op. Ze keek wanhopig om zich heen, want ze wilde dolgraag bij Blake Thompson uit de buurt komen – terwijl ze tegelijkertijd niets liever wilde dan onafgebroken naar hem kijken. Om te zien of hij echt was. Ze draaide zich om om iets tegen hem te zeggen, maar hij stond er niet meer. Ze zag hem een eindje verderop met een man staan praten die zij niet kende. Hij stond naar haar te kijken.

'Wil je weten wat ik over hem te weten ben gekomen?' klonk Don McLeods stem achter haar. Met een bord in zijn hand, kwam hij naar haar toe geslenterd. 'Ik ben nog nooit iemand tegengekomen die hem niet aardig vindt.'

'Waar heb je het over?'

Don keek haar grijnzend aan en nam een hap alvorens hij verder ging. Hij had meer weg van een boerenknecht dan van een presbyteriaanse dominee. 'Zelfs de mannen die voor hem werken denken dat hij over water kan lopen. Hij schiet beter dan wie ook; hij ziet van een afstand van tachtig meter een buffel in het hoge gras staan en legt hem nog met één schot neer ook. Met worstelen verslaat hij elke andere man en dan is de verliezer er nog blij mee ook. Niemand danst beter dan hij. Hij verlangt niets van zijn mannen wat hij zelf ook niet zou doen en alles wat hij doet, doet hij met meer lef en moed dan zij en toch nemen zij er geen aanstoot aan. Hij is voor niets en niemand bang. Hij heeft gevoel voor humor...'

'Ho even,' zei Cassie lachend. 'Hoe kom je erbij dat mij dat allemaal zou interesseren?'

'Hoor eens,' zei Don, terwijl hij zijn lege bord op tafel zette. 'Ik heb hier dit laatste half uur niet voor niets spion lopen spelen. Ga je nu naar me luisteren of niet?'

'Oké,' zei ze, grinnikend, 'maar ik begrijp niet waar het voor nodig is.'

'Hij kan harder lopen, beter schieten en sterkere verhalen vertellen dan wie dan ook. Hij werkt net zo hard als de mannen die bij hem in dienst zijn en is cum laude afgestudeerd aan de Universiteit van Sydney. Hij denkt vrijwel uitsluitend aan Tookaringa. Hij houdt van zijn vader en moeder, maar hij is hier bijna nooit. Hij denkt in het groot. Hij houdt van het buitenleven en is soms puur voor de lol een half jaar onderweg met een kudde. Hij is net zo berucht om de manier waarop hij met vrouwen omgaat als met mannen en vee. Alles wat hij in zijn handen krijgt kun je hem met een gerust hart toevertrouwen, behalve vrouwen. En naar wat ik heb gehoord krijgt hij er daar heel wat van in zijn handen.'

Cassies ogen vernauwden zich tot spleetjes. 'Probeer je me te waarschuwen?'

Don keek ernstig en legde een hand op haar arm. 'Het enige wat ik wil zeggen, lieve kind, is dat die knaap behoorlijk geweldig is, net als zijn ouders. Maar ik zeg je ook dat je voorzichtig moet zijn.'

'Don,' begon Cassie, gestreeld door zijn bezorgdheid, 'ik waardeer het dat je me wilt waarschuwen; ik vind het lief dat je al die moeite voor mij doet, maar ik ben heel goed in staat mijn eigen boontjes te doppen.'

Hij knikte. 'Ik wist ook wel dat het mij niet aanging. Maar aan de blik in je ogen zie ik dat ik toch gelijk had.'

'Don, ik heb hem vanavond pas ontmoet!'

'En ik wist ook dat het wachten alleen maar was op de juiste man om je... o, laat ook maar, Cassie. Zullen we dansen? Volgens mij ben ik de enige man die dat genoegen vanavond nog niet heeft mogen smaken. Weet je, als Margaret er niet was...'

Cassie gaf hem een zoen op zijn wang. 'Ja, Don, ik weet het. Als Margaret er niet was...' Ze gleed in zijn armen. Ze had zich veel te snel en gemakkelijk blootgegeven. 'Ik waardeer je goede zorgen.'

Ze had in geen jaren tot halfnegen uitgeslapen. Toen ze beneden kwam, stond Blake haar op de veranda al op te wachten. Met zijn grote cowboyhoed stevig op zijn hoofd, kwam hij langzaam naar haar toe. Zijn benen waren hard en gespierd in zijn strakke broek en gekreukte beenbeschermers. Hij zette zijn hoed af en gooide hem op tafel.

'Heeft iedereen al gegeten?' vroeg zij.

'Ik heb op je gewacht.' Hij kon zijn ogen niet van haar afhouden.

'Ik ben uitgehongerd en ik snak naar een paar van die beroemde Tookaringa-kaneelbroodjes,' zei ze, terwijl ze koers zette naar de eetkamer en trachtte het bonzen van haar hart te bedwingen. De broodjes waren op, dus nam ze genoegen met roereieren en spek en sterke, naar cichorei smakende koffie.

Er kwam een kat binnen, die onmiddellijk bij Blake op schoot sprong. Afwezig begon hij het dier te aaien. 'Het lot heeft ons bij elkaar gebracht.'

Ze wierp hem een lange blik toe. 'Blake Thompson, je kent me niet eens. Maar ik zal je iets vertellen. Je had gelijk. Ik ben gekwetst. Ik heb een bijzonder ongelukkige ervaring gehad. Het is vorig jaar gebeurd en misschien ben ik er nog steeds niet helemaal overheen. Je gaat me veel te snel. Ik ben hier nog niet klaar voor. Ik vertrouw het niet en daarom vertrouw ik jou niet.'

Hij reikte over de tafel en legde zijn hand over de hare. 'Het feit dat je gekwetst bent, maakt dit alles des te belangrijker, nietwaar? Oké, Cassandra, dan doen we het op jouw manier, maar je moet inmiddels toch weten dat dit niet zomaar iets is.'

Ze herinnerde zich zijn kussen.

Op dat moment kwam Sam de eetkamer binnenstormen. 'Ik heb zojuist met Horrie gesproken. Het lijkt me beter wanneer jij zelf even met hem praat. Volgens hem hebben we een spoedgeval op Bagley Waters.'

'Wat is er aan de hand?'

'Vraag hem dat liever zelf. Niemand schijnt te weten wat het is.'

Cassie, Blake en Sam renden naar het vliegtuig en Sam riep Horrie op via de radio.

'Ik weet het niet,' zei Horrie. 'De dochter op Bagley Waters is zwaar ziek. Eerst dachten ze aan griep of blindedarmontsteking. Ik heb gezegd dat je over precies een kwartier contact met hen opneemt. Oké? Ik zal je doorverbinden. Blijf aan de radio.'

Cassie greep de microfoon. 'Waar ligt Bagley Waters?'

Sam pakte een tas van zeildoek en haalde zijn kaart te voorschijn.

'Het ligt ongeveer achthonderd kilometer zuidwestelijk van hier,' zei Blake. Hij was hen gevolgd naar het vliegtuig en stond nu in de deuropening. 'De eigenaar heet Bill Miller. Fijne kerel. Een van de beste ranches die ik ken.'

Sam ontving Horries signaal.

'Oké,' zei Horrie op gespannen toon, 'ik verbind je door met de Millers.'

Er klonk een krakende mannenstem door de radio. 'Dokter Clarke?'

'Meneer Miller? Wat is er aan de hand?'

'Dat weten we niet. Mijn dochter Sara had al twee dagen last van wat misselijkheid en een beetje diarree. Eerst dachten we dat het een griepje was, en daarna dat het misschien haar blindedarm was. Ogenblikje, mijn vrouw wil iets zeggen.'

'Dr. Clarke? Kan het zijn dat haar menstruatie wat in de war is? Ze heeft ook wat gevloeid.' Ze wachtte op Cassies reactie.

Cassie begreep er niets van. Ze wendde zich tot Sam. 'Laten we er maar snel naar toe gaan. Misschien moet ze naar het ziekenhuis.'

Hij knikte. Jammer. Hij en de kokkin hadden afgesproken te gaan picknicken zodra zij klaar was met de voorbereidingen voor de lunch.

'We komen eraan,' zei Cassie. 'Ik geef u de piloot voor details over het landen en onze vermoedelijke aankomsttijd.'

Ze gaf de microfoon aan Sam en hoorde hem zeggen: 'Het zal in elk geval zo'n zes uur duren.'

'Gebeurt dit vaak?' vroeg Blake.
'Nee, dit is de eerste keer.'
'Dus je komt vandaag niet meer terug?'
Sam had opgehangen en zat nu de kaart te bestuderen. 'Geen weg.'
'Op Bagley Waters hebben ze benzine,' stelde Blake hem gerust. 'Heb je ook nog wat van hier nodig?'
Sam schudde zijn hoofd. 'Ik had hem net volgetankt toen Horrie belde. Er gaat maar voor zeshonderd kilometer benzine in de tank. Ik zal voor alle zekerheid wat extra vaten meenemen.' Hij keek naar Cassie. 'Ben je klaar?'
'Natuurlijk niet,' antwoordde zij. 'Ik moet mijn tas nog pakken en afscheid nemen van Jennifer en Steven.'
'Die zijn een eind gaan rijden met een paar van de gasten,' zei Blake. 'Ik zal hen de groeten van je doen.' Hij stak zijn hand uit om Cassie van het trapje te helpen.
'Ik ben zo terug,' zei ze tegen Sam, terwijl ze samen met Blake naar het huis begon te rennen.
Zodra ze bij het huis waren aangekomen, hield hij haar tegen en draaide haar naar zich toe. Hij trok haar dicht tegen zich aan, keek haar diep in de ogen en zei: 'Ik wil dat je je dit herinnert.' Hij kuste haar en Cassie voelde zich duizelig worden, bedwelmd door de hartstocht die hij in haar losmaakte.
'Onthou dat goed,' fluisterde hij.
Toen liep hij voor haar uit naar haar kamer, en wachtte terwijl zij haar kleren in een koffer gooide. Hij tilde de koffer op, pakte haar hand en liep zo snel weg dat Cassie de hele weg naar het vliegtuig moest rennen om hem bij te houden.
Toen Sam het trapje binnenhaalde, schudde Blake hem nog snel even de hand. 'Tot ziens.'
Sam knikte. 'Natuurlijk.' Hij sloot de deur en nam plaats in de cockpitstoel.
Cassie keek uit het raampje hoe de man, die zo onverwacht in haar leven was verschenen, een steeds kleiner stipje werd en ten slotte helemaal uit het gezicht verdween. Toen ze haar ogen dichtdeed zag ze Blakes gezicht voor zich. Zijn helblauwe ogen keken haar glimlachend aan.
We kennen elkaar inmiddels al beter dan we de meeste mensen in ons leven hebben leren kennen, had hij gezegd. Met een zucht dacht ze terug aan het gevoel van zijn lippen op de hare.

Hoofdstuk 17

Bagley Waters was, hoewel niet zo groot als Tookaringa, toch groot genoeg om vijf buitenposten te hebben. In het noorden en westen graasde vee en in het zuidoosten ongeveer tienduizend schapen. In tegenstelling tot Tookaringa, waar het landschap gedomineerd werd door hoge bomen en struikgewas, bestond Bagley Waters voornamelijk uit glooiende, met dicht gras begroeide heuvels. Langs de ontelbare droge rivierbeddingen, die elkaar hier en daar kruisten, groeiden eucalyptusbomen, lage struiken en Mitchell-gras. Bagley Waters maakte deel uit van het Channel-gebied, waarvan de rivieren gedurende het regenrijke voorjaar ver in het noorden water verzamelden, om vervolgens in zuidelijke richting te stromen, tot aan het meestal droogliggende Lake Frome. Met behulp van artesische putten ontstond hier wel bijna het beste grasland ter wereld. Zelfs wanneer de meeste rivierbeddingen droogstonden, werd het land nog van water voorzien door één rivier die nooit opdroogde. Alleen in jaren van extreme, aanhoudende droogte, raakte Bagley Waters in moeilijkheden. Het produceerde een deel van de beste merinoswol van het land, en derhalve van de hele wereld.

Een hek met rode en roze bougainvillea omringde een boomgaard vol perzik- en citroenbomen. Cassie zag ook druiveranken en dadelpalmen en, wat dichter bij het huis, dichtbegroeide bloementuinen.

Een aantal auto's en trucks gaf de omtrekken aan van de landingsstrook die voor hen was vrijgemaakt. Cassie merkte amper op welk moment het vliegtuig landde.

Zij werden begroet door een man van een jaar of vijftig, die een bush-hoed droeg en een rood-witte halsdoek. De eerste woorden die hij zei toen hij Cassie in de deuropening van het vliegtuig zag staan, waren: 'Sara is doodziek.'

Hij pakte haar tas van haar aan en begon naar zijn pick-up te rennen. Daar rukte hij het portier open en wachtte tot Cassie hem had ingehaald. Sam sprong achterin. Het huis lag een paar honderd meter verderop.

'Ze heeft pijn in haar buik en ze is erg misselijk. Af en toe geeft ze een beetje over en dan gaat het wel weer eventjes. We begrijpen niet wat het kan zijn.'

Uit de symptomen die zij over de radio had gehoord, kon Cassie ook niet afleiden wat het was. 'Hoe oud is het meisje?'

'In maart wordt ze zeventien,' zei hij. 'Zij is onze jongste.'

De zuidelijke horizon strekte zich uit tot in het oneindige, een versmelting van hemel en aarde, terwijl in het noorden en oosten rode zandheuvels oprezen. Het huis zelf, een wanstaltig bouwsel van drie verdiepingen hoog, viel totaal uit de toon in deze omgeving, een eenzame schildwacht in dit vlakke landschap.

Bill Miller trapte zo hard op de rem dat Cassie bijna tegen de voorruit sloeg. 'Sorry,' verontschuldigde hij zich, terwijl hij haar tas greep. 'Sara ligt boven.'

'Heb je me nodig?' vroeg Sam, terwijl hij zijn lange benen uit de pick-up zwaaide.

'Kom maar mee,' antwoordde Cassie, die snel achter Bill aan liep. Ze haastten zich door de reusachtige hal met hoge plafonds en renden de wenteltrap op. In een van de slaapkamers zat Bills vrouw, Marian, naast haar bewusteloze dochter. Zodra zij de kamer binnenkwamen sprong zij overeind.

Cassie liep meteen naar het meisje op het bed.

'Ze klaagde over heel erge buikpijn,' zei Marian. 'En een uur of zo geleden is ze hevig gaan vloeien.'

Cassie keek geschrokken naar het slapende meisje, dat erg bleek zag en nat was van het zweet. Ze wendde zich tot de ouders van het meisje en Sam en zei: 'Wacht maar even op de gang, terwijl ik haar onderzoek.'

Binnen enkele minuten wist Cassie dat het om een buitenbaarmoederlijke zwangerschap ging.

'Is het haar blindedarm?' vroeg de moeder onmiddellijk, toen Cassie weer in de deuropening verscheen.

'Daar ziet het wel naar uit,' antwoordde Cassie. 'Als ik niet meteen opereer wordt het een buikvliesontsteking.'

'Opereren?' Marian sloeg haar hand voor haar mond. 'Hier?'

'We hebben geen tijd meer om haar naar het ziekenhuis te brengen. Sam, kom binnen. Mevrouw Miller, u gaat water voor me koken. Ik heb schone lakens nodig en een ruimte waar ik kan opereren. De keuken misschien? Hebt u daar een lange tafel staan, of kunt u er een neerzetten? Ik geef u een half uur om alles zo schoon mogelijk te boenen en water te koken.' Dit soort noodoperaties onder niet steriele omstandigheden maakte haar altijd erg zenuwachtig.

Marian stond Cassie met grote ogen aan te staren en kwam pas in beweging toen Cassie naar haar toeliep en haar bij een arm greep. 'Begrijpt u wat ik zeg?'

Marian knikte en rende weg.

'Sam. Ik heb je nodig.'

Toen hij binnen was, deed ze de deur achter hem dicht.

'Het meisje is zwanger,' zei Cassie, 'en ik weet zeker dat haar ouders het niet weten. Misschien weet ze het zelf niet eens.'

Hij wierp een snelle blik naar het meisje op het bed.

'Ze is waarschijnlijk nog maar een paar weken ver, maar het is een buitenbaarmoederlijke zwangerschap.'

'Hè?' Hij krabde zich op zijn hoofd en keek Cassie aan.

'Dat is wanneer de vrucht zich ergens anders heeft genesteld dan in de baarmoeder... in een eileider misschien, of in de buikholte. Het is in elk geval geen normale toestand en er moet onmiddellijk worden ingegrepen. Ze verkeert nu in een shocktoestand en als ik niet gauw iets doe gaat ze dood. Ik heb haar ouders verteld dat het blindedarmontsteking is. Ik wil niet dat ze het meisje nog erger straffen dan ze nu al word gestraft.'

'En als ze nu over een aantal jaren echt blindedarmontsteking krijgt?'

'Ik haal haar blindedarm er meteen uit,' zei Cassie. 'Ik heb je nodig als anesthesist.'

'Dat vermoedde ik al. Dan zal ik me maar snel gaan wassen.'

'En help hen meteen de keuken wat op orde te krijgen. Snel. Elke seconde telt.'

Een uur later sneed zij de buik van het meisje open, dwars door huid- en spierlagen. Toen zij het buikvlies opende, kwam er een golf bloed naar buiten. 'Eigenlijk zou ik dit leeg moeten zuigen, maar ik heb niets. Dan maar deppen. Geef me die gaassponsjes eens aan.' Ze begon het bloed weg te vegen. 'Aha, kijk. Daar zit de beschadiging die het bloeden veroorzaakte – daar, in een van de eileiders.'

Sam boog zich over het meisje heen om te kijken.

'Het is helemaal donkerpaars en er zit een bloedend sneetje in, met geronnen bloed in de opening.' Tijdens het praten werkten haar handen vakkundig door. Ze plaatste klemmen aan beide kanten van de eileider om het bloeden te stoppen. Ze verwijderde het beschadigde stukje en bond het uiteinde van de eileider dat het dichtst bij de baarmoeder zat af.

Op een gegeven moment hoorde Sam haar een zucht van verlichting slaken.

'Is het gevaar geweken?' vroeg hij, terwijl hij nog een druppel ether op het maskertje liet vallen.

'Ik heb nog meer van die gaassponsjes nodig,' zei ze. Ze depte het resterende bloed weg. Toen onderzocht ze de andere kant van de baarmoeder en de andere eileider.

'Wat doe je nu?' vroeg Sam, toen ze nog dieper voelde.

'Ik voel aan de ingewanden en de lever en de milt om er zeker van te kunnen zijn dat er geen andere beschadigingen of problemen in de buik zitten. Maar eigenlijk wist ik al dat er verder geen bloedverlies meer zou optreden toen ik de buitenbaarmoederlijke zwangerschap had gelokaliseerd en afgeklemd. Afgezien van de shock is ze nu buiten levensgevaar. Ze heeft nu wel heel veel vocht nodig. Maar nu kan ik beter eerst die blindedarm eruit halen.'

Met haken trok ze twee grote spierlagen uiteen. 'Ik hou er niet van om in één operatie twee chirurgische ingrepen uit te voeren.' Met een tang pakte ze de colon en schoof hem heen en weer tot ze de gezonde blindedarm zag zitten. Ze sneed het vetweefsel en bloedvaatjes weg en bond ze af zodat ze niet zouden bloeden, waarna ze een scalpel tussen de klemmen stak en zo de blindedarm verwijderde.

Ze steriliseerde alles met zilvernitraat en naaide een ring rond de onderkant van het secum. Vervolgens duwde ze het stompje van de blindedarm in het secum, waarna ze de lus van hechtdraden aantrok en de opening sloot.

'Zodra ik de wond heb gehecht, ga jij wat water halen, zodat we dat met behulp van een doekje in haar mond kunnen druppelen.'

Sam sloeg elke beweging nauwlettend gade toen Cassie langzaam de lagen van het buikvlies, het dikke, stugge bindweefsel, de spierlagen, de vetlagen en de huid dichtnaaide.

Zoals altijd na een operatie deden haar schouders pijn van de spanning.

'Hoe kun je nu op een andere plek zwanger zijn dan...'

Cassie haalde haar schouders op, haar gebruikelijke reactie wanneer zij ergens het antwoord op moest schuldig blijven. 'Een speling van de natuur.' Ze trok haar bebloede rubber handschoenen uit. 'De eicel wordt in de eileider bevrucht en drijft dan gewoonlijk naar de baarmoeder. Deze heeft het gewoon niet gered.'

Ze deed haar ogen dicht.

Sam legde zijn hand op haar pols.

'Je hebt heel wat tekortkomingen, Cassie Clarke, maar je bent een verrekt aardige meid.'

Ze keek hem aan. 'Hoe kom je daar zo opeens bij?'

'Omdat je het niet aan haar ouders vertelt.'

'Ik hoop het,' zuchtte ze. 'Ik zal hun gaan vertellen dat alles goed is met hun dochter en dat ze veel vocht nodig heeft. Het lijkt me het beste dat we vannacht hier blijven. Maar als je dat niet wilt, kunnen we haar ook meenemen naar het ziekenhuis.'

'Natuurlijk blijven we,' zei hij. 'Dan kunnen we tenminste meeeten.'

Toen ze de volgende ochtend terugkwamen in Augusta Springs zat Fiona al op haar te wachten.

'Waarom ben jij niet op school?' Cassie kon bijna niet wachten om haar alles te vertellen over Blake Thompson. Ze had tijdens de vlucht vanuit Bagley Waters aan bijna niets anders meer gedacht.

Maar Fiona had ander nieuws. 'Ik heb een telegram van mijn moeder ontvangen,' zei ze. 'Mijn vader heeft te horen gekregen dat hij nog maar vier tot zes maanden te leven heeft.'

'O, Fi.' Cassie greep haar handen vast.

'Ik ga naar huis. Ik neem de middagtrein van morgen, dan ben ik in drie, vier dagen in Sydney en daar kan ik mijn overtocht per schip boeken.'

'En je baan dan?'

Fiona barstte in tranen uit. 'Daar kan ik nu niet aan denken. Dat kan ik gewoon niet. Ze zullen iemand anders moeten zoeken.'

Cassie sloeg haar armen om Fiona heen.

'Ik ben al aan het inpakken. Jij wilt toch wel voor het huis zorgen?' Ze wachtte niet op antwoord. 'O, God, het is nu vreselijk in Ierland, midden in de winter. Ik had gezworen nooit meer een winter door te brengen in die noordelijke contreien.'

Ze dronken samen een kop koffie en Fiona haalde herinneringen op aan haar vader. Ten slotte vroeg ze: 'Hoe was het feest? Je zult wel een fantastisch weekend gehad hebben. Ik had jullie gisteravond al thuis verwacht.'

'We moesten onverwacht naar Bagley Waters voor een operatie.'

'Dus je hebt de hele dag gewerkt? En ik maar denken dat je bezig was met lol maken. Maar je hebt nu dus kennisgemaakt met Blake Thompson? Heeft hij je helemaal ingepalmd?'

Dit leek Cassie niet het juiste moment om in details te treden. 'Hij is een behoorlijk indrukwekkende verschijning, hè?'

Fiona lachte. 'Zo zou je het ook kunnen zeggen, ja. Vertel eens, was het een leuk feest?'

Cassie knikte. 'Geweldig. Ik heb me zelden zo geamuseerd.' En ben zelden zo in de war geweest, dacht ze.

'De mensen hier zijn nu eenmaal fantastisch.'

'Nou, het zijn in elk geval de aardigste mensen die ik ooit heb ontmoet.'

'En wat vond je van Blake? Ik had zo'n voorgevoel dat hij onmiddellijk werk van je zou gaan maken. Heeft hij dat gedaan?'

'Omdat hij die reputatie heeft, bedoel je?' Cassie voelde hoe het hart haar in de schoenen zonk.

'O, lieverd, een nieuw meisje in de stad – vooral als ze heel aantrekkelijk is – dan weet iedereen dat ze van Blake is voordat iemand anders een kans krijgt haar te veroveren.'

'En dan?'

Fiona haalde haar schouders op. 'Daarna kunnen de andere kerels hun gang gaan, maar niet voordat Blake haar heeft afgedankt. Meestal duurt dat niet zo lang.'

Dat was nu precies waar ze bang voor was geweest. Het ging hem niet om haar. Ze was hier nieuw – een vrouw die hij nog niet had uitgeprobeerd. *Ik kan niet beweren dat ik niet gewaarschuwd ben.*

'Je wilt dus zeggen dat hij niet te vertrouwen is?'

Fiona stond op en spoelde haar kopje om. 'Ik denk dat hij een van de meest gerespecteerde mannen uit deze streek is. Hij is in elk geval het populairst, en niet alleen bij de vrouwen. Hij weet met mensen om te gaan, met alle mensen. Ik zou hem mijn laatste cent toevertrouwen, maar niet mijn hart.'

Cassie vroeg: 'Spreek je nu uit eigen ervaring?'

Fiona stond met haar rug naar haar toe. 'Zo dom ben ik niet.'

Toen Cassie later die avond in bed lag, bedacht ze zich hoezeer ze Fiona zou missen. Vier tot zes maanden. Dat is een hele tijd, dacht ze.

Ze deed haar ogen dicht en dacht terug aan Blakes lippen op de hare. Ze voelde zijn armen om zich heen. Ze had spijt van de gretigheid waarmee ze op hem had gereageerd, maar zelfs nu, vierentwintig uur later, begon haar hart sneller te kloppen wanneer ze aan hem dacht. Als ze hem nog eens zou tegenkomen, moest ze voorzichtiger zijn.

Ze dacht eraan dat Sam haar had verteld dat ze zo lief en aardig was. Soms leek het er meer op dat hij heel anders over haar dacht, dat hij haar een goede dokter vond, maar dan wel eentje die niet begreep wat het betekende om vrouw te zijn. Ze glimlachte, totdat ze zich opeens herinnerde dat hij ook had gezegd: 'Je hebt heel wat tekortkomingen, Cassie Clarke...'

Ze schoot overeind in haar bed. Wat bedoelde hij daarmee: *heel wat tekortkomingen*?

Hoofdstuk 18

De kamer rook naar de dood.

Isabels handen waren tot vuisten gebald, aanhangsels aan het eind van haar luciferdunne armen.

Cassie sloeg *Rebecca* dicht. Het was een corvee geworden om 's middags te gaan voorlezen.

'Ik ben zo blij dat Maxim van haar hield,' zei Grace. 'Maar wat was die Rebecca een afschuwelijke vrouw, hè?'

'Isabel, laat Grace toch wat morfine voor je halen,' stelde Cassie voor. 'Er is geen enkele reden waarom je zoveel pijn zou moeten lijden.'

Isabel opende haar ogen en schudde haar hoofd.

'Nee,' zei Grace. 'Ze heeft me verteld dat ze tot haar dood van niets of niemand afhankelijk wil zijn.'

Cassie wist niet of ze dat nu bewonderenswaardig of dom moest vinden. Ze keek naar de vrouw, die nog maar nauwelijks een deuk maakte in het kussen waarop haar hoofd rustte. Haar huid leek los om haar armen te hangen.

Cassie stond op. 'Morgen moeten we ergens spreekuur gaan houden, dus dan kom ik niet, tenzij we heel vroeg terug zijn, wat ik betwijfel. We hoeven er in elk geval niet te overnachten.' Eigenlijk vond ze die overnachtingen wel leuk. Iedereen was altijd zo gastvrij. 'Maar wat dachten jullie voor de volgende keer van een Agatha Christie?'

Grace knikte. 'Ik ben dol op detectiveromans. En Izzie vindt alles prima. Het bezorgt haar zoveel afleiding.'

Isabel had de hele middag nog geen woord gezegd; ze lag daar maar met haar ogen dicht op de bank of naar het plafond te staren.

Cassie stak het boek onder haar arm en rende de drie treden van de veranda af. De hitte van overdag was nog niet veel minder geworden en ze begon meteen te transpireren toen ze naar huis liep, door de hoofdstraat, langs de winkels en Addie's, naar de andere kant van de stad. Ze was boos op zichzelf.

Eén avond, een paar kussen, wat lieve woordjes en ze was meteen voor hem gevallen. Ze kwam tot de slotsom dat ze geen karakter bezat, geen ruggegraat. Fiona en Don hadden haar verteld dat Blake een echte hartenbreker was, om wie menig traantje geplengd werd. Zo'n man wilde ze helemaal niet. Ze wilde trouwens helemaal geen man. Waarom had ze dan zulke heftige gevoelens voor hem? Waarom kon ze de gedachte aan hem maar niet van zich afzetten? Het was nu al tien dagen geleden en ze kon aan niets of niemand anders meer denken dan aan Blake.

Ze was ervan overtuigd dat ze hem zou terugzien, maar ze wist niet of ze dat eigenlijk wel zo graag wilde. Wanneer ze 's avonds haar ogen sloot verscheen zijn gezicht voor haar en wanneer ze over het rode hart van het continent vlogen zag ze het weerspiegeld in het vliegtuigraampje.

Ze miste Fiona. Nu had ze 's avonds niemand om de gebeurtenissen van de dag mee door te nemen. Niemand om mee te lachen. Niemand om voor te koken. Het huis was leeg. Ze had zich niet gerealiseerd hoeveel Fiona's vriendschap voor haar was gaan betekenen. Cassie was kwaad op Fiona omdat ze haar zo in de steek had gelaten. Het was niet alleen het huis dat leeg aanvoelde; haar hele leven was veel leger.

Haar werk was routine geworden. Op dinsdag en donderdag vlogen ze allerlei spreekuren af. Meestal bleven ze op een van beide dagen ergens overnachten, zodat ze woensdag of vrijdag ook een spreekuur hield. De resterende dagen hoefden ze er meestal niet op uit omdat de meeste medische problemen over de radio konden worden opgelost. Eén of twee keer per week moesten ze voor een spoedgeval ergens naar toe vliegen, vaak om een patiënt op te halen en naar het ziekenhuis te brengen vanwege een blindedarmontsteking of zoiets, die dan natuurlijk door Chris werd geopereerd. Hij was veel vriendelijker geworden en als het om een van Cassies patiënten ging, vroeg hij tegenwoordig altijd of zij hem wilde assisteren. Ook riep hij haar hulp in wanneer dr. Edwards tijdelijk 'onbekwaam' was, hetgeen steeds vaker voorkwam, en vooral wanneer er midden in de nacht een spoedoperatie moest worden uitgevoerd.

Cassie kon niet zeggen dat hij echt aardig voor haar was, want er bleef altijd een soort spanning tussen hen bestaan die zij niet kon definiëren. Ze waren altijd aan het bekvechten. Niet over de geneeskunde. Dat was het enige waarover ze het eens waren, het enige wat ze gemeen hadden.

Maar zelfs op dat gebied vond Cassie zijn houding vaak stuitend. Hoewel hij echt wel met zijn patiënten meevoelde, behandelde hij hen zelden vriendelijk en moedigde hij hen niet bepaald aan hem in vertrouwen te nemen.

Hij kon niemand uitstaan die niet, net als hij, protestant, blank en van Britse origine was. Hij had een hekel aan aboriginals. 'Ze stinken als de hel. Ze hebben geen arbeidsethos, geen moraal, geen verantwoordelijkheidsgevoel. Het zijn heidenen.'

Op mensen als de Thompsons was hij ook niet bepaald dol. 'Denken dat de hele wereld van hen is omdat ze een paar honderdduizend hectaren bezitten en omdat ze alles kunnen kopen wat hun hartje begeert.'

Een van de redenen waarom hij het prettig vond zo ver van de grote steden te wonen was dat er geen joden waren. Cassie vroeg hem wat hij tegen hen had. 'Ze hebben Jezus Christus immers gekruisigd?' Ze vond het maar een onzinnig antwoord. Hij vond wel dat Hitler te ver ging door de joden naar concentratiekampen te sturen en hen te isoleren in getto's; daar geloofde hij niet in. Volgens hem waren joden veel te slim. Joden die medicijnen studeerden behaalden altijd de hoogste cijfers. Het waren echte woekeraars, die vooral te vinden waren in beroepen waarmee ze bergen geld konden verdienen.

Hij was een voorstander van het Australische immigratiebeleid, dat alleen blanken toeliet.

Maar hij geloofde er niet in dat mensen moesten lijden of sterven omdat ze zich geen medische hulp konden veroorloven. Hij behandelde ook mensen die hem niet konden betalen, maar niet zonder morren.

Hij was altijd vriendelijk tegen zijn vrouw, hoewel Cassie nooit enige warmte tussen hen kon bespeuren. Wanneer je iemand ziet sterven, iemand van wie je heel lang gehouden hebt, probeer je jezelf misschien wel in bescherming te nemen, redeneerde ze. In elk geval trachtte hij het haar voortdurend naar de zin te maken en verzorgde haar elke zaterdagmiddag en zondag, wanneer Grace bij haar eigen gezin was, helemaal zelf.

Cassie kon niet zeggen dat ze hem werkelijk graag mocht, maar ze hadden een soort wapenstilstand gesloten. Op de manier waarop ze haar vak uitoefende, vrouw of geen vrouw, kon hij niets aanmerken. Dat had hij zelfs toegegeven. Nu ja, niet echt toegegeven. Hij was er de man niet naar ooit zijn ongelijk toe te geven. Maar hij liet haar merken dat hij haar een bekwaam arts vond. Hij had de resultaten gezien van de operaties die zij in de bush had uitgevoerd, want meestal bracht ze haar patiënten naar het ziekenhuis voor hun verdere herstel.

Ze vroeg zich af waar Blake was. Het maakte niet uit wat ze dacht, elke gedachte bracht haar uiteindelijk weer terug bij Blake

Thompson. Ze had aan Chris lopen denken en opeens was Blake daar weer. Ze liep langs de zadelmakerij en dacht aan Blake die met duizenden runderen bijna tweeduizend kilometer door woestijnen en over bergen trok, ver weg van elke beschaving en slapend onder de sterren.

Wanneer ze na het eten op de veranda zat met een glas ijsthee, dacht ze terug aan het gevoel van zijn kussen. 's Nachts in bed vroeg ze zich af hoe het zou zijn om zijn handen op haar hele lichaam te voelen.

Ze trok haar nachtjapon uit en stond in het donker uit het raam te kijken. Even later zag ze Chris over straat lopen. Hij zette er stevig de pas in, alsof hij kwaad was en keek niet op of om. Haar handen omvatten haar borsten, want ze was vervuld van verlangen. In de verte klonk het gefluit van een trein als gekreun.

Vrijdagochtend, tijdens het radiospreekuur van elf uur, zei een vrouwenstem: 'Mijn zoon heeft pijn.'

Cassie boog zich naar de microfoon. 'Wat zijn de symptomen?'

'Hij verliest bloed uit zijn anus.'

Haar stem klonk vlak, zonder enig teken van paniek.

'Hoe oud is hij?'

'Zes.'

Een vrouw van weinig woorden.

'Hij heeft erge pijn in zijn buik.'

'Braakt hij?'

'Nee.'

'Heeft hij diarree?'

'Nee.'

'Heeft hij uitslag?'

'Nee.'

'Heeft hij koorts?'

'We hebben geen thermometer, maar hij voelt niet warm aan.'

'Hoe lang heeft hij al klachten?'

'Sinds gisteravond.'

Cassie schudde haar hoofd. Ze had geen idee wat het kon zijn. Ze richtte zich tot Sam. 'Vraag maar waar ze wonen. Ik wil het jongetje zelf zien.'

Sam pakte de microfoon.

Cassie zei: 'Zeg meteen maar dat ze alvast een koffertje voor hem pakt. Misschien moet hij naar het ziekenhuis. En misschien wil ze zelf wel mee.'

Sam hing op. 'Als we nog voor de avond heen en terug willen zijn, moeten we opschieten. Kun je binnen een half uur klaarstaan?'

'Ik kan binnen drie minuten klaarstaan.'

Anderhalf uur later arriveerden ze bij het kleine, bouwvallige huis, waar het jongetje in een smoezelig bed lag. Een kleine, schriele man in een vuile spijkerbroek en een oud overhemd wachtte hen op op de kleiholte vlak bij het huis. De omheining was hard aan reparatie toe en zo te zien gold voor het huis hetzelfde. Het bestond uit slechts twee kamers en had aan drie kanten de onvermijdelijke veranda. Cassie zag geen dieren in de buurt, geen tuin, alles was vlak en kaal. Er was niet eens een schuur.

'Volgens mij valt het allemaal wel mee,' zei de man op zeurderige toon. 'Wat maakt een beetje bloed nou uit? Maar mijn vrouw denkt meteen dat die jongen doodgaat.'

'Misschien is dat ook wel zo,' zei Cassie. Ze mocht hem niet. Misschien lag het aan zijn scherpe neus of zijn kleine kraaloogjes. Ze vroeg zich af hoe een vrouw het ooit in haar hoofd kon halen met deze man midden in de rimboe te gaan wonen.

In de slaapkamer lag het jongetje er futloos bij. Hij staarde Cassie uitdrukkingsloos aan, maar zodra Sam de kamer binnenkwam verscheen er paniek in zijn ogen en greep hij het laken vast. De moeder zat met haar rug naar hen toe en toen zij binnenkwamen stond zij, zonder zich naar hen om te draaien, op en bracht haar hand naar haar rechterwang. Cassie kon alleen haar linkerkant zien toen zij naar het bed liep en naast het jongetje ging zitten. Op dat moment keek zij de moeder aan. De rechterkant van haar gezicht zag donkerpaars, het gebied rond het oog was bijna zwart, het oog zelf was bloeddoorlopen en haar neus was opgezwollen.

Ze zei niets, maar vroeg het jongetje zich om te draaien. Hij begon te huilen. En ook al had ze nog nooit een dergelijk geval bij de hand gehad, toch wist ze meteen wat er mis was.

'Het komt allemaal in orde,' zei ze tegen hem, waarna ze zich tot de moeder wendde. 'Hij moet naar het ziekenhuis. Hebt u al een koffertje voor hem gepakt? U kunt beter meegaan, anders is hij zo bang.' Ze wilde deze vrouw hier weg hebben.

De man met de scherpe neus zei vanuit de deuropening: 'Zij hoeft niet mee. Jullie kunnen de jongen weer terugbrengen zodra hij beter is.'

'Nee,' zei Cassie, terwijl zij zich naar hem omdraaide. 'Misschien moet hij worden geopereerd en hij zal minder bang zijn als zijn moeder bij hem is.'

'Opereren? Hoezo opereren? Wat gaat dat kosten?'

'Dat weet ik niet. Maar dit is een ernstig geval. Kom, Sam, als jij mevrouw Higgins met de koffer helpt, dan draag ik de jongen wel.' Ze wendde zich weer tot het kind en zei: 'Ik zal je geen pijn doen. Het komt allemaal weer goed. Sla je armen maar om mijn nek en weet je wat je dan gaat doen? Dan ga je in een echt vliegtuig vliegen. Hoog in de lucht. Dat had je niet gedacht, hè? Hoog in de lucht, samen met de vogels...' Al pratend liep ze met hem de kamer uit, langs de vader, het afstapje af. Sam volgde haar met de moeder. Het jongetje legde zijn hoofd op haar schouder.

'Doet het erge pijn?' vroeg ze.

'Niet zo heel erg,' antwoordde hij. 'Niet zo erg meer als gisteravond.'

Eenmaal in het vliegtuig ging Cassie zitten met het kind op haar schoot. 'Doet hij dat wel vaker met je?'

Het kind zei niets, maar er welden tranen op in zijn ogen. Toen begon hij te huilen.

Sam hielp de vrouw met instappen. Ze bleef haar hand voor de rechterkant van haar gezicht houden.

'Je komt zo gauw mogelijk terug, Millie, heb je me gehoord?'

Ze keek niet naar de man. 'Hij had me bijna niet laten bellen,' zei ze tegen Cassie.

Sam trok de deur dicht. De kleine jongen liet Cassie los en kroop bij zijn moeder op schoot. Sam bevestigde hun veiligheidsgordels.

'Jezus Christus,' fluisterde hij tegen Cassie, terwijl hij ging zitten en de motor startte. 'Hoe kan een man dat een vrouw nu aandoen? Heb je haar gezicht gezien?'

'Hij doet het waarschijnlijk al heel lang. Ik wil wedden dat haar lichaam één grote, blauwe plek is.'

Sam concentreerde zich op het opstijgen. Toen het vliegtuig op hoogte was, draaide hij zich naar haar om en zei, op gedempte toon: 'Dat jongetje mankeert zo te zien niet veel. Denk je dat ze hem als voorwendsel heeft gebruikt om ons hier te krijgen?'

Cassie aarzelde even. 'Ik vermoed dat hij het kind heeft misbruikt en beslist niet voor het eerst. De jongen is bang voor mannen. Hij durfde zich niet om te draaien. Ik denk dat zijn vader hem dat al heel vaak heeft opgedragen.' Ze kon het bijna horen – *Draai je eens om, zoon.*

Toen Cassie haar patiënten aan Chris overdroeg, zei ze: 'Mevrouw Higgins kan niet terug naar haar man. We moeten een oplossing voor haar vinden.'

Chris trok zijn wenkbrauwen op. 'Zou je die beslissing niet aan haarzelf overlaten?'

'Ze wil beslist niet terug. De anus van het kind is helemaal ingescheurd en dat heeft zijn eigen vader op zijn geweten. En kijk eens naar haar. Ze wordt al jarenlang mishandeld. Ze gaat niet terug.'

'De jongen zal hier jarenlang last van blijven houden. Hij zal waarschijnlijk nooit in staat zijn een normale relatie aan te gaan.

Hij zal altijd doodsbang zijn voor seks.' Chris zette zijn bril af en veegde de glazen schoon aan zijn stropdas; het begon Cassie op te vallen dat hij dit vaak deed, vooral wanneer hij zo gauw niet wist wat hij moest doen. 'Is dit het eerste geval van vrouwen- of kindermishandeling dat je meemaakt?'

'Wat bedoel je? Natuurlijk.'

'Ze gaan altijd terug.'

'Altijd? Je wilt zeggen dat... ach, hou toch op.'

'Wat moeten ze anders? Hoe kunnen ze zichzelf en hun kinderen onderhouden? Let op mijn woorden. Voor je het weet staat hij hier voor haar neus, koste wat kost en hoe ver hij er ook voor moet reizen. Dan vertelt hij haar hoeveel spijt hij ervan heeft. Hij zal haar vertellen dat hij van haar houdt en dat het nooit meer zal gebeuren. Wacht maar af.'

Cassie wilde niet afwachten. Chris vergiste zich. Dat kon niet anders.

'Kunnen we die vent niet laten arresteren?'

'Als zij bereid is een aanklacht tegen hem in te dienen. Maar dat doet ze niet.'

'Hoe weet jij dat nou?' Alsof hij de wijsheid in pacht had.

Chris zuchtte. 'Ik wou dat je gelijk had. Dit soort situaties maken me niet bepaald trots op het feit dat ik een man ben. Ik heb het vaker meegemaakt dan me lief is. Jij zult er ook nog vaker mee te maken krijgen, dokter. De mensen wonen hier heel afgelegen. Alcoholisme speelt bijna altijd een rol. In elk geval bij de vrouwenmishandeling. Niet zozeer bij de incestgevallen. Dat is gewoon sadisme. Het zijn zieke mensen die anderen zoiets aandoen... aspecten van het leven waar wij tijdens onze opleiding niet op worden voorbereid. Dit en boekhouden.' Cassie realiseerde zich dat hij een grapje probeerde te maken.

'Je zult het zien,' zei Cassie nogmaals. 'Ze gaat niet terug. Ze heeft ons gebeld om weg te kunnen komen. Geloof me maar.'

'Zoek een baantje voor haar. Help haar. Wàt je ook doet, ze gaat weer terug. En dan zal ik je nog iets vertellen. Als ze niet teruggaat, dan heeft ze binnen de kortste keren een andere man, die haar ook weer slaat. Misschien dat de volgende man haar kind niet misbruikt, maar haar zal hij zeker weer slaan. Het is een vicieuze cirkel.'

'O, Chris, wat ben je toch een cynicus. Heb je dan geen enkel vertrouwen in je medemens?'

Hij lachte een van zijn zeldzame lachjes, maar er school wel iets van melancholie in. 'Was ik nog maar zo jong als jij en had ik al mijn idealen nog maar. Dat is een van de genoegens van de jeugd.'

Zelf vond Cassie zevenentwintig niet zo jong meer. Maar als

ouder worden je zo pessimistisch maakte, was ze blij dat ze nog niet in de veertig was, net als Chris.

Ze zei tegen Sam dat hij niet op haar hoefde te wachten – ze zou van het ziekenhuis naar huis wandelen. Onderweg liep ze de melksalon binnen voor een milkshake. Tenzij er nog een spoedgeval tussenkwam, had ze het hele weekend vrij. Godzijdank.

Toen ze de hoek omkwam zag ze een oude, smerige pick-up voor Fiona's huis staan. Een rode. Uit een van de raampjes stak een paar al even vuile laarzen. Toen ze naderbij kwam, zag ze een man half liggend achter het stuur zitten. Zijn gezicht werd bedekt door een grote Stetson.

Ze leunde door het open raampje naar binnen en haalde de hoed weg. Hij deed zijn ogen open.

'Blake Thompson. Ik moet zeggen dat jij de laatste bent die ik hier had verwacht.'

Hij glimlachte een traag, loom lachje. 'En ik maar denken dat je me zou vragen waar ik zo lang bleef.' Hij pakte haar hand in de zijne. 'Ik heb er twaalf uur voor moeten rijden, maar ik wilde ruim op tijd zijn om me ervan te verzekeren dat je deze zaterdagavond met niemand anders danst dan met mij.'

'Ik ben nog nooit naar zo'n zaterdagse dansavond geweest.'

Hij ging rechtop zitten en opende het portier. Eerst kwamen zijn lange benen naar buiten en vervolgens bevrijdde hij de rest van zijn lichaam uit de cabine. 'Ik heb het gevoel dat je niet jokt, maar ik kan het bijna niet geloven.'

'Toch is het waar,' zei ze. Ze keek naar hem op en voelde zich ongelooflijk gelukkig.

'Nou, dan staat je nog een leuke avond te wachten,' zei hij. 'Kom op, dan gaan we een hapje eten bij Addie's.'

Cassie knikte. 'Ik moet me eerst even verkleden. Ik ben de hele dag op pad geweest.'

'Is Fiona thuis?' vroeg hij, terwijl hij achter haar aan liep.

'Die zit in Ierland, of is nog onderweg,' vertelde Cassie, terwijl zij de deur openmaakte. 'Wil je een biertje of ijsthee?'

Blake hield zijn hoofd schuin, sloeg een arm om haar heen en trok haar naar zich toe. 'Ik wil een zoen,' zei hij, waarna hij zich over haar heen boog en zachtjes met zijn mond haar lippen streelde. 'En nu een biertje.'

'Heb ik nog tijd om te douchen?'

'Cassandra, zolang wij hier samen zijn hoeven we ons voor niets ter wereld te haasten. Het maakt me niet uit of we ooit bij Addie's of waar dan ook belanden.'

'Waarom noem je me zo?'

'Cassandra? Noemen andere mensen je ook wel eens zo?'

'Nee. Nooit.'

Hij grijnsde. 'Dat zal dan de reden wel zijn. Kijk, je weet natuurlijk al dat wij van elkaar gaan houden zoals we nog nooit van iemand hebben gehouden. Dat weet je toch?'

Cassie wendde haar gezicht af en liep naar de keuken om een biertje voor hem te pakken.

Op het moment dat ze er een uit de koelkast pakte, stond Blake achter haar. Ze kon de warmte van zijn lichaam voelen. 'Dat weet je toch?'

Zonder zich om te draaien, reikte ze hem het flesje over haar schouder aan.

'Cassandra Clarke, draai je om en kijk me aan.'

Ze deed wat hij zei.

'Dat weet je toch? Of niet soms? Zeg me dat je het weet.'

Ze zuchtte. 'Ik weet het.'

'Maakt het je bang?'

Ze knikte. 'Ik ben als de dood.'

Zijn scheve glimlachje was onweerstaanbaar. 'Zeg tegen jezelf dat je leven nog maar net begint.'

'Ik word volgende maand achtentwintig en ik begin nu pas te leven?' Ze probeerde grappig te klinken, maar haar stem klonk gesmoord.

'Wij gaan samen zo intens en heftig leven dat je het idee zult hebben dat je tot nu toe dood bent geweest.'

O God. 'Beloof je dat?' Het kwam er helemaal niet koket uit, zoals ze het eigenlijk bedoelde.

'Dat hangt gedeeltelijk van jou af. Ga nu maar lekker douchen en ik beloof dat ik niet zal komen kijken. Wanneer we eenmaal wat verder zijn, kunnen we fijn samen douchen. Heb je wel eens samen met iemand een douche genomen?'

Nee. Maar dat zei ze niet.

'We bouwen het langzaam op, Cassandra. We nemen er de tijd voor. Wees vooral niet zenuwachtig. Iets wat zo groot en waardevol is, brengt nu eenmaal risico's met zich mee en dat is altijd beangstigend. Wees dus maar gerust bang, als het niet anders kan, maar ik zal ervoor zorgen dat jij je er niet door zult laten weerhouden.'

Hoofdstuk 19

'Ik wil dat je een weekje met me meegaat naar Tookaringa. We gaan met de kudde op pad. Ik zal je laten zien hoe cowboys leven.'

Cassie glimlachte. Waarschijnlijk gebruikte hij het woord *cowboys* omdat hij wist dat ze dat, met haar Amerikaanse achtergrond, beter zou begrijpen. Ze kon nog steeds niet goed uit elkaar houden wie nu precies de veedrijver, de knecht of de schapenjongen was. *Cowboy* dekte de hele lading. 'Klinkt goed. Maar ik kan niet zomaar een week vrij nemen. Ik kan pas vakantie opnemen als ik hier een jaar heb gewerkt. Dat is pas in september.'

'Als een hele week niet lukt, probeer dan of het drie of vier dagen kan?'

'Ik zou niet weten hoe.'

'Probeer het voor elkaar te krijgen. We moeten echt een paar dagen bij elkaar kunnen zijn en ik wil je het leven laten zien waar ik zo van hou.' Hij stond op en pakte haar hand. 'Kom op, we gaan dansen. Dat is de enige manier die ik kan verzinnen om je in het openbaar in mijn armen te kunnen nemen. Je wilt dus beweren dat je echt nog nooit naar zo'n dansavond bent geweest?'

Het was leuk, alleen zag ze Blake maar de helft van de avond. Tussendoor dansten ze met iedereen. Sams ogen werden groot van verbazing toen hij haar samen met Blake zag binnenkomen. Toen er een snel nummer inzette, trok hij haar op de dansvloer. 'Dus Mohammed is naar de berg gekomen?'

'Wat wil je daarmee zeggen?'

Hij duwde Cassie in een draaiende beweging van zich af en ving haar weer op. 'Als je belangstelling afmeet aan hoe ver je bereid bent te gaan om een meisje te zien, dan moet hij wel verdomd veel belangstelling voor je hebben. En hij heeft je nog zover gekregen om naar de dansavond te komen ook.'

Ze concentreerden zich op het dansen en brachten zoals gewoonlijk een grote sensatie teweeg met hun jitterbug. Toen het nummer was afgelopen, stond Blake al op hen te wachten. Hij pakte Cassies hand en stak zijn rechterhand uit om Sam te begroeten. 'Leuk je weer eens te zien.'

Sam grinnikte. 'Je hebt wel lef.'

Blake keek naar Cassie en gaf een kneepje in haar hand.

Precies op dat moment gooide een van de mannen een fles, die tegen een muur uiteenspatte. Niemand leek zich er iets van aan te trekken. Integendeel. Anderen begonnen zijn voorbeeld te volgen. Cassie keek Blake aan.

'Hier.' Hij overhandigde haar een glas. 'Speel het spelletje maar mee.' Hij gooide zijn bierflesje tegen een muur.

Cassie aarzelde. 'Dat meen je niet.'

Hij grijnsde. 'Het is leuk. Probeer het maar eens.' Ze keek hem aan, begon te lachen en gooide toen haar glas zo hard mogelijk kapot. Wat was dit toch een echte mannenmaatschappij.

'Laten we hier weggaan,' zei Blake. 'Laten we ergens naar toe gaan waar ik je kan kussen.'

Terwijl zij door de nacht reden, glinsterden boven hen, in de fluweelzwarte duisternis, duizenden, miljoenen sterren.

Hij trok haar naar zich toe en sloeg, terwijl hij met zijn andere hand het stuur vasthield, een arm om haar heen. Ze genoot ervan hem naast zich te voelen.

'Dit heb ik de afgelopen twee weken nu aldoor willen doen,' fluisterde hij, de wagen abrupt tot stilstand brengend. Hij kuste haar en elke vezel van haar lichaam kwam tot leven. Haar armen gleden om zijn hals en ze voelde de hitte van zijn lichaam tegen het hare, voelde zijn kracht en zijn tong en zijn adem.

'Je hebt me behekst,' fluisterde hij zachtjes in haar oor. 'Ik kan aan niets anders meer denken. Je bent zo heel anders dan alle andere vrouwen die ik ken.'

'Je weet bijna niets van me.' Ze kuste zijn hals.

'Wat zou ik verder nog van je moeten weten? Tijdens het eten hebben we het over je jeugd gehad, je ouders, je grootouders, San Francisco, kostschool in Engeland.'

Zwijgend zaten zij in elkaars armen. Toen vroeg hij: 'Hoe lang denk je nog door te gaan met dat gedokter van je?'

'Ik heb hier een contract voor twee jaar.'

Opnieuw zijn lippen op de hare. Hij legde zijn hand even op haar borst.

'Weet je wat ik ga doen? Ik breng je naar huis.'

'Het is nog maar net middernacht,' zei ze.

'Het kan me niet schelen hoe laat het is. Het is tijd om je naar huis te brengen. Ik heb gezworen dat ik niets overhaasts zou doen, en dat doe ik ook niet. Maar als we blijven zoenen, nou ja... Ik breng je thuis.'

Ze kon hem niet vragen bij haar te blijven slapen. Ze kon hem niet eens aanbieden in Fiona's kamer te slapen. Het zou als een lopend vuurtje door de stad gaan. Ze hoopte dat hij er zelf ook niet over zou beginnen. Een deel van haar was bang. Hoe ver kon ze hem laten gaan? In elk geval niet zo ver als ze zelf graag wilde.

Toen ze naar Fiona's huis reden, zei hij: 'Ik heb voor vannacht een kamer geboekt bij Addie's, maar ik haal je morgenochtend om zeven uur op voor het ontbijt.'

'Laat mij een ontbijt voor je klaarmaken,' zei ze.

Hij bracht haar tot aan de voordeur en kuste haar goedenacht. Toen hij terugliep naar zijn auto, keek ze hem na en wenste dat hij mee naar binnen zou gaan.

Om tien over zeven, toen Blake koffie zat te drinken en Cassie pannekoeken stond te bakken, belde Horrie.

'Cassie, we hebben geloof ik een spoedgeval. Herinner je je Ian James? Die man die zo kwaad op je was omdat je niet meteen naar zijn abo wilde komen kijken, die toen achteraf is overleden? Nou, er is iets met zijn vrouw. Ik heb gezegd dat we om halfacht terug zouden bellen. Ik zal Sam bellen dat hij je moet komen ophalen.'

'Nee,' zei Cassie. 'Ik kan met iemand meerijden. Ik ben er binnen tien minuten.'

Blake keek haar aan. 'Betekent dat wat ik vrees dat het betekent?'

Hij reed haar meteen naar het radiostation. Horrie en hij begroetten elkaar terwijl ze wachtten tot het halfacht was. Toen bracht Horrie de verbinding tot stand.

'Dr. Clarke, u spreekt met Ian James.' Het bleef even stil. 'Bent u daar?'

'Jazeker, meneer James. U spreekt met dr. Clarke.'

'Het spijt me dat ik u op zondag lastig moet vallen, maar mijn vrouw is nogal ziek. Ik maak me zorgen om haar.'

'Gaat u verder.'

'Ze is, nu ja, het is nogal een delicate aangelegenheid.'

Cassie vroeg zich af wat er zo delicaat kon zijn dat hij het niet tegen een arts kon vertellen. 'Ja, meneer James?'

'Ze is een maand of drie, vier zwanger. Gisteravond laat kreeg ze krampen en die heeft ze nu nog en nu begint ze ook nog te... eh... te bloeden.'

Laten we hopen dat hij anders reageert dan de vorige keer, dacht ze. 'Neem haar hartslag op. U weet hoe u dat moet doen?'

'In haar pols, ja toch?'

'Juist, zoek haar polsslag. Hebt u een secondewijzer op uw horloge?'

'Jazeker.'

'Tel vijftien seconden de hoeveelheid slagen en vermenigvuldig dat met vier. Ik blijf intussen aan de lijn.'

Horrie grinnikte. 'Dit keer heeft hij heel wat minder praatjes, hè?'

'Honderd,' zei Ian James.

'Neem nu haar temperatuur op.'

'Dat heb ik al gedaan en die is heel normaal.'

'Nu moeten we vaststellen hoeveel bloed ze heeft verloren.'

'Ze heeft... er zijn nu al een aantal... maandverbanden doorweekt.' Het leek wel of het de man pijn deed de woorden uit te spreken. 'Er zit bloed op het matras en inmiddels ook al op de vloer. Het lijkt me nogal ernstig.'

'Meneer James, het *is* ernstig. We komen zo snel mogelijk naar u toe.'

Blake had twaalf uur gereden om bij haar te kunnen zijn en nu moest ze weg. Ze wendde zich tot Horrie. 'Bel Sam en zeg dat hij meteen moet komen.' Toen ze opkeek zag ze Blake in de deuropening staan.

'Is dit wat ik denk dat het is?' vroeg hij, met donderwolken in zijn ogen.

Cassie knikte. 'We moeten weg.'

Zeker een minuut lang zei Blake helemaal niets. 'Hoe lang blijf je weg?'

Cassie haalde haar schouders op. 'Ik heb geen idee. Misschien brengen we mevrouw James meteen naar het ziekenhuis, maar het is ook mogelijk dat ik ter plekke iets kan doen.' Ze wilde stampvoeten of schreeuwen, alles liever dan naar de ranch van Ian James te moeten vliegen. 'Heen en terug een uur of vijf, zes. Als ik daar iets moet doen, langer.'

Blake liep het gebouwtje uit, naar zijn pick-up. Zijn laarzen wierpen stofwolkjes achter hem op.

Horrie zei: 'Sam is onderweg. Volgens hem is het weer daar in het noorden niet al te best.'

Cassie liep naar Blake toe. Ze legde een hand op zijn arm. 'Het spijt me. Dat weet je toch?'

Hij knikte en keek haar aan. 'Ja, dat weet ik ook wel. Dit gaat niet gemakkelijk worden, hè? Voor ons bedoel ik, om bij elkaar te zijn.'

Ondanks het feit dat Horrie toekeek, sloeg Blake zijn armen om haar heen. 'Dinsdag vertrek ik voor een maand tot zes weken in de bush. Ik moet alle zeven buitenposten gaan controleren.'

Vijf of zes weken? Twee weken had al een eeuwigheid geleken.

'Weet wel dat je elke nacht, verdomd als het niet waar is, in mijn gedachten zult zijn. En dat betekent dat je me dus met geen mogelijkheid uit je bed zult kunnen schoppen. Ik zal je achtervolgen tot in je dromen.'

Ze keek naar hem op. God, wat was hij knap. Ze vond het heerlijk om naar hem te kijken. Hij had haar gewaarschuwd dat hun leven heftig en intens zou zijn. Ze had nog nooit iets meegemaakt dat zo snel was gegaan. Nu ze bij hem was probeerde ze zich er niet eens meer tegen te verzetten.

'Over twee weken kom ik naar Tookaringa voor een spreekuur. Zeg maar tegen je ouders dat we waarschijnlijk blijven overnachten.'

'En ik,' zei hij, 'zal dan ergens op twee weken rijden van huis zijn. Dit belooft geen gemakkelijke relatie te worden, hè, Cassandra?' Hij boog zich naar haar toe en gaf haar een zoen. 'Meteen die allereerste avond op het feest, toen ik jou samen met je vliegeniertje over de dansvloer zag zwieren, wist ik al dat het allemaal heel gecompliceerd ging worden.'

Op dat moment kwam Sams pick-up in een razende stofwolk aanrijden. Hij sprong eruit, knikte naar Cassie en Blake en rende de radiohut binnen.

'Jij wordt voortdurend omringd door mannen, is het niet?'

'Laten we daar nu niet over gaan bekvechten,' zei Cassie. 'Je weet best dat ik het vreselijk vind om weg te gaan. Ik heb een heerlijk weekend gehad. Ik voel me ontzettend gevleid dat je speciaal voor mij hier helemaal naar toe bent komen rijden.'

Blake keek op zijn horloge. 'Wen er maar vast aan. Het is niet de laatste keer geweest dat ik naar Augusta Springs ben gekomen om bij jou te kunnen zijn. Wen maar aan mijn aanwezigheid, ook al zal het niet zo vaak gebeuren als ik zou willen.'

Even later kwam Sam weer naar buiten met een landkaart in zijn hand. 'In de heuvels ten noorden van Magic Creek reiken de wolken bijna tot aan de grond. We zullen een omweg moeten maken ten zuiden van de spoorlijn tot aan Innawarra. Daar zijn we nog nooit geweest. Maar als we vandaar in noordoostelijke richting vliegen,' zei hij tegen zichzelf, 'moeten we de ranch van James vanzelf tegenkomen. Christus, er is daar de laatste paar weken bijna vijftien centimeter regen gevallen. James zegt dat hij met zijn pick-up niet in een hoge versnelling durft te rijden en hij is al een keer weggezakt in de modder. Het is niet te hopen dat hij vandaag vast komt te zitten, anders komen we er nooit. Verdomme!' Hij keek naar Cassie. 'Ik vind dat we het er alleen maar op moeten wagen als het werkelijk een zaak van leven of dood is. Wat vind jij ervan?'

'We zullen wel moeten,' zei ze. 'Ze heeft al zoveel bloed verloren, dat ik niet weet of ze anders de avond nog wel haalt.'

'Ach, wat is een zondag zonder een beetje uitdaging?'

Blake keek haar aan. 'Florence Nightingale en haar missie van barmhartigheid.'

'Florence Nightingale was verpleegster,' zei Cassie. 'Maar de Flying Doctors houden zich inderdaad bezig met missies van barmhartigheid.'

'Klinkt erg nobel, totdat het mij berooft van datgene waarop ik mijn zinnen heb gezet.'

'O, dat bedenk ik me opeens. Kun je me even snel naar de stad rijden?' Cassie rende naar de hut en riep tegen Horrie. 'Bel het ziekenhuis en zeg dat ik vijf eenheden gedroogd plasma kom halen. Ik wil binnen vijf minuten weer buiten staan.' Ze rende terug naar Blake. 'Kom op, rij alsof je leven ervan afhangt!'

Toen ze weer terug waren op het vliegveld, zei Blake: 'Ik kan verdorie net zo goed hier blijven wachten.'

'Ik heb geen idee wanneer we terug zijn.'

'Ik waag het er toch maar op. Als je tegen de ochtend niet terug bent, ga ik weg.' Hij gaf haar een vluchtige zoen.

Ze rende naar het vliegtuig; de deur stond al open.

Ze waren nog geen half uur in de lucht toen de spoorlijn, het 'IJzeren Kompas', onder de wolken verdween. 'We moeten om die wolken heen,' zei Sam, terwijl hij in westelijke, in plaats van noordelijke richting verder vloog. 'Ik moet laag gaan vliegen, anders zien we helemaal geen herkenningspunten meer.'

Ze vlogen heel dicht bij de grond en toen Cassie vroeg hoe laag ze zaten, antwoordde Sam: 'Driehonderd voet. Zo vlak onder de wolken is het zicht uitstekend, maar zodra we er weer in terechtkomen zien we geen hand meer voor ogen. Ik kan dus niet hoger gaan vliegen, want dan vlieg ik volkomen blind.'

Na een minuut of veertig zei Sam: 'Daar heb je Magic Creek. Als we die volgen, zien we op een gegeven moment een groepje huizen, en een kilometer of vijfenzeventig ten oosten daarvan moet dan de ranch van de familie James liggen.'

Opeens begon de regen tegen de ruiten te kletteren. 'Binnen een uur lekt dit verrekte toestel als een zeef,' voorspelde Sam.

Drie kwartier later zei Sam: 'Daar is het. En nu nog kijken waar we veilig kunnen landen. Hij heeft een landingsstrook afgezet, maar Jezus, volgens mij is het één grote modderpoel. Nog een geluk dat de wind uit het westen komt.'

'Wat maakt het uit waar de wind vandaan komt?' Cassie was

zelden bang met Sam als piloot. Hij antwoordde niet – hij was een en al concentratie. Ook al had hij nog zo'n hekel aan dit vliegtuig, wanneer het aankwam op veilig aanvliegen kende het zijn gelijke niet. Hij vloog slechts enkele knopen en het enige dat hen nog in de lucht hield was zijn vakbekwaamheid. Hij vloog over het einde van de landingsstrook, vloog nog drie kilometer door en draaide toen langzaam tegen de wind in, zijn blik en zijn geest tot het uiterste geconcentreerd. Hij nam nòg wat snelheid terug, totdat het toestel nog slechts centimeters boven de grond vloog en keek goed om zich heen om te zien of het toestel nergens vast kon komen te zitten. Even later rolden ze over het beemdgras, maar toen Sam de staart wat optrok alvorens tot stilstand te komen, voelde Cassie het toestel wegzinken. Het vliegtuig zakte in het moeras.

'Nou ja, we leven nog,' zei Sam. 'Maar voorlopig zijn we hier nog niet weg.'

En Blake wachtte op haar.

Ian James klopte op de deur. Sam duwde hem open. 'Je zit goed vast,' zei James. 'Maar dat is van later zorg. Spring erin.'

Sam en Cassie stapten in Ians pick-up.

'Ze is er slecht aan toe,' zei hij, terwijl hij met hoge snelheid naar het huis reed. 'Ze had natuurlijk helemaal niet zwanger mogen worden. Bij de andere twee is ze bijna doodgebloed. En dat zijn inmiddels al tieners. Ze had beter moeten weten.'

En jij dan? wilde Cassie vragen. Hij was er toch ook bij geweest?

'Ze is eenenveertig.'

Het huis was elegant en ruim en wit geschilderd, met zwart houtwerk. De gebruikelijke veranda liep om het hele huis heen en was omringd door bloemen en allerlei struiken en aan de voorkant lag zelfs een gazon. Cassie vond het een mooi huis. De bijgebouwen zagen er al net zo netjes uit als het huis zelf en het geheel ademde een sfeer uit van zorg en liefde voor het land.

De vrouw die in bed lag zag asgrauw. Cassie voelde aan haar voorhoofd, dat nat was van het koude zweet. Ze keek Cassie angstig aan. De kamer rook koperachtig, naar bloed.

'Ik vermoed dat er restanten van de vrucht zijn achtergebleven in de uterus. Als die niet worden verwijderd, zal ze blijven vloeien.' Ze zei niet hardop: *Dan is ze morgenochtend doodgebloed.* 'Het liefst zou ik met haar terugvliegen naar het ziekenhuis in Augusta Springs.' Ze keek Sam aan. 'Hoe lang heb je nodig om het vliegtuig los te krijgen uit de modder?'

Sam keek naar Ian James, die zei: 'Goeie God, dat lukt vandaag in elk geval niet meer. Niet als je ook nog eens vóór donker terug wilt zijn in Augusta Springs.'

Cassie slaakte een diepe zucht. 'Oké, Sam, we gaan opereren.'

'Dat dacht ik al.'
'Gaat hij helpen?' vroeg Ian fronsend.
'Hij is mijn anesthesist,' zei Cassie, terwijl zij haar dokterstas openmaakte. 'Ik heb kokend water nodig en...'
'Betekent dat dat hij mijn vrouw naakt te zien krijgt?'
Sam trok zijn wenkbrauwen op en keek Cassie vragend aan.
'Ik kan u ervan verzekeren, meneer James, dat uw vrouw in de stad door een mannelijke arts behandeld zou zijn. Maakt u zich geen zorgen om Sam. Trouwens, ze hoeft niet eens al haar kleren uit. En nu wil ik graag dat u kokend water en schone handdoeken voor me gaat halen.'
Sam zei: 'En koffie.'
Ian James knikte.
'Ik ga me wassen,' zei Sam.

Tijdens de operatie ontdekte Cassie een dichte weefselmassa in de ingang van de uterus. 'Precies wat ik dacht,' zei ze tegen Sam, die de ether toediende.
'Nu ja, wat er ook moet gebeuren, ik weet dat jij het kunt.'
Ze wierp hem een zijdelingse blik toe. 'Zo'n motie van vertrouwen heb ik nog nooit van iemand gekregen.'
Hij grijnsde. 'Ik ben ook de enige die dagelijks met je samenwerkt.'
'Ik kan die verwijderen en haar vervolgens curetteren.'
'Wil dat zeggen dat ze de baby zal verliezen?'
'Je begint het al te leren. Ja, inderdaad. En dat is waarschijnlijk maar beter ook. Haar leven staat op het spel, vooral op deze leeftijd.'
Cassie rekte de baarmoedermond wat op en schraapte de binnenzijde van de uterus schoon met een speciaal schraapmes. 'Ze zal nog een paar dagen licht blijven vloeien en wat last hebben van pijn in de onderbuik en rug.
Oké, stop maar met de ether en ga meneer James vertellen dat alles in orde is met zijn vrouw. Als hij wil mag hij bij haar, hoewel ze nog niet wakker is.'
Ze veegde het bloed weg en verzamelde haar instrumenten. Enkele minuten later kwam Sam terug. 'Hij zegt dat hij komt zodra ze bij haar positieven is. Nu gaan hij en ik een paar van zijn mannen halen en proberen het vliegtuig naar hoger gelegen terrein te slepen. Hij heeft een tractor en een Land-Rover, en we gaan alle beschikbare hulp optrommelen. Het zit er dik in dat we hier moeten overnachten.'
'Als ik het niet dacht,' zei Cassie. En zonder dat iemand het hoorde voegde ze eraan toe: *Shit!*

Hoofdstuk 20

Gedurende de daaropvolgende vijf weken ontving Cassie elke week een briefje. De ene keer werd het bezorgd door een eenzame ruiter. Een andere keer gewoon door de postbode, meneer Broome. Weer een andere keer landde er een eenmotorig vliegtuigje. Zonder zelfs maar de motor af te zetten, sprong de piloot zijn cockpit uit en duwde een verfrommeld velletje papier in handen van de luchtverkeersleider, die het vervolgens weer afgaf bij het radiostation.

De ene week stond er alleen maar: *Verdomme. Ik kan alleen maar aan jou denken.* Het was ondertekend met een slordige 'B'.

De week daarop vermeldde de boodschap dat hij onder de sterren aan haar lag te denken en dat het veedrijven hem voor het eerst geen plezier bezorgde, omdat het hen gescheiden hield. Hij verzekerde haar dat hij haar niet de kans zou geven een veilig leventje te leiden en dat ze zich daar dus maar vast op moest instellen.

De derde week schreef hij: '*Heb je mij 's avonds in bed naast je gevoeld? Heb je bij het ontwaken gevoeld hoe ik je kuste? Je ligt al de hele week bij me in mijn slaapzak. Ik wil je ruiken, vasthouden, inademen. Ik wil samen met je onder de sterren liggen, ik wil je het land laten zien dat ik zo liefheb. Wanneer ik hier rondrijd wil ik het met je delen, dus probeer in vredesnaam een manier te verzinnen om het laatste weekend van deze maand op Tookaringa te kunnen zijn. Vertel me niet dat het niet kan. Je moet het regelen.*'

'Ik wil een weekend naar Tookaringa,' zei ze tegen Sam.

Hij keek grijnzend naar haar op. 'Aha. Bespeur ik hier soms dat de goede dokter de liefde heeft gevonden?'

'Zo zou ik het nu ook weer niet willen noemen.' Maar als het dat niet was, wat was het dan wel?

Soms had Cassie het gevoel dat zij en Sam vrienden begonnen te worden, maar dan deed of zei hij opeens weer iets wat haar het idee gaf dat hij haar niet bijzonder graag mocht. Zo had hij haar eens 'bazin' genoemd. En een andere keer had ze hem tegen een van de schapenfokkers horen zeggen: 'Vrouwen die denken dat ze mannen zijn.' Ze weigerde zich erdoor van de wijs te laten brengen.

Blake was nog niet thuis toen Cassie en Sam op Tookaringa aankwamen. Zij hield haar spreekuur en dronk daarna samen met Jennifer een kopje thee op de veranda. Het was vrijdagmiddag laat, en de zwarte vrouwen die in het huis werkten stonden in de rij om te worden uitbetaald.

'Ik betaal hen,' zei Jennifer tegen Cassie, 'een klein salaris en zorg dat ze jurken hebben om te dragen. Ik sta erop dat ze elke ochtend gewassen en in schone kleren op hun werk verschijnen. Ze mogen van mij niet aan het voedsel komen, behalve Ruby dan – de meeste blanke vrouwen staan dat niet toe, want ze hebben gewoon geen gevoel voor hygiëne – maar ze maken de bedden op en vegen de vloeren en doen de was en dat allemaal met een gezond gevoel voor humor. Ze lachen en roddelen wat af.'

'Gek, maar ik kan me gewoon niet voorstellen dat jij ook wel eens "werkt",' zei Cassie. 'Je ziet er altijd zo rustig en elegant uit.'

Jennifer zei: 'Als ik je niet zo graag mocht zou ik boos op je worden. Ik voel me net zo verantwoordelijk voor alles als Steven en Blake. Ik moet de huishoudelijke voorraden bestellen en bijhouden, en dagelijks in de voorraadruimte alles bij elkaar zoeken wat we nodig hebben en ervoor zorgen dat we altijd alles bij de hand hebben, inclusief de medische voorraden. Ruby en ik stellen de menu's samen. Elke ochtend om elf uur heb ik een soort huisapotheek. Dan komen alle aboriginals die iets mankeren bij me langs en deel ik tientallen aspirines uit. Ik moet beslissen of ik hen kan behandelen voor hun buikpijn, of we jou moeten bellen of dat we kunnen wachten tot je langskomt.

De zwerende wonden die ik heb behandeld, de baby's die ik ter wereld heb helpen brengen, het geduld wat ik heb moeten opbrengen. Ik heb geleerd samen met hen te lachen en te huilen om hun kinderen, ik heb geleerd welke gebroken botten en verstuikingen ik over de radio moet melden en welke niet. Maar begrijpen zal ik hen nooit. Weet je, ik kan me niet eens voorstellen hoe het moet zijn om zoveel rust te hebben en zo dicht bij de natuur te staan. Ik kan niet delen in hun spirituele leven of hun gevoel van eenheid met elkaar en het land. Ze leven en denken nog precies hetzelfde als hun voorouders dat vijfentwintigduizend jaar geleden deden. Heel veel blanken vinden hen vies en lui. Ze zijn zo vies omdat water hier zó schaars is dat ze het idioot vinden om zich ermee te wassen. Ze hebben geen schone handen nodig om voedsel te bereiden, want zij kunnen leven van eetbare larven en alles wat ze toevallig tegenkomen op het land. Wij verlangen van hen dat ze net zo denken als wij, en dat kunnen ze al evenmin als dat er van ons zou worden verlangd net zo te denken als zij.'

'Schilder je daarom portretten van hen, omdat je van hen houdt?'

'Dat betwijfel ik,' zei Jennifer, met een melancholieke blik op haar gezicht. 'Ze fascineren me. Ik geloof niet dat ik van hen hou. Ik heb zelfs mijn pogingen hen te begrijpen opgegeven.'

'Kun je niet van hen houden zonder hen te begrijpen?'

'Misschien dat sommige mensen dat kunnen. Maar ik niet. Voor mij heeft liefde te maken met delen. Gedeelde ervaringen. Gedeelde hoop. Gedeelde dromen. Gedeelde... kussen. Gedeelde zonsondergangen. Voor mij moet liefde wederzijds zijn.'

'Goed gezegd.' Blakes stem was al te horen voordat hij de hoek om was gekomen. Zijn kleren waren stoffig en zijn Stetson stond achter op zijn hoofd. Toen hij Cassie zag verscheen er een brede grijns op zijn gezicht. 'Verdraaid nog aan toe. Het is je gelukt.'

Opeens voelde Cassie zich heel verlegen, net als vroeger, op feestjes van de middelbare school.

Toen hij de trap opkwam, stond Jennifer op en liep naar hem toe. Ze legde haar handen op zijn schouders en ging op haar tenen staan voor een kus.

'Kom niet te dicht bij me,' zei hij, terwijl hij met zijn lippen even haar voorhoofd aanraakte. 'Ik moet nodig in bad.'

Hij kon zijn ogen niet van Cassie afhouden. 'Hoe lang kun je blijven? Hoeveel dagen?'

'Tot zondagmiddag.'

Hij verdween in het huis en Jennifer wendde zich tot Cassie. 'Ik ben heel gelukkig met deze ontwikkeling – ik hoop dat je dat goed beseft. Vanaf het moment dat ik je voor het eerst ontmoette heb ik hierop gehoopt.' Ze staarde naar de horizon, over het vlakke land, begroeid met lage bomen. Toen zei ze: 'Hier in deze streken kan isolement een ziekte worden.'

'Ben je zo eenzaam geweest?'

'O, toen ik hier pas was, dacht ik niet dat ik het zou uithouden. Steven was vaak weken achtereen op pad en dan had ik niemand om mee te praten. Ik was doodsbang voor alle zwarten en ik was ervan overtuigd dat ze me zouden vermoorden of verkrachten of iets anders afschuwelijks. En de stilte vond ik ondraaglijk. De eenzaamheid was zo reusachtig, zo intens dat ik mijn eigen hart kon horen kloppen. En toen begon ik alle geluiden te leren waarderen. Zoals al die prachtige vogels, de wind in de bomen, het loeien van het vee, het gezoem van de muggen, het nachtelijk gehuil van de dingo's. Ik weet dat het leven in de Outback voor heel veel vrouwen uiteindelijk een nachtmerrie wordt. Afgezien van de stilte en de eenzaamheid gebeuren er soms ongelukken en je kunt geen dokter bereiken, en voordat jij er was, was er ook geen dokter om naar ons toe te komen. Er zijn vrouwen die helemaal alleen hun kinderen ter wereld brengen. Er bestaan koortsen die de dood tot gevolg hebben. Er zijn mensen die zich nooit leren aanpassen. Zij vinden het landschap zo eentonig.'

'Jij kennelijk niet.'

Jennifer wierp het hoofd in de nek en haalde een hand door haar haar. 'Ik ben inmiddels zelf een Aussie. Ik denk als een Aussie en handel als een Aussie. Ik heb hier bijna dertig jaar geleefd, op ditzelfde stukje land. Ik ben vijftig. Als ik in Engeland was gebleven, was ik nu een bleke, verveelde dame geweest. Ik heb nooit gezocht naar de makkelijkste weg.'

Cassie zat vol bewondering naar de oudere vrouw te kijken. 'Gebeurt het wel dat mensen eronder bezwijken? Volgens mij zijn er twee manieren om te reageren op tegenspoed. De ene is opgeven en instorten. De andere is dat je juist sterker uit de strijd komt.'

'Natuurlijk reageert niet iedereen positief. Er gebeuren hier hartverscheurende dingen. Zeven jaar van droogte zou bijna iedereen opbreken. Alles waarvoor je keihard hebt gezwoegd en gewerkt, al je dromen, in één keer verdwenen. Kinderen die sterven. Liefde die op de proef wordt gesteld en niet sterk genoeg blijkt te zijn. In de Outback kom je eenzaamheid en geweld tegen. Niet alles wat je hier tegenkomt zal je bevallen.'

'Sluit jij er je ogen voor?'

Jennifer schudde haar hoofd. 'Nee, het hoort bij het leven. Natuurlijk zijn het wel altijd de vrouwen die het 't zwaarst te verduren hebben. Zij blijven alleen achter wanneer hun mannen zes maanden met het vee op pad gaan en ze zien verder niemand – soms jaren achtereen niet.' Ze begon te lachen. 'Het is een ruig land, een land voor individualisten, dat is een ding dat zeker is.'

Op dat moment kwamen Steven en Blake samen de veranda op.

'De hoogste tijd voor een borrel,' zei Steven. 'Wat wil je drinken, Cassie?' Hij boog zich over Jennifer heen om haar een kus op haar wang te geven en legde een hand op haar schouder.

Vanuit de deuropening zei Blake: 'We vertrekken zodra de zon opkomt.'

'Jullie met z'n tweetjes?'

'Wij met ons tweetjes. Ik neem haar mee naar het kamp van de drijvers en ik laat haar zien hoe het er in de bush aan toegaat. We zijn voor het avondeten terug.'

Het was een prachtige, hoewel erg warme, ochtend. Hele kuddes kangoeroe's sprongen met het grootste gemak over omheiningen.

Blake wees naar het westen, waar Cassie tientallen emoes over het land zag draven. 'Ze rennen sneller dan paarden,' zei hij, 'en emoe-vaders nemen in de vogelwereld een aparte plaats in. Zij zijn degenen die de eieren uitbroeden. Maar emoes zijn heel schichtig. Ze zijn bang voor alles wat beweegt.'

Cassie zei niets; ze had het veel te druk met om zich heen kijken.

'Wist je dat Australië niet alleen de oudste landmassa op aarde is, maar ook het vlakste continent ter wereld?'

'Ik geloof het meteen,' zei Cassie.

Ze reden verder en Blake hield zijn mond, zodat zij de omgeving beter in zich op kon nemen. 'Ik heb nog nooit zoveel vogels gezien.'

'Ben je nooit verder naar het noorden geweest? In de richting van Darwin en Kakadu? Dáár vind je pas veel vogels. Ik zal je er een keer mee naar toe nemen. Zoiets heb je nog nooit gezien. En we gaan ook een keer op krokodillejacht.'

Cassie lachte. 'Maar realiseer je je wel dat ik zoiets als dit óók nog nooit heb gezien?'

'Maakt je trots op het feit dat je Australische bent, nietwaar?'

'Ik heb me er altijd een beetje voor geschaamd een Australische te zijn, alsof ik uit een land kwam waar weinig te beleven viel – een paar kleine steden langs de kust en in het binnenland niets dan woestijn. En nu kom ik erachter dat ik het helemaal bij het verkeerde eind heb gehad. Het is een van de prachtigste landen die ik ooit heb gezien.'

Blake keek haar lachend aan. 'En je hebt er nog bijna niets van gezien. Ik wil graag degene zijn die je alles laat zien. Zoals het noorden, de echte tropen. Ben je wel eens in Alice geweest?'

'Alice Springs? Nee, en dat is niet eens zo heel ver weg.'

'Als we er niet eerder aan toekomen, dan komen we erdoorheen op weg naar Darwin. Darwin stelt niet veel voor en er wonen bijna uitsluitend ambtenaren. Het grootste deel van het jaar is het er verschrikkelijk weer. In de vochtigheid daar kun je een schip laten zinken, maar je komt er nu eenmaal langs als je naar Arnhem Land en naar Kakadu wilt.'

'Van die plaatsen heb ik werkelijk nog nooit gehoord.'

'Het zijn aboriginal-reservaten. Vijfentwintigduizend jaar oude rotstekeningen, die worden beschouwd als de oudste overblijfselen van menselijke beschaving op deze planeet. Waarschijnlijk zijn de aboriginals het oudste volk op aarde dat nog hetzelfde leeft als hun voorouders al die duizenden jaren geleden.'

'Je hebt je moeders liefde voor hen geërfd.'

Hij schudde zijn hoofd. 'Ik weet niet wat het is. Ik heb goede vrienden onder de zwarte veedrijvers, maar begrijpen doen we elkaar niet, hoeveel tijd we ook in elkaars gezelschap doorbrengen. Ik kan tweeduizend kilometer met een kudde mee trekken en maanden achtereen met de veedrijvers werken en eten, zonder ook maar iets van hen te begrijpen. Ik weet niet eens of ik wel veel sympathie kan opbrengen voor hen als groep. Ik mag een groot aantal van hen als persoon heel erg graag. Ik veronderstel dat ik hetzelfde zou kunnen zeggen van mijn eigen soort. Maar ik ben wel degelijk door hen gefascineerd. Vooral door degenen die vasthouden aan de oude tradities, zoals de bewoners van Kakadu en Arnhem Land. Je kunt daar echter alleen in juli of augustus komen. In deze tijd van het jaar is het er veel te heet. Je zou flauwvallen van de luchtvochtigheid.'

Cassie zag honderdduizenden vogels.

'Die lindegroene met dat heldere rood in hun vleugels zijn roodvleugelige papegaaien,' wees hij. 'En die kleine felgroene met die gele koppies en randjes langs hun vleugels, dat zijn grasparkieten. En die grijze daar, met die lichtgele kopjes en kammen, dat zijn natuurlijk kaketoe's, maar dat weet je vast wel, want die zie je in heel Australië.'

Cassie knikte.

'En dan die blauwe die je daar ziet – kijk, pauwblauw en groen op zijn rug en bleekgeel op zijn buik, dat is een heilige ijsvogel. Die komt ook veel voor, net als de rode ijsvogel.'

'Hoe heten die prachtige grijs met roze vogels die zo'n lawaai maken?'

'Rosékaketoe's.'

Een paar meter voor hen liep een hagedis van zeker anderhalve meter lang.

'Wat een lelijkerd!'

'Dat is een leguaan. Waarschijnlijk op weg naar die bomen, daar in de verte. Daar springt hij zó in. Ze zijn niet zo heel erg gevaarlijk. De *enige* dieren waarvoor je in dit deel van de wereld echt bang moet zijn, zijn slangen, dingo's en sommige spinnen.'

Er stonden niet veel bomen.

'Ben je nooit bang om te verdwalen?' vroeg Cassie, om zich heen kijkend.

Blake hield zijn paard in en Cassie volgde zijn voorbeeld. Hij legde een hand op haar arm en boog zich naar haar toe om haar te kussen.

'Hier? Nee, nooit. Ik heb er zelfs nooit bij stilgestaan dat ik de weg zou kunnen kwijtraken. Wat ik wèl kwijt ben is mijn hart; dat heb ik aan jou verloren.' Hij kuste haar opnieuw.

Hij lachte toen zij een zucht slaakte. 'Verdomd als het niet waar is, maar jij bent de mooiste vrouw die ik ooit heb gekend. Ik verlang naar je. Godallemachtig, Cassandra Clarke, wat verlang ik naar jou.' Hij liet zijn paard weer in draf overgaan en Cassie had hem

net ingehaald toen ze bij een stuk land kwamen dat bedekt was met honderden puntige heuveltjes.
'Kijk uit voor de mierenhopen,' zei Blake.
'Mierenhopen?'
'Er zijn miljoenen mierenhopen in het hele land. Elke hoop bevat ongeveer twee miljoen mieren.
Cassies mond viel open.
'Miljoenen en nog eens miljoenen mierenhopen. In deze omgeving zijn ze hooguit een meter hoog, maar naarmate je verder naar het noorden komt, in de richting van de tropen, zijn ze soms wel twee tot tweeëneenhalve meter hoog.' Hij hield zijn paard in om naast Cassie te komen. 'Al die aarden bergjes zijn stuk voor stuk helemaal door de ingewanden van miljoenen en miljoenen termieten gegaan die ze hebben gebouwd uit aarde, gecombineerd met hun eigen uitwerpselen en reken maar dat deze primitieve bouwwerken elke tropische moesson of cycloon kunnen trotseren. Ze zijn zo sterk als beton. Kijk uit dat je er niet tegenaan rijdt.'
Plotseling hoorden ze het gedreun van hoeven. Blake stak zijn hand op, ten teken dat ze halt moesten houden. Een eindje verderop, nog geen twintig meter, galoppeerde een kudde paarden langs, hun manen wapperend in de wind.
'*Brumbies*,' zei Blake. 'Wilde paarden. Lang geleden zijn ze getemd, maar een aantal is ontsnapt en verwilderd. Dit zijn hun nazaten. Ze zijn sneller dan de meeste paarden met berijders en laten zich niet gemakkelijk vangen.'
'Waarom zou iemand ze willen vangen?'
'Ze worden zo langzamerhand een bedreiging. Ze eten per dier meer gras dan het vee.'
Ze reden weer een paar kilometer verder, tussen de mierenhopen door. Opeens zag Cassie een grote tank. 'Wat is dat?' vroeg zij.
'Daarin slaan we water uit de put op.'
'Put?'
'Het vee kan maar een kilometer of acht bij een watertank vandaan gaan om te grazen,' vertelde Blake, terwijl zij verder draafden. 'Dus boren wij putten, soms honderden meters diep, om water uit de artesische bronnen te halen en vervolgens slaan we het op in tanks voor het vee. Rond elke tank wordt de grond verpulverd door de hoeven van alle dieren die uit de tank komen drinken. Wanneer ze het gras in steeds grotere cirkels rond de tanks hebben opgegeten, moet het vee naar een andere weidegrond worden gedreven zodat het land zich weer kan herstellen. Zonder de bronnen zouden we hier niets kunnen verbouwen. Dit hele gedeelte van Australië drijft zo'n beetje boven oneindige waterreservoirs, maar het zit zo diep

dat het een vermogen kost om ernaar te boren. En vaak is het zo zout dat het voor het vee wel te drinken is, maar niet voor mensen.'

Hij zette zijn paard aan tot een korte galop. 'Kom op. We zijn er bijna.' De hele verdere weg naar het kamp bleef hij voor haar rijden.

Cassie zag rook opkringelen in de lucht. Toen ze het kamp naderden, bleef Blake wachten tot zij hem had ingehaald. 'Weet je iets van brandmerken?'

'Helemaal niets,' zei Cassie. 'Ik heb wel eens wild-westfilms gezien waarin de koeien met een lasso werden gevangen en dan op de grond werden gegooid zodat de cowboys hun kop konden brandmerken. Afschuwelijk.'

'Het is noodzakelijk,' zei Blake. 'In dit grote land, waar niemand zijn land heeft omheind, kunnen je dieren opeens verdwenen zijn wanneer je ze niet brandmerkt. Niet dat dat nu niet gebeurt, maar het helpt wel. Ze voelen er niet zoveel van.'

'Hoe weet je dat?' wilde Cassie weten. Ze waren nu zo dichtbij dat ze het geschreeuw van de mannen konden horen, en het geloei van het vee, dat was opgesloten in kralen.

'Bij elke brandmerkpost duurt het zo'n vijf tot zes weken om alle dieren af te werken,' zei Blake, terwijl ze naar het groepje veedrijvers reden dat druk in de weer was.

'Zie je die man daar met dat kalf worstelen? Voor dat dier is het zijn eerste kennismaking met een menselijk wezen. Het is bang. Het weet niet wat er gaat gebeuren.'

Ze bleven op hun paarden zitten kijken. 'Eerst wordt het nog niet gemerkte vee afgezonderd van de rest. Meestal gebeurt dat met behulp van lasso's, zoals je in die films hebt gezien. Daarna worden ze in de kralen bijeengedreven, dat zijn die omheinde stukken land die je hier overal ziet. Eén groepje mannen... nou ja, kom op, laten we met een van de kalveren het hele proces maar een keer volgen.' Hij sprong van zijn paard en liep naar Cassie om haar te helpen afstijgen.

Hij nam haar mee naar de plek waar het vee werd gebrandmerkt. Twee mannen hadden het kalf op de grond gegooid, één van hen hield zijn poot vast en de ander drukte zijn knie op de nek van het dier. Met een stuk gereedschap dat eruitzag als een reusachtig nietapparaat, kneep een van de mannen een oormerk vast. Zodra hij klaar was sneed een vierde man de testikels van het kalf af. Het dier brulde. Hij was nog maar net klaar toen een vijfde man de hoorns van het dier begon af te zagen. Twee mannen hielden het kalf, dat probeerde zijn kop weg te trekken, op zijn plek. Weer een andere man pakte het roodgloeiende brandijzer uit het vuur. Hij mikte zorgvuldig op de achterflank van het kalf en Cassie rook een scherpe schroeilucht en hoorde het dier schreeuwen van pijn en razernij. De mannen lieten hem los en het dier sprong snuivend overeind en begon als een razende te bokken.

Blake liet haar staan en liep naar een van de mannen toe. Het was heel rumoerig – rinkelende sporen, mannen die tegen elkaar schreeuwden, loeiend vee. Er hing een lucht van zweet en verschroeide huiden. En boven dit alles stond de gloeiende, rode zon. Cassie vermoedde dat men dit bedoelde wanneer er gezegd werd dat de Outback een typische mannenwereld was. Dit was geen plek voor een vrouw.

Ze bleven meer dan een uur staan kijken, totdat Blake zei: 'Kom, laten we wat gaan eten. Ik zie dat de kok de boel heeft klaargezet.'

De kok en de opzichter waren de enige blanken. Alle anderen waren aboriginals, die zich doelbewust en ernstig van hun taken kweten.

De lunch bestond uit rundvlees dat langzaam gaar was gestoofd boven een houtvuur. Er was warm brood uit de kampoven; geen ongezuurd brood, maar echt lekker vers brood. En thee. Verder waren er ook nog mieren en vliegen en stof, dat alles bedekte.

Cassie keek toe hoe Blake meehielp met het brandmerken. De kok zei tegen haar: 'Er is er niet één die ook maar in de verste verte kan tippen aan Blake.'

Tegen drieën zei Blake: 'Nu kunnen we maar beter gaan, anders missen we het avondeten.'

'Als het aan jou lag, bleef je net zo lief hier bij de mannen, nietwaar?'

Hij hielp haar op haar paard en sprong zelf ook in het zadel. 'Absoluut niet. Ik heb hier net zes weken van achter de rug. Ik geniet ervan, dat geef ik toe, maar nu ben ik wel weer eens aan een beetje beschaving toe.'

Cassie, die niet gewend was aan zoveel inspanning en zon, was moe.

'Zodra we thuis zijn nemen we een frisse duik. Daar knap je van op,' zei Blake.

'Ben jij dan helemaal niet moe?' vroeg ze.

'Hé, ik doe dit weken achtereen, zeven dagen per week. Ik ben gewend aan het buitenleven.'

Jennifer en Steven kwamen net uit het zwembad. Het liefst was Cassie meteen haar bed ingedoken, maar in plaats daarvan ging ze toch maar even zwemmen en Blake had gelijk. Ze knapte er helemaal van op. Ze dook in het water en hoopte dat al het stof zo uit haar haar zou glijden. Blake kwam vlak naast haar aan de oppervlakte en greep haar hand. Zijn kastanjebruine haar krulde wanneer het nat was en zijn ogen leken nog helderder blauw. 'Ik zal je eens wat vertellen, Cassandra Clarke,' en hij gaf haar een vochtige kus en trok haar zo dicht tegen zich aan dat ze zijn mannelijkheid door hun badpakken heen kon voelen, 'wanneer wij de liefde gaan bedrijven, zal dat voor ons allebei een absoluut ongekende ervaring zijn.'

'Blake, nee...'

'En wanneer het zover is zul je niet bang zijn. Niet van mij, niet van seks, niet van de liefde...'

Deel twee

SEPTEMBER 1939 – FEBRUARI 1942

Hoofdstuk 21

Nu begreep Cassie wat er bedoeld werd met 'het regenseizoen'. Wanneer het hier regende, dan regende het ook echt.

Tijdens het middagspreekuur over de radio werd er gebeld door de hoofdinspecteur van politie in Marriott, een stadje zo'n vierhonderd kilometer ten oosten van Augusta Springs.

'Ik heb een spoedgeval ongeveer zestig kilometer ten noorden van hier,' zei hij. 'Een man met een schotwond in de borst. Ik heb me laten vertellen dat hij bloedt als een rund. We kunnen hem niet vervoeren. Volgens de laatste berichten leeft hij nog.'

Cassie gaf de microfoon aan Sam. 'Vraag hem hoe we daar moeten komen, dan gaan we meteen.'

Sam keek op zijn horloge. 'Dat halen we waarschijnlijk net voor het donker. Is het erg als we vanavond niet meer terug kunnen?'

Toen Cassie haar hoofd schudde, informeerde hij naar de beste route.

'Je zult naar de landingsbaan buiten de stad moeten vliegen,' zei de politieman. 'Dan zorgen wij dat jullie daar worden opgehaald. Ergens anders kun je niet landen.'

'We zijn er over een uurtje of twee, drie,' zei Sam. Hij keek naar Cassie. 'Klaar?'

Zij knikte en was al op weg naar het vliegtuig. Ze wist dat hij het toestel eerder die middag, toen ze net terug waren van een spreekuur, grondig had nagelopen.

Hoewel de wolken de hemel loodgrijs kleurden, stonden ze zo hoog aan de hemel dat Sam er zonder problemen onder kon blijven vliegen. Hij kon gedurende de hele vlucht naar Marriott de weg volgen. Cassie sliep. Toen ze naar het vliegveldje daalden kletterde de regen tegen de raampjes.

'Landingsbaan ziet er goed uit,' zei Sam.

Ze waren twee keer eerder in Marriott geweest en kenden Chief Lewis. Hij was een grote, gezette man die zelden lachte, maar een heel vriendelijke stem had. Hij stond hen al op te wachten. 'Ik had het bericht zo'n anderhalf uur voordat ik jullie belde doorgekregen. We halen het niet voor het donker is.'

Ze stapten in de auto, Cassie achterin, en hij reed meteen weg. 'Ik heb wat sandwiches meegebracht,' zei hij. 'Ik was bang dat het weer zou gaan regenen voordat jullie hier waren. Dat ellendige weer ook. 's Zomers kun je hier op elk rotsblok een eitje bakken en in het voorjaar drijven we weg.'

'Wat is er gebeurd?' vroeg Sam.

'Wie zal het zeggen? In deze tijd van het jaar hebben we altijd meer moorden en vrouwenmishandelingen en verkrachtingen. Vooral wanneer het volle maan gaat worden, zelfs als de maan niet eens door de wolken heen komt.'

De weg zat vol kuilen en was glad en glibberig van de regen.

'Het is gebeurd op een ranch van een alleenstaande veehouder. Geen vrouw, geen kinderen. We moeten er erg vaak komen opdraven. Meestal gaat het dan om veedrijvers die zich vervelen en elkaar op de zenuwen gaan werken.'

Het kostte hen een uur en drie kwartier om de drieënzestig kilometer af te leggen, dwars door de regen die zwaar neerkletterde op het dak van de wagen. Tegen de tijd dat ze arriveerden was het donker. Een eenzaam lichtje gaf aan waar het huis stond.

Chief Lewis liep voor hen uit de veranda op, de deur door en een kleine kamer binnen, slechts verlicht door een enkele petroleumlamp. Twee jonge mannen stonden naast de patiënt, die in een grote plas bloed op de grond lag.

Cassie knielde. De wond zag er niet best uit en de jongeman zag doodsbleek. Hij verkeerde in een shocktoestand en ademde gejaagd. Ze nam zijn hartslag op. 'Honderdveertig,' zei ze hardop.

'Is dat ernstig?' vroeg de politieman.

'En zo te zien wordt het alleen maar ernstiger,' zei Cassie. 'Hij ligt in coma.' Ze keek omhoog naar de twee jongemannen die erbij stonden te kijken. 'Hoe lang is hij al bewusteloos?'

Ze keken elkaar aan en een van hen haalde zijn schouders op. 'Ik weet het niet. We hebben in zijn oor geschreeuwd en hem geknepen, maar hij reageerde helemaal niet.'

Cassie zette een knokkel tegen zijn borstbeen en duwde hard omlaag.

'Waar is dat goed voor?' vroeg Chief Lewis.

'Dat brengt pijn teweeg als hij iets kan voelen, maar hij reageert op geen enkele manier. Als we niet snel iets kunnen doen is het afgelopen.'

'Wat bedoelt u daarmee?' vroeg een van de jongemannen.

Cassie zei: 'Ik zal hem moeten opereren.'

'Hier?' vroeg de politieman.

'Hier,' zei Cassie.
'Kom op, jongens,' zei Sam. 'Help me eens de boel een beetje schoon te maken.'
'Daar hebben we geen tijd voor,' zei Cassie. 'Het moet nu gebeuren. Kunnen jullie water koken? Dat heb ik nodig. En is er nog een lamp?' Ze wendde zich tot Sam. 'Ik zal het hier op de vloer moeten doen. Ik denk dat we hem beter niet kunnen optillen.'
Sam knikte. 'Water,' herhaalde hij tegen de jongens, die nog geen van beiden een vin hadden verroerd.
'Ik moet eerst nog even mijn handen wassen,' zei ze, ook al waren haar rubber handschoenen volkomen steriel. Ze zag er vreselijk tegenop onder deze omstandigheden te moeten opereren, maar tegelijkertijd voelde ze de adrenaline door haar lichaam stromen.
'Ik weet niet of er nog een lamp is,' zei de achtergebleven jongeman.
'Ik heb een zaklantaarn in de auto,' zei Chief Lewis.
Dat was beter dan niets.
Sam knielde naast haar neer en fluisterde: 'Je bent zenuwachtig, hè?'
Zij knikte.
'Je kunt het, doc. Ik weet dat je het kunt.'
'Hij heeft al zoveel bloed verloren.'
'Als iemand hem nu nog kan redden, dan ben jij het wel.'
Cassie maakte haar dokterstas open en begon alles klaar te leggen.
Binnen een kwartier was ze aan het opereren. Allebei de jongens waren de kamer uitgelopen, maar Cassie zei tegen Chief Lewis: 'Jou heb ik nodig. Ga je handen wassen.'
Ze overhandigde Sam ether en een gaasmasker en zei: 'Je hoeft hem pas te verdoven als hij bij lijkt te komen. Ik heb je hulp nodig bij de operatie zelf.'
Ze maakte een lange incisie van het borstbeen naar het midden van de oksel. 'En nu,' zei ze tegen de mannen, 'moeten jullie de botten wegtrekken en dan bedoel ik echt dat jullie zo hard aan de ribben moeten trekken dat ik kan zien wat er aan de hand is.'
De mannen keken haar en elkaar aan en knielden naast haar op de grond. 'Kom op, trekken!'
Ze trokken. 'Ik moet proberen in zijn ribbenkast te kijken,' zei ze, terwijl zij de huid naar achteren haalden. 'Trek die ribben opzij.'
Eindelijk kon ze zien dat een van de belangrijkste bloedvaten, de aorta, geraakt was door de kogel. 'O, God,' zei ze. 'Ik moet een heleboel bloed wegdeppen. Zorg dat die ribben uit de weg blijven!' Ze had nog nooit zoveel bloed gezien.
Toen ze zoveel mogelijk bloed had weggedept, naaide ze de aorta

dicht. 'Oké,' zei ze tegen Sam en Chief Lewis. 'Jullie kunnen loslaten. Ik denk dat hij te veel bloed heeft verloren. Sam, neem zijn bloeddruk eens op.'

Sam pakte de bloeddrukmeter en de stethoscoop, bond de manchet om de linkerarm van de patiënt en begon te pompen. 'Daalt snel,' zei hij.

Cassie knikte. 'Zijn hartslag stijgt snel en begint onregelmatig te worden.'

Ze zaten nog steeds alle drie op de grond, naar de patiënt te kijken. Ten slotte stond de Chief op. 'Mijn knieën houden het niet uit op die harde vloer.'

Terwijl Cassie naar hem zat te kijken, realiseerde ze zich opeens dat het hart van haar patiënt niet meer klopte. 'O, Jezus,' fluisterde ze. 'Ik moet het hart masseren.'

'Masseren?' vroeg de politieman, met een stem die klonk alsof hij elk moment heel erg misselijk kon worden.

Cassie legde haar hand op het hart en begon erin te knijpen als in een tennisbal. 'En dat moet tachtig keer per minuut.' Ze hijgde van de inspanning. 'Sam, in mijn tas zit nog een rubber handschoen. Trek die aan en neem het van me over. Ik hou het niet vol.'

Hij pakte de handschoen, trok hem aan en keek hoe haar hand het hart liet pompen. 'Oké,' zei hij, 'maak plaats.'

'Misschien neemt het hart het opeens weer over,' zei ze.

Twintig minuten lang losten zij elkaar af en toen zei ze: 'Sam, hou maar op.'

Het werd stil in de kamer.

'Als we bloed hadden gehad *en* als we in een ziekenhuis waren geweest, had hij misschien een kans gehad, maar hij heeft te veel bloed verloren.'

'Je bedoelt...?' Chief Lewis maakte de zin niet af.

'Ja,' zei Sam, 'hij is er geweest.'

Chief Lewis bood aan dat ze bij hem konden overnachten. 'Je zult wel op de bank moeten slapen,' zei hij tegen Sam.

'Dat zal de eerste keer niet zijn.'

Zwijgend reden ze door de druilerige regen terug naar Marriott. Cassie deed haar ogen dicht, maar kon de slaap niet vatten. Geen van drieën aten ze van de sandwiches die de Chief had meegebracht.

De volgende ochtend nam Sam, vlak voordat ze vertrokken, nog een keer contact op met Horrie. 'Uh-oh,' zei hij tegen Cassie. 'Je kunt beter zelf even met hem praten.'

'Ik heb een noodoproep voor je,' zei Horrie en ze konden hem bijna niet verstaan door de atmosferische storingen. 'Je zult er niet blij mee zijn.'

Sam en Cassie keken elkaar aan. 'Hij komt van Milton Crossing, ongeveer vierhonderdvijftig kilometer ten noordwesten van waar jullie nu zitten. Een kind dat er ernstig aan toe is. Dit zijn de symptomen.' Cassie kon horen dat hij ze van een briefje oplas. 'Baby was gistermiddag nog in orde en toen opeens: misselijkheid, braken, diarree, koorts. Tegen middernacht was het kind ziek, zwak en huilerig. Het wilde voortdurend worden vastgehouden en huilde aan één stuk door. Om een uur of drie 's ochtends was hij helemaal slap en apathisch, of de moeder hem nu op schoot nam of niet. Vanmorgen was zijn mondje gelig en gerimpeld. Zijn ogen zijn diep weggezonken en het vel hangt zo'n beetje los om zijn lijfje.'

'God,' zei Cassie. 'Twee van zulke dagen zijn dodelijk voor een kind als het geen vloeistof krijgt toegediend. Gelukkig dat we altijd een infuus bij ons hebben.'

'Het kind houdt geen drinken binnen,' zei Horrie. 'En ik heb nog slechter nieuws. De storm heeft de elektriciteit uitgeschakeld en het hele gebied daar staat onder water. Ik weet niet eens of jullie er wel ergens in de buurt kunnen landen. Sam, je weet waar Milton Crossing ligt, hè?'

'Ja,' zei Sam. 'We zijn er een paar maanden terug geweest om een zwangere vrouw op te pikken die naar het ziekenhuis moest.'

'Kun je in Marriott aan genoeg benzine komen om zo'n afstand af te leggen?'

'Vast wel,' zei Sam. Hij keek naar Cassie en wierp een blik op zijn horloge. 'We vertrekken onmiddellijk. Ik neem over exact vier uur contact met je op. Zorg dat ze daar op die ranch ook op deze frequentie afstemmen.'

'Nog meer spoedgevallen?' vroeg Cassie.

Horrie lachte. 'Wat zou je doen als ik ja zei?'

Sam legde neer en draaide zich om om Cassie aan te kijken. 'Laten we die sandwiches gaan halen die we gisteravond niet hebben opgegeten en een thermoskan koffie.'

Vanwege een fijne motregen moesten ze de hele vlucht, die drie uur duurde, laag blijven vliegen, maar vanaf een hoogte van zeshonderd voet kostte het Sam geen moeite hun route te bepalen. Eindelijk hield het op met regenen, maar ze zagen dat het gebied onder hen onder water stond.

'Ik heb geen flauw idee waar we moeten landen,' zei hij.

Milton Crossing lag aan de oever van een rivier en zelfs vanuit de lucht konden ze zien dat de rivier woest kolkte en dat de velden waren overstroomd met bruin water.

'Geen plek om te landen,' zei Sam, terwijl hij de radio aanzette en afstemde op de frequentie van de thuisbasis, waar Horrie al zat te wachten.

'Ik kan hier in de buurt met geen mogelijkheid landen,' zei Sam. 'Het dichtstbijzijnde open land dat niet onder water staat is hier waarschijnlijk zo'n vijftien kilometer vandaan.'

Horrie zei dat hij hen zou doorverbinden met de ranch, zodat Sam samen met hen kon beslissen wat ze moesten doen.

'Een kilometer of zestien naar het noordwesten ligt een heuvel,' zei Clive Young, de eigenaar van Milton Crossing. 'De top is vlak en ik denk dat je daar wel kunt landen. Ik heb er al een paar van mijn aboriginals naar toe gestuurd om jullie op te wachten. Jullie zullen moeten lopen, maar voor de rest staat alles onder water.'

'Zestien kilometer!' zei Cassie.

Sam keek haar met opgetrokken wenkbrauwen aan. 'Mij lukt dat wel. Ik weet niet hoe het met jou zit.'

Cassie zei niets.

'Daar heb je die heuvel,' zei Sam, wijzend, 'aan de verkeerde kant van de rivier.'

'We zullen de infuusapparatuur mee moeten nemen.'

'Geen denken aan,' zei Sam.

Cassie wist dat hij gelijk had. Als ze zestien kilometer door modder en struikgewas moesten sjouwen, konden ze al die apparatuur onmogelijk meedragen en in bruikbare toestand overbrengen.

De heuveltop zag eruit alsof hij speciaal als landingsplek was aangelegd. 'Alleen iets te kort naar mijn zin. Hou je vast. Ik zal nogal abrupt moeten afremmen.' Sam voerde de landing uit alsof hij nooit anders had gedaan.

Voordat hij de deur had geopend, was het vliegtuig al omringd door een stuk of twaalf zwarte mannen, allemaal barrevoets en doorweekt.

'We kunnen onze schoenen beter hier laten,' zei Sam, terwijl hij de zijne uitschopte en Cassies dokterstas pakte. Zij maakte haar sandalen los en was blij dat ze nooit kousen droeg in dit klimaat. Ze gingen op weg en sjouwden achter de aboriginals aan door modder en kreupelhout, net zolang totdat Cassie niet alleen doorweekt was, maar ook onder de schrammen zat. Haar haar zat plat tegen haar hoofd geplakt. De aboriginals bleven geen moment staan. Na een uur was Cassie zo moe dat ze zich afvroeg of ze nog wel een stap kon zetten, maar ze vroeg hen niet om stil te houden of wat langzamer te gaan lopen. Sam, die achteraan liep, vroeg: 'Gaat het nog?'

Zij knikte, te uitgeput om te antwoorden. Haar voeten waren

overdekt met wondjes van takken en wortels. Haar blouse en rok plakten aan haar lichaam.

Tegen het eind van het tweede uur zei ze: 'Sam, nu moet ik echt even uitrusten. Al is het maar een paar minuutjes. Ik kan geen stap meer zetten.'

'Oké,' zei hij, waarna hij naar de spoorzoekers riep: 'We rusten hier even uit.'

Maar vanaf deze plek konden ze de rivier al horen, dus ze wist dat het bijna voorbij was. Sam zei: 'Ik ga even een kijkje nemen. Wacht hier maar even.'

Tien minuten later was hij weer terug. 'De rivier is hier ongeveer tachtig meter breed. Onder normale omstandigheden haalt hij de twee meter waarschijnlijk niet eens. Ik denk dat het water zo'n anderhalve meter diep is. Kun je zwemmen?'

'In een zwembad, zonder stroming, lukt het me aardig.'

Hij schoot in de lach. 'Ik heb je tas aan een van de mannen gegeven om te dragen, dus we hoeven niet bang te zijn dat die in het water valt. Kom op,' riep hij, terwijl hij haar overeind trok van haar zitplaats op een boomstronk.

'Zitten hier krokodillen?' vroeg Cassie.

'Dat heb ik aan een van de mannen gevraagd. Hij zei: "O, nee, baas, een paar maar." Doc, we zullen onze kleren moeten uittrekken en naar de overkant dragen. Krijg nu niet meteen een beroerte. Kleren kunnen ons lelijk hinderen als we worden meegevoerd door de stroming. Je zult alleen maar last hebben van je rok. Er zal heus niemand naar je kijken.'

'Hoe weet jij dat? En als zij niet kijken, hoe kunnen ze er dan voor zorgen dat me niks overkomt?'

'Laat ik het dan zo zeggen: niemand zal wellustige gedachten koesteren, zo goed? Het enige dat we allemaal willen is naar de overkant en niet naar jou kijken.'

Nu had ze al zoveel patiënten onderzocht, zowel mannen als vrouwen, zonder ooit aan hen te denken als naakte mensen, maar als het erop aankwam haar eigen kleren in het bijzijn van anderen uit te trekken, dan werd ze opeens verlegen. Hoe was dat toch mogelijk?

'Je ondergoed mag je aanhouden,' grinnikte Sam. 'Daar heb je geen last van.'

Cassie keek naar het water, dat zo snel stroomde dat ze zich afvroeg hoe iemand zich daarin in evenwicht kon houden. De helft van de aboriginals waren de rivier al overgestoken. Zes van hen stonden aan de waterkant en staken hun handen uit.

'Zij gaan een menselijke keten vormen en wij gaan hand in hand naar de overkant. Kijk, doc, ik blijf vlak naast je. Ik zorg ervoor dat je niets overkomt.'

'Hoe kom je erbij dat ik bang zou zijn?'

'Je zou wel gek zijn als je het niet was.'

'Ben jij ook bang?'

Sam trok zijn hemd uit. 'Ik ben niet achterlijk. Ik heb een gezond ontzag voor de natuur. Let op, dit wordt leuk. Hou je niet van een uitdaging op z'n tijd?'

Ze begon haar blouse los te knopen. 'Misschien wel.' Ze voelde hoe al haar zintuigen op scherp stonden. Misschien had zo'n avontuurlijk leven toch wel zijn voordelen.

Sam trok zijn broek uit, vouwde hem in zijn overhemd en knoopte de mouwen dicht. 'Doe maar net of je een badpak aanhebt,' zei hij. 'Geef maar, jouw blouse en rok kunnen hier ook nog wel bij. Ik draag het wel. Er staat een sterke stroming. Hou mijn hand vast en de hand van die zwarte kerel die voor je loopt. Hij laat je niet los en ik ook niet.'

Cassie wist dat Sam haar, ondanks zijn belofte, van top tot teen stond te bekijken. Nu ja, ze moest er maar niet te veel bij stilstaan – ze kon beter aan de baby denken, die zou sterven als zij niet op tijd was. En aan de ouders die gek van ongerustheid op haar komst zaten te wachten. Wat Sam betreft, hij zag eruit zoals zij altijd al had gedacht: veel te mager.

Maar ze voelde zich toch een stuk geruster toen zijn sterke hand de hare stevig vastgreep. Ze stak haar andere hand uit naar de zwarte man voor haar. Hij nam haar hand in een ijzeren greep. Ze begonnen door het snelstromende water te waden. De bodem was glad en zanderig en zij deed haar uiterste best om haar evenwicht te bewaren en tegen de stroom in te lopen. Ze huiverde toen er een stuk drijfhout voor haar langs dreef. Het zag eruit als een slang of een krokodil.

Aan de andere kant van de rivier stond Clive Young hen in de regen op te wachten met een paraplu en handdoeken. Zodra Cassie uit het water kwam sloeg hij een handdoek om haar heen en gooide Sam er ook een toe.

'Sorry voor dit vreselijke weer,' zei hij.

'Hoe is het met het kind?' vroeg Cassie, terwijl zij de handdoek om zich heen trok, die haar lichaam nauwelijks bedekte.

'Het leeft nog,' was het enige dat hij zei. Hij pakte de dokterstas van een van de mannen aan en ging hen voor naar het huis.

Mevrouw Young zat in een schommelstoel met de baby dicht tegen zich aan. Ze wierp één blik op Sam en Cassie en zei: 'Clive, haal wat kleren voor hen.'

De trui en de broek die hij voor Cassie meenam waren veel te groot, maar ze trok ze snel aan, in de hoop dat het rillen dan zou ophouden.

Ze keek naar haar patiënt. De ogen van de baby leken diep weggezonken en de huid zag er uitgedroogd uit.

'Hij houdt geen vloeistof binnen,' zei mevrouw Young.

'Hij heeft buikgriep,' zei Cassie, nadat zij het kind had onderzocht. 'We *moeten* ervoor zorgen dat hij drinkt. We moeten hem naar de intraveneuze apparatuur in het vliegtuig zien te krijgen. Totdat dat mogelijk is zullen we het hem heel langzaam oraal moeten toedienen, één theelepeltje tegelijk. Als hij dat niet uitbraakt, twee theelepeltjes. Maar wat hij werkelijk nodig heeft is een infuus.'

Ze keek naar Sam. Zijn blik ontmoette de hare. Ze wisten allebei dat het betekende dat ze weer die rivier moesten oversteken, nu *met* de baby, en vervolgens weer die zestien kilometer door modder en kreupelhout naar het vliegtuig.

'Hij moet naar het ziekenhuis.'

De Youngs keken elkaar aan.

'Het lijkt me het beste dat een van jullie met hem meegaat,' zei Cassie.

'Ik ga mijn spullen pakken,' zei mevrouw Young, terwijl ze de baby op de bank legde.

'Ik draag hem de rivier over,' zei de vader.

'Jullie moeten eerst iets eten.' Mevrouw Young had haar hoofd om de hoek van de slaapkamerdeur gestoken.

Cassie vroeg zich af of ze zonder eerst uit te rusten de hele tocht terug naar het vliegtuig zou kunnen volbrengen.

Ze voelde Sams hand op haar schouder. Hij zei op zachte toon: 'Je kunt het. Ik weet dat je het kunt.'

Toen ze naar hem keek begon ze te lachen en streek een paar natte lokken uit haar ogen. Clive Youngs flanellen overhemd was Sam minstens drie maten te groot en hing los om zijn lichaam. Zijn lange benen waren bloot.

'Dat is niet eerlijk. Ik heb jou ook niet uitgelachen.'

'Dat komt omdat je beloofd had niet te zullen kijken,' zei ze.

'Eh, om je de waarheid te zeggen,' zei hij, 'heb ik die belofte gebroken. Maar maak je geen zorgen. Ik zal niemand vertellen dat je meer vrouw bent dan je ons wilt laten geloven.'

Ze wendde zich verlegen van hem af.

Even later kwam Clive weer binnen. Hij had een regenjas aangetrokken.

'Daar kom je de rivier niet mee over,' zei Sam.

'Ik weet niet waar mijn hersens vandaag zitten,' zei Clive, en trok de regenkleding weer uit.

Binnen tien minuten kwam Myrna Young zeggen: 'De sandwiches zijn klaar. Het spijt me dat ik jullie niets uitgebreiders kan aanbieden.'

'Eet jij zelf niet?' vroeg haar man.

'Ik ben veel te ongerust om te kunnen eten.'

Sam zei tegen Cassie: 'We kunnen nu maar beter gaan. Het kan wel even duren om het vliegtuig van die heuvel te krijgen.'

'Denk je dat er makkelijker manieren bestaan om je brood te verdienen?' vroeg Cassie.

Sam antwoordde: 'Zeg nu eens eerlijk, kun je iets bedenken wat je op dit moment liever zou doen? Durf je te beweren dat jouw leven niet veel interessanter is dan dat van minimaal negentig procent van de wereldbevolking?'

Toen zij niet antwoordde, vroeg hij: 'Denk je dat de baby het haalt?'

'Als we hem snel genoeg vocht kunnen toedienen wel.'

'Dan moet je daar maar aan denken. Als jij hier nu niet zou staan, halfnaakt en uitgeput, met een tocht van zestien kilometer door regen, modder en struikgewas in het vooruitzicht, als jij niet... nu ja, ik wil alleen maar zeggen dat je vandaag dus een leven gaat redden. Als jij op dit moment niet zou doen wat je doet, zou die baby sterven. Zo moet je het bekijken.'

Ze raakte even de hand aan die op haar schouder drukte. 'Ik zal je één ding vertellen, Sam. Ik zou niet weten wie ik liever als partner zou hebben, dat is een ding wat zeker is. Je bent een rots in de branding.'

Even bleef het stil. 'Ja. Ach.'

Clive Young bond het kind in een draagdoek op zijn rug. 'Als ik moet zwemmen, zit hij tenminste veilig,' zei hij.

Ze gingen op weg, de vier volwassenen in hun ondergoed. Hun schoenen hielden ze boven hun hoofd. Sam droeg nog steeds Cassies kleren in de knapzak die hij van zijn overhemd had gemaakt. Het regende nu zo hard dat ze amper een meter zicht hadden en voortdurend met hun ogen moesten knipperen om het water uit hun ogen te houden.

'Ga jij maar eerst,' zei Sam tegen Cassie, 'en hou de hand van die zwarte goed vast. Daarna komen Clive en mevrouw Young, en ik sluit de rij. De stroming zal het je niet makkelijk maken, maar je hebt het al een keer eerder gedaan.'

Cassie zag geen hand voor ogen. Clive Young hield haar hand in een stevige greep, en de aboriginal waadde langzaam maar heel weloverwogen en zeker tegen de woest kolkende rivier in. Toen zij de overkant bereikte, had ze Clives hand nog niet losgelaten of de aboriginal had hem al vastgegrepen om hem en de baby veilig aan land te trekken.

Mevrouw Young had haar evenwicht verloren en toen Cassie zich omdraaide zag zij hoe Sam aan haar arm stond te trekken, in een poging haar weer overeind te krijgen. Hij sloeg zijn arm om haar heen en hield haar dicht tegen zich aan terwijl hij door het water naar de veilige overkant waadde.

Mevrouw Young begon te huilen. 'Och, hemel,' zei ze, hijgend van inspanning. 'Ik was heel even bang dat ik...'

'U bent nu veilig,' zei Sam. 'Kom, laten we gaan.'

'Het zit me helemaal niet lekker dat de baby zo wordt blootgesteld aan de regen,' mompelde Cassie tegen Sam.

Hij knikte. 'Nog drie uur te gaan.'

Hoe het hen was gelukt, wisten ze later eigenlijk geen van allen meer te vertellen. Volgens Cassie was de enige reden waarom de baby geen longontsteking had opgelopen, het feit dat het een warme regen was. Tegen de tijd dat zij de heuveltop en het vliegtuig hadden bereikt was de plenzende regen afgenomen tot een miezerbuitje. Zij wreef de baby droog met handdoeken en legde onmiddellijk een infuus aan.

Sam maakte de knapzak open – de kleren waren kleddernat. Hij vond twee dekens voor Cassie en mevrouw Young, maar zelf landde hij in Augusta Springs in zijn onderbroek. Niemand op het vliegveld begreep er iets van toen hij in zijn ondergoed uit het toestel kwam, in gezelschap van twee in dekens gewikkelde vrouwen.

In het ziekenhuis werd er ook over gepraat.

Maar de baby, dat wisten ze nu zeker, zou het redden.

Hoofdstuk 22

Dominee McLeod zei tegen Cassie: 'Jennifer Thompson is gestopt met schilderen.'

'Wat bedoel je met *gestopt*? Ze kan moeilijk vierentwintig uur per dag schilderen.'

'Ik bedoel niet dat ze net een schilderij af heeft. Ze is ermee gestopt. Ze weigert zelfs haar atelier binnen te gaan.'

Cassie keek hem over de tafel heen aan. Ze zaten in haar keuken koffie te drinken. Cassie kende niemand die ze liever mocht dan hij, met uitzondering misschien van Fiona.

'Enig idee waarom?'

'Ik zou het niet met zekerheid kunnen zeggen, maar ik heb er wel zo mijn mening over.'

Cassie wachtte. Don deed nog wat suiker in zijn koffie. Hij glimlachte verontschuldigend. 'Ik krijg maar zo zelden suiker, dat ik me er in de gevallen dat ik het wel krijg helemaal aan te buiten ga.'

Ze zei niets.

'Je weet toch van die kunsthandelaar die haar ontdekt heeft?'

Zij schudde haar hoofd. 'Nee. Ik weet van niets.'

Hij glimlachte. 'Ik ga er altijd van uit dat iedereen alles weet. Net als ik.'

'Mensen vertellen jou natuurlijk alles.'

'De een of andere kunsthandelaar uit Sydney is helemaal naar Tookaringa gekomen om haar schilderijen te bekijken. Hij had er een paar gezien die ze aan kennissen had gegeven. Je moet goed begrijpen dat ik dit verhaal uit de tweede, misschien wel uit de derde hand heb, dus ik weet niet zeker of alle feiten wel kloppen.' Hij nam een slok van zijn koffie.

'Ga verder.'

'Hij bood haar een bom duiten voor de paar schilderijen die ze nog had. Beweerde dat hij haar beroemd kon maken.'

'Wat geweldig, na al die jaren. Maar dat is fantastisch!'

'Waarom is ze dan gestopt met schilderen?' McLeod schudde zijn hoofd. 'De kwetsbare mannenziel.'

Cassie keek hem verwachtingsvol aan.

Hij haalde een pijp uit zijn zak. 'Ik weet het natuurlijk niet zeker. Maar ik heb begrepen dat Steven er de draak mee stak. Hij vertelde haar dat een kunsthandelaar alleen maar misbruik van haar zou maken. Hij probeerde haar te vertellen wat ze moest schilderen en hoe. Hij zei dat ze dit niet aankon en dat ze het aan hem moest overlaten als ze haar werk wilde gaan verkopen. Ik weet niet precies wat hij allemaal heeft gezegd. Maar ze is in elk geval gestopt met schilderen.'

'Ik kan het gewoon niet geloven. Hij was altijd zo trots op haar.'

'Natuurlijk. Zolang ze de tweede viool bleef spelen. Zolang ze in de eerste plaats mevrouw Steven Thompson bleef. Zolang haar talent niets meer was dan iets om haar bezig te houden terwijl hij zich bezighield met de werkelijk belangrijke dingen des levens.'

Cassie keek haar vriend nauwlettend aan. 'Don, ik geloof er niets van. Zoiets zou hij haar nooit aandoen. Daar is hij mans genoeg voor. Hij is de belangrijkste grootgrondbezitter in deze omgeving. Hij zal nooit overschaduwd worden door Jennifer.'

'Wat jij denkt en hoe hij erover denkt zijn twee verschillende dingen.'

'Wou je soms beweren dat hij bang is voor haar succes?'

'O, niet bewust waarschijnlijk. Maar mannen zijn eigenaardige wezens, Cassie. Lang niet zo aardig als vrouwen. Vrouwen zijn ook veel sterker dan mannen, weet je. Denk je dat mannen een zwangerschap zouden aankunnen?' vervolgde McLeod. 'Je hebt natuurlijk altijd onverwachte zwangerschappen. Dit is nu even strikt onder ons, Cassie, maar als je hier lang genoeg blijft kom je het ongetwijfeld een keer tegen. Zelfs bij enkele zusters in het AIM-ziekenhuis. Sommigen krijgen baby's en kunnen hun beroep nooit meer uitoefenen – zij worden uitgestoten. Hun families schamen zich voor hen. Ze worden gedwongen hun onwettige kinderen helemaal alleen groot te brengen, terwijl ze nauwelijks over de middelen beschikken om hen te eten te geven. Gevallen vrouwen. Hun levens zijn verwoest. Andere mensen laten hun kinderen niet omgaan met die bastaardjes. En toch kiest een aantal van die vrouwen ervoor hun kinderen bij zich te houden en zelf groot te brengen. Hoe denk je dat mannen zouden reageren als ze zo moesten leven vanwege een half uurtje pret? Want voor velen is het waarschijnlijk niet meer geweest dan dat, een half uurtje. Misschien wel korter.

En dan heb je nog degenen die kiezen voor een illegale abortus, opdat hun leven niet wordt verwoest, opdat ze nog een kans hebben iets te betekenen in de maatschappij, opdat de wereld niet op hen zal neerkijken, opdat hun kinderen niet hoeven op te groeien zonder kansen, opdat zij niet gedoemd zijn tot een leven vol zowel financiële als sociale armoede.

Zij gaan naar onbevoegde kwakzalvers en geven niet alleen hun lichaam, maar ook hun leven in de handen van oplichters, die geld verdienen aan bange, wanhopige vrouwen. Of ze proberen zichzelf te aborteren met kleerhangers.'

Don knikte. 'Psychisch, emotioneel, moeten deze vrouwen iets onder ogen zien waarmee mannen nooit te maken zullen krijgen. Ik denk dat mannen er zelfs helemaal niets van begrijpen. Als ik niet zoveel van die situaties had meegemaakt, zou ik het zelf ook niet begrijpen. En misschien doe ik dat ook wel niet. Al die vrouwen hebben het heel zwaar en sommigen redden het, Cassie. Vrouwen zijn zoveel sterker dan mannen. Misschien niet fysiek, maar wel in andere opzichten, die veel belangrijker zijn, zoals moraal en karakter.'

'Moraal? Vind je seks buiten het huwelijk dan niet immoreel?'

'Och, Cassie, lieve kind, je kunt de menselijke natuur toch niet negeren. Als wij zelf onze zwakheden niet hadden, hoe zouden we dan kunnen meevoelen met anderen? Hoe zouden we dan moeten leren wat mededogen is?'

Ze wist niet wat dit alles met Jennifers schilderen te maken had, maar het was geen wonder dat mensen Don McLeod in vertrouwen namen. Wat moest hij al veel mensen hebben geholpen. Wat een bron van troost moest hij zijn voor iedereen die hij tegenkwam wanneer hij al die duizenden kilometers op en neer reisde, van de ene kant van dit enorme gebied naar de andere.

Cassie wierp een snelle blik op haar horloge. 'Don, ik moet je helaas alleen laten. Het is tijd voor mijn spreekuur van elf uur op het radiostation.'

Zijn ogen glinsterden. 'Ik heb gehoord dat Blake Thompson eindelijk getemd is.'

'Goeie God,' zei ze, terwijl ze glimlachend opstond, 'kun je hier dan helemaal niets geheimhouden?'

'Niet echt, nee,' zei hij grijnzend. 'Vergeet niet mij op tijd te waarschuwen voor de huwelijksinzegening.'

'Loop je nu niet iets te hard van stapel?'

'Ik wil gewoon graag degene zijn die jullie in de echt verbindt.'

'Don, ik heb hem alles bij elkaar misschien zes keer gezien.'

'Kwantiteit heeft niets te maken met kwaliteit. Ik wist het zodra ik de achterkant van haar hoofd zag, dat glanzende zwarte haar twee rijen voor me. Nog voordat zij zich had omgedraaid en naar me had geglimlacht, wist ik al dat Margaret de vrouw was met wie ik zou gaan trouwen.'

'En hoe lang geleden was dat?'

'Vijf jaar,' zei hij. 'En volgend jaar herfst gaan we trouwen, zodra ze haar verpleegstersopleiding heeft afgerond. Dan voegt ze zich bij haar dolende dominee.'

'Wil ze dan haar hele leven in slaapzakken slapen en koken boven een kampvuurtje?'

'Dat vindt ze een aanlokkelijk idee.'

Cassie stond op. 'Ik heb nog twaalf minuten voordat ik voor de radio moet zitten. Zin om mee te gaan?'

'Natuurlijk,' zei hij. 'Ik wil wel eens zien hoe dat werkt.'

De meeste problemen kon Cassie gemakkelijk oplossen, maar er was ook een noodkreet bij van een wel bijzonder afgelegen schapenfokkerij, ongeveer driehonderd kilometer naar het zuiden. 'U spreekt met Gregory Carlton,' zei een zeer afgemeten Britse stem. 'Mijn zuster is erg ziek. Ze heeft al ongeveer twaalf uur lang heel veel pijn.'

Waarom had hij dan niet om acht uur gebeld? vroeg Cassie zich af.

'Ze is misselijk en ze heeft koorts. Ze wil zich niet bewegen omdat haar dat te veel pijn doet. De pijn zit zo'n beetje in haar hele buik, maar concentreert zich nu rechts onderin. Persoonlijk denk ik dat het een blindedarmontsteking is.'

'Dat denk ik ook,' zei Cassie. 'We komen naar u toe om haar zo snel mogelijk naar het ziekenhuis te vervoeren. U kunt de routebeschrijving doorgeven aan mijn piloot,' zei ze. Tegen Sam voegde ze eraan toe: 'Dit is een spoedgeval. We vertrekken meteen.'

'Ik ben klaar,' zei hij, grinnikend. 'Zo, dus nu ben ik opeens *jouw* piloot?'

Ze verlieten de radiokamer en liepen naar zijn pick-up. 'Heb je zin om mee te gaan, Don?' vroeg Cassie, zonder acht te slaan op Sams geplaag.

'O, jee,' zei hij, 'je bedoelt nu meteen?'

'Nu meteen,' antwoordde Sam.

'Mijn spullen liggen altijd in het vliegtuig. Na elke vlucht vul ik de voorraden weer aan. Tenzij we zo laat terugkomen dat het al donker is, zorgen we ervoor dat het vliegtuig te allen tijde klaar staat om onmiddellijk te vertrekken. Kom op,' zei Cassie. 'Tijdens het vliegen zegt Sam meestal geen woord tegen me. Ik zit maar wat te slapen of te lezen. Als jij meegaat heb ik tenminste eens een interessant gesprek.'

'Zelfs ik ben nog nooit bij de Carltons geweest, zo afgelegen ligt hun ranch,' moest McLeod toegeven. 'Dit is een mooie kans om eindelijk eens kennis met hen te maken. Ik heb wel over hen gehoord – een broer en een zus die vijf jaar geleden uit Engeland zijn gekomen en een goedlopende schapenfokkerij hebben overgenomen van een vrouw wier man net was overleden. Dat is ongeveer het enige wat er over hen bekend is.'

'Waarom wil iemand ergens wonen waar je dichtstbijzijnde buren meer dan honderd kilometer verderop wonen?' vroeg Cassie, niet voor het eerst.

'Als ik het goed heb heet hun boerderij Mattaburra,' zei McLeod. 'Het bedrijf heeft altijd heel goed gedraaid. Ik vermoed dat ze er een aardige duit voor op tafel hebben moeten leggen, ondanks de locatie.'

'Daar is het nu net een dag voor,' zei Sam tegen zichzelf, maar wel zo hard dat zijn passagiers hem konden verstaan.

'Wat voor dag?' vroeg Cassie.

'Een dag voor luchtspiegelingen.' Hij wees recht vooruit. Cassie maakte haar gordel los en stond op om over zijn schouder te kunnen kijken. In de verte lag een reusachtig meer te glinsteren, met in het midden een aantal groene eilandjes, een mohammedaanse moskee en palmbomen.

'Je bent gek,' zei ze. 'Dat is geen luchtspiegeling.'

'Kijk maar,' zei hij. 'Waar we ook naar toe vliegen, het blijft altijd voor ons liggen. We kunnen er niet overheen vliegen en het zal pas verdwijnen wanneer we weer bomen tegenkomen. De atmosferische omstandigheden moeten precies goed zijn. En wat *precies goed* is weet niemand. Ik heb het zelf nooit eerder gezien, maar ik had er wel van gehoord. Net als elke piloot in dit deel van het land.'

McLeod kwam naast Cassie staan en tuurde met hen mee. 'Hoe is het mogelijk,' zei hij. 'Ik heb er ook wel eens van gehoord. En natuurlijk heb ik op de begane grond tientallen luchtspiegelingen gezien, maar nog nooit zó eentje, compleet met eilandjes en een moskee.'

Het land dat de luchtspiegeling omringde was bedekt met rode stenen en grote scheuren in de droge aarde. Nergens was een teken van leven te bekennen. Na ongeveer een uur verdween de luchtspiegeling toen er een bos van mulgabomen in zicht kwam, dat zich als een zachtblauwe zee uitspreidde over het land. Hier en daar stonden verlaten boerderijen.

Onder hen rende een grote kudde emoes dwars door de blauwe melde.

'Vroeger,' zei Don, 'hielden de mensen zich verre van blauwe melde. Ze dachten dat het betekende dat er geen water was en dat er op plekken waar blauwe melde groeide geen gras kon groeien. Maar nu zijn ze erachter gekomen dat hij goed veevoer is.' Ze zagen steeds meer bomen, afgewisseld met kale, rode vlaktes. Er liepen reusachtige kuddes schapen rond, die zo te zien heel goed gedijden op land dat eruitzag alsof er geen leven op mogelijk was.

'Daar loopt een weg,' zei Sam. 'En een rivier.' Het was eerder een reeks waterputten met gigantische, zilverkleurige eucalyptusbomen langs de kant, die zo'n vijftien, zestien meter boven het water uitrezen. 'Ja, daar, tussen die bomen, daar ligt de boerderij.' Achter het langwerpige, lage huis en een tuin die omringd was door een hoge omheining van golfplaten, lag een lang, vlak terrein. 'Wedden dat ze het niet eens hebben hoeven effenen,' zei Sam, terwijl hij een draai maakte en de afdaling inzette.

Cassie zag dat Don zijn stoelleuningen vastgreep.

'Maak je geen zorgen,' stelde zij hem gerust. 'Sam kan zo zachtjes landen dat je niet eens merkt dat we alweer op de grond staan.'

'Dit is pas mijn tweede vlucht,' zei Don.

Even later zag Cassie een van de knapste mannen die zij ooit had gezien wuivend uit het huis komen rennen. Zodra Sam de deur opende, stond Gregory Carlton al klaar om zich voor te stellen. Hij was ongeveer één meter vijfentachtig lang en had een gespierd, slank lichaam, donker haar, gitzwarte ogen en een dun snorretje.

'Het gaat slechter met Alison,' zei hij, nadat zij de gebruikelijke beleefdheden hadden uitgewisseld. 'Ik maak me echt grote zorgen.'

Cassie greep haar tas en zij liepen achter hem aan de poort door. De tuin was een droom van bloemen, weliswaar in rechte rijen, maar in alle kleuren van de regenboog. Er was ook een kruidentuin, net zo een als Cassie graag bij Fiona zou aanleggen.

De zieke vrouw was spierwit en transpireerde hevig. Cassie vermoedde dat zij net zo mooi was als haar broer, maar op dit moment lag haar zwarte haar vochtig en slap op het kussen en straalden haar donkerblauwe ogen alleen maar pijn uit. Zij en haar broer leken zoveel op elkaar dat ze wel een tweeling hadden kunnen zijn.

Toen Cassie haar patiënte onderzocht, merkte zij dat de spieren rechts onder in haar buik gespannen en bijna keihard aanvoelden. Alisons gezicht vertrok van pijn. Cassie drukte op de linkerkant van de buik en die voelde zacht aan.

'Het is inderdaad een blindedarmontsteking. We moeten haar onmiddellijk naar het ziekenhuis brengen.'

Sam zei: 'Ik ga de tank bijvullen. Don, wil jij me helpen? Ik heb vierenveertig vaten staan. Zonder bij te tanken halen we het niet meer terug naar Augusta Springs.'

Cassie zei tegen Gregory: 'Je zult haar naar het vliegtuig moeten dragen.'

'Ik ga met jullie mee.'

Zijn zuster stak haar hand uit, die hij vastgreep. Ze zei, met zwakke stem: 'Greg, het komt wel weer goed. Je kunt hier niet zomaar alles in de steek laten. Alsjeblieft, lieverd, ik wil niet dat je met de auto naar de stad rijdt. Want dat ben je van plan, niet-waar? Doe dat nu maar niet. Voor je het weet ben ik weer beter.'

'Dat denk ik ook,' zei Cassie, 'en over een week of twee vliegen wij haar weer terug naar huis. Omstreeks die tijd heb ik een spreekuur op Burnham Hill en dan maken we voor haar gewoon een omweg.' Net zoiets als via Perth naar Melbourne vliegen.

Ze bonden Alison Carlton op de brancard en Cassie zei: 'Ik ga je een spuitje geven waar je een beetje rustig van wordt. Heb je al eens gevlogen?'

Alison schudde haar hoofd.

'Nou, we hebben de beste piloot die er bestaat en je hoeft nergens bang voor te zijn. Maar dit spuitje helpt je om te slapen en verlicht tegelijkertijd de pijn.'

Alison deed haar ogen dicht.

Tot Cassies verbazing stond er geen ambulance op hen te wachten. Toen ze het ziekenhuis belde, kreeg ze te horen dat dr. Edwards de stad uit was en dat dr. Adams thuis was. Ze vroeg meteen om een ambulance en belde vervolgens Chris Adams thuis op. Het was bijna vijf uur en misschien hield hij Isabel gezelschap; misschien was Grace wat eerder naar huis gegaan.

Toen hij de telefoon opnam, zei Cassie op gehaaste toon: 'Chris, met Cassie. Ik ben zojuist geland. Ik heb hier een patiënte die met spoed aan haar blindedarm moet worden geopereerd. Kom je meteen naar het ziekenhuis?'

Even bleef het stil. 'Heb je Edwards al geprobeerd?'

'Jawel, met tegenzin. Gelukkig is hij niet beschikbaar. Kun je zo snel mogelijk naar het ziekenhuis komen? Als je wilt kan ik de patiënt al helemaal voorbereiden en alles voor je klaarzetten.' Ze legde neer.

Er was iets mis. Dit was niets voor Chris. Hij was wel vaker zo lomp, maar toch... had ze moeten vragen of hij liever had dat zij zou opereren? Sam kon de anesthesie doen. Ze belde hem terug.

'Chris, als je wilt kan ik ook opereren. Je hoeft niet per se te komen.'

'Ik ben al onderweg, dokter.'

Vertrouwde hij haar niet? Of was hij nog steeds zo jaloers dat hij haar niet in zijn ziekenhuis wilde laten opereren? Ze schudde haar hoofd. Wat een eigenaardige man.

Horrie en Sam droegen de brancard uit het vliegtuig. Alison was inmiddels weer wakker, maar nog erg suf van de medicijnen. Ze transpireerde van de koorts.

Tien minuten later arriveerde de ambulance.

'Je hoeft niet mee,' zei Cassie tegen Sam. 'Chris komt naar het ziekenhuis.' Voordat zij in de ambulance klom, zei ze tegen Don: 'Ik trakteer je op een etentje bij Addie's. Ik had zelf voor je willen koken, maar dat wordt me een beetje te veel voor vandaag. Wacht je bij mij thuis op me?'

'Zal ik hem anders alvast naar Addie's brengen? Dan wachten we daar samen op jou,' zei Sam.

'Oké.' Cassie keek uit het raam en zag Sam een sigaret opsteken, iets tegen Horrie zeggen en vervolgens de wegrijdende ambulance nastaren.

Hoofdstuk 23

Chris was al in de operatiekamer, gekleed in zijn groene werktenue. Hij gedroeg zich net als anders; kortaf, zwijgzaam en ernstig.

Cassie vroeg een verpleegster de patiënte klaar te maken voor de operatie en ging vervolgens zelf ook haar pak aantrekken en haar handen schrobben.

Toen ze de operatiekamer binnenkwam vroeg Chris: 'Hoe is de patiënt eraan toe?'

'Ik denk dat de blindedarm op springen staat – is het vandaag niet, dan wel morgen.'

Alison werd binnengereden.

'Ben je er klaar voor?' vroeg Chris en terwijl hij de patiënte begon te onderzoeken, diende Cassie de narcose toe. 'Je hebt gelijk,' zei hij, 'maar dat heb je altijd.'

Hij maakte rechtsonder in de buik een vijf centimeter lange incisie, evenwijdig aan het schaambeen. Cassie keek hoe hij de eerste spierlaag bereikte, twee brede banden met een opening ertussen. Chris trok ze uit elkaar met een paar lange, metalen haken met een plat uiteinde. Vervolgens kwam de volgende laag aan de beurt en trok hij de spieren uiteen tot hij bij het buikvlies kon, dat hij met behulp van een scalpel en een schaar opensneed. Met een forceps pakte hij de colon en trok die net zolang heen en weer tot zij allebei de appendix konden zien, een tien centimeter lang, met pus gevuld rood orgaantje aan het uiteinde van het secum. Hij trok de colon een beetje naar buiten, zodat de appendix op de buikwand kwam te liggen, waar hij hem beter kon zien. Hij maakte de appendix los door vetweefsel en bloedvaten weg te snijden en af te binden. Het ontstoken orgaan lag nu helemaal los van de rest, met een klem op het uiteinde.

Toen zette Chris twee klemmen op de onderkant van de blindedarm, vlak bij het secum, sneed het gedeelte tussen de beide klemmen door en verwijderde zo de appendix. Terwijl de klemmen nog op hun plek zaten steriliseerde hij de wond met zilvernitraat. Met een aantal losse hechtsteken vormde hij een lus. Vervolgens knoopte hij een ander stukje hechtdraad onder de klem, sloot de appendixopening en duwde het stompje van de appendix in het secum terwijl hij tegelijkertijd de lus van hechtdraden aantrok en zo het gat boven het stompje sloot. Cassie zag dat hij ook naar andere delen van de colon keek, waarbij hij de forceps gebruikte om hem heen en weer te bewegen, zodat hij kon zien of er geen andere ongerechtigheden waren. Toen sloot hij het buikvlies weer en hechtte de operatiewond dicht.

Ze hadden geen woord gesproken. Toen hij klaar was, trok hij zijn handschoenen uit en zei: 'Als je een paar uur later was gekomen was het te laat geweest.'

Cassie knikte. 'Alles in orde?' Ze liep achter hem aan de operatiekamer uit.

Hij begon zijn handen te wassen. 'Vanmiddag om drie uur is Isabel overleden.'

'O, Chris! Wat vind ik dat erg voor je.' Ze liep naar hem toe en legde haar hand op zijn arm. 'Waarom heb je me dat niet verteld. Je weet dat ik die operatie zelf ook had kunnen doen.'

'Het was een goede afleiding voor me.'

'Kan ik iets voor je doen?'

Hij schudde zijn hoofd en liep de kamer uit. Zij staarde hem na. Waarschijnlijk voelt hij zowel verdriet als opluchting, dacht zij. Het moest wel heel moeilijk voor hem geweest zijn om iemand van wie je houdt zoveel pijn te zien lijden. Die belasting was nu voorbij, ook al deed dat niets af aan het verdriet. Ze herinnerde zich hoe zij zich voelde na de dood van haar moeder. Het verlies van een geliefd persoon is nooit gemakkelijk, zelfs al zie je het van tevoren aankomen.

Toen ze bij Addie's aankwam, zaten niet alleen Sam en Don op haar te wachten, maar ook Heather Martin en haar zuster Bertie. Bertie zat met grote ogen alles en iedereen in zich op te nemen. Allebei de meisjes waren lang, slank, gebruind en hun blonde haar was op sommige plekken nog extra gebleekt door jaren in de zon. Ze droegen wel mannenkleren, maar hun katoenen overhemden spanden strak om hun borsten en hun strakke broeken accentueerden hun billen. Het waren rijzige, beeldschone vrouwen, die midden in Sydney al opzien zouden baren, laat staan in Augusta Springs.

'Hij daar,' zei Heather, met een hoofdknikje naar Sam. 'Hij bevalt ons wel.'

Cassie deed haar best om niet te lachen toen ze Sam rood aan zag lopen.

‘Wij komen kijken of er hier nog meer van zulke exemplaren rondlopen,’ voegde Bertie eraan toe, terwijl ze haar blik even op Don liet rusten, die met een brede grijns op zijn blozende gezicht zat toe te kijken. ‘Allemachtig, het wemelt er gewoon van.’

‘Waar logeren jullie? Ik heb eventueel nog een kamer over,’ bood Cassie aan.

‘Hun plunjezakken liggen buiten,’ zei Sam. ‘Ze zijn te paard gekomen.’

‘Dan moeten jullie een paar honderd kilometer gereden hebben,’ zei Don, die bezig was zijn pijp op te steken en zich duidelijk kostelijk amuseerde.

Bertie hield haar vork omhoog. ‘Volgens mij heb ik nog nooit zo lekker gegeten.’ Ze stak het laatste stukje van haar steak in haar mond en stond op. ‘Waar is de keuken?’

Deze meiden lieten er geen gras over groeien, dacht Cassie, terwijl zij naar de draaideur wees.

Heather wendde zich tot Cassie. ‘Dat is heel erg aardig van je. We zullen graag van je aanbod gebruik maken. We willen graag tot zondag blijven. De laatste keer is hij,’ ze knikte weer in de richting van Sam, ‘niet op komen dagen op de dansavond. Kom je deze keer wel?’

‘Natuurlijk.’ Sam sloeg een arm om Dons schouder. ‘En hij komt ook.’

‘Overwegen jullie soms om in de stad te komen wonen?’ vroeg Don, met pretlichtjes in zijn ogen.

Heather sloeg zich op de knieën en leunde naar voren. Elke man in het restaurant keek in haar richting. ‘Dat nooit! We komen hier alleen maar naar de mannen kijken.’

‘En misschien een kok in dienst nemen.’ Bertie was teruggekomen met Addie’s kok, Cully. Zij torende een kop boven hem uit, maar ze stelde hem grijnzend voor aan Heather. ‘Vertel jij hem ook eens wat een geweldige kok hij is.’

Heather nam hem van top tot teen op. ‘Kan niet beter. Deze citroentaart is hemels.’

Cully stond er met een uitdrukkingsloos gezicht bij. Hij knikte en veegde zijn handen af aan zijn witte schort.

‘M’vrouw,’ was het enige dat hij zei alvorens zich om te draaien en weg te lopen.

Bertie keek hem na. ‘Is hij geen dotje?’

Heather zei: ‘Het is wel een klein opdondertje.’

‘Ja, maar hij kookt als de beste.’

‘Ik ben moe,’ zei Cassie een uurtje later. ‘Het is een lange dag geweest. Ik wil nog even langs het ziekenhuis om te kijken of mijn patiënte al weer helemaal bij is. Misschien schrikt ze als ze in zo'n vreemde omgeving wakker wordt en ook nog eens helemaal alleen is.'

'Wij brengen de dames wel naar jouw huis,' bood Sam aan. Hij slaagde er niet in de grijns van zijn gezicht te halen.

'Breng ze dan over een uur,' zei Cassie. 'Veel langer kan ik vast niet wakker blijven. O, trouwens, Isabel Adams is overleden.'

De twee meisjes hielden Cassie wakker met allerlei vragen over Sam – of hij gelukkig zou kunnen zijn zonder te vliegen en of hij zich ooit zou willen vestigen op een boerderij.

Cassie beloofde hen de volgende avond met hen uit eten te gaan, maar nu was ze te moe om te praten en nee, ze dacht niet dat het leven op een ranch Sam voldoende bevrediging zou schenken, maar dat konden ze beter aan hem vragen.

Toen zij de volgende ochtend naar het ziekenhuis ging, kwam ze tot de ontdekking dat Alison Carlton niet alleen heel mooi was, maar ook nog eens erg aardig. Aan het eind van de middag ging Cassie nog een keer bij haar langs en toen hoorde ze dat Alison en haar broer helemaal alleen woonden en geen hulp hadden. Ze hadden bijna tienduizend schapen en zagen alleen andere mensen wanneer in juni de schapenscheerders langskwamen en wanneer zij, tweemaal per jaar, naar Augusta Springs reden om nieuwe voorraden in te slaan.

Toen Cassie haar vroeg of ze het niet ondraaglijk eenzaam vond, antwoordde Alison: 'Ik voel me hier lang niet zo eenzaam als tijdens mijn jeugd in Southampton. Ik heb genoeg aan mezelf en het gezelschap van Greg, en ergens anders heb ik me toch nooit op mijn plaats gevoeld.'

Cassie keek naar de beeldschone vrouw voor haar en kon het bijna niet geloven. 'En je broer?'

Alison glimlachte. 'Wij zijn altijd buitenbeentjes geweest. We zijn hier allebei gelukkiger dan toen we in een stad leefden en er toch niet bij hoorden.'

Op dat moment kwam haar broer de kamer binnen, met een grote bos half verlepte bloemen in zijn armen. 'Godzijdank, je leeft nog!'

Alison pakte de bloemen met gefronste wenkbrauwen van hem aan. 'Je had alles niet zomaar in de steek moeten laten om mij te komen opzoeken,' maar Cassie zag dat het haar niettemin genoegen deed. Hij was voor haar tenslotte de enige bekende op dit hele continent.

'Jij bent belangrijker dan al die schapen,' zei hij, waarna hij zich bukte om haar een kus op haar voorhoofd te geven. Toen draaide hij zich om om Cassie de hand te schudden. Zijn handdruk voelde stevig aan.

Hij bleef in Augusta Springs totdat Alison in staat was om terug te keren naar Mattaburra, tien dagen later. Cassie ging elke avond met hem eten. Twee keer kregen zij gezelschap van Sam, maar alle andere avonden at hij met Heather en Bertie, die voortdurend omringd werden door mannen. Als Blake Thompson niet in haar leven was verschenen, dacht Cassie, had zij zich zeker aangetrokken gevoeld tot Gregory Carlton.

Sam zei: 'Hem vind ik maar niks, met al dat gezeur over poëzie en boeken de hele tijd. Maar zijn zuster, wauw!'

'Zij citeert ook gedichten.'

'Dat is iets heel anders. Vrouwen mogen dat doen.'

'Maar mannen schrijven ze.'

Sam krabde op zijn hoofd. 'Daar had ik nog niet aan gedacht. Het zou me niks verbazen als hij ook gedichten schreef.'

Hij is jaloers, omdat Greg zo knap is en zo ontwikkeld en zo erudiet, terwijl hij toch in zijn eentje voor tienduizend schapen zorgt. Nu ja, niet helemaal in z'n eentje. Alison hielp even hard mee.

'Daar ziet ze niet naar uit,' zei Sam. 'Ze lijkt zo tenger. Meer iemand om zich bezig te houden met jam maken en borduren.'

'Dat doet ze ook,' zei Greg. 'Terwijl ik haar 's avonds voorlees.'

Sam trok een wenkbrauw op.

Het was wel duidelijk dat Cassie zich meer tot de Carltons aangetrokken voelde dan Sam. Ze zou hen na hun vertrek zeker hebben gemist als er niet plotseling iets onverwachts was gebeurd.

De telefoon rinkelde. O God, dacht ze, laat het geen spoedgeval zijn.

'Ha, Prinses.'

'Blake!'

'Ik ben net thuis,' zei hij. 'Ik wil je een voorstel doen.'

'Ze hebben me gewaarschuwd voor mannen zoals jij.'

'Je hebt nog nooit een man gekend zoals ik,' zei hij. 'Luister, ik kan er een week of drie, vier tussenuit, als jij dat ook kunt. Ik heb er schoon genoeg van om telkens weer achter te blijven terwijl jij er weer vandoor gaat om iemand te redden of een spreekuur te houden. Je hebt me verteld dat je na een jaar vakantie mocht opnemen. Ik weet dat je er pas elf maanden op hebt zitten, maar probeer toch een paar weken vrij te krijgen, Cassandra. Dat moet toch kunnen. Ik wil je meenemen naar het noorden, naar Kakadu.'

'Ik zou niet weten hoe ik...'

'Doe het nu maar gewoon. Ik geef je vijf dagen om alles te regelen en dan vertrekken we. Ik wil je een paar dingen laten zien die je nog nooit hebt gezien en die je ook nooit meer zult vergeten.'

'Ik weet niet of...'

'Cassandra, ik wil het niet horen. In zeven maanden tijd zijn we nog nooit langer dan een dag samen geweest en zelfs van die dagen hebben we er niet veel gehad. Voor een relatie is het nodig dat je elkaar beter leert kennen, meisje. Kom op, laten we samen uitzoeken of het wat kan worden tussen ons. Ik kom zondag naar je toe. Probeer het zo te regelen dat we dinsdag kunnen vertrekken, goed?'

Hij nam niet eens meer afscheid. Cassie zat glimlachend met de telefoonhoorn in haar handen. Hoe kon ze nu in vredesnaam vakantie opnemen, ook al was ze er nog zo aan toe?

Haar tenen kromden zich. O, alleen al het geluid van zijn stem. Alvorens de hoorn op de haak te leggen klemde ze hem nog even tegen haar borst.

Gelukkig had ze de volgende dag alleen maar een spreekuur in het AIM-ziekenhuis in Winnamurra. Niets bijzonders. Op de terugweg vroeg ze aan Sam: 'Hoe moeten we het regelen met vakanties?'

Hij haalde zijn schouders op. 'QANTAS stuurt een vervangende piloot in mijn plaats. Hoe het met jou zit weet ik niet.'

'In de meeste gevallen hoeven we een patiënt alleen maar op te halen en naar het ziekenhuis te brengen. Ik had zo gedacht dat Chris het misschien goed zou vinden dat zuster Claire tijdens mijn afwezigheid met jou meevliegt om patiënten op te halen. Zij is even deskundig als de meeste artsen.'

'Je denkt er dus over om vakantie op te nemen?'

'Als dat mogelijk is.'

'Hoe lang?'

'Drie weken.'

'Wat ga je doen? Je vader opzoeken?'

Zij schudde haar hoofd. 'Nee, ik ga naar het noorden, naar de aboriginal-reservaten in Kakadu.'

Hij keek haar enigszins bevreemd aan alvorens zich weer om te draaien zodat ze alleen zijn profiel kon zien.

'Misschien is zuster Claire wel bereid om mee te vliegen naar spoedgevallen. Misschien kan ze zelfs spreekuren doen. Daar doen zich eigenlijk nooit crisissituaties voor.'

'Wat dacht je van die keer dat ik die speer uit de rug van die aboriginal heb getrokken?'

'Dat was een uitzondering. Ik vraag me af of Chris haar tijdelijk zou kunnen missen.'

'Ga je vanavond nog naar de begrafenis van Isabel?'

'Natuurlijk,' zei ze. 'Misschien is Chris wel blij met de afleiding.

Misschien wil hij de spoedgevallen behandelen. Ik denk dat hij nog nooit gevlogen heeft.'

'En de leiding van het ziekenhuis overlaten aan die zatlap van een Edwards? Geen schijn van kans.'

'Ik vraag het hem toch,' zei ze, voornamelijk tegen zichzelf. 'Het zou een mooie kans voor hem zijn om te zien hoe het er bij de Flying Doctors aan toegaat. Zodat hij wat meer begrip kan opbrengen voor wat wij doen. Uitsluitend echte spoedgevallen, die zuster Claire in haar eentje niet aankan.'

'Je bent wel erg optimistisch. Doc Adams en begrip?'

'Blaffende honden bijten niet, Sam. Hij heeft een heel nare tijd achter de rug.'

'Als ik de geruchten mag geloven, is hij altijd al zo geweest. Een kouwe kikker.'

'En toch ga ik het hem vragen.' Sinds Blakes telefoontje had ze aan weinig anders meer gedacht. Samen met Blake onder de sterren slapen. Een streek zien die maar heel weinig mensen hebben mogen aanschouwen. Een avontuur. Blake die haar elke avond zou kussen. Luisteren naar Blakes verhalen over het land, elke dag zijn stem kunnen horen, hem wakker zien worden, het schijnsel van de vlammen over zijn gezicht zien dansen. Ze had nog nooit gekampeerd, maar ze probeerde zich voor te stellen hoe het zou zijn.

'Weet je, zuster Grace is veel mooier dan zuster Claire. Waarom vraag je het haar niet? Ik heb gehoord dat ze een heel goede verpleegster is.'

'Maar zuster Claire zal veel eerder zelfstandig beslissingen nemen, en als het om kleine operaties gaat, is zij gewoon de beste keus. Zij is heel goed in staat een blindedarm te verwijderen en als er iemand gaat bevallen...' Gelukkig was er voor de komende maand niemand uitgerekend.

'Zuster Grace is leuker.'

Het leek wel of de hele stad was uitgelopen voor Isabel Adams' begrafenis. Chris stond erbij als een standbeeld en schudde iedereen de hand.

Cassie zat op de achterste rij. Al deze mensen waren patiënten van hem. Zij kende hen alleen als vrienden en kennissen. Vrienden. Had ze die eigenlijk wel in de stad? Ze had hier maar weinig mensen leren kennen.

Wie waren haar vrienden?

Horrie? Horrie beschouwde ze wel als een vriend, hoewel ze nooit over iets anders praatten dan over het werk. Zij en Sam hadden een paar keer bij hem en Betty gegeten; ze waren altijd opgewekt en vriendelijk, maar ze waren toch eerder kennissen dan vrienden. Toch voelde Cassie een bepaalde verwantschap met Horrie, iets dat zij niet kon definiëren – misschien omdat hij zo'n belangrijke rol speelde in haar leven.

Don, in elk geval.

Sam. Was Sam een vriend? Als ze niet zouden samenwerken, zouden ze dan ook als vrienden met elkaar omgaan? Hij was in elk geval de meest betrouwbare persoon ter wereld om mee samen te werken. Nog nooit had hij geweigerd iets voor haar te doen, of het nu ging om optreden als anesthesist of om het verwijderen van een speer uit iemands rug. De enkele aanvaringen die zij hadden gehad, hadden te maken met het weer of met de vraag of het wel verstandig was ergens naar toe te vliegen. Hij wilde haar beschermen, maar verzette zich tevens tegen haar autoriteit. Waarschijnlijk wist ze niet wat ze van Sam moest denken omdat ze niet wist hoe hij over haar dacht. En misschien wist hij dat ook wel niet.

Ze kon zich in elk geval niet tot Chris Adams wenden. Ze geloofde niet eens dat ze hem erg aardig vond, hoewel ze alle vertrouwen had in zijn capaciteiten als arts. Hij behandelde haar niet langer neerbuigend, ook al had hij liever gezien dat zij een man was geweest, of in elk geval geen Flying Doctor. Chris kon ze in geen enkel opzicht een vriend noemen. Er bestond een gewapende vrede tussen hen en ze vermoedde dat hij haar dankbaar was voor wat ze voor Isabel had gedaan.

Ze keek om zich heen naar de andere aanwezigen in de kerkbanken van de overvolle presbyteriaanse kerk. Ze kende vrijwel iedereen. Mensen knikten naar haar, kwamen naar haar toe om haar een hand te geven of bogen zich naar haar toe voor een kus op haar wang. Ze had in elk geval genoeg kennissen.

Toen de plechtigheid was afgelopen en de aanwezigen langs de kist waren gelopen en Chris hadden gecondoleerd, fluisterde Sam in haar oor: 'Als ik doodga terwijl wij elkaar nog kennen, wil jij er dan alsjeblieft voor zorgen dat de kist dicht is?'

Toen Cassie voor Chris stond, pakte hij haar hand en hield die stevig vast. 'Ik heb je nooit echt bedankt voor...'

'Ik heb het met plezier gedaan,' zei ze.

'Er komen straks een paar vrienden bij mij thuis koffiedrinken. Kom je ook? Ik zou je graag willen voorstellen aan mijn zuster, Romla.'

Cassie probeerde haar mond niet te laten openvallen. 'Natuurlijk.'

Toen de laatste gasten om een uur of elf vertrokken, zei Chris: 'Ga nog niet weg. Ik wil niet alleen zijn.'

Romla, die Cassie onmiddellijk aardig had gevonden, was al naar bed gegaan.

Cassie realiseerde zich dat Chris een beetje dronken was. Hij had de hele avond gedronken en sprak heel onduidelijk. Hij liep naar de keuken, ging aan tafel zitten en trok het boord van zijn overhemd en zijn stropdas los.

'Weet je,' zei hij, haar aankijkend, 'ga toch zitten. Weet je dat ik mijn hele leven al alleen ben?'

'Je bent niet alleen,' zei zij, terwijl ze voor zichzelf een kop koffie inschonk. 'Je bent een belangrijk man in deze stad. En ik weet zeker dat je een goede echtgenoot bent geweest. Dat weet je toch zelf ook wel?'

Hij begon te lachen, maar het was geen vrolijke lach. 'Een goede echtgenoot? Laat me niet lachen. Ik ben al zo lang geen echtgenoot geweest dat ik niet eens meer zou weten hoe dat is. Weet je, Cassie...? Nee, hoe zou jij dat nu moeten weten? Ik ben nog nooit zo alleen geweest als toen ik... ach, laat ook maar. Dat is nu allemaal niet belangrijk meer. Het is voorbij.'

Cassie boog zich over de tafel en legde een hand op zijn schouder. 'Chris, ik geloof dat ik nu beter kan gaan. Je vertelt me nu dingen waar je later spijt van krijgt. Je voelt je eenzaam en verlaten. Je hele leven is overhoopgehaald. Je bent gewoon in de war. Ik ben niet de aangewezen persoon om op dit moment bij je te zijn.'

'Maar wie dan wel, verdomme? Cassie, ik woon al achttien jaar in deze stad en ik heb geen enkele goede vriend.' Hij zette zijn ellebogen op tafel en legde zijn hoofd in zijn handen.

'Je hebt medelijden met jezelf en dat is niet meer dan logisch. Je hebt nog maar net de belangrijkste persoon in je leven verloren.'

Chris pakte de whiskeyfles, schonk het laatste beetje in zijn glas en smeet hem vervolgens tegen de muur; de glassplinters vlogen door de keuken. Cassie stond op, zocht een stoffer en blik en veegde de rommel op.

'Welterusten, Chris. Als ik iets voor je kan doen... Zal ik morgen misschien patiënten voor je ontvangen?'

Hij staarde haar aan. Hij staarde haar net zolang aan totdat ze uiteindelijk maar wegging. De woeste blik in zijn bloeddoorlopen ogen achtervolgde haar de hele weg naar huis.

Toen ze de volgende ochtend wakker werd zag ze die blik onmiddellijk weer voor zich, nog voordat ze zich herinnerde dat ze hem ging vragen of hij voor haar wilde waarnemen terwijl zij twee verrukkelijke weken in de tropen ging doorbrengen met Blake Thompson. De gedachte alleen al deed haar hele lichaam tintelen, hoewel ze de blik in Chris Adams' ogen niet van zich af kon zetten.

Hoofdstuk 24

Ze waren al twee dagen geen blanke meer tegengekomen, niet sinds hun vertrek uit Darwin, waar ze net lang genoeg waren gebleven om voedsel in te slaan. Vanavond kampeerden ze aan de oever van de rivier de Mary; morgen zouden ze dat gedeelte van de oceaan bereiken dat de Timorzee werd genoemd.

Cassie vond de tropen emotioneel bijzonder overweldigend. De zachte lucht ontspande haar. Blake zei: 'We kunnen niet in de rivier zwemmen, die zit vol krokodillen.' Maar hij nam haar in een boot mee het water op en ze bleven tot lang na het invallen van de duisternis zitten genieten van de prachtigste zonsondergang die iemand zich maar kon voorstellen. Vuurrode stralen verlichtten de hemel en deden er meer dan een half uur over om te vervagen tot een gulden gloed.

'En nu,' zei Blake, 'gaan we kijken of we kroko's kunnen vinden.'

'Zijn die niet in staat een mens te doden?'

Hij lachte. 'Ja, nou en of. De rivieren hier puilen er zowat van uit, maar je zei dat je er nog nooit een had gezien.'

'Dat hoeft ook niet, hoor,' zei ze.

'Natuurlijk moet je er eentje zien.'

Zachtjes peddelden ze over de traag stromende rivier terug in de richting van hun kamp. Blake peddelde vlak langs de oevers van de smalle rivier en zocht met behulp van zijn zaklantaarn naar de prehistorische watermonsters.

'Oké,' fluisterde hij. 'Niet meer peddelen. Laat de boot maar gewoon verder drijven.' Cassie vroeg zich af hoe hij in het donker zo goed kon zien. De maan stond nog niet aan de hemel en de duizenden sterren gaven maar weinig licht.

Ze had zich nog nooit zo tevreden en tegelijkertijd opgewonden gevoeld. Ze wist niet eens hoe ze haar gevoelens onder woorden kon brengen en kwam tot de slotsom dat het meer was dan liefde. Wat zij voor Ray Graham had gevoeld liet zich niet vergelijken met haar diepe gevoelens voor Blake. Zijn aanraking en zijn kussen zetten haar in vuur en vlam. In zijn ogen kijken bezorgde haar een gevoel van verbondenheid.

Ze vertelde hem dingen die ze alleen nog maar aan Fiona had verteld. Hij stelde vragen en hij luisterde. Af en toe boog hij zich naar haar toe voor een onverwachte zoen.

Het was meer dan liefde wat ze voelde – misschien kwam het omdat ze tegelijkertijd een ander soort liefde ontdekte. Een liefde voor het land. Voor dit prachtige land dat altijd al het hare was geweest, maar dat ze nu pas leerde kennen. Elke kilometer van de reis zat vol ontdekkingen. Ze was er inmiddels zo aan gewend boven het land te vliegen, dat het rijden voortdurend nieuwe reacties bij haar losmaakte.

In Alice Springs hadden zij de nacht doorgebracht bij een oude vriend van Blake, de dominee van de *Congregational Church*, iemand uit zijn studietijd. Een eind verderop, in Katherine, kende hij weer iemand anders om bij te gaan logeren. Eenvoudige, nuchtere mensen, bij wie zij zich onmiddellijk thuis voelde. Ze ontmoette niemand bij wie zij zich slecht op haar gemak voelde – Blakes vrienden ontvingen haar alsof ze haar al hun hele leven kenden.

Maar het was hier, in het verre, tropische noorden, dat zij eindelijk alleen konden zijn. Blake wees haar op bijzondere dingen en vertelde haar over de geschiedenis en de geografie van het land, verhalen die haar fascineerden. Hij had een heerlijk gevoel voor humor en vertelde haar lachend allerlei grappige verhalen. Terwijl zij in noordelijke richting over de snelweg reden, pakte hij haar hand en hield die vast totdat hij moest schakelen of haar op iets interessants wilde wijzen. Zo legden zij, hand in hand, de ene kilometer na de andere af.

Hij stelde haar zoveel vragen over haarzelf dat ze, tegen het eind van de derde dag, toen ze Darwin achter zich hadden gelaten en op weg waren naar de rivier de Mary, het idee had dat er niets meer te vertellen viel. Ze had nog nooit meegemaakt dat een man zich zo op haar persoon concentreerde en er zo op aandrong alles met hem te delen. Nog nooit had ze zo'n open man ontmoet, iemand die zich nergens voor leek te schamen. Die haar voor het oog van al zijn vrienden en zonder het minste spoortje van verlegenheid, uitgebreid omhelsde.

Op een gegeven moment ging hij zo hard op de rem staan dat zij bijna met haar hoofd de voorruit raakte. Er was geen andere auto te bekennen en ze zag niets dat hen de weg belemmerde. Niets anders dan een eindeloze rechte weg. Hij zette de motor niet af, maar sloeg een arm om haar heen en trok haar naar zich toe. 'Ik moet je kussen,' zei hij, waarna hij zijn voornemen grondig ten uitvoer bracht. Vervolgens reed hij weer verder.

Terwijl ze voor in de boot zat en aan de vier heerlijke dagen dacht die ze tot nu toe hadden gehad, slaakte ze een zucht van tevredenheid.

Opeens zei Blake: 'Sst' en gleed het water in.

'Olievegod!' riep zij uit.

'Sst,' herhaalde hij, zijn zaklantaarn gericht op het riet langs de waterkant.

Hij overhandigde haar de zaklamp. 'Hou hem doodstil en precies op die plek gericht.' Hij gleed door het water, waar zijn bewegingen amper een rimpeling teweegbrachten. Plotseling zag Cassie in de lichtstraal van de zaklantaarn twee rode ogen, die niet bewogen en haar zonder te knipperen aanstaarden. Blake greep de kleine krokodil bij zijn nek, tilde hem in de lucht en zei: 'Blijf in zijn ogen schijnen. Licht hypnotiseert ze.

'Weegt zo'n zestig pond,' zei hij.

'Kan hij je bijten?'

Hij knikte. 'Hij zou een flinke hap van me kunnen nemen. En van jou ook.' Hij hield het dier vlak voor haar. Ze slaagde erin niet terug te deinzen. 'Nu kun je nooit meer zeggen dat je er nog nooit eentje hebt gezien,' zei hij. Vervolgens gooide hij het beest grinnikend terug in de rivier en klom snel weer in de boot. Het verbaasde Cassie dat de boot niet omsloeg.

Ze begreep niet hoe hij wist welke kant ze op moesten. Zelf kon ze niet eens de oevers van de rivier onderscheiden, maar hij voerde haar in één keer via allerlei smalle, kronkelende stroompjes terug naar hun kamp.

Hij had een tent opgezet, hoewel ze de vorige nacht buiten hadden geslapen. 'We slaan de etenswaren op in de tent,' had hij gezegd. 'Er zijn geen gevaarlijke dieren die ons kunnen aanvallen wanneer we buiten slapen. Ik denk dat dit het enige continent ter wereld is waar je altijd veilig in de openlucht kunt slapen.' Hij had hun slaapzakken naast elkaar neergelegd, met ongeveer een halve meter tussenruimte, en zij waren hand in hand in slaap gevallen.

'Morgenavond,' zei hij, 'gaan we naar een corroboree. Morgen breken we het kamp op en gaan we naar de zee. Dat vind je vast fijn, net als ik.'

De maan was mat van kleur.

Blake zei: 'We kunnen niet bij elkaar zitten. Jij moet bij de vrouwen gaan zitten en ik bij de mannen.'

Cassie knikte en liep naar de zwarte vrouwen toe, die bij hun eigen kleine kampvuur zaten, dat niet half zo groot was als dat van de mannen. Zij en Blake waren hier gearriveerd toen het al donker was en de stam nog bezig was gebeden te zingen... tot de regengeest en de Grote Moeder der vruchtbaarheid. Hun stemmen vulden de nacht en gingen van hoog naar laag en dan weer tot een hoge falset.

Door de duisternis klonk de holle, eenzame, diepe klaagzang van de didgeridoo, een lange, holle houten buis. Deze werd begeleid door de gil-gil-stokjes, waarvan de hoge tonen klonken als duizenden krekels. Toen vielen er, eerst heel zachtjes, stemmen in, die langzaam maar zeker aanzwollen tot een verbijsterend crescendo. Bovenlichamen wiegden ritmisch heen en weer op de muziek. Dezelfde woorden werden keer op keer herhaald, zonder de cadans te verbreken. Gekromde handen sloegen op glinsterende dijen en in de verte klonk het getrommel van yam-stokken die op de droge aarde werden geslagen. Er werd gerammeld met boemerangs – donkerrood van het bloed. Een oude man aan de rand van de kring zat op twee blikjes te slaan en brak op een gegeven moment los in een woest gehuil, als een dingo die tegen de maan zit te janken.

Het dreunende ritme werd steeds woester.

Toen, plotseling, onverwacht, stilte. Geen enkel geluid.

Zwijgende echo's dreunden na in Cassies oren. Ze kon haar eigen ademhaling horen.

Toen begon er een stem te zingen, een hoge tenor galmend door de nacht, en werd de muziek weer ingezet, waarbij de doffe klanken van de didgeridoo de boventoon voerden.

Cassies ogen waren inmiddels aan de duisternis gewend en opeens zag zij dansers tussen de bomen vandaan komen. Langzaam begaven zij zich in de richting van de cirkel, te midden van de mannen. Blake had haar verteld dat het dansen pas begon wanneer een bepaalde ster aan de hemel was verschenen.

De vlammen weerkaatsten in het gelaat van de dansers. Hun grotesk beschilderde gezichten waren beangstigend om te zien. Op hun hoofd droegen zij zilverwitte kaketoeveren, die door het schijnsel van de vlammen alle kleuren van de regenboog leken te krijgen. Aan deze fantastische kronen was een bizarre verzameling okerkleurige stokjes en veren toegevoegd. De witte verf op hun lichamen zorgde ervoor dat ze op skeletten leken die in het niets leken te zweven. Ze stampten ritmisch op de grond en maakten geluiden die Cassie veel vond lijken op het geluid van krijt dat over een schoolbord krast.

De dansers vormden een rij en kronkelden zich als slangen tussen de vuren in de cirkel door. Hun voeten stampten en de bladeren die zij aan hun knieën en ellebogen hadden bevestigd, ritselden fluisterend door de nacht.

Het intense, raspende geluid van de heidense muziek deed Cassie de rillingen over de rug lopen. De dansers tilden tegelijkertijd hun voeten op en stampten vervolgens met zoveel kracht op de aarde dat die onder hen leek te schudden. De vrouwen om Cassie heen sloegen op hun dijen en de mannen begonnen weer te zingen. De dansers bewogen rond de grote kring van mannen, keerden weer terug naar het midden van de cirkel en begonnen daar dagelijkse gebeurtenissen te imiteren. Een leguaan die wanhopig tracht te ontsnappen aan een paar blaffende honden, de extatische vreugde van een man die water vindt in de woestijn, het gekronkel van een slang, de sierlijke dans van een brolga.

Daarna volgde een woeste dans, de dierlijke sprongen van de prooi, de jacht, de vangst, met als hoogtepunt het doden. De stilte werd verscheurd door geluiden die Cassie volkomen vreemd waren.

De dans bleef zich herhalen. Het eentonige geluid van de muziek, de voortdurende herhaling van handelingen en geluid, beukten net zolang in op Cassies zenuwen tot ze zich gevangen voelde, als in een dwangbuis, emotioneel niet in staat om te ontsnappen. Op een gegeven moment had ze het gevoel het geen moment langer te kunnen uithouden en stond ze op het punt te gillen, te vluchten. Maar opeens ging er onder de toeschouwers een hoog, langgerekt 'ai-ie' op en stampten de dansers nog een laatste keer op de grond.

Stilte. In een lange rij liepen de dansers de kring uit en renden het bos weer in, waar zij in de nacht verdwenen.

Cassie merkte dat zij onbewust haar adem had ingehouden toen zij Blake opeens hoorde zeggen: 'Kom op.' Hij stak een hand uit om haar te helpen opstaan.

Met haar hand stevig in de zijne liep hij voor haar uit de duisternis in. 'Kijk uit dat je niet over boomwortels struikelt,' zei hij.

Cassies lichaam tintelde, gehypnotiseerd door de muziek en het dansen, door de vrouwen die op hun bovenbenen sloegen, door hun blote borsten, glanzend in het schijnsel van de vlammen, door het dansen van de mannen die, op hun hoofdtooien na, helemaal naakt waren en die haar ziel leken mee te lokken.

Terwijl de geluiden achter hen verflauwden, begon Blake langzamer te lopen, totdat hij naast haar liep, in plaats van voor haar uit.

'We zijn bijna bij het strand,' zei hij, terwijl hij een hand op haar schouder legde en haar dicht tegen zich aantrok.

Zij lieten de palmbomen achter zich en voor hen strekte het zand zich tot in het oneindige uit. Er waren geen hoge, brekende golven, alleen het geruis van zacht kabbelend water.

Blake bleef staan om zijn schoenen uit te trekken. Cassie volgde zijn voorbeeld. Ze voelde het warme zand tussen haar tenen.

Ze liepen bijna twee kilometer alvorens ze terug waren bij hun tent onder de palmen, aan de rand van het strand.

'Laten we gaan zwemmen,' zei Blake, terwijl hij zijn hemd uittrok, zich omdraaide en haar in zijn armen nam. Zij kuste zijn borst. Zijn vingers friemelden aan de knopen van haar blouse en liet die van haar schouders glijden. Ze sloeg haar armen om hem heen. Hij maakte haar beha los en zij voelde voor het eerst haar borsten tegen zijn huid. O God, dacht zij, met gesloten ogen. Dit is heerlijk.

Hij liet haar los en ritste zijn broek open, waarna hij hem op het zand liet vallen en wegschopte. 'Ik wil je zien,' zei hij. 'Dit is de manier waarop ik je voor de eerste keer wil zien, bij het licht van de maan en de sterren. Zo wil ik je zien...' Zijn stem klonk hees.

Terwijl zij haar broek uittrok bewonderde ze zijn lichaam. Hij was mooi.

Hij kwam naar haar toe en boog zich, zonder haar aan te raken, naar voren om haar borsten te kussen. 'Je bent net zo mooi als ik me had voorgesteld.'

Even bleef hij op haar staan neerkijken. Toen draaide hij zich om, rende het water in en nam een duik, zodat zij hem even niet meer zag. Ze liep naar de rand van het water en voelde hoe haar lichaam zinderde van energie.

Langzaam liet zij zich in het water zakken. Het was zo warm als badwater. Een heel eind verder dook opeens Blakes hoofd weer op. Hij kwam met lange, trage slagen naar haar toe zwemmen en zijn benen gleden soepel door het water. Er gleed een wolk voor de maan en zij verloor hem uit het oog.

'Je bent toch niet bang, wel?' klonk zijn stem vlak naast haar.

Nee. Zij schudde haar hoofd. Nee.

Hij greep haar hand en trok haar met zich mee het water in. Hij kuste haar en zijn tong drong in haar mond alsof hij er op zoek was naar antwoorden. Ze voelde hoe hij met zijn hand haar benen spreidde.

Ze ontspande zich in het warme water en voelde zijn kussen op haar lichaam, zijn aanrakingen. Zijn lippen gleden over haar buik en hij trok haar benen om zijn middel, verslond haar met zijn mond, kuste haar hals en knabbelde aan haar oor. Zijn ademhaling werd steeds zwaarder.

Hij tilde haar op en droeg haar het strand op, waar hij, met haar in zijn armen, op zijn knieën zonk. Hij kuste haar en zij sloeg haar armen om zijn hals, terwijl het water over hun voeten kabbelde.

'Ik verlang naar je,' zei zij.

'Dat weet ik. En ik verlang al naar jou sinds die avond van het feest.'

Hij ging liggen, zijn lichaam op het hare, steunend op zijn ellebogen. Hij boog zich over haar heen om haar te kussen en zijn lichaam versmolt met het hare. Hij rolde zich op zijn rug en trok haar boven op zich. Zijn mond vond haar borsten en hij kuste ze, terwijl zij zich tegen hem aandrukte. Hun lichamen bewogen in een ritme dat al snel even woest werd als de inlandse dansen. Zij wiegden heen en weer, tegen elkaar aan en zijn handen omvatten haar billen, terwijl hij fluisterde: 'Ik denk dat ik...'

Hij rolde haar weer onder zich. Zij kromde haar rug en hij stootte in haar, waarbij hij haar zo dicht tegen zich aantrok dat zij dacht dat hun lichamen één werden.

'O, blijf bij me,' riep zij uit.

De sterren boven haar schitterden als vuurwerk; ze voelde hoe de oceaan in haar, over haar stroomde en ze fluisterde: 'Niet ophouden!

O, lieve God,' fluisterde ze. 'Ik denk dat ik verliefd op je ga worden.'

Hij kwam half overeind. 'Denken? *Denk* je dat?' Zijn stem klonk schor. 'Verdomme,' mompelde hij, terwijl hij zijn lichaam doodstil hield. 'Zeg het! Zeg dat je van me houdt!'

'Ik hou van je.'

Nog éénmaal stootte hij in haar, toen spoelde het water over hen heen. Toen Cassie haar ogen opende, zag zij een vallende ster langs de hemel schieten.

Hoofdstuk 25

Vanaf een enorme rots staarde een in rode en okertinten uitgevoerde mierenegel op hen neer. Een vis in wit en gele oker deed Cassie denken aan de vissen die zij lang geleden op de kleuterschool tekende. Er waren primitieve lijntekeningen van krokodillen; donkere handafdrukken tegen witte achtergronden.

'Dit land is drieëntwintigduizend jaar lang onafgebroken bewoond geweest,' zei Blake. 'Dit,' hij wees naar de tekeningen op de immense rots, 'is de oudste kunstuiting die de wereld kent. Het is de wereld van de Droomtijd.'

'Droomtijd?' vroeg Cassie, zich koesterend in de warmte van Blakes hand om de hare.

'De Droomtijd,' zei Blake, terwijl hij Cassie wat dichter bij de rotsen bracht waarop al die prehistorische afbeeldingen waren geschilderd, 'is de manier waarop de aboriginals vertellen hoe het land hen aan het begin der Tijden, ten tijde van de Schepping, is geschonken.'

'Een soort Genesis?' vroeg Cassie.

Blake glimlachte en kneep even in haar hand. 'Zoiets ja, maar dan zonder al dat verwekken. Zij vertellen hoe hun voorouders in dierlijke en menselijke gedaanten oprezen uit de aarde en de aarde maakten tot wat zij nu is. Het woord Droomtijd heeft niets te maken met dromen zoals wij die kennen. Deze tekeningen vertellen het hele verhaal. Wil je het horen?'

'Natuurlijk.' Cassie kon bijna niet geloven dat ze naar tekeningen keek die bijna vijfentwintigduizend jaar oud waren. Ze stak haar hand uit en liet haar vingers zachtjes over het rotsoppervlak glijden.

'Ooit was er een tijd,' zei Blake glimlachend, 'nu ja, eigenlijk lang voordat er een tijd was, dat de wereld nog ongevormd en plooibaar was. Toen verscheen de Warramurrungundji uit de zee. Zij was een vrouw met het lichaam van een mens en Zij schiep het land en baarde de eerste mensen. Hier,' wees hij, 'wordt Zij voorgesteld als een witte rots. Er verschenen nog andere wezens: Marrawuti, de zeeadelaar – kijk, daar – die de geest van een mens meeneemt wanneer deze sterft. Hij bracht ook waterlelies mee uit zee en liet ze uit zijn klauwen vallen, zodat ze zouden groeien op het verdronken land vlak achter de kust. Deze krokodil vertegenwoordigt Ginga, die zo misvormd is geraakt door een ongeluk met vuur. Ginga heeft dit rotsachtige land geschapen. Deze prieelvogel hier is Djuway, de beschermer van de heilige initiatieriten.

Alle levende wezens,' zei Blake, en Cassie meende iets eerbiedigs in zijn stem te horen, 'zijn Eén. Boom, adelaar, gras, aarde, water, mensen. Wij zijn allen Eén. Toen de Schepping voltooid was, kregen de mensen van de voorouder-wezens te horen dat zij alles hadden gemaakt wat noodzakelijk was en dat het nu de taak van de mensen was om alles voor de eeuwigheid te bewaren. Zij mochten niets veranderen, maar moesten het land en elkaar respecteren en koesteren.'

Cassie was helemaal gefascineerd door alles wat zij zag en hoorde. 'Zij werden dus min of meer aangesteld als beheerders van het land.'

Blake bukte zich en gaf haar een kus op haar wang. 'Precies. Maar niet alleen van het land. Ook van elkaar. En van alle dieren. De Droomtijd is de lijm die bedoeld is om de mens en zijn omgeving in harmonie met elkaar te laten samenleven. En daar is die bijna tweeduizend generaties lang in geslaagd. Omdat de aboriginals deel uitmaken van het land, van de natuur, kunnen zij ons niet begrijpen. Waarom, zo vragen zij zich af, willen wij het veranderen, vernietigen.'

Cassie keek naar hem op. 'Jij bezit de ziel van een dichter, weet je dat wel?'

Blake grijnsde. 'Ik vind het niet erg dat je mij zo overschat. Maar het is niet waar. Kijk maar eens naar wat ik doe. Ik laat tienduizenden koeien van het land grazen. Ik help er dagelijks aan mee het landschap voorgoed te veranderen.'

'Je kunt de vooruitgang nu eenmaal niet tegenhouden, hoe mooi het verhaal over de Droomtijd ook klinkt,' zei Cassie.

'Vooruitgang? Is er sprake van vooruitgang dan? Kijk eens waar Hitler in Europa mee bezig is. Is het uitroeien van mensen vooruitgang? Is genocide vooruitgang? Is het opsluiten en vermoorden van iedereen die anders denkt dan wij vooruitgang? Is oorlog voeren om land vooruitgang? Ik geloof dat onze beschaving, naarmate zij langer voortduurt, steeds minder zuiver wordt. We hebben toch eeuwenlang oorlogen gevoerd om anderen ertoe te dwingen in onze God te geloven. Ik weet het, ik weet het... Ik kan de tijd geen duizenden jaren terugdraaien, maar toch denk ik niet dat beschaving het juiste woord is. Maar hoe we het dan ook moeten noemen, mij treft evenveel blaam als ieder ander. Mijn vee put het land uit en vernietigt het. Ik ben veel meer bezig met het verwerven van land en geld dan met geestelijke groei...'

Cassie staarde hem aan. Ze had nog nooit iemand op die manier horen praten.

'Kom mee,' zei hij, terwijl hij haar meetrok naar hoger gelegen rotsformaties. 'Kijk uit waar je loopt, maar ik wil je het uitzicht laten zien dat je daarboven hebt.' Hij wees naar de top van de helling. 'Ik wil daarboven de liefde met je bedrijven, op een plek waar je oneindig ver kunt kijken en waarvan je het uitzicht en datgene dat we daar gaan doen je hele leven niet meer zult vergeten.'

Hij was lief en teder en dwingend en hartstochtelijk. Hij raakte elk plekje van haar lichaam aan dat maar aan te raken was. 'Ik ga je wijn drinken,' lachte hij, terwijl hij een regen van kussen over haar lichaam deed neerdalen.

'Ik ga je verslinden,' fluisterde hij terwijl hij haar beet.

'Ik ga je inademen,' mompelde hij terwijl hij haar likte.

Een hele middag lang bedreven ze de liefde op een platte, uitstekende rots, met uitzicht over de groene vlakte die zich uitstrekte tot aan de horizon. De zon scheen neer op hun naakte, verstrengelde lichamen.

'Wij zijn één,' zei hij.

Later, nadat zij urenlang hadden gevrijd, voegde hij eraan toe: 'Wij zijn één met het heelal.'

Cassie wist dat er nimmer een liefde had bestaan zoals de hunne. Ze was verliefd op zijn woorden en ideeën, maar ook op de manier waarop hij de liefde met haar bedreef. Ze was verliefd op zijn lichaam, vooral op zijn handen – zelfs op de linkerhand, waaraan hij lang geleden brandwonden had opgelopen. Ze hield van zijn kennis van de geschiedenis van het land en zijn bewoners. Ze hield van het feit dat hij overal waar zij kwamen vrienden had. Ze hield van de manier waarop hij haar volledig voor zich had weten te winnen. Ze vond het heerlijk weer vertrouwen in iemand te kunnen hebben en genoot van de hand op de hare terwijl zij duizenden kilometers over het rode continent reden. Ze hield van zijn smaak en van wat zijn handen en tong met haar lichaam deden. Ze hield van wat ze voelde wanneer hij in haar kwam en ze hield ervan naar hem te kijken wanneer hij opstond en zich uitrekte. Ze hield van zijn gemakkelijke lach. Ze hield van de katachtige gratie waarmee hij liep en ze hield van de macht die hij uitstraalde.

'Op een dag,' zei hij tegen haar, 'wanneer ik mijn vader eindelijk zover heb dat hij toegeeft, gaan we ons vee met helikopters bijeendrijven. Dan gaan we vrachtwagens gebruiken, in plaats van de dieren in een half jaar tijd achttienhonderd kilometer te laten afleggen. Dan gaan we de veehouderij eens kennis laten maken met de twintigste eeuw.'

'Voelt je vader niets voor dat idee?'

'Volgens mijn vader wordt het dan te zakelijk. Hij wil kost wat kost alles blijven doen zoals het al meer dan honderd jaar gebeurt. Hij zegt dat ik maar naar Sydney moet gaan als ik zo graag zakenman wil worden.'

'Maar je bent dol op het veedrijven en het leven dat je leidt.'

Hij knikte. 'Maar dat wil niet zeggen dat ik altijd hetzelfde wil blijven doen.' Hij keek haar lachend aan. 'Ik ben rusteloos. Ik wil nieuwe dingen proberen. Ik wil anderen voor zijn. Ooit zal ik meer land en meer vee bezitten dan wie dan ook in heel Australië.'

Cassie, geheel naakt, ging rechtop zitten op de hete rots. 'Wat vertelde je me net dan allemaal over harmonie tussen mens en natuur?'

'Dat weet ik. En daar geloof ik ook in. Maar ik leef nu eenmaal niet in zo'n soort maatschappij. Ik leef in een maatschappij waarin je twee dingen kunt doen: zorgen dat je vooruitkomt of ten onder gaan. Het feit dat ik voor het eerste kies, maakt de levens van mijn kleinkinderen minder leefbaar, maar voor mij is het dàt of verzuipen. En vooruitkomen zàl ik. Ik zal een diep spoor achterlaten.'

Cassie pakte haar beha en begon hem aan te trekken. Blake stak zijn hand uit en trok haar omhoog, waarna hij zich bukte om haar rechterborst te kussen. 'Waarom is dat zo belangrijk?' wilde zij weten.

'Hoe moet ik anders weten dat ik geslaagd ben? Kijk, kijk daar.' Hij beschreef een halve cirkel met zijn arm. 'Ik hoef niet speciaal dit stuk land te bezitten, maar wel een soortgelijk stuk land. Ik zal zoveel land bezitten dat ik in tijden van grote droogte geen vee hoef te verliezen. Ik vervoer mijn dieren gewoon naar een ander gebied, over land dat ook van mij is. En het mag dan een smalle strook zijn, maar ik zal land bezitten van hier tot Brisbane of tot Adelaide. Bij het eerste teken van droogte zal ik mijn vee naar een andere plek kunnen brengen; ze zullen niet vast komen te zitten op een stuk land waar al bijna geen gras meer groeit. Er zal een route zijn van Tookaringa naar de grote steden die niet begraasd is, maar die ligt te wachten tot hij nodig is, tot hij nodig is voor mijn vee.'

'God, Blake, bedoel je dat je land wilt bezitten over een afstand van meer dan vijftien-, zestienhonderd kilometer – helemaal aaneengesloten?' Cassie trok haar kleren aan en knoopte haar blouse dicht.

'Ja. Inderdaad. Je zult het zien.'

Het was een ongelooflijk idee, maar zij achtte Blake tot alles in staat waarop hij zijn zinnen had gezet. Ze liep naar hem toe, sloeg haar armen om zijn middel en legde haar gezicht tegen zijn borst. 'Ik twijfel er geen seconde aan.'

Hij legde zijn arm om haar schouder en draaide zich om, zodat zij samen uitkeken over de kilometers en kilometers verlatenheid. 'Dit, lieveling, is de laatste grens van de beschaving. Dit is de plek waar dromen nog kunnen uitkomen. Binnen de komende tien jaar zal er een langdurige droogte komen, waaraan honderdduizenden dieren zullen sterven, die gezinnen en harten zal breken en die de vleesprijzen omhoog zal jagen. Het land zal opdrogen en koeien en schapen zullen te ver van waterputten verwijderd zijn, die overigens ook zullen opdrogen, en het hele land zal bezaaid zijn met hun kadavers. Er zal een eind komen aan de dromen en hoop en levens van tientallen mensen. Maar niet aan die van ons, op Tookaringa. Als het zover is, Cassie, zal ik over mijn hele land waterputten hebben gegraven, helemaal tot aan de kust, en zal ik mijn dieren naar de steden kunnen brengen zonder dat ze zelfs maar vermageren. Wat voor velen de ondergang gaat betekenen, zal voor ons alleen maar winst opleveren. Niet dat ik daar speciaal op uit ben. Maar het is onontkoombaar. De geschiedenis en het weer herhalen zich, in vaste patronen. En ik zal er klaar voor zijn. Het kan nog even duren, maar ik zal mijn vader overhalen. En anders doe ik het wel in m'n eentje.'

Cassie keek naar hem op. Hij tuurde in de verte en keek – dat wist ze zeker – regelrecht in de toekomst, die hem toebehoorde.

Toen zij terugkeerden in hun kamp aan de rivier de Alligator, zat er voor hun tent, in kleermakerszit, een man op hen te wachten. Hij was van gemiddelde lengte, had zandkleurig haar, lichtblauwe ogen en een baard van een dag of drie, vier. Hij droeg een kakikleurige korte broek, een overhemd met korte mouwen en geen sokken in zijn veterlaarzen.

Toen hij hen zag aankomen, stond hij op, zette zijn hoed af en zei: 'Hopelijk zijn jullie de lui die ik zoek. Ik heb gehoord dat u dokteres bent.' Hij stak zijn hand uit. 'George Bill. Ze noemen me Buffalo,' grinnikte hij, waarbij het spleetje tussen zijn voortanden zichtbaar werd.

Cassie schudde hem de hand. 'Ik ben de dokter.'

Buffalo knikte. 'We zitten hier niet ver vandaan met een probleem. Een van de zwarten is gewond geraakt door een boemerang. Hij is er slecht aan toe.'

'Heb jij dan nooit vakantie?' vroeg Blake, terwijl hij een paar biertjes en een flesje cola uit de rivier viste. Hij gaf het biertje aan Buffalo en de cola aan Cassie.

'Zijn borst is zwaar gekneusd,' zei Buffalo, die zijn tanden gebruikte om het bierflesje te openen. 'Ik heb de gekneusde plek aangeraakt en ik voelde de botten onder mijn vingers kraken. Die knaap had heel veel pijn en ook moeite met ademhalen. Je kon zien dat ademhalen heel pijnlijk voor hem was. Maar hij weigert zich door een vrouw te laten onderzoeken.'

'Wat wilt u dan dat ik eraan doe?'

'Eigenlijk hoopte ik dat u me dat zou kunnen vertellen,' zei hij, terwijl hij een flinke slok uit het flesje nam.

Cassie ging met gekruiste benen op de grond zitten en Buffalo hurkte naast haar neer, zijn bush-hoed ver op zijn achterhoofd geschoven. 'Ik veronderstel dat u geen rekverband heeft,' zei ze.

Buffalo antwoordde niet eens. Cassie dacht even na. 'Ik geloof dat ik zelf wel een rol bij me heb.' Blake had gelachen toen zij per se haar dokterstas mee wilde nemen. Ik zou me gewoon naakt voelen als ik die niet bij me had, had zij gezegd. 'Ik zal hem even pakken. Het is een soort elastisch verband,' legde zij uit. 'Het is de bedoeling dat u het om de hele borst van de patiënt wikkelt, vlak onder de armen, als een soort drukverband om de borst onbeweeglijk te maken, zodat het niet zoveel pijn meer doet om te bewegen. Zorg dat hij een paar dagen rustig blijft liggen.'

'Wat doe je hier in de buurt?' vroeg Blake. 'Woon je hier?'

'Ik ben buffeljager,' zei Buffalo, 'of misschien had je dat al begrepen. Die verdomde Aziaten hebben hier in de vorige eeuw waterbuffels gebracht en die zijn losgebroken en hebben zich in het wild vermenigvuldigd. Nu zwerven ze hier rond en vreten de gewassen op. De mensen worden er gestoord van. Er staat een prijs op hun kop en hun vlees is heel smakelijk. Mijn kamp ligt een kilometer of drie verderop langs de rivier. Niet ver van een van de kampen van de zwarten. Ik geef hun de dieren die ik dood, want ik kan natuurlijk niet alles alleen opeten. Als jullie nog nooit buffelvlees hebben gegeten, kom dan vanavond bij me eten. Als jullie het bier meebrengen, zorg ik voor de rest.'

Cassie keek naar Blake. Zijn blik vond de hare. 'Best,' knikte hij. 'Heel aardig van je.'

Het diner bestond uit gebraden buffelsteaks, gebakken aardappels, gebakken eieren, brood en bier.

'Eigenlijk ben ik waterjager,' vertelde Buffalo hun, zichtbaar genietend van het gezelschap. 'De afgelopen zes jaar heeft de regering me heel Arnhem Land laten afstropen, op zoek naar water. Je merkt vast wel dat ik niet veel praat, nietwaar, aan de manier waarop ik doorratel wanneer ik iemand tegenkom. Ik kom hier maar één keer per jaar, een maand lang.'

'Dit is de eerste keer dat ik buffelsteaks eet,' zei Blake. 'Ze smaken helemaal niet slecht.'

'Wat doe je als je zo lang niemand om je heen hebt om tegen te praten?' vroeg Cassie. Zelf vond ze dat de buffelsteaks nogal wat te wensen overlieten.

'Zo erg is het niet. Ik heb veel vrienden onder de stammen. En wanneer ik in Darwin ben, koop ik zoveel boeken dat ik er elke week eentje kan lezen.' Dat deed Cassie denken aan Heather Martin en haar zussen.

'Lees je tweeënvijftig boeken per jaar?' vroeg Cassie. Buffalo zag eruit alsof hij nog nooit een boek had gelezen.

'Hé,' grinnikte hij, 'ik wil wedden dat ik een van de best ontwikkelde mensen uit de wijde omgeving ben. Ik lees niet alleen romans, maar ook filosofie en geschiedenis en reisboeken. Ik ben op meer plaatsen geweest dan de meeste mensen, terwijl ik dit plekje van de wereld nog nooit verlaten heb. Ik breng heel veel tijd door met denken.'

Hij krabde aan de muskietebeten op zijn benen. 'De aboriginals laten me hun riten zien, hun inwijdingsceremoniën, dat soort dingen. Ik denk dat ik de eerste blanke man ben die dat heeft meegemaakt. Vrouwen mogen er natuurlijk helemaal niets van zien en ik heb geheimhouding gezworen.' Zijn stem zwol van trots.

Hij wendde zich tot Cassie. 'De reden dat geen enkele zwarte man zich door u zal laten behandelen is dat zij denken dat vrouwen eigenlijk geen echte mensen zijn en geen ziel bezitten.'

Cassie was meteen een en al aandacht. 'Geen ziel bezitten? Wat zijn we dan?'

'De aboriginals beschouwen vrouwen als vaten...'

'Váten?'

Blake legde een hand op die van Cassie. 'Hé, hij heeft het niet over jou. Hij vertelt je over de tradities en het geloof van de stammen. Je hoeft er niet over in discussie te gaan.'

Buffalo knikte. 'Zo is het. Ze weten niet eens dat baby's het gevolg zijn van geslachtsgemeenschap, als u mij de term wilt vergeven, mevrouw. Zij denken dat zwangerschap een bovennatuurlijke oorzaak heeft. Een vrouw is een vat voor het zaad van de Grote Geest, die andere mannelijke geesten zal produceren die in mensengedaante binnen de stam leven. Het feit dat een man uit een vrouw geboren wordt ontheiligt de *Droomtijd*. Een vrouw is onrein en het is een zonde om geboren te worden uit een onreine vrouw, dus moet een man gereinigd worden door middel van inwijdingsriten. Mannen leven gescheiden van vrouwen. Ze mogen uitsluitend op vastgestelde tijdstippen contact hebben met vrouwen. Vroeger werd een man of jongen die zich niet aan de seksuele taboes hield ter dood veroordeeld. Tegenwoordig gebeurt dat niet zoveel meer, maar een man die magische geheimen of inwijdingsgeheimen aan een vrouw vertelt wacht nog steeds de doodstraf.'

'Lieve God,' zei Cassie.

Buffalo stond op en liep naar het vuur om de ijzeren koffiepot te pakken. Toen hij terugkwam schonk hij de koffie in drie metalen kroezen. 'Toch zijn de vrouwen heel gelukkig.'

Ja, dat zal best.

'Ze hoeven niet te jagen. De mannen moeten de hele stam van voedsel voorzien en de boze geesten verjagen en kangoeroes en krokodillen te slim af zijn. Soms zijn ze dagenlang op jacht. En boze geesten liggen overal op de loer. Vrouwen hoeven niet deel te nemen aan dat harde leven.'

'Wat doen ze dan?' vroeg Cassie, bedenkend dat van vrouwen in de blanke samenleving over het algemeen ook niet werd verwacht dat zij als kostwinner optraden. Zij bleven thuis en deden de afwas, wasten luiers, veegden snotneusjes af, maakten het huis schoon en kookten elke dag. Misschien ging het bij de aboriginals ook wel zo.

Buffalo ging weer zitten, met de koffiekroes in zijn handen. 'De vrouwen zoeken voedsel – eetbare larven, kleine reptielen, insekten. En brandhout. Als je ze ziet lopen, zijn het vaak net pakezels. En elke blanke Australiër die ik ken bekijkt dat met medelijden, want het enige wat zij zien is het vuil en het harde werken en de primitieve ideeën. Maar weet je wat ze niet zien?'

'Ja,' zei Blake.

Buffalo keek hem aan.

'Zij zien de magie niet, de religie, de eenheid met de natuur, de ongebroken keten van generaties, die helemaal teruggaat tot het begin der tijden.'

Cassie dacht: Blake, ik hou van je. Blake en Buffalo keken elkaar aan. Buffalo knikte. 'Je hebt gelijk. En de vrijheid van dat leven zien ze ook niet. Of de wetenschap dat je precies weet wat er van je verwacht wordt, wat jouw rol binnen de gemeenschap is.'

'Ik weet het nog zo net niet,' wierp Cassie tegen. 'Binnen onze beschaafde samenleving weten we toch ook in grote lijnen wat onze rol is.'

Blake lachte. 'De meeste mensen misschien wel, maar zelf heb je dat patroon toch ook doorbroken. Jij neemt geen genoegen met de traditionele rol van de vrouw.'

'Het gaat er niet bij alle stammen hetzelfde aan toe. In sommige stammen gaan mannen en vrouwen wel met elkaar om, of vormen zelfs gezinsverbanden.'

'Wat gebeurt er,' vroeg Blake, 'als jij een zwarte vrouw zou willen?'

Buffalo trok een gezicht. 'Mij niet gezien.'

'Nu ja, als een willekeurige blanke man een zwarte vrouw zou willen?'

'Dan neemt hij haar. Daar zijn ze aan gewend. Wanneer een man zin heeft in een vrouw, dan pakt hij haar gewoon. Daar heeft zij niets over te zeggen. Blanke man, zwarte man. Ze weet niet beter dan dat zij er is om gebruikt te worden. Maar het is niet het feit dat zo'n vrouw zwart is dat mij tegen de borst stuit. Het is de syfilis. Ik ken geen stam waar het niet wemelt van de geslachtsziekten. Zelf breng ik elk jaar een maand door in een willekeurige grote stad, ergens waar blanke vrouwen zijn.' Hij zei tegen Cassie: 'Ik hoop niet dat ik u in verlegenheid breng, mevrouw.'

Ze wilde zeggen: *Absoluut niet*. Maar ze kreeg de woorden niet over haar lippen.

Hoofdstuk 26

'Het was een verrukkelijke vakantie,' zei Cassie, voordat zij het portier van de pick-up opendeed. 'Ik heb van elke seconde genoten.'

'Hoor eens,' zei Blake, terwijl hij zijn hand op haar pols legde, 'wat je nu zegt is alleen gebaseerd op een paar weken samen en fantastische seks. Dat slaat nergens op. Je weet heel goed dat dit geen gewone weken zijn geweest. Er zijn zat mensen die zoiets in twee jaar nog niet meemaken, of zelfs helemaal nooit. Hoeveel mensen ken jij die samen zoiets hebben gedaan? Niemand toch? En als je vindt dat ik te hard van stapel loop, zo ben ik nu eenmaal. Als het je niet bevalt, kun je maar beter maken dat je wegkomt, want wanneer ik iets wil hebben dan pak ik het en laat ik het niet meer los. Ik probeer het gevoelig aan te pakken, maar ik heb geen zin om de hete brij heen te draaien. Ja, wat ik wil dat ben jij. Dat moet toch inmiddels wel duidelijk zijn.' Hij boog zich naar haar toe en kuste haar, ook al liepen er mensen over straat langs Cassies huis.

'Hoe moet ik nu weer met beide benen op de grond komen?'

Hij grinnikte. 'Jouw leven speelt zich niet af op de grond – jij vliegt straks weer langs die strakke, blauwe hemel. Ik weet zelf ook nog niet hoe ik het ga doen. We hebben ons door elkaar laten meeslepen, en dat is prima. Maar nu moeten we ons concentreren op de mogelijkheden. Als we dat doen, komt alles vanzelf op zijn pootjes terecht.'

Cassie was nog nooit zo blij en gelukkig geweest. Hij had haar duidelijk gemaakt, althans dat idee had ze, dat hij niet van haar verwachtte dat zij haar beroep zou blijven uitoefenen; hij wilde een vrouw voor wie het voldoende was mevrouw Blake Thompson te zijn.

Jarenlang was zij met niets anders bezig geweest dan met haar vak, maar nu zou ze dat met liefde opgeven om op Tookaringa te gaan wonen als Blakes vrouw en zijn kinderen te baren. Deze man naast haar was het enige dat nog telde in haar leven, al het andere was bijzaak.

Haar contract met de Flying Doctors duurde nog een jaar. Tot zolang konden ze verloofd blijven.

'Luister,' zei hij, terwijl hij met zijn vinger langs haar hals streek. 'We hebben alle tijd van de wereld. We doen het rustig aan. Wanneer we niet bij elkaar zijn, jij in de lucht en ik ergens in het binnenland, zullen we denken aan hoe we samen de liefde hebben bedreven. We zullen ons elkaars aanrakingen herinneren en naar elkaar verlangen. Ooit zullen we samen nieuw land verkennen, zowel geografisch als emotioneel.'

'Jij kunt me zelfs met woorden verleiden,' zei Cassie met een glimlach.

Hij lachte. 'Over verleiden gesproken. Ik zal die hele twaalf uur terug naar Tookaringa waarschijnlijk aan niets anders kunnen denken dan aan jouw lichaam. Gelukkig is er niet zoveel verkeer. Had ik nu maar een helikopter. Dan kwam ik elke avond naar je toe.'

'Ik weet niet of ik vannacht wel zal kunnen slapen.'

'Probeer alsjeblieft voor de volgende keer dat ik je zie een manier te verzinnen hoe ik je huis binnen kan komen en in je bed kan slapen zonder dat meteen de hele stad het weet.'

'Ik hou van je,' zei ze. 'Ik ben helemaal stapelgek op je.'

Hij kuste haar nogmaals. 'Dat wist ik waarschijnlijk nog eerder dan jijzelf.' Hij opende het portier en stapte uit de wagen. Hij liep om de auto heen, opende het portier voor haar en pakte haar koffers uit de laadbak. Ze liep achter hem aan de veranda op.

'Ik kom zo snel mogelijk weer naar je toe, maar het kan een paar weken duren,' zei hij, terwijl hij de Stetson op zijn achterhoofd schoof.

Het zou veel langer duren. Heel veel langer.

Horrie belde. 'Godzijdank, je bent terug.'

'Problemen?'

'Wanneer zijn die er niet? Je vriend, dokter Adams, is twee keer naar een spoedgeval gevlogen. Hij is me eigenlijk wel meegevallen. En zuster Claire is een kei geweest. Maar ik ben blij dat je terug bent. Er is polio geconstateerd op Yancanna en zuster Bridget zou je het liefst gisteren nog daar willen zien.'

'Polio?' vroeg Cassie met hese stem. 'Weet ze dat zeker?'

'Heel zeker. Hij is begonnen in het heuveldorp van de aboriginals en nu is ze bang dat hij zich gaat verspreiden. Zorg dat je om vijf uur hier bent, dan kun je haar zelf spreken.'

Maar het was zuster Marianne die tegen Cassie zei: 'We hebben een elfjarige jongen met verlammingsverschijnselen. In het heuveldorp zijn zes zwarte mensen die weigeren om naar de stad te komen.' Ondanks haar bezorgdheid moest Cassie glimlachen bij het idee dat Yancanna zichzelf als stad beschouwde. 'Vannacht is er een jongeman van in de twintig, de eigenaar van een ranch die hier een kilometer of honderdvijftig vandaan ligt, binnengebracht. Het is een stevige, potige vent, maar zijn ademhaling is ernstig verzwakt.'

De ademhaling vormde een van de grootste problemen bij polio, dat en het feit dat de patiënt vaak niet in staat is om te slikken. Cassie vroeg zich af waar de dichtstbijzijnde ijzeren long zich bevond. Niet dat ze die naar Yancanna konden vervoeren, maar ze konden de patiënten uit Yancanna wel naar Augusta Springs brengen.

'Kan hij slapen?'

'Nee. En we hebben net over de radio gehoord dat er nog een andere patiënt, een veedrijver, in aantocht is. We hebben geen ruimte voor nog meer patiënten. Wat moeten we doen?'

'Vanavond kan ik niet meer komen, maar we vertrekken morgenochtend zodra het licht wordt. Ik ben net terug van vakantie en ik heb Sam nog niet gezien. Natte, hete kompressen. Bedrust. Maar dat weet je natuurlijk allemaal wel.'

Ze kon bijna letterlijk zien hoe Marianne stond te knikken.

'Ik zal zien of we een ijzeren long kunnen vinden zodat we die voor alle zekerheid alvast hier in het ziekenhuis kunnen neerzetten.'

'Prima.' De verpleegster verbrak de verbinding.

Cassie wendde zich tot Horrie. 'Waar zit Sam?'

'Die is samen met zuster Claire op weg voor een consult. Zal voor de avond wel terug zijn.'

'Ik ga naar dokter Adams om te vragen of hij weet hoe we aan een ijzeren long kunnen komen.'

Cassie belde het ziekenhuis. Ja, dokter Adams was nog aanwezig. Ze rende er zo snel mogelijk naar toe.

Toen ze aankwam was ze buiten adem en stroomde het zweet langs haar gezicht. De hoofdverpleegster keek haar lachend aan. 'Hij is in zijn kantoor,' zei ze, zonder dat Cassie het haar hoefde te vragen. 'Fijne vakantie gehad?'

'Heerlijk.' Cassie rende de gang door naar Chris' spreekkamer en stormde zonder te kloppen naar binnen. Hij zat aan zijn bureau te schrijven. Hij keek op.

'Chris, heb jij enig idee waar we een ijzeren long vandaan kunnen halen?'

'Ik heb er een besteld in Adelaide,' zei hij. 'Daar worden ze gemaakt.'

Ze trok verbaasd haar wenkbrauwen op. 'O?'

'Ik weet wat er in Yancanna aan de hand is,' zei hij. 'Ik kon hier niet weg, Cassie. Als het een epidemie is zal degene die ernaar toe gaat er dagen moeten blijven. Ik kan niet uit het ziekenhuis weg.'

'Dat verwacht ik ook niet van je. Daar zijn de Flying Doctors voor.'

'Horrie heeft me gevraagd naar Yancanna te vliegen, maar ik kan niet weg. Ik wist dat ze minstens drie gevallen hebben, dus heb ik navraag gedaan en Adelaide heeft de long gisteravond op het vliegtuig gezet. Als het goed is komt hij vanavond of morgenochtend hier aan.'

Cassie ging zitten. 'Nou, bedankt.'

'Je zult gevallen met ademhalingsmoeilijkheden per vliegtuig naar Augusta Springs moeten evacueren. Ik ben al aan het bellen geweest om uit te zoeken waar we er nog een kunnen vinden als dat nodig mocht zijn. Misschien hebben we er nog wel meer nodig. We zullen het allebei druk krijgen; jij in Yancanna en ik hier, wachtend op de patiënten die jij me toestuurt. Ik heb al drie kamers in gereedheid laten brengen als quarantaineruimte. Ik heb contact opgenomen met twee verpleegsters die getrouwd zijn en naar de bush zijn verhuisd en als dit een epidemie blijkt te zijn, zijn zij bereid weer aan de slag te gaan.'

Cassies mond was opengevallen.

Toen glimlachte Chris. Cassie realiseerde zich dat dit de allereerste keer was dat zij hem ooit echt had zien lachen.

'Ik heb erg genoten van de twee keer dat ik naar een spoedgeval ben gevlogen. Ik had nog nooit gevlogen. Het was een hele ervaring. In al mijn jaren als arts had ik nog nooit een blindedarmoperatie uitgevoerd op een keukentafel.'

Was dit dezelfde man die zij nu ongeveer een jaar kende? 'Ik kan je niet genoeg bedanken.'

'Ik ben wel blij dat je vakantie niet langer duurde. Ik weet niet hoe ik het had gered met het ziekenhuis hier en een polio-epidemie erbij.'

'Heb je wel eens gevallen van polio behandeld?' vroeg ze. Zelf had ze er nog nooit een meegemaakt.

'Heel af en toe, maar altijd geïsoleerde gevallen. Een paar jonge mensen zijn verlamd geraakt, een paar kinderen gestorven en verscheidene mensen zijn hersteld zonder er nadelige gevolgen aan te hebben overgehouden. Maar niet allemaal tegelijkertijd, zoals in Yancanna.'

'Ik vlieg er morgenochtend meteen naar toe.'

Chris knikte. 'Dat dacht ik al.'

'Ik weet nu al zeker dat een van de patiënten morgenavond naar het ziekenhuis wordt gebracht.'

'Ik heb al mijn afspraken voor morgen afgezegd, dus als je graag wilt dat ik meega, dan kan dat. Ik zou de patiënt, of patiënten, mee terug kunnen nemen. Maar meer dan een dag kan ik er niet voor uittrekken.'

Cassie knikte, nog steeds sprakeloos van alles wat hij haar vertelde. Ze had hem nog nooit zo spraakzaam of behulpzaam meegemaakt. Hij had het heft in handen genomen en geanticipeerd op wat zij nodig zou hebben.

'Chris, ik weet niet hoe ik je kan bedanken. Voor het behandelen van die spoedgevallen en nu dit...'

'Hoe kan ik jou ooit bedanken voor alles wat je voor Isabel hebt gedaan?'

'Dat stelde niets voor.'

'Precies wat ik jou had willen antwoorden. Vergeet niet, Cassie, dat dit ook mijn mensen zijn. Zodra ze hier binnenkomen, zijn ze mijn patiënten. Nu ja,' en Cassie had durven zweren dat er een zachte trek op zijn gezicht verscheen, 'onze patiënten.'

Cassie sprong uit haar stoel, liep om het bureau heen en sloeg even haar armen om hem heen. 'Chris, dit is een kant van je die ik nog niet eerder had gezien. Ik moet toegeven dat ik nooit had kunnen denken dat wij nog eens zo goed zouden samenwerken.'

Toen hij zich omdraaide om iets te zeggen, raakten haar lippen zijn wang. Ze hoopte niet dat ze een grens had overschreden waardoor hij weer in zijn schulp zou kruipen. Het zou zo heerlijk zijn met een andere arts te kunnen sámenwerken, in plaats van voortdurend in de verdediging te moeten bij alles wat ze deed.

Hij wreef zijn brilleglazen schoon aan zijn stropdas. 'Ik ben nog nooit in Yancanna geweest,' zei hij. 'Ik woon hier nu al bijna achttien jaar en ik heb nooit geweten wat de echte Outback nu eigenlijk inhield. Ik dacht dat Augusta Springs de Outback was.' Zijn stem werd zachter, bijna alsof hij in zichzelf praatte. 'Het ziet er vanuit de lucht wel heel anders uit, hè? En die Sam, goeie God, hij deed gewoon het werk van een verpleegster. Ik hoefde hem niet eens te vertellen hoe hij de patiënt moest verdoven. Ik had er geen idee van wat er zich allemaal afspeelde. Ik vond het fijn om nu eens te kunnen zien hoe jullie te werk gaan. Zuster Claire heeft er ook van genoten. Volgens mij konden zij en jouw piloot wel erg goed met elkaar overweg. Het zou me niets verbazen...'

Zo, dus Sam had uiteindelijk toch genoegen genomen met zuster Claire. Cassie glimlachte stilletjes. Dat zou hem leren dat uiterlijk niet het belangrijkste was. Niet dat er iets mankeerde aan zuster

Claires uiterlijk; ze was gewoon niet zo mooi als de andere verpleegsters, maar ze was ongelooflijk goed in haar werk. Misschien werd Sam nu eindelijk eens volwassen.

's Avonds kwam Sam langs. 'Fijne vakantie gehad?' vroeg hij, terwijl hij, met een grasspriet tussen zijn tanden, de veranda op kwam lopen.

Cassie knikte. 'Ik heb gehoord dat jij het ook wel naar je zin hebt gehad.'

'Heeft een mens in deze stad dan helemaal geen privacy meer?' Maar hij grijnsde er wel bij.

'We moeten morgenochtend meteen naar Yancanna. Gelijk na het telefonisch spreekuur van acht uur, oké?'

'Prima,' zei hij, terwijl hij aan de ronde tafel ging zitten. 'Heb je koffie?'

'Natuurlijk.' Cassie liep naar de keuken om de overgebleven koffie op te warmen en kwam meteen weer terug. 'Waarschijnlijk moet ik er een paar dagen blijven. Dokter Adams heeft aangeboden met ons mee te gaan – het lijkt erop dat een van de patiënten naar het ziekenhuis moet worden gebracht. Je hebt trouwens behoorlijk wat indruk op hem gemaakt.'

'Moeten we consulten afzeggen?'

Cassie knikte. 'Dat zal wel moeten. Misschien dat zuster Claire,' zei ze, met een plagende blik in haar ogen, 'bereid is om met je mee te gaan naar eventuele spoedgevallen. Als Chris – dokter Adams – zelf niet met een spoedgeval zit, kan hij misschien mee. Maar zelf ben ik nodig in Yancanna. Dit zou wel eens het begin van een epidemie kunnen zijn.'

'Ik weet eigenlijk niet zoveel van polio af.'

Cassie liep even weg, draaide het gas onder de koffie uit, schonk hem in en bracht hem in een beker naar Sam.

'Heeft hij altijd de dood of verlamming tot gevolg?'

Cassie trok haar wenkbrauwen op en tuitte haar lippen. 'Nee, maar het gebeurt toch wel zo vaak dat het net zo'n angstaanjagende ziekte is als de pest. Het probleem is dat er op dit moment nog geen specifieke behandeling bestaat. Er zijn gevallen waarbij geen verlammingsverschijnselen optreden en ik vermoed zelfs dat veel van de lichte gevallen niet eens als polio herkend worden. Maar tijdens een epidemie kan iedereen, vooral kinderen, die een zere keel heeft of een stijve nek en rug – en stijve achillespezen – het hebben. Als ik het me goed herinner, bestaan er drie vormen van polio, de milde vorm, waarbij geen verlammingsverschijnselen optreden; dan de vorm waarbij dat dus wel gebeurt; en ten derde de levensbedreigende vorm. De eerste paar dagen van de ziekte is het onmogelijk vast te stellen om welke vorm het gaat. Alle patiënten worden als besmettelijk beschouwd en moeten in quarantaine. Chris heeft drie kamers in gereedheid laten brengen en er staan twee verpleegsters klaar. Hij werkt fantastisch mee.'

'Hij viel mij eigenlijk ook heel erg mee. Heel anders dan ik had verwacht,' zei Sam. 'Er zijn artsen die ik liever aan mijn ziekbed zou hebben, maar hij is niet de rotzak die ik had verwacht na al die verhalen die ik over hem had gehoord.'

'Blaffende honden bijten niet, zei Fiona altijd over hem. Misschien moeten we hem gewoon wat beter leren kennen. Ik denk dat dit alles zijn aandacht een beetje afleidt van de dood van Isabel. Hij komt om een uur of kwart voor negen naar het vliegveld.'

'Zal ik je om zeven uur oppikken, zodat we bij Addie's kunnen ontbijten? Dan kan ik je meteen een beetje bijpraten over alles wat er gebeurd is in de tijd dat jij op het liefdespad was.'

Cassie keek hem lachend aan. 'Prima. En het was fantastisch. Ik heb een deel van Australië gezien waarvan ik niet eens wist dat het bestond.'

'De bovenkant? Ja, daar heb ik zelf ook altijd al eens naar toe gewild. Nou ja, dat komt nog wel eens.' Sam stond op, zette zijn honkbalpet weer op en deed de deur open. 'Tot morgenochtend.'

In Yancanna was het een drukte van belang. 'Godzijdank,' zei Brigid, die al uit het ziekenhuis kwam aanhollen toen zij het geluid van het vliegtuig hoorde. 'We hebben niet genoeg bedden voor iedereen. Die man die twee dagen geleden is binnengebracht – volgens mij is er voor hem geen hoop meer. De verlamming heeft zich dermate verspreid dat zijn ademhaling ernstig is aangetast. Maar hij is heel rustig en geeft geen kik.'

Cassie knikte naar Chris. 'Dit is dokter Adams, de directeur van het ziekenhuis in Augusta Springs. Hij is meegekomen om te helpen en om patiënten mee terug te nemen die een ijzeren long nodig hebben of intensievere behandeling dan jullie hen hier kunnen bieden.'

Brigid stak haar hand uit naar Chris. 'Ontzettend vriendelijk van u. Dit stel ik bijzonder op prijs.'

'Hoeveel patiënten hebben jullie?' vroeg Chris, toen zij gezamenlijk naar het ziekenhuisje liepen.

'De man over wie ik het net had. Een jonge knul die naar ik vrees gedeeltelijk verlamd zal blijven, maar dat weet ik natuurlijk niet zeker. Ik had nog nooit gevallen van polio gezien. Gisteravond is er nog een man binnengebracht en hij is er heel slecht aan toe. Vanmorgen vroeg zijn er twee baby's opgenomen. En daar verderop, in de lage heuvels...'

Chris keek, maar het landschap was zo vlak als het maar zijn kon.

'...Ze liggen hier een kilometer of vijfentwintig vandaan en zijn in werkelijkheid niet veel hoger dan termietenhopen. Maar daar wonen dus de zwarten en die hebben zes of zeven zieken. Ze hebben een koerier gestuurd, maar met al die patiënten die we hier moeten verzorgen, hebben we gewoon nog geen tijd gehad om ernaar toe te gaan. Marianne is vanmorgen in alle vroegte vertrokken voor een bevalling bij de familie Cotter, tien kilometer ten zuiden vanhier.'

Ze liepen de trap naar het ziekenhuis op. Sam liep, zoals gewoonlijk, meteen door naar de keuken, waar hij een kop koffie voor zichzelf inschonk, waarmee hij vervolgens op de veranda ging zitten om van het uitzicht te genieten. Een enkele groene boom, de rode aarde, de azuurblauwe hemel en vogels die rondcirkelden boven zijn hoofd. De geluiden van een hinnikend paard. Het gezoem van vliegen. Een huilende baby.

Toen Cassie en Chris de patiënten hadden onderzocht, waren zij het erover eens dat de beide mannen naar Augusta Springs moesten worden vervoerd. Chris hoopte dat er intussen een ijzeren long was gearriveerd. 'Ik kan maar beter meteen gaan bellen of we er nog meer kunnen krijgen. Zo te zien zullen we ze nodig hebben,' zei hij.

Cassie wendde zich tot Sam. 'Zeg tegen Horrie dat hij om zeven uur bij de radio zit. Dan wil ik horen hoe de toestand bij jullie is en dan vertel ik jou meteen of je morgen weer naar Yancanna moet komen. Zo niet, dan ben je beschikbaar voor andere spoedgevallen. Zeg alle spreekuren en consulten maar af totdat we weten hoe de zaken hier er precies voorstaan.'

Toen ze Sam die avond sprak, vertelde hij haar dat er inmiddels een ijzeren long was aangekomen. 'Het lijkt wel een doodskist. Het is een hele grote, luchtdichte kist en we hebben een van de patiënten er al in gelegd. Zijn hoofd steekt eruit door een zachte, rubberen manchet. Dat is het enige dat er van hem te zien is, zijn hoofd. De rest zit in de kist. Een elektromotor drijft een paar blaasbalgen van kangoeroehuid aan zodat de druk in de kist het ritme van een borstkas aanhoudt en de patiënt het ademhalen vergemakkelijkt.'

Ja, dat wist Cassie. Wanneer de verlamming de motorische zenuwen van het ademhalingssysteem aantastte, kon de patiënt alleen nog maar ademen als hij in een ijzeren long lag. Anders zou hij al snel sterven.

'Doc Adams heeft naar Adelaide gebeld en er worden met spoed nog twee ijzeren longen naar ons toegestuurd. Ze hebben ons verzekerd dat het vliegtuig morgen in Augusta Springs arriveert.'

'Wij hebben er vandaag weer een patiënt bij gekregen en ik hoop morgen naar het aboriginal-dorp te kunnen gaan om te zien hoe de toestand daar is. Moet ik verder nog iets weten?'

Het bleef even stil. 'Ja,' zei hij. 'Engeland heeft vandaag de oorlog verklaard aan Duitsland.'

Hoofdstuk 27

Acht dagen later stapte Cassie het vliegtuig in met een zwangere patiënte. Ze was uitgeput, net als Marianne en Brigid. Ze betwijfelde of ze het zo lang hadden uitgehouden als de Chief hen niet voortdurend had opgepept. Hij maakte hun eten klaar, vertelde hun dat ze een verfrissend bad moesten nemen, loste hen midden in de nacht af wanneer ze bij patiënten waakten. En daarbij deed hij ook nog zijn gewone werk.

Sam was drie keer langsgekomen om patiënten op te pikken; slechts één van hen hoefde beademd te worden. Een van de eerste twee patiënten die naar Augusta Springs was overgevlogen, was overleden, evenals een baby in Yancanna. Cassie wist bijna zeker dat twee anderen blijvend gehandicapt waren. In het ziekenhuis in Augusta Springs waren vijf kamers ingericht voor de poliopatiënten. Tot dusverre verspreidde de ziekte zich nog niet naar andere districten.

Een dag eerder was er een jongeman in een oude pick-up in Yancanna aangekomen en in een wolk van stof met piepende remmen voor het ziekenhuis tot stilstand gekomen. Terwijl hij naar binnen rende, had hij geroepen: 'Mijn vrouw is ziek. Ik ben bang dat ze doodgaat.'

Marianne was naar buiten gerend en had al snel gezien dat het om een nieuw geval van polio ging en dat de vrouw bovendien zwanger was. 'Zeveneneenhalve maand,' zei haar man.

Cassie zag in één oogopslag dat ze zo snel mogelijk in een ijzeren long moest. Toen ze die avond met Horrie sprak, zei ze: 'Laat Chris weten dat ik haar morgen kom brengen. En het is absoluut noodzakelijk dat er een ijzeren long voor haar klaarstaat.'

Maar die was niet beschikbaar. Alle vier de apparaten die het ziekenhuis had ontvangen waren in gebruik.

'Laat Sam dan iets doen,' zei Cassie. 'Het is zelfs hier al veel te warm voor haar om te kunnen ademen. We moeten haar naar Adelaide brengen, daar is het koeler. En ze móet in een ijzeren long.'

De volgende ochtend vloog Sam naar Yancanna en de Chief tilde de jonge vrouw, Rosie Peters, in het vliegtuig. 'Het gaf wat problemen met het ministerie van Volksgezondheid, maar ik heb gezegd dat jij de volle verantwoordelijkheid op je neemt en dat je met haar mee zou vliegen naar Adelaide.'

Cassie keek hem aan. 'Je wordt bedankt,' zei ze op sarcastische toon. Ze wist niet of ze was opgewassen tegen zo'n lange vlucht. 'Vanwaar het ministerie van Volksgezondheid?'

'Omdat je met een vrachtvliegtuig moet vliegen. Trans Australia Airlines stuurt er een, dat waarschijnlijk tegen de middag in Augusta Springs aankomt. Zij vliegen je vervolgens naar Adelaide. Aangezien het om een besmettelijke ziekte gaat, is het ministerie nogal voorzichtig. Doc Adams heeft contact opgenomen met het ziekenhuis in Adelaide en zij zullen je daar staan opwachten met een ijzeren long. Maar omdat er grenzen moeten worden overschreden, staat het ministerie erop dat jij de patiënte begeleidt. Je kunt morgenavond weer terug zijn, en anders in elk geval de volgende ochtend.'

'Ik ben bijna vergeten hoe mijn huis eruitziet,' zei Cassie. Op één nacht na, tussen haar vakantie en de epidemie, was ze nu al vijfeneenhalve week van huis.

Ze arriveerden kort voor de middag in Augusta Springs en zagen tot hun verrassing dat het toestel van Trans Australia Airlines al klaarstond. Samen met de piloot legde Sam de patiënte op de brancard.

'Sam, ik heb niet eens geld bij me. Ik zal in een hotel moeten overnachten en iets eten. En lieve hemel, kijk toch eens naar mijn kleren.'

'Kom op, doc, je kent daar immers niemand? Je ziet er prima uit. Ik zou alleen niet naar een chic restaurant gaan,' zei hij grinnikend. 'Je hebt geen tijd meer om je te gaan verkleden. Hier. Hier heb je een briefje van vijftig. Daar red je het wel mee. Ik krijg het later wel van je terug.'

Cassie ging op de vloer van het vrachtvliegtuig zitten, vlak naast de patiënte, wier ademhaling steeds moeizamer werd. Er verscheen paniek in Rosies ogen. 'Ga ik dood? Gaat mijn kindje dood?'

'Niet als het aan mij ligt,' zei Cassie, terwijl zij de hand van haar patiënte pakte. 'Ik zal je iets geven om te ontspannen.' Ze wendde zich tot de piloot. 'Met een patiënt in deze toestand mag je niet hoger vliegen dan vijfhonderd voet.'

Hij knikte. 'Ik weet het. Maar dat betekent wel dat we er langer over zullen doen.'

Ze hadden geen keus, want het toestel had geen drukcabine.

'Hoe staat het met de oorlog?' vroeg Cassie toen ze eenmaal in de lucht waren.

De piloot draaide zich naar haar om. 'Dit is mijn laatste vlucht voor mijn vertrek.'

'Vertrek?' vroeg ze. 'Waar ga je dan naar toe?'

Hij keek haar aan alsof ze niet goed bij haar hoofd was. 'Naar Engeland natuurlijk. Daar hebben ze piloten nodig. En niet alleen piloten, denk ik.'

'Maar die hebben we hier ook nodig.'

'Niet zoals daar. Iedereen gaat.'

'Wie is iedereen?' wilde zij weten. 'Ik ga niet.'

'Dan is het toch maar goed dat er vrouwelijke artsen zijn. Ik denk dat alle mannelijke artsen dienst nemen.'

Dienst nemen? Net als twintig jaar geleden, in de Wereldoorlog?

De piloot vervolgde: 'Ik wil wedden dat elke man onder de veertig dienst neemt. We gaan allemaal, maar waarschijnlijk zijn we vóór de kerst wel weer terug. Niemand wil het mislopen.'

Wil niemand een oorlog mislopen? dacht Cassie verbijsterd. Ze deed haar ogen dicht. Ze wist niet eens wat voor dag het was. De maand, dat wel. September. En het jaar was 1939. Ze was precies een jaar geleden in Augusta Springs aangekomen.

Het begon te schemeren toen ze de rivier de Cooper overstaken, niet meer dan een lint van groene bomen in het gebarsten maanlandschap. 'Dat is het Eyremeer,' zei hij, lachend.

'Meer?'

'Het komt elke eeuw maar een paar keer voor dat er water in zit, zeggen ze. In het voorjaar stroomt het water van de Cooper en de Diamantina erin wanneer ze overstromen, maar het blijft er niet lang in staan. Eigenlijk is het meer een droge zoutbedding.'

Even later zei hij: 'Zie je die lichtjes daarbeneden? Dat is Maree. Aan je linkerhand zie je straks de kolenvelden van Leigh Creek. En daarna, hoewel het dan misschien al te donker is om iets te kunnen zien, de beste landbouwgrond van het hele land.'

Op het vliegveld van Adelaide werden zij opgewacht door een arts, een verpleegster en een ambulance. 'We hebben beademingsapparatuur bij ons,' zei de verpleegster. Ze werkten snel en efficiënt en reden de grote ambulance achteruit naar de vrachtdeuren van het vliegtuig.

'Er staat ook al een gynaecoloog klaar,' zei de arts, 'voor als we hem vanavond nodig hebben. Kom, stap in, dan rijden we met de patiënt mee.'

Cassie hoefde Sams vijftig dollar niet aan een hotelkamer uit te geven. Ze sliep in een van de kamertjes van de co-assistenten in het ziekenhuis en werd pas wakker toen ze om halfzes werd gewekt, omdat er een vliegtuig naar Alice Springs ging vertrekken. Daar stapte ze over op een ander toestel naar Augusta Springs. Het kostte haar de hele dag om thuis te komen.

Ze wilde maar dat Blake er was. Ze had sinds haar vertrek uit Yancanna amper de tijd gehad om aan hem te denken. Ze zou hem meteen bellen wanneer ze thuiskwam. Waarschijnlijk had hij ook al geprobeerd haar te bereiken en vroeg hij zich af waar ze was, tenzij hij contact had opgenomen met Horrie en naar haar had gevraagd.

Maar toen ze thuiskwam hing er een briefje op haar voordeur. *Ik ben langs geweest om afscheid te nemen, maar je was er niet. Ik heb van Horrie gehoord dat je in Yancanna bent, voor een polio-epidemie. Ik kan niet op je wachten. Ik neem dienst bij de RAAF, en hoop een paar nazi's uit de lucht te kunnen schieten. Van het sublieme (onze vakantie) naar oorlog, niet dat deze oorlog belachelijk is. Ik neem je met me mee (in mijn linker borstzakje). De herinnering aan jouw kussen zal me er zeker doorheen helpen.* En ten slotte een zwierige, zwarte 'B'.

Blake had dienst genomen?

Geen woord over liefde. Geen echt afscheid. Geen kussen meer van Blake. Geen gesprekken meer met Blake. Geen paar weken, maar waarschijnlijk maanden voordat ze weer in zijn armen zou liggen, in zijn blauwe ogen kon kijken en zijn lippen op de hare zou voelen. Maanden? Misschien wel jaren. Jaren voordat ze Blakes naakte lichaam weer tegen het hare zou voelen.

Het was bijna onmogelijk dat hij het land al uit was. De oorlog was per slot van rekening nog maar net twee weken geleden uitgebroken. Hij moest nog in Sydney zijn. In Melbourne. Ergens in het land.

Ze zou naar hem toe vliegen. Er konden nog geen troepenschepen klaarliggen om hem mee te nemen. Hij kon nog niet weg zijn. Hij zou vast niet vertrekken zonder afscheid van haar te hebben genomen. O, waarom had Horrie haar niets verteld? Waarom had Blake niet via de radio contact met haar opgenomen? Dan was ze meteen teruggekomen, zodat ze in elk geval nog één nacht samen hadden kunnen zijn.

Ze probeerde Tookaringa te bellen, maar het enige wat ze te horen kreeg waren atmosferische storingen.

Ze legde neer en staarde voor zich uit. Even later begon ze te huilen. 'Blake,' fluisterde ze hardop. 'Kom bij me terug.'

Ze hadden niet eens afscheid genomen. Ze begreep niet waarom dat zo belangrijk was.

Om halfzeven, nog met rode ogen van het huilen, nam ze de telefoon op die haar uit haar slaap wekte.

'Cassie. Met Chris. Die dronkelap van een Edwards heeft dienst genomen. Hij is gisteravond vertrokken. Ik heb vanmorgen twee operaties. Kun jij assisteren?'

'Laat me eerst even het radiospreekuur van acht uur doen om te kijken of er geen spoedgevallen zijn.'

'Is het niet mogelijk dat we er daarvóór al eentje doen? Laten we zeggen over een half uur?'

'Ik ben nog niet eens aangekleed. Je hebt me wakker gemaakt.'

Ze kon hem bijna zien knikken. 'Daarom bel ik je zo vroeg. Voordat iemand anders je te pakken krijgt. Het gaat om een blindedarmoperatie die niet kan wachten. Die andere is een operatie aan de keelamandelen en die kan wel wachten tot jij beschikbaar bent.'

Na alles wat hij voor haar had gedaan, kon ze onmogelijk weigeren.

'Natuurlijk. Ik ben over een half uur klaar.'

'Maak daar een kwartiertje van. Ik stuur iemand om je op te halen.'

O, God, dacht ze, toen ze naar de badkamer liep. Ik krijg niet eens de tijd om verdriet te hebben. Ze pakte haar tandenborstel, maar in plaats van haar tanden te poetsen, stond ze even later over te geven boven het toilet.

'Ik zal wel te oud zijn,' zei Chris, toen zij na de operatie hun handen stonden te wassen, 'hoewel het eigenlijk niet uit zou moeten maken hoe oud artsen zijn.'

'Te oud voor wat?' Cassie gooide haar rubber handschoenen in een wasmand.

'Voor de oorlog, natuurlijk.'

'Denk je dat de mensen hier geen artsen nodig hebben? Wat moeten we beginnen als alle artsen naar het buitenland gaan om oorlog te voeren?'

Hij knikte. 'Ik weet het. Die vraag stel ik mezelf al de hele week. Waar kan ik het meest betekenen?'

'Vind je niet dat je jezelf eerst eens de tijd moet gunnen om Isabels dood te verwerken, voordat je allerlei belangrijke beslissingen gaat nemen?' Ze trok haar groene kapje af en gooide dat ook in de wasmand.

Chris wierp haar een scherpe blik toe. 'Misschien zou een verandering van omgeving me juist wel goed doen.'

'Hé, het heeft me een jaar gekost om prettig met je te leren samenwerken. Moet ik nu weer helemaal opnieuw beginnen met iemand anders?'

Hij staarde haar aan. 'Misschien kun je met een andere arts wel veel gemakkelijker samenwerken.'

'Een andere arts zal misschien aardiger zijn voor de patiënten, maar een betere chirurg kan hij onmogelijk zijn.'

Hij droogde zijn handen af. 'Ik vermoed dat dat als compliment was bedoeld, maar ik weet het niet zeker. In elk geval klonk er ook iets van kritiek in door.'

'Ik hoopte dat je misschien eens zou kunnen stilstaan bij de manier waarop je tegen je patiënten praat. Niet dat het veel uitmaakt wat ik ervan denk – het moet toch van binnenuit komen. Maar ik geloof dat je hier harder nodig bent, Chris. Persoonlijk zou ik je niet graag zien vertrekken.' Ze liep de kamer uit en belde Sam, om hem te vertellen dat hij haar op weg naar het vliegveld voor het ziekenhuis kon oppikken.

Terwijl zij over de radio met patiënten sprak, zaten Sam en Horrie op gedempte toon met elkaar te praten. Er waren geen spoedgevallen en in Yancanna waren geen nieuwe poliogevallen geconstateerd; ze kon alle problemen telefonisch afhandelen. Ze richtte zich tot Horrie. 'Ik denk dat we over twee dagen de gebruikelijke spreekuren wel weer kunnen gaan draaien,' zei ze. 'Geef me een dag of twee om bij te komen.'

Zowel Horrie als Sam wierp haar een eigenaardige blik toe. Sam nam haar bij de arm en trok haar mee naar buiten. 'Doc, ik moet je iets vertellen.'

Ze keek naar hem op.

'Ik heb dienst genomen,' zei hij.

Hoofdstuk 28

'Dat kun je niet doen!' riep Cassie uit, terwijl zij een gevoel van woede in zich voelde opkomen.

'Hé, doc, als we niet tegen Hitler vechten kan het zijn dat we hier niets van enige waarde overhouden.'

Cassie staarde Sam zwijgend aan.

'En wat moeten de mensen hier beginnen? Iedereen laat ons in de steek.' Blake. En nu Sam. En Chris dacht er ook al over. Het kostte haar moeite niet in tranen uit te barsten.

'Niemand laat hier iemand in de steek. QANTAS stuurt een andere piloot, een man met een gezin die te oud is om oorlog te voeren.'

'Te oud? Wat heb ik dan aan hem?'

'In Jezusnaam, Cassie,' en het viel haar op dat hij haar geen *doc* had genoemd, 'jij blijft hier gewoon doen wat je altijd doet, wat nodig is. Denk er eens aan wat een geluk het is dat er vrouwelijke artsen zijn om huis en haard te...'

'Waag het niet om met zulke clichés aan te komen zetten!' Ze balde haar vuist en sloeg hem tegen zijn schouder.

Er verscheen een stomverbaasde uitdrukking op zijn gezicht. 'Hé, doc...'

'Hou je mond met je *hé, doc*. Ik haat het om doc genoemd te worden. Daar heb ik toch wel zo de pest aan! Jullie mannen vinden het allemaal zo spannend en heldhaftig om je in een oorlog te storten. Misschien is het wel net zo heldhaftig om hier te blijven en de saaie, alledaagse dingen te doen die gewone mensen nu eenmaal doen, maar nee hoor, dat is niet heldhaftig genoeg, hè?'

Sam greep haar bij de schouders en schudde haar door elkaar. 'Je begint hysterisch te worden,' zei hij. 'Luister goed, doc... Cassie. Er moet een einde gemaakt worden aan die rotzooi in Europa. Wij zijn in oorlog met Duitsland. We moeten gaan vechten. Er is geen man die nog met opgeheven hoofd zou kunnen rondlopen als hij niet zou proberen om...'

'En moet het land dan maar achterblijven in de handen van de vrouwen?'

'Als ze allemaal op jou lijken dan zal dat best lukken. Doc... Cassie, jij kunt alles aan. Kijk maar eens naar wat ik je allemaal heb zien doen. Ik dacht dat het aannemen van een vrouwelijke arts het stomste was wat de Flying Doctors konden doen. Ik dacht dat mannen zich niet door je zouden laten onderzoeken en dat je hopeloos zou mislukken. Maar je hebt me mooi tuk gehad. Volgens mij zien de meeste mensen hier je niet eens als een vrouw. Ze behandelen je als een man. Het is je gelukt. Ik ben er trots op met je te hebben mogen samenwerken.'

Hij klopte zachtjes op haar arm. 'Je krijgt een uitstekende nieuwe piloot en verder blijft alles bij hetzelfde. Niemand laat de mensen hier, of jou, in de steek.'

Cassie barstte in tranen uit. Sam sloeg zijn armen om haar heen. Het gaf haar een warm, beschermd gevoel, ook al had hij zojuist de grond onder haar voeten weggeslagen. 'O, Sam, wat moet ik in hemelsnaam zonder jou beginnen?'

'Ik vertel je net dat je een andere piloot krijgt en QANTAS zou hem niet aannemen als hij geen eersteklas...'

'Dat bedoel ik niet,' jammerde zij, met haar gezicht tegen zijn borst. 'Wat moet ik zonder *jou*? Ik bedoel, jij bent mijn verpleegster en mijn anesthesist en wanneer ik denk dat ik iets niet kan of wanneer jij voelt dat ik bang ben, zeg je altijd, *altijd*: *Je kunt het. Ik weet dat je het kunt.*'

'Zeg ik dat?' Sam glimlachte en zijn armen hielden Cassie nog steeds stevig vast. 'Maar dat is ook zo.' Afwezig kuste hij haar haar. 'Je bent een fijne kameraad, doc. En dat had ik nooit kunnen denken toen ik je die eerste dag uit de trein zag stappen. Je bent een beetje opvliegend, maar ik kan me niemand voorstellen met wie ik liever zou samenwerken. Kijk maar uit dat je niet te zeer op die nieuwe piloot gesteld raakt, want ik zweer het je, doc, ik kom terug. En dan vliegen we weer samen overal naar toe, let op mijn woorden.'

'Sam, ik vergeef het je nooit als je het er niet levend afbrengt.'

Lachend trok hij haar wat dichter tegen zich aan. 'Wees daar maar niet bang voor.'

Sam deed een stap naar achteren en legde zijn handen op haar schouders. 'Je moet het wel een poosje zonder piloot doen. Ik vertrek over twee weken en die nieuwe man van QANTAS kan hier pas een week later zijn. Maar het komt allemaal best goed, doc.'

'Hoe weet jij dat nou, verdomme?'

Hij grinnikte. 'Weet je wat ik zo leuk vind aan jou? Dat je geen blad voor de mond neemt. Je doet je niet mooier – ja, je bènt wel mooi – maar je doet je niet mooier voor dan je bent om indruk te maken op mensen. Je zegt precies wat je denkt en je gaat recht op je doel af, net als een man.'

Cassie vond een zakdoek in haar broekzak en droogde haar ogen. Ze had de afgelopen twintig uur meer gehuild dan sinds... sinds Ray Graham. En nu leek die hele toestand met Ray heel onbetekenend in vergelijking met wat ze op dit moment doormaakte. Blake. Allemachtig, Ray kon in de verste verte niet eens tippen aan Sam Vernon. Ze wist zeker dat ze Sam en Blake veel meer zou missen dan ze Ray Graham ooit had gemist. Mannen waren dus toch niet allemaal rotzakken, alleen die ene neurochirurg in Melbourne. En net nu ze daar achter kwam, werden de twee fijnste mannen in haar leven zomaar van haar weggenomen.

'Shit,' zei ze.

'Zie je wel, dat bedoel ik nu. Zo heb ik andere vrouwen nog nooit horen praten.'

'En waarom zouden mannen dat wel mogen zeggen en vrouwen niet?'

Hij grijnsde. 'Tjee, doc, ik dacht dat je wel wist dat vrouwen geacht worden lief en beschaafd te zijn.'

'Is dat niet een beetje saai?' vroeg ze. 'Waarom zijn mannen toch altijd zo dol op maagden? Die weten niet eens wat ze moeten *doen*. Mannen hebben perverse ideeën over vrouwen.'

Sam staarde haar aan en zij zag het bloed naar zijn wangen stijgen. Ze wendde haar gezicht af, in verlegenheid gebracht door het feit dat zij hèm in verlegenheid had gebracht. Hoe kwam ze er nu toch bij om zoiets te zeggen? Dat was iets wat ze voor Fiona moest bewaren.

O, Fiona, waar ben je nu? Haar beste vriendin en haar minnaar, allebei weg. Ze begon weer helemaal opnieuw te huilen. Ze voelde zich een beetje misselijk worden. Het liefst was ze naar bed gegaan, met de gordijnen dicht en een ijszak op haar hoofd. Lekker nergens aan denken. Dat er, als ze haar ogen dichtdeed, helemaal niets was, niets om aan te denken, niets om tegenop te zien.

'Het lijkt me het beste,' zei Sam, 'nu we nog maar een week hebben om samen te werken, om zoveel mogelijk spreekuren te draaien als we kunnen – als er tenminste geen spoedgevallen tussenkomen.'

Ze voelde dat haar leven van nu af aan nooit meer hetzelfde zou zijn. Alles zou anders worden. Er was iets onherroepelijk aan het veranderen, niets zou ooit nog zijn zoals het op dit moment was. Zelfs wanneer Blake en Fiona en Sam weer terugkwamen, zou het anders zijn. Dat voelde ze gewoon. En dat gevoel beviel haar niets. Vanaf dit moment zou de wereld nooit meer hetzelfde zijn, de hele wereld, niet alleen haar wereld. Ze wist het net zo zeker als het feit dat ze nu, vlak voor Sams voeten, moest overgeven. Terwijl Horrie vanuit de deuropening van de radiohut stond toe te kijken, met zijn arm om de schouders van Bettie, met haar zwangere buik.

Zwangere buik? O, shit, nee. Moest ze zo vaak overgeven omdat ze zwanger was?

Ze staarde Sam aan.

'Ik moet naar huis,' zei ze. 'Ik voel me niet lekker.'

'Kop op, doc,' zei hij, een zweem van ergernis in zijn stem, 'maak het jezelf nu niet zo moeilijk. Je kunt er toch niets aan veranderen. Je zult er mee moeten leren leven. Dit is niks voor jou.'

Verdomme Sam. Krijg toch de zenuwen. Daar gaat het helemaal niet om.

Ze legde een hand op zijn arm. 'Laat mij nu maar even. Ik ben gewoon moe van de afgelopen tien dagen.' Ze wilde hier niet staan overgeven. Ze voelde zich licht in haar hoofd, duizelig. De felle zon deed pijn aan haar ogen.

'Oké, ik breng je thuis.' Hij liep naar de wagen en trok in het voorbijgaan het portier voor haar open, zonder echter te wachten tot zij was ingestapt.

Ze reden zwijgend naar haar huis en Cassie deed haar ogen dicht. Blake en zei hadden het zelfs nooit gehad over de mogelijkheid dat zij zwanger zou raken. Ze waren er gewoon van uitgegaan dat ze zouden gaan trouwen, ook al hadden ze dat nooit zo tegen elkaar uitgesproken. Hoe kon ze nu met hem in contact komen? Het hem vertellen? En ook al slaagde ze erin het hem te laten weten, hij kon toch moeilijk even helemaal terugkomen naar Australië om met haar te trouwen. Dat was onmogelijk.

Misschien was ze niet zwanger. Misschien kwam het door de uitputting van de polio-epidemie, door de nachtvlucht naar Adelaide, door de wetenschap dat zowel Blake als Sam haar werd afgenomen en door het feit dat haar hele leven op z'n kop kwam te staan. Je kon per slot van rekening best misselijk zijn, overgeven en zin hebben om naar bed te gaan zonder dat je meteen zwanger hoefde te zijn.

Ze voelde Sams hand op de hare en keek hem aan. Hij glimlachte. 'Doc, het feit dat ik met jou mag werken maakt dit tot een van de mooiste baantjes ter wereld. Ik me niet voorstellen dat ik hier ooit was weggegaan als er geen oorlog was uitgebroken. Maar als ik me niet vrijwillig had gemeld, waren ze me wel komen halen hoor. Er bestaat veel behoefte aan getrainde piloten. Blake is ook vertrokken. Ik weet het. Het spijt me, Cassie. Ben je verliefd op die knaap?'

Zij knikte.

'Ben je van plan met hem te trouwen?'

Zij knikte. 'We hebben het er nooit over gehad, maar ja.'

'Kom hier,' zei hij, terwijl hij een arm om haar heen sloeg en haar naar zich toe trok. Zij legde haar hoofd op zijn schouder en voelde alweer tranen opwellen in haar ogen. Hij hield haar wat steviger vast. 'De vrouwen zullen het 't zwaarst te verduren krijgen,' zei hij. 'Wachten is altijd het ergst.'

'Ik heb niet eens afscheid van hem kunnen nemen.' Nu begon ze daadwerkelijk opnieuw te huilen.

Sam zei niets meer totdat ze voor haar huis stonden. 'Morgen het gebruikelijke spreekuur, oké? Meteen na je radiosessie van acht uur.'

De volgende ochtend voelde Cassie zich uitstekend. Waarschijnlijk was ze toch niet zwanger.

Ze werkten die dag twee spreekuren af en hadden zelfs nog wat tijd over. 'Laten we op de terugweg even een kijkje gaan nemen in Yancanna,' stelde zij voor. 'Het ligt bijna op de route en ik wil graag even zien hoe het met Brigid en Marianne gaat.'

Vanuit Yancanna namen ze meteen een van de poliopatiënten mee terug naar Augusta Springs. Cassie had de hele dag bijna niets tegen Sam gezegd. Ze was kwaad op hem omdat hij haar in de steek liet. Ze wist dat het niet eerlijk was, maar ze kon het niet helpen.

'Ik zal Horrie zeggen dat hij van nu af aan elke dag spreekuren moet plannen, voor zolang ik hier nog ben. Oké?'

'Je doet maar,' antwoordde zij bits.

Hij keek haar onderzoekend aan, maar zij merkte het niet eens.

Drie dagen later kon ze nauwelijks uit haar bed komen. Ze was zo duizelig dat ze op de grond viel en op handen en knieën naar de badkamer moest kruipen, waar ze weer moest overgeven.

Verdomme.

Ze kon niet zwanger zijn, het kòn gewoon niet.

Tegen de tijd dat Sam haar kwam ophalen voelde ze zich al wat beter. Ze was in elk geval niet duizelig meer. Hij zei: 'Je ziet er niet goed uit.'

'Mij mankeert niets,' zei ze kortaf.

Maar toen ze die dag naar Kypunda vlogen, zat zij met haar ogen dicht en gebalde vuisten in haar stoel, zich afvragend wat ze in vredesnaam moest beginnen.

Wat waren haar alternatieven? De baby krijgen, haar baan kwijtraken, uitgestoten worden door elke gemeenschap waarin zij zich eventueel zou willen vestigen. Augusta Springs verlaten. Hoe kon zij een baby onderhouden – zou er nog iemand naar een dokter komen die bekendstond als een vrouw van lichte zeden? Haar eigen leven, haar vermogen om mensen te helpen, zou voorbij zijn. Haar vader zou zich doodschrikken. Het zou een schandaal veroorzaken. En ze zou de eerstvolgende twintig jaar of langer aan deze baby vastzitten, zonder dat iemand haar zou helpen, zonder een mogelijkheid om in hun levensonderhoud te voorzien. Ze wist dat ze nergens een praktijk kon beginnen, omdat ze overal met de vinger zou worden nagewezen zodra het uitkwam. O God, wat moest ze doen?

Proberen Blake op de hoogte te brengen? Wat had ze daaraan? Ze kon moeilijk even naar het front vliegen om met hem te trouwen. En misschien wilde hij niet eens met haar trouwen. Hoewel, eigenlijk wist ze wel beter. Natuurlijk wilde hij dat.

Het was absoluut onmogelijk met Blake te trouwen nu hij naar het front vertrokken was. Ze zou hem niet eens meer zíen voordat de baby geboren werd, tenzij de oorlog heel snel afgelopen was. O, God, wat oneerlijk allemaal. Voor die twee weken hartstocht moest zij de rest van haar leven boeten, terwijl de man er zonder kleerscheuren afkwam en zelfs niet eens wist dat zij zijn kind droeg.

Ze kon niet eten.

Ze kon niet slapen. Ze kon aan niets anders meer denken. Ze was nog nooit in haar leven zo bang geweest. En er was niemand die haar kon helpen. *O, Fiona, waar ben je?* Ze kon het niet aan haar vader vertellen; hij zou zich doodschamen. En verder was er niemand.

Alles wat ze probeerde te eten kwam er weer uit. Ze zette haar wekker op vier uur 's ochtends, zodat haar misselijkheid over was tegen de tijd dat Sam haar kwam halen om naar het vliegveld te gaan. Hij vond dat ze er bleekjes uitzag.

Bleekjes, dat kon je wel zeggen, ja. Als hij met een baby in zijn buik zou rondlopen zou hij er ook bleekjes uitzien.

Ze wilde dolgraag met iemand praten. En een abortus? Er bestonden wel manieren om een abortus te krijgen, ook al waren ze illegaal. Maar ze wist niet waar. Ze had visioenen van donkere steegjes, een kwakzalver met vuile nagels, doodgaan aan buikvliesontsteking. Bloedvergiftiging. Doodbloeden. Ze dacht aan vrouwen die hadden geprobeerd zichzelf te aborteren met breinaalden en als gevolg daarvan nooit meer kinderen zouden kunnen krijgen, of die waren gestorven aan onhygiënische omstandigheden.

Hoe kwam ze aan een betrouwbare arts die bereid was een abortus uit te voeren?

En net toen ze hem nodig had, kwam Don McLeod naar de stad.

'Je ziet er vreselijk uit, Cassie,' zei hij. Hij had plotseling voor haar neus gestaan toen ze thuiskwam van het middagspreekuur via de radio. 'Komt dat door Blake? Is dat het?'

Ze barstte in tranen uit.

'Kom, zet een lekker kopje thee voor me en huil maar uit tegen mijn schouder. Je bent dus verliefd op hem geworden?'

Terwijl zij water opzette, zei ze tegen zichzelf dat ze Don niet kon vertellen dat ze in verwachting was. Hij zou elk respect voor haar verliezen, hij zou teleurgesteld zijn en hij zou haar zeggen dat ze niet geschikt was om...'

'Ik ben zwanger, Don.'

Stilte.

Toen: 'Weet je het zeker?'

'Nee,' snikte ze, niet in staat haar tranen te bedwingen. 'Maar ik heb alle symptomen.'

Ze ging zitten en legde haar hoofd in haar handen. Don stond op. Hij draaide het gas uit, zocht de thee en schonk het water op.

'En er is geen enkele manier om Blake te bereiken?'

'Precies.' Ze snoot haar neus en veegde haar tranen weg. 'Ik kan deze baby niet krijgen, Don. Dat kan gewoon niet. Je weet best dat het mijn leven zou ruïneren. Ik zou hier niet kunnen blijven werken...'

Hij schonk thee in en zette een kopje voor haar op tafel. Toen hij weer tegenover haar was gaan zitten keek ze hem aan.

'Heb je nu een hekel aan me?'

Hij legde zijn hand over de hare. 'Wees daar nu maar niet bang voor, meisje. Een hekel aan je hebben omdat je menselijk bent? Sorry, maar ik kan geen hekel aan je hebben, Cassie.'

'Ik had verstandiger moeten zijn; ik ben nota bene zelf arts.'

Ze dronken in stilte hun thee.

'Ik weet niet tot wie ik me moet wenden. Ik ken niemand die abortussen uitvoert.'

'Weet je zeker dat je dat zou willen?'

'Vertel jij me dan eens,' zei ze op uitdagende toon, 'welke keus ik anders heb? Een keus die mijn leven niet verwoest, bedoel ik.'

Na even nagedacht te hebben, zei Don: 'Ik stel voor dat je met Chris Adams gaat praten. Hij zal wel vaker voor dit probleem hebben gestaan, patiënten die geen kinderen willen...'

'Chris? Met Chris Adams gaan praten? Hij is wel de laatste...'

Don schudde zijn hoofd. 'Hij is geen monster, Cassie. Ik heb het gevoel dat hij je kan helpen. Hij moet hier in de loop der jaren met heel wat ongewenste zwangerschappen te maken hebben gehad. Misschien is hij zelfs wel bereid een abortus uit te voeren. Een medisch verantwoorde abortus.'

Twee avonden voordat Sam zou vertrekken liep zij door de avondschemering naar het huis van Chris. Ze voelde dat ze iets gevaarlijks ging doen. Van alle mensen ter wereld naar wie ze toe kon gaan, was Chris wel de minst voor de hand liggende. Maar Don had haar overgehaald en ze wist niet tot wie ze zich anders kon wenden.

Chris zat op zijn veranda een sigaret te roken en koffie te drinken. Ze realiseerde zich dat ze hem nog nooit zonder een formeel colbertje had gezien, afgezien dan van zijn operatiekleding. Nu zat hij echter met opgerolde mouwen en een losse boord.

Toen hij haar zijn paadje op zag komen, stond hij op. 'Wat een verrassing.'

'Ik hoop dat ik je niet stoor.'

'Ik ben net klaar met eten. Wil je een kopje koffie?'

Cassie schudde haar hoofd. 'Nee, dank je, maar ik wil wel graag even met je praten.'

Hij bood haar een stoel aan en ging zelf ook weer zitten.

Hij zei niets.

'Als het goed is, is de epidemie in Yancanna achter de rug,' zei ze.

Hij knikte.

'Bedankt voor al je hulp.'

Hij knikte opnieuw, nog steeds zonder iets te zeggen.

'En voor het feit dat je die spoedgevallen hebt behandeld toen ik op vakantie was.'

'Graag gedaan. Ik was vergeten dat het uitvoeren van mijn vak zo spannend kon zijn.'

Weer bleef het stil. Hij drukte zijn sigaret uit in de asbak.

Cassie zuchtte. 'Sam heeft dienst genomen.'

'Alle jonge mannen,' zei Chris.

'Iemand moet toch voor de mensen zorgen die achterblijven.'

Buiten de hordeuren zoemden de muskieten.

'Ik wil met je praten over iets heel vertrouwelijks.'

Chris trok zijn wenkbrauwen op en pakte een sigaret. Hij wachtte.

'Je krijgt vast wel eens vrouwen op je spreekuur die ongewenst zwanger zijn.'

Het enige geluid was het krassen van een lucifer. Hij stak zijn sigaret op en inhaleerde.

Cassie keek naar hem, maar hij staarde langs haar heen naar de bomen. Ten slotte keek hij haar recht in de ogen en vroeg: 'Wil je soms weten of ik abortussen uitvoer?'

Zij zweeg even en vroeg toen: 'Doe je dat?'

Hij keek haar nauwlettend aan. 'Ik zou het wel willen, Cassie.

Ik heb zoveel wanhopige vrouwen gezien die voor eeuwig gedoemd zijn omdat ze onwettige kinderen kregen en ik heb altijd gewenst dat ik de moed had om een wet te overtreden die ik als immoreel beschouw, maar ik ben een lafaard. Ik ben niet bereid mijn praktijk en mijn vergunning op het spel te zetten om hen te helpen. Het enige wat ik kan doen is adopties regelen. Ik stuur hen vaak naar Townsville, naar mijn zuster, en dan verzorgt zij hen totdat ze hun baby hebben gekregen. Maar voor meer dan dat kan ik de moed niet opbrengen. Ik weet zeker dat Romla jouw patiënte ook wil helpen.'

Zijn stoel kraakte.

'Het gaat niet om een van mijn patiënten, Chris. Het gaat om mij.' Ze stelde zich voor hoe hij zou reageren. Hij zou haar over de rand van zijn brilleglazen heen kritisch aankijken, zijn lippen op elkaar klemmen en alleen maar staren.

Maar hij deed helemaal niets. Toen hij niet reageerde, zei zij: 'Ik weet niet wat ik moet beginnen.'

'Dus je wilt dat ik je goede raad geef?'

'Ik weet het niet,' zei zij. 'Ik weet niet met wie ik anders moet gaan praten.'

'Waarom ik?'

Ze trok haar schouders op. 'Jij bent arts. Ik heb veel vertrouwen in je medische deskundigheid.'

'Ik ben bepaald geen expert op het gebied van morele dilemma's.'

'Zou je mijn situatie zo willen betitelen? vroeg ze. 'Eigenlijk wil ik toch wel graag een kopje koffie. Of thee, als je die hebt.'

Chris stond op en liep naar binnen. Cassie zat bijna tien minuten in haar eentje naar de kippen te luisteren en naar de hanen die kraaiden in de avondschemering. Ze hoorde krekels in de bomen en de geluiden van kinderen die een paar huizen verderop op straat aan het spelen waren.

Chris kwam terug met twee kopjes, waarvan hij er eentje voor haar neerzette.

'Wat zal ik doen?' Ze nam een slokje van de hete thee en brandde haar tong.

'Wat wil je zelf?'

'Dat weet ik niet,' antwoordde ze. 'Een baby zal mijn leven verwoesten. Er wordt hier behoorlijk geroddeld, vooral over een vrouwelijke arts. Als ik een baby krijg zal dat een enorm schandaal veroorzaken...'

'Voor iemand die beter weet, ben je wel erg onvoorzichtig geweest.' De stem van Chris klonk kil en afgemeten.

'Dat hoef je mij niet te vertellen. Maar we hadden geen rekening gehouden met de oorlog.'

'Er is dus geen kans op dat er getrouwd gaat worden?'

Cassie schudde opnieuw haar hoofd. 'Op dit moment niet, nee.'

'Weet hij ervan?'

'Nee.'

'Aha,' zei Chris begrijpend. 'Hij is dus naar het front vertrokken. Het is zeker die knaap van Thompson, met wie je op vakantie bent geweest?'

Cassie knikte en vroeg zich af of ze zich ooit ellendiger had gevoeld. Ze zaten tegenover elkaar terwijl zij wachtte, ook al wist ze niet precies waarop.

'Ik voel me gevleid dat je naar mij bent gekomen, Cassie. Werkelijk waar. Maar ik doe het niet, ook al vind ik het immoreel dat vrouwen kinderen moeten baren die ze helemaal niet willen en in hun eentje de gevolgen moeten dragen van ongeoorloofde seks.'

Ongeoorloofd. 'Keur je mijn gedrag af?'

Hij dacht even na en glimlachte toen zuinigjes. 'De allereerste keer dat ik je zag keurde ik je erger af dan nu. Wie ben ik om iets af te keuren of juist goed te keuren? Hij die zonder zonden is werpe de eerste steen.'

'Ik wil geen paria zijn, Chris. Ik wil mijn leven niet laten ruïneren door een kind te krijgen zonder dat ik een man heb, en ik ben trouwens nog helemaal niet aan een kind toe.'

'Zou je er hetzelfde over denken als Thompson wel met je kon trouwen?'

Haar ogen vulden zich met tranen. 'Ik denk het niet. Maar hij is er niet en ik kan niet trouwen. En ik ben niet van plan de Flying Doctors op te geven.'

'Weet je zeker dat je zwanger bent?'

Ze knikte. 'Vrij zeker.'

'Laat me je morgen onderzoeken. Neem wat urine mee, dan doen we een konijnetest.'

'Maar dat betekent dat we het pas volgende week weten.'

'Zo lang kun je nog wel wachten. Als je dan alsnog voor een abortus kiest, is het nog niet te laat. Ik heb een vriend in Townsville. Hij is er zo van overtuigd dat een vrouw het recht moet hebben om haar eigen toekomst te bepalen, dat hij abortussen uitvoert, legaal of niet. Hij is bereid zijn carrière op het spel te zetten voor zijn overtuiging. Je zou niet de eerste patiënt zijn die ik naar hem doorverwijs. Hij doet het veilig en hygiënisch. Zonder enig risico.'

'Beveel je een abortus aan?'

Hij keek haar aan en er verscheen een glimlach in zijn ogen. 'Ben ik nu opeens je arts?'

Zij knikte. 'Eigenlijk wel, ja, als je me tenminste als patiënt wilt hebben.'

'Als je zeker weet dat je het wilt zal ik hem bellen.'

Toen Sam twee dagen later vertrok, zat zij al te wachten of het konijn zou doodgaan? Dood? Misschien zou Sam wel sneuvelen in de oorlog. Misschien ging zij wel dood in het een of andere smoezelige achterafkamertje...

'Hé, doc... Cassie, niet huilen. Ik kom terug en dan gaan we weer samenwerken.'

'O, Sam,' snikte ze. Ze kon door haar tranen heen bijna niets meer zien. Ze sloeg haar armen om hem heen. 'Ik weet werkelijk niet wat ik zonder jou moet beginnen.'

'Je redt het heus wel,' fluisterde hij. 'Jij kunt alles aan.'

Je hebt geen idee, jammerde ze in stilte. *Je moest eens weten.*

'Kop op, doc. Lach eens naar me. Ik wil me je zo niet herinneren. Al is het maar een piepklein glimlachje, voor mij.'

Maar ze kon het niet. Er zat geen lach meer in haar. Alleen een ongewenste baby, verwekt in het ongerepte land van Kakadu.

Hoofdstuk 29

De hele reis lang, anderhalve dag in een hobbelende bus – waardoor ze alleen nog maar misselijker werd dan ze al was – dacht Cassie aan Blake. Ze vroeg zich af wat hij ervan zou vinden wanneer hij thuiskwam uit de oorlog en zij hem vertelde dat ze zijn kind had laten aborteren. Op dit moment nam ze hem niets kwalijk. Het was net zo goed haar eigen schuld. Zij was niet alleen een intelligente vrouw, maar ze was ook arts en had dus beter moeten weten. Ze hadden er op z'n minst over moeten praten. Maar dat zou hebben afgedaan aan de spontaniteit, de opwinding... de romantiek.

Ze had van tevoren wel verwacht dat ze met hem naar bed zou gaan. Waarom had ze dan geen pessarium meegenomen? Dat schreef ze haar patiënten nota bene zelf voor. Ze hadden nooit gesproken over de eventuele consequenties van hun liefdesspel. Ze wist dat dat kwam omdat ze niet hadden gedacht ooit nog uit elkaar te zullen gaan; ze wisten wat ze zouden doen als zij zwanger zou raken; dan zouden ze trouwen. En nu moest zij toch alleen voor de consequenties opdraaien. Ze was er nog niet aan toe om een kind te krijgen. En zeker geen onwettig kind. En ze wilde ook niet beschuldigd worden van immoreel gedrag.

Ze wist dat ze dit door moest zetten. En ze wist ook dat ze het Blake moest vertellen wanneer hij thuiskwam. Zou hij het begrijpen? O, waarom was Fiona er nu niet? Met haar had ze alles kunnen bespreken. Misschien was Fiona wel met haar meegegaan op deze reis, om haar hand vast te houden en haar gerust te stellen. God, wat miste ze Fi.

Haar gedachten keerden weer terug naar Blake. *O, Blake, kom naar huis.* Ze wist dat ze haar carrière, haar leven, alles voor hem zou opgeven. Ze zou dolgelukkig zijn als mevrouw Blake Thompson. Cassandra Thompson.

Ze zouden andere kinderen krijgen. Drie, vier, een stuk of tien. Zoveel hij er maar wilde.

Townsville was een slaperig tropisch stadje en Cassie voelde zich bevangen door de zachte, lome atmosfeer. De lucht was vol bloemengeuren en waar ze ook keek, het was overal één bonte kleurenpracht. Bougainvillea, hibiscus, jasmijn en frangipani bloeiden overal. Palmbomen reikten tot hoog in de lucht en hun bladeren wuifden zachtjes in de zeebries.

Het stadje zelf had een koloniale uitstraling – heel aantrekkelijk, dacht Cassie toen zij in het busstation om zich heen stond te kijken. Een vrouw van gemiddelde lengte met steil, schouderlang bruin haar stond naar haar te wuiven en riep 'Joehoe'. Haar rode lippenstift vervaagde onder haar levendige groene ogen, die sprankelden van energie. Ze kwam naar Cassie toe en schudde haar stevig de hand. Ze was niet onknap en haar vrolijke manier van doen werkte aanstekelijk.

'Ken je me nog? Ik ben Romla Peters,' zei ze, terwijl ze Cassie een arm gaf. 'Kom, mijn auto staat voor het station.' Snel liep ze met Cassie naar de plek waar zij dubbel geparkeerd stond en waar al een hele rij auto's achter de hare stond te toeteren.

'Ik ben blij dat je mij nog kende.' Cassie ging op de passagiersplaats van de Dodge zitten.

Romla startte de wagen en reed weg. Zij reed goed, maar snel. Veel van de houten huizen stonden op palen en Romla wees haar erop. 'Zo staan de huizen hoog genoeg om van de zeewind te kunnen profiteren en kan de lucht ook onder de huizen circuleren.'

'Het is heel mooi.' Cassie was nog nooit in een tropisch kustplaatsje zoals dit geweest.

'Ouderwets is het juiste woord,' zei Romla, terwijl zij de oprit opreed van een van de kleine vierkante huizen die hier stonden. 'Het is echt een achtergebleven gebied.'

'Verlang je naar een grote stad?'

Romla schudde haar hoofd en stapte uit. 'Niet speciaal, nee. Maar ik hou wel van een beetje leven in de brouwerij. Ik zou wel graag wat meer omhanden hebben.' Ze schudde haar haar naar achteren. 'Maar dat moet van binnenuit komen, vind je ook niet? Dat is de enige manier om te vinden wat je nodig hebt.

Je ziet een beetje bleekjes,' zei Romla, precies zoals Sam had gezegd. Ze pakte Cassies koffer uit de achterbak. 'Zal ik je eten op bed brengen?'

'Hemeltje, nee. 's Middags en 's avonds voel ik me een stuk beter, hoor.'

'Je hebt voor morgenochtend om negen uur een afspraak met dokter Hatfield. Is dat te vroeg?'

'Nee, dat is prima.'

'Hij is een geweldige dokter. Hij onderzoekt me één keer per jaar van top tot teen en hij heeft ook de geboorte van Terry begeleid. Pamela was al geboren toen we hier kwamen wonen.' Romla stak de sleutel in het slot en even later stonden zij in een kleine kamer, die lichter was gemaakt door het gebruik van pasteltinten en veel wit. De kamer was zo klein dat hij somber had kunnen zijn, maar Romla had er iets heel persoonlijks en vrolijks van gemaakt.

'We eten over een uurtje. Dan is Roger thuis van zijn werk en zijn Terry en Pam ook uit school. Terry is nog pas zes, dus bereid je vast voor op een hoop lawaai. Pam is elf en veel stiller. Na die lange busreis zul je wel lekker in bad willen. Kijk, dit is de badkamer en jouw kamer is er vlak naast. Onze kamer is aan de andere kant van de gang. Aan al dat speelgoed zie je wel dat het eigenlijk Terry's kamer is, maar hij vindt het prachtig om op de bank te slapen.'

'Ik wil je niet tot last zijn.'

Romla schudde haar hoofd. 'Onzin. Hier,' zei ze, terwijl ze Cassies koffer op het bed zette. 'Haast je niet. Wanneer je klaar bent heb ik limonade in de koelkast staan.' Ze liep de kamer uit, maar stak toch nog even haar gezicht om de hoek van de deur. 'Mijn man denkt dat je naar de dokter moet vanwege een gynaecologisch probleem. Dat heb ik hem verteld om je niet in verlegenheid te brengen.'

'Nou, dat is nog waar ook.' Cassie pakte haar koffer uit, liep de gang op naar de badkamer en bleef in de badkuip liggen weken totdat zij een mannenstem hoorde. Dat moest Romla's echtgenoot zijn. Een politieman, had zij van Chris gehoord, die in deze tijd van oorlog ook de leiding had gekregen over de burgerbescherming. Alsof iemand van plan zou zijn om Townsville aan te vallen. Wat konden mensen in oorlogstijd toch malle dingen doen. Wie zou het nu in zijn hoofd halen Australië aan te vallen? Maar het gaf wel iets dramatisch aan de oorlog in eigen land, gezien het feit dat de echte oorlog meer dan vijftienduizend kilometer verderop werd uitgevochten.

Nadat zij een marineblauwe, linnen rok had aangetrokken en een zachtblauw, katoenen bloesje, liep ze naar de zitkamer. In een van de gemakkelijke stoelen zat Roger Peters. Hij dronk bier uit een flesje en had zijn voeten op een poef gelegd. Hij stond niet op toen zij de kamer binnenkwam, maar Cassie zag meteen dat hij heel erg knap was, een grote man met donker haar en een smal snorretje. Zijn donkere ogen keken haar glimlachend aan en hij knikte haar toe. 'Ik heb gehoord dat je een patiënt van Chris bent. Hoe gaat het met hem sinds Izzies dood?'

Cassie ging op de bank zitten. 'Hij houdt zich goed, maar volgens mij heeft het hem erger aangegrepen dan hij doet voorkomen.'

'Je weet nooit wat Chris denkt,' zei Romla vanuit de deuropening van de keuken. 'Hij is nooit goed geweest in het uiten van zijn gevoelens.' Ze keek naar haar man. 'Maar dat is iets waar wel meer mannen last van hebben. Alleen kan Chris zich beter beheersen dan de meesten.'

'Ik geloof inderdaad dat hij veel voor zich houdt.'

Romla lachte. 'Dat is mannen nu eenmaal eigen. Soms vraag ik me wel eens af of ze wel gevoelens hèbben. Kom, heb je trek in een glas limonade?'

'Natuurlijk.' Cassie begon de zus van Chris aardig te vinden. Zij volgde Romla naar de keuken.

'Ik bewonder iemand zoals jij,' zei Romla. 'Een vrouw die een plekje voor zichzelf verovert en niet automatisch wordt wat elke vrouw schijnt te moeten zijn, huisvrouw en moeder. Ik ben het af en toe zo spuugzat om altijd maar binnen deze vier muren te moeten leven. Het enige wat ik te horen krijg zijn verhalen over Rogers werk. Ik zou wel eens de moed willen hebben om het leven bij de hoorns te vatten, flink mijn kont tegen de krib te gooien en helemaal zelf iets te gaan ondernemen. Ik zou wel eens iemand anders willen zijn dan mevrouw Romla Peters. Of romantiseer ik je werk nu?'

'Ik voel me erg bevoorrecht,' antwoordde Cassie, terwijl zij het glas limonade aanpakte. 'Hoewel ik op een dag natuurlijk ook zal trouwen en kinderen zal krijgen.'

'Geef je dan je carrière op?'

'Tja, de liefde bezorgt de meeste vrouwen toch een soort nestdrang, denk je ook niet?' Cassie besefte dat ze er vroeger anders over dacht, voordat Blake haar van gedachten had doen veranderen.

'Dat zal wel,' zei Romla, terwijl zij de ovendeur opende en naar binnen tuurde. 'Maar zodra je eraan gewend bent en de romantiek er een beetje af is en je alleen nog maar bezig bent met koken en poetsen en je man het over niets anders meer kan hebben dan over zijn werk en de paardenraces, dan begin je je toch wel af te vragen of dit het enige is wat het leven je te bieden heeft.'

Romla wekte niet de indruk dat ze klaagde. Het was net alsof ze hardop zat na te denken. 'Maar goed, dit is geen manier om je bezoek hier te beginnen. Eigenlijk wilde ik alleen maar zeggen dat ik heel erg veel bewondering heb voor wat je doet.'

'Dank je,' zei Cassie. 'En ik wil je ook bedanken voor je hulp.'

'Ik help Chris al jaren op deze manier. We hebben het altijd zo gedaan dat noch Roger, noch Izzie er iets van wist. Zij zouden het nooit goedkeuren. Maar Chris en ik, hoewel hij zoveel ouder is dat ik hem tijdens mijn kinderjaren niet veel gezien heb, wij hebben altijd op dezelfde golflengte gezeten.'

Dit verraste Cassie. Zij had gedacht dat de Chris Adams die zij kende en deze zus van hem niet veel gemeen hadden. Romla draaide zich naar Cassie om. 'Toen ik klein was, was hij de liefste, geduldigste man op aarde. Toen ik groter werd was hij mijn god. Ik was er kapot van toen hij met Izzie trouwde en ver weg ging wonen. Maar we hebben elkaar altijd elke maand geschreven.'

Was dit de Chris die Cassie kende?

'Ik vroeg me wel eens af waarom ze zover weg gingen wonen, zover van de bewoonde wereld, zover van... van mij. Maar hij is nu eenmaal graag een grote vis in een kleine vijver. Hij heeft dat ziekenhuis gebouwd, wist je dat? Hij heeft het geld ervoor helemaal alleen bij elkaar geschraapt. Hij heeft er vijf jaar over gedaan. Isabel heeft er altijd een hekel aan gehad daar te moeten wonen, dat begrijp je. Ik ben er zelf maar een paar keer geweest. Maar misschien kom ik nu wel wat vaker op bezoek.'

'Kon je niet met Isabel opschieten?' Cassie wist best dat het haar niets aanging.

'Nee,' antwoordde Romla wat kortaf. 'Dat kun je wel zeggen.' Ze trok de ovendeur open en haalde de scones eruit. Ze roken verrukkelijk. 'Hier,' zei ze, terwijl ze Cassie een garde toestak. 'Wil jij de slagroom even kloppen in die kom? Ik heb er ook aardbeien bij. Maakt dat die hele lange reis een beetje de moeite waard?'

'Absoluut.'

Romla bewoog zich doelbewust door de kleine keuken. Haar handelingen waren even scherp en afgemeten als haar stem. Maar ze lieten niets zien van de warmte die zij uitstraalde. Cassie had het gevoel dat deze vrouw bezig was een cocon om zich heen te spinnen.

'Zo te zien heb je plezier in koken,' zei Cassie, terwijl zij de room klopte.

Romla lachte. 'Ik heb er de pest aan. Ik zou wel iets opwindenders willen doen dan de hele middag hard werken en vervolgens toe te moeten kijken hoe mijn gezin het binnen een kwartier naar binnen werkt.

Ik zou zo dolgraag buitenshuis een zinvol leven hebben.' Romla keek uit het kleine raam boven de gootsteen. 'Terry zal zo wel komen. Pam kan wat later zijn. Zij zit in het meisjesvoetbalelftal. Als we op haar wachten, raakt Roger geïrriteerd omdat hij zijn eten niet op tijd krijgt. Als ik zijn eten niet op tijd op tafel heb staan, gaat hij tot een uur of zes naar de pub en wanneer hij dan thuiskomt kan het hem niet meer schelen of hij eet of niet. Daarom werk ik de maaltijd een beetje om hem heen, hoewel hij dan later op de avond toch nog wel weggaat, om te darten denk ik. Ik weet niet precies wat hij uitvoert.'

Cassie vond het niet bepaald klinken als een ideaal huwelijk. Zo zou Blake nooit worden, wist ze. Steven was ook niet zo. Net zomin als haar vader.

Op dat moment kwam Terry, Romla's vlasblonde zesjarige zoon, de keuken binnenstormen. Zijn korte broek zat onder de modder en hij had een scheve grijns op zijn sproetige gezicht. Romla bukte zich om hem te knuffelen en zei geen woord over de vieze kleren. Ze kuste zijn oor en hij sloeg zijn armpjes om haar hals. Toen kwam ze weer overeind en zei vriendelijk: 'Ga je handen maar wassen, lieverd.'

Ze dekte de keukentafel en liep naar de deur van de zitkamer. 'Roger, het eten staat op tafel.'

Er waren sandwiches en een kan melk, en de scones en aardbeien lagen te wachten om met room overgoten te worden. 'Roger eet tussen de middag een flinke maaltijd,' zei Romla. 'En de kinderen ook. Ik hoop dat dit genoeg voor je is.'

Cassie had al tien dagen niet meer naar een complete maaltijd kunnen kijken. De aanblik van het eten maakte haar misselijk. Ze sloeg haar hand voor haar mond. 'Sorry,' zei ze en rende naar de badkamer.

Even later kwam Romla naar haar toe. 'Waarom ga je niet lekker naar bed? Ik kom je straks wel een kopje thee brengen.'

Toen ze een uurtje later naar Cassies kamer kwam met thee en een scone, zonder aardbeien en room, ging ze op de rand van het bed zitten en zei: 'Niet leuk, hè?' Toen Cassie dankbaar een slokje van de hete thee nam, vervolgde Romla: 'Hoe sta je er nu eigenlijk tegenover? Dat je een kindje laat weghalen, bedoel ik?'

Cassie dacht even na. 'In mijn ogen is het geen kind. Het is een ongemak dat zou kunnen uitmonden in een tragedie. Wat mij betreft is het pas een mensje als het geboren is. Het zou net zo goed een tumor kunnen zijn. Ik voel me niet schuldig, als je me dat soms vraagt.'

Romla maakte het zich gemakkelijk aan het voeteneind van het bed. 'Ik weet eigenlijk niet wat ik vraag. Misschien wil ik je wel vragen wat je van die vent vindt die je in deze toestand gebracht heeft.'

'Het is evengoed mijn eigen schuld. Maar ik neem het hem wel kwalijk dat hij weg is, zonder zelfs maar te weten wat ik hier moet doormaken en dat ik helemaal alleen voor alles op moet draaien. Hoewel hij er natuurlijk ook niets aan kan doen dat hij zo ver weg is.'

'Zou je met hem willen trouwen?'

'God, ja. Ik hou van hem.'

'Waarom doe je dit dan? Niet dat het mij iets aangaat, natuurlijk. Het is gewoon nieuwsgierigheid. Houdt hij niet van jou?'

'De oorlog. Hij is naar het front vertrokken voordat ik zelfs maar vermoedde dat ik zwanger was. Hij zou meteen met me trouwen. Wij houden van elkaar. Maar op de een of andere manier was hij al vertrokken voordat we plannen konden gaan maken. Ik weet niet eens waar hij zit. Ik kan hem op geen enkele manier bereiken.'

'Dat is dus de reden waarom je zo verdrietig bent, afgezien van je zwangerschap.'

'Zie ik er zo verdrietig uit? Ik vind het heel erg dat hij weg is. We hebben niet eens afscheid kunnen nemen. Maar ik heb geen twijfels wat betreft de abortus.' Ze dacht aan de curettage die ze had uitgevoerd op het meisje in Bagley Waters, van wie de ouders nooit geweten hadden dat hun dochter zwanger was. Ze moest toch nog eens met het meisje praten. Haar waarschuwen dat ze dit niet nog eens moest doen en voortaan voorzorgsmaatregelen moest nemen. Zelf zou ze een volgende keer ook wel beter oppassen. 'Misschien vond ik het onbewust niet zo erg en zag ik het als iets wat ons zou binden. Ik zou dolgraag een kind van hem krijgen. Ik wil zelfs heel veel kinderen van hem. Maar niet nu. Niet helemaal alleen. Niet...' Haar stem stierf weg.

'Ik heb vorig jaar een abortus ondergaan,' zei Romla. 'Zelfs Chris weet er niets van. En Roger heeft niet het geringste vermoeden. Ik wilde gewoon geen kind meer. Hoeveel ik ook van Terry en Pam hou, ik kan er niet tegen om zo vast te zitten. Ik blijf maar dat gevoel houden dat het leven meer voor mij in petto heeft dan schoonmaken en koken en ik wilde gewoon niet... Ik voel me niet schuldig. Het enige wat ik op dat moment voelde was opluchting, omdat ik niet meer zwanger was. Ik dacht dat ik voorzichtig was geweest. Ik weet niet hoe het heeft kunnen gebeuren.

Sommige van de jonge vrouwen die Chris naar mij toestuurt, worden verteerd door schuldgevoelens. Hun ouders hebben er altijd op gehamerd dat seks voor het huwelijk de grootste zonde is die een vrouw kan begaan. Wanneer ze hier logeren doen ze niets anders dan huilen. Roger begrijpt er niets van. Maar hij is van nature geen nieuwsgierig mens.'

Het bleef even stil terwijl Cassie op haar scone knabbelde en haar thee opdronk.

'Zijn jij en mijn broer goed bevriend?'

Cassie keek haar aan. 'Zo zou ik het niet willen noemen. Eigenlijk had ik nooit gedacht hem nog eens in vertrouwen te zullen nemen. Maar mijn beste vriendin zit in Ierland. Mijn piloot, ook een goede vriend, is naar het front vertrokken en zou bovendien waarschijnlijk volkomen gedesillusioneerd zijn als hij het wist. En de vader van de baby... nu ja, ik wist dus niet tot wie ik me kon wenden. Je broer en ik hebben elkaar wel eens eerder uit de brand geholpen, maar nee, we zijn geen goede vrienden.'

'Wij hadden nogal excentrieke ouders,' zei Romla. 'Ik snap niet dat we nog zo goed zijn terechtgekomen. En verder hield Izzie hem natuurlijk heel erg strak. Als je bedenkt hoe vreselijk ze het vond in Augusta Springs, verbaast het me nog dat ze daar al die jaren zijn blijven wonen. Het is waarschijnlijk het enige dat hij ooit heeft gedaan om haar openlijk te provoceren.'

'Iedereen die ik ken schijnt veel van haar te hebben gehouden.'

Romla wierp Cassie een duistere blik toe. 'Ik in elk geval niet.'

Hoofdstuk 30

Cassie kwam tot de slotsom dat elke arts een keer aan den lijve een operatie moest ondervinden. Maar omdat ze wist hoe eenvoudig een curettage was, was ze niet zenuwachtig. Dokter Hatfield was heel formeel geweest, maar had duidelijk hart voor zijn werk. Romla had haar ingeschreven als Mary Stewart. Hatfield stelde geen persoonlijke vragen. Het enige dat hij vroeg was: 'Weet u zeker dat u achter deze keuze staat?'

Zij aarzelde geen moment. 'Ik wil op dit punt in mijn leven nog geen baby.'

Hij zei: 'We zullen u onderzoeken om vast te stellen hoe ver de zwangerschap gevorderd is.'

'Ik ben nu tussen de drieëneenhalf en vijf weken,' zei ze.

Hij trok een wenkbrauw op. 'Weet u dat zeker?'

'Heel zeker.' Het konijn was doodgegaan.

'Dan zal ik u eerst uitleggen wat we precies gaan doen.'

Ze wilde zeggen: *Dat weet ik precies. Ik heb om verschillende redenen curettages uitgevoerd, alleen nog nooit voor een abortus.* Maar ze deed alsof het allemaal nieuw voor haar was en luisterde. Zijn uitleg beviel haar wel. Misschien zou ze zelf ook wat meer moeten uitleggen aan patiënten – misschien hielp dat om hun angsten weg te nemen.

Toen hij klaar was met zijn uitleg, zei hij: 'Mag ik u een pessarium voorschrijven? Een abortus is iets dat u vast niet vaker mee wilt maken.'

Ze had tientallen pessariums in haar apotheek in Augusta Springs, maar ze zei: 'Ja, dank u.' En: 'Nee, inderdaad niet.'

Ze was nog nooit weggemaakt met ether. Ze probeerde zo lang mogelijk wakker te blijven, zodat ze later zou weten wat haar patiënten meemaakten. Uiteindelijk verloor ze toch het bewustzijn en het enige dat ze zich later kon herinneren was haar woede op Blake. Hij mocht dan bezig zijn met oorlog voeren, maar zij lag hier de prijs te betalen voor wat zij hadden gedeeld. En ze wist dat het door de hele geschiedenis heen zo was geweest. Ze zei hardop: 'Rotkerels.' Het eerstvolgende waarvan zij zich bewust was, was een klok aan de muur en het feit dat zij, hoe goed ze haar best ook deed, met geen mogelijkheid de cijfers kon zien. Een zachte stem zei: 'U zult zich nog een paar uur zo slaperig blijven voelen. Uw vriendin komt u om vier uur ophalen.'

Kort na vieren kwam de dokter bij haar. 'Romla is er. Blijf nog maar een dag of twee in bed, voor het geval er bloedingen optreden. Als dat het geval is, bel mij dan onmiddellijk. Als u zich over vierentwintig uur weer goed voelt, kunt u met een gerust hart naar huis gaan.'

'Ik kan u niet genoeg bedanken.' Ze was in elk geval niet misselijk meer.

'Het allerergste wat ik me kan voorstellen is dat mijn kinderen iets zou overkomen. Wat ik daarna het ergste zou vinden is een ongewenst en onbemind kind op de wereld te zetten. En op de derde plaats dat een vrouw een levenslange gevangene zou moeten zijn van een moment van hartstocht. Ik ben blij dat ik u heb kunnen helpen. In dit doosje zit een pessarium. Gebruik het.' Hij glimlachte vriendelijk. 'En doe de groeten aan dokter Adams. Fijne vent.'

Romla stond al op haar te wachten. 'Kom, dan stop ik je thuis meteen in bed. Ik heb nog een goed boek voor je om te lezen. Je zult zien dat je er zo weer bovenop bent. Hoe voel je je?'

'Een beetje bibberig. Verder prima. Geen pijn. En niet misselijk meer.' Het was haar echt honderd procent meegevallen.

De volgende ochtend voelde Cassie zich bijna weer helemaal de oude. Ze stond zelfs op voor het ontbijt. Roger was al naar zijn werk, maar Romla had thee en pap en versgeperst sinaasappelsap voor haar klaarstaan. Pam en Terry waren al naar school. Cassie had nog niet eens kennisgemaakt met Pamela, maar misschien wilde Romla dat ook liever niet.

Terwijl Cassie ontbeet, zat Romla bij haar aan tafel met een kopje koffie. Af en toe sprong ze op om een verdwaald stuk speelgoed of een ander rommeltje op te ruimen. 'Ik verlang naar een groot huis. In grote kamers valt rommel niet zo op.'

'Heb je wel eens overwogen om te gaan werken, zodat je je een groter huis zou kunnen veroorloven?' vroeg Cassie. 'Ik weet dat een politieman niet zo heel veel verdient.'

'Een baan?' Romla keek verbaasd. 'Wat zou ik moeten gaan doen? En bovendien zou Roger een rolberoerte krijgen.'

'Waarom? Heeft hij dan liever dat je de hele dag rommel loopt op te ruimen en ontevreden bent?'

Romla lachte. 'Hij zou een rolberoerte krijgen,' zei ze nogmaals. 'En trouwens, ik kan helemaal niks.'

Cassie keek haar aan. 'Denk er toch maar eens over na. Ik heb het altijd oneerlijk gevonden dat een man verweten wordt dat hij niet genoeg verdient, terwijl een vrouw heel goed in staat is zelf ook geld te verdienen om de dingen te kopen die ze graag wil hebben. Hij is een politieman. Hij wil graag politieman zijn. Als hij zich schuldig voelt omdat hij niet genoeg verdient, zal hij het je op den duur kwalijk gaan nemen dat jij hem het gevoel geeft dat hij een andere baan zou moeten gaan zoeken.'

Romla bleef Cassie een hele tijd zitten aankijken. Toen stond ze op en begon de salontafel op te ruimen en schoon te maken. 'Weet je wel hoe vervelend het is om de hele dag bezig te zijn met stoffen en wassen en de vaat en het eten? Ik luister naar mijn kinderen en ik luister naar mijn man en dat is mijn leven.'

'En wie luistert er naar jóu?'

Romla glimlachte. 'Jij.'

'Je vult je dag met allerlei kleine dingetjes, maar volgens mij ben jij iemand die uitdagingen nodig heeft, iets om je helemaal voor in te zetten.'

'Goeie God.' Romla ging weer zitten en legde even een hand op die van Cassie. 'We kennen elkaar misschien net iets langer dan vierentwintig uur en jij bent de allereerste die ooit bij mij naar binnen heeft gekeken en herkende wat zij daar zag.' Ze legde haar hand op haar borst.

Het bleef even stil. 'Soms doet het gewoon pijn,' zei Romla. 'Ik vraag me af wat er met mij aan de hand is dat ik niet gelukkiger ben. Ik heb twee kinderen waar ik dol op ben. Een man die niet naar andere vrouwen kijkt. Ik ben opgevoed met de gedachte dat huwelijk en moederschap mij alles zouden schenken om gelukkig te kunnen zijn, maar ik blijf altijd zo vreselijk naar iets anders verlangen. Ik geloof niet dat het om geld gaat, hoewel dat er wel mee te maken heeft. Ik wil dingen bereiken, ik weet niet eens wat. En ik ben erachter gekomen dat een man ook niet zaligmakend is.'

'Tja,' zei Cassie, terwijl ze haar laatste slokje thee nam. 'In elk geval niet *jouw* man.'

Romla keek snel op.

Cassie beet op haar lip. 'O, Romla, het spijt me. Zo bedoelde ik het helemaal niet. Wat ik wilde zeggen is – o...' Cassie bloosde van schaamte. Hoe kon ze nu zoiets zeggen tegen iemand die ze nauwelijks kende.

'Het geeft niet,' zei Romla. 'Jij spreekt dingen uit die ik al heel lang probeer te verdringen. Ja. Hij komt thuis en gaat zitten of hij gaat ringwerpen met een buurman of... nou ja, praten doen we in elk geval nooit, behalve over de kinderen... maar nooit over de dingen die we echt voelen. Weet je waar ik verliefd op ben geworden? Zijn uniform. Ik was zeventien en hij was drieëntwintig en ik zag hem op een straathoek het verkeer staan regelen en ik vond hem de knapste jongen die ik ooit had gezien. Ik wist niet dat het achter dat uniform helemaal leeg was. Jezus, ik voel me schuldig dat ik dat heb gezegd. Ik heb het zelfs nooit eerder durven denken.'

'Dat moest je toch maar eens gaan doen,' raadde Cassie haar aan.

Op dat moment ging de telefoon.

Na een paar minuten vrolijk te hebben gebabbeld, kwam Romla de woonkamer weer uit. 'Chris wil jou graag even spreken.'

Zijn vormelijke stem werd begeleid door het gekraak van atmosferische storingen. 'Ik belde alleen maar even om te horen of het goed met je gaat.'

'Prima. Ik denk dat ik overmorgen de bus naar huis neem.'

'Mooi zo. Ik ben blij dat er geen complicaties zijn opgetreden.'

'Ik stel alles wat je voor me hebt gedaan heel erg op prijs, Chris. En je zus is geweldig.'

'Ik dacht wel dat jij en Romla goed met elkaar overweg zouden kunnen.'

Opeens werd de verbinding verbroken.

Toen Cassie de eetkamer weer binnenkwam, zei Romla: 'Het lijkt me het beste dat je vandaag lekker in bed blijft. De kinderen komen vanmiddag pas thuis. Ik moet boodschappen doen. Dan heb jij het lekker rustig.'

Cassie was blij dat ze het voorstelde.

Toen Romla haar boodschappentas had gepakt keek ze plotseling om, zodat haar haar voor haar gezicht viel en zei: 'Ik neem aan dat jij en Chris niet...'

Cassie stak een bezwerende hand op. 'Niet doen, Romla. Ik ken je broer nauwelijks. We zijn collega's, meer niet. En trouwens, ik ben verliefd op iemand anders.'

'Ach ja, de wens is de vader van de gedachte,' zei Romla, en trok de deur hard achter zich dicht.

Bij de gedachte aan Chris Adams als minnaar trok Cassie een vies gezicht. Kouwe kikker. Hij begon wel wat zachter te worden, maar toch was Chris Adams bepaald geen man die zij iemand zou toewensen. Kil. Emotieloos. Ze kon zich niet voorstellen dat Chris Adams' aanraking enige warmte zou uitstralen. Ze had medelijden gehad met Isabel en zich afgevraagd hoe zij het al die jaren met Chris had uitgehouden. Toch had ze hem, wanneer ze hem wel eens thuis zag bij Isabel, nooit anders gezien dan attent, geduldig en toegewijd. Terwijl Isabel langzaam lag weg te teren had hij haar verzorgd en alles voor haar gedaan wat binnen zijn mogelijkheden lag.

Twee dagen later stapte Cassie op de bus naar Augusta Springs. Ze hoopte dat er een brief van Blake op haar lag te wachten wanneer ze thuiskwam. Na een tijdje werd het landschap steeds eentoniger. De plaatsjes waar zij af en toe stopten om wat te eten en te drinken waren oninteressant. Ze lagen heel ver uit elkaar en vervolgens kwam er een gedeelte, wat meer naar het zuidwesten, met stadjes die je amper zo kon noemen. Net als Yancanna. Een groepje gebouwen en verder niks. Soms een school. Of een warenhuis, bijna altijd Teakle and Robbins.

Ze hebben nog gelijk ook wanneer ze het de Achterkant van de Verte noemen, dacht ze. Want ver is het, hoewel het, wanneer ik thuis ben, het middelpunt van het heelal lijkt te zijn. Voor het eerst sinds ze hier iets meer dan een jaar geleden naar toe was gekomen, realiseerde ze zich hoezeer ze geïsoleerd was van de rest van de wereld.

Gedurende de nacht dommelde ze af en toe een beetje weg. Waar was Blake? Hij had er geen idee van dat zij hier, ver weg, in een bus zat en een paar dagen eerder zijn kind had laten aborteren. Wanneer hij aan haar dacht zou hij zich voorstellen dat ze in het vliegtuig zat, op weg naar haar patiënten, of bij Addie's zat te eten, of spreekuur hield op Tookaringa. Hij zou nooit kunnen vermoeden dat ze deed wat ze nu deed.

Hij was waarschijnlijk nog in opleiding. Op een vliegbasis in Schotland of Ierland... Ierland, Fiona. Zat Fiona nu vast in Ierland? Zou ze niet meer terugkomen? O, God – Blake, Sam, Fiona... allemaal weg? Bleef er dan niemand meer over? Ja, natuurlijk, Horrie en Chris. Misschien kon ze Betty wat beter leren kennen. En de verpleegsters, vooral Claire, als zij en Sam nog eens gingen trouwen. Aan mannen had ze geen behoefte. Blake zat op een veilig plekje in haar hart.

Dacht hij op dit moment aan haar? Misschien zat hij haar wel een brief te schrijven in de kazerne. Of was hij aan de boemel gegaan met zijn kameraden, om nog eens flink plezier te maken voordat de strijd begon. Nee, vliegen deed hij vast nog niet. Hij was nog maar net een maand weg. Waarom hadden ze hem niet in Australië opgeleid en hem daarna naar Engeland gestuurd, om van daaruit bommen te gaan gooien op Duitsland? Misschien was hij niet eens in Engeland. God, de man van wie ze zo zielsveel hield en ze had geen flauw idee waar hij was. Ze wist niet eens hoe ze hem kon schrijven.

Wanneer ze weer thuis was zou ze beginnen hem elke avond een stukje te schrijven zodat ze hem, zodra ze erachter kwam waar hij was, in één keer alles toe kon sturen. Daarna zou ze hem ook elke avond schrijven en het elke week versturen. *Blake, ik wacht op je. Hoe lang het ook duurt, ik blijf op je wachten. Ik hou van je. Overal waar ik ga draag ik jou bij me, in me. Je bent een deel van mezelf geworden.* Het was waar. Ze vroeg zich zelfs af hoe het mogelijk was dat ze zonder hem kon functioneren. Ze had het idee nooit werkelijk geleefd te hebben voordat hij in haar leven was verschenen.

Met haar ogen dicht herinnerde ze zich zijn handen, zijn lippen op de hare. Ze dacht terug aan hoe hun lichamen elkaar raakten wanneer zij naakt tegen elkaar aan lagen, haar handen patronen tekenend op zijn arm, haar lippen wroetend in zijn hals. Ze herinnerde zich de woorden die hij haar had toegefluisterd, woorden van liefde... ze ging rechtop zitten en deed haar ogen open. Had hij ooit gezegd: Ik hou van jou? Ze kon het zich niet herinneren. Maar het moest bijna wel. Alle woorden die hij gebruikte, wat hij deed, zijn aanrakingen... de manier waarop hij haar aankeek. Niemand had ooit op die manier naar haar gekeken, alsof hij al haar gedachten kende, alsof hij tot in het diepst van haar ziel kon kijken. Wanneer hij in haar was, waren zij één. Het was niet zomaar een romance; het was echt. Zij hoorden bij elkaar. Zij waren wat geen twee andere mensen ter wereld samen konden zijn. Hij voelde het ook zo. Het was pure magie.

Ze deed opnieuw haar ogen dicht.

Natuurlijk had hij haar verteld dat hij van haar hield.

Maar hoe ze ook haar best deed, ze kon het zich niet herinneren. Ach, het gaf ook niet. Hij liet toch wel merken wat hij voelde.

Maar ze had het wel liever met zich mee willen dragen. Ze had het fijn gevonden zich aan die woorden te kunnen vastklampen.

Toen ze de volgende ochtend in Augusta Springs arriveerden, wist ze niet of haar mineurstemming voortkwam uit de lichamelijke narigheid die ze achter de rug had, of uit het feit dat ze zich niet meer kon herinneren of Blake haar ooit had verteld dat hij van haar hield.

Hoofdstuk 31

Bij haar thuiskomst trof ze niet alleen de nieuwe piloot aan, maar ook een brief van Fiona.

Warren Plummer was een week te vroeg. Hij was een man van in de veertig die er goed uitzag, maar in geen enkel opzicht opmerkelijk. Hij had bruine ogen en bruin haar en een lichte huid. Hij glimlachte veel en rookte te veel, zonder haar ooit te vragen of ze last had van de rook. Hij was mager en liep al een beetje met afhangende schouders.

Hij en zijn Mary waren in Sams woning getrokken.

Mary, een knappe vrouw, eveneens met bruin haar, bruine ogen en een blanke gelaatskleur, zei: 'Ik weet niet waar we de kinderen moeten laten wanneer ze thuiskomen in de vakanties.' Ze hadden drie tieners, die allemaal op school zaten. 'Ze wonen bij mijn familie in Melbourne,' zei ze.

Cassie was niet bijzonder van hen onder de indruk, maar dat kwam waarschijnlijk omdat ze bereid was een hekel te hebben aan iedereen die Sams plaats kwam innemen.

'Als er morgenochtend geen spoedgevallen zijn bij het radiospreekuur, moeten we naar ons gebruikelijke spreekuur in Witham Downs. Dat is een AIM-ziekenhuis in het zuiden, in de schapenstreek.'

Hij knikte. 'Ik zal de kaart bekijken.'

Cassie wachtte tot ze weer alleen was voordat ze Fiona's brief openmaakte. Toen ze de eerste zin las voelde ze een brok in haar keel.

Mijn vader is vorige maand overleden, Cassie. Hoezeer wij hem ook missen, toch is het een opluchting. Hij had de laatste weken zoveel pijn. Mijn moeder is heel flink. Misschien ben ik tegen de tijd dat je deze brief leest wel onderweg naar huis. Mijn moeder wil graag dat ik wegga, vanwege de oorlog en al die bommen. Ik heb haar gesmeekt om met me mee te gaan, maar dit, zegt zij, is waar ze thuishoort. Ze wordt hier omringd door de rest van de familie en een hele schare goede vrienden. Ze weet dat ik mijn eigen leven heb, en mijn leven is daarginds.

O ja, nieuws. Ik heb Blake Thompson gezien. Hij is in de buurt van Dublin gestationeerd, op de basis van de Royal Air Force. Het was stom toeval dat we elkaar tegen het lijf liepen. Ik was in Dublin, waar ik elke week naar toe ga om verbanden te rollen voor het Rode Kruis en daar hebben ze een soort ontmoetingscentrum voor soldaten die ver van huis zijn, waar sandwiches en koffie worden geserveerd en dat soort dingen, en opeens zie ik dat bekende gezicht binnenkomen. Hij was al net zo verbaasd als ik. Het gaf ons allebei een gevoel van o, ik weet niet precies, maar het was in elk geval fijn. We zijn die avond samen uit eten gegaan en een paar avonden later zijn we met drie van zijn vrienden naar de film gegaan en daarna wezen dansen. Het was wel leuk om de enige vrouw te zijn met vier mannen. Hij ziet er in uniform knapper uit dan ooit en hij en zijn kameraden doen net alsof zij degenen zijn die deze oorlog wel eens eventjes gaan winnen. Het was heerlijk een vertrouwd gezicht te zien en we hebben afgesproken elkaar nog een keer te ontmoeten voordat ik wegga.

Hoe dan ook, lieve Cassie, ik kom naar huis... en ik kan je niet vertellen hoezeer ik me daarop verheug. Het lijkt eeuwen geleden dat we samen tot in de vroege uurtjes zaten te kletsen.

Cassie keek even op van de brief, zich bewust van haar heftige emoties. Fiona kwam naar huis. Goddank. Blake, die in Ierland lachte en naar de film ging en danste? Blake, die met zijn kameraden ging stappen terwijl zij een abortus had moeten ondergaan?

Hoe kwam het dat ze wel een brief van Fiona had ontvangen, maar niet van hem? Waarom had hij niet geschreven?

De dagen gingen voorbij, maar er was nog steeds geen brief van Blake. De dagen werden weken. Cassies leven verviel weer in de oude routine. Het enige dat anders was, was dat het vliegen met Warren niet zo fijn was als met Sam.

Hij was beslist een goede piloot. Hij leerde de routes naar de boerderijen en afgelegen ranches. In noodgevallen was hij altijd bereid haar te assisteren, maar wat hij miste was Sams... Sams wat? Sams houding van wie-dan-leeft wie-dan-zorgt? Sams vermogen om van alles en nog wat de lol in te zien? Sams bemoedigende blikken en af en toe zijn geruststellende hand op haar arm of schouder?

Warren was een veel voorzichtiger piloot dan Sam. Nee, dat was niet eerlijk tegenover Sam, die een fantastische piloot was. Misschien was het dat Sam bereid was risico's te nemen die Warren niet nam. Sam kon nog op een postzegel landen. Sam vloog op vijfhonderd voet onder de wolken en verblikte of verbloosde daar niet bij. Als Sam een storm zag aankomen, genoot hij van de uitdaging die te ontwijken of juist het hoofd te bieden. Sam nam nooit onnodige risico's, maar Warren nam helemaal geen risico's.

Het duurde weken voordat Cassie erachter kwam wat het nu precies was. Warren en Mary waren zo... saai. Mary was verpleegster geweest en wilde best in het ziekenhuis helpen of meevliegen naar een spreekuur. Cassie dacht dat Mary het leuk werk vond, maar ze liet het nooit blijken. Zij en Warren leken veel op elkaar. Het waren nuchtere mensen. Ze deden hun werk, praatten niet veel en wogen hun woorden zorgvuldig.

Cassie was blij dat ze geen onderscheid leken te maken tussen aboriginals en blanken als patiënten en ze begon Mary steeds vaker te vragen hen te vergezellen op spreekuurvluchten. Ze liet Mary kiezen trekken en inentingen geven, zodat zij zich kon bezighouden met de lastiger problemen. Het verdubbelde het terrein dat zij konden bestrijken of bespaarde hen de helft van de tijd. Mary ging nooit mee naar spoedgevallen, omdat er geen plek was voor patiënten en zuurstof plus een extra passagier, maar het werd al snel een vaste gewoonte dat zij hen vergezelde naar spreekuren.

Alle vreugde was uit Cassies leven verdwenen. Geen Sam om haar dagen, haar zorgen, haar successen mee te delen. Om problemen mee te bespreken. En Blake... ze begon last te krijgen van slapeloosheid. Ze had nog steeds niets van hem gehoord.

Op Tookaringa hadden ze nog maar één brief van hem ontvangen, waarin hij zijn postadres vermeldde.

Ze voelde dat ze net als Mary begon te worden, die het leven heel nuchter, maar volkomen vreugdeloos benaderde. Misschien was dat wat oorlog inhield.

In plaats van zich zorgen te maken om Blake, begon ze boos op hem te worden. O, kom toch thuis, Fi. Ik moet met je praten. En misschien nam Fiona wel een brief voor haar mee van Blake. Ze zou lachen en hem achter haar rug houden en plagerig zeggen: 'Je raadt nooit wat ik voor je heb.'

Op een avond lag Cassie nog maar net te slapen, toen even na tienen de telefoon ging. Er waren in de Outback nog maar zo weinig mensen die telefoon hadden, dat Cassie er altijd van schrok.

Het was Steven Thompson. Zodra hij 'Cassie?' zei, herkende ze de paniek in zijn stem.

'Het gaat om Jennifer. Jezus, Cassie. Ze was de kerosinekoeler aan het bijstellen en toen is hij ontploft.'

Cassie was meteen klaarwakker. 'O, lieve God.'

'Ze kan niets meer zien. Ze is blind! Ze heeft een bloedende hoofdwond. Cassie!'

Ze konden onmogelijk naar Tookaringa vliegen voordat het licht was. Als Sam er nu was geweest, die kende de route op zijn duimpje, maar... God, ze hadden kinderen verloren omdat ze zo ver van medische hulp vandaan woonden. En nu Jennifer?

'Steven, we vertrekken zodra het licht gaat worden. Dit is wat je moet doen tot ik er ben.'

'Christus, Cassie, ze kan niet doodgaan.'

'Nee, natuurlijk niet.'

Ze kon niet meer in slaap komen. Het enige waaraan ze nog kon denken was Jennifer. Blind. Bloedend. Verbrand.

Om halfvijf belde ze Warren. 'We moeten onmiddellijk weg,' zei ze tegen hem. Voordat ze een uur in de lucht waren zou het licht worden.

Toen ze vanaf het radiostation Chris belde, wist ze dat ze hem wakker zou maken. Hij nam echter al bij het eerste gerinkel op en klonk helemaal niet slaperig.

'Chris, sorry dat ik je al zo vroeg moet lastig vallen. Jennifer Thompson heeft ernstige brandwonden opgelopen.' Ze vertelde hem wat Steven had gezegd. 'Ik vlieg er nu naar toe. Als het zo erg is als Steven beweert kunnen we haar zeker niet hier behandelen? Als het derdegraads brandwonden zijn?'

Ze zag voor zich hoe hij zijn hoofd schudde. 'Het beste brandwondencentrum is in Adelaide.'

'Daar was ik al bang voor. Als ik denk dat het heel ernstig is, vliegen we meteen door, hoewel we daar een uur of tien over zullen doen. Wil jij ze bellen en waarschuwen dat we misschien iemand komen brengen?'

'Natuurlijk.' Hij aarzelde even. 'Wil je dat ik meega?'

'Dat hoef je niet te doen. Wat kunnen twee artsen doen wat één niet kan?'

'Morele ondersteuning geven. Ik weet dat je heel erg op die vrouw gesteld bent.'

Goeie God, Chris begon nu toch echt menselijke trekken te vertonen. Wilde ze hem mee hebben? 'We vertrekken over tien minuten.'

'Maak er vijftien van en ik kom.'

Ze besefte dat het zondag was en zijn vrije dag.

Warren was, een maand eerder, al eens naar Tookaringa gevlogen, dus hij kende de situatie bij de landingsstrook. Een stuk of zes mannen loodsten hen binnen. Cassie sprong uit het toestel, greep haar dokterstas en rende naar het huis. Chris was vlak achter haar. Hij was nog nooit op Tookaringa geweest.

Met een gezicht dat zo was verbrand dat Cassie haar amper

herkende, lag Jennifer op bed en haalde reutelend adem. Steven zat met bloeddoorlopen ogen naast haar en hield haar hand vast.

'Ze is buiten bewustzijn,' zei hij, met een stem die al even onherkenbaar was als Jennifers gezicht.

Godzijdank, dacht Cassie, terwijl zij zich over haar vriendin boog.

Chris liep naar de andere kant van het bed en boog zich eveneens over de patiënte. 'Lieve God,' fluisterde hij.

Wat er ook gebeurt, dacht Cassie, ze zal nooit meer mooi zijn. Maar dat was van later zorg. Zou ze ooit nog kunnen zien? Zou ze blijven leven?

Jennifer rilde; haar armen waren bedekt met kippevel. 'Longontsteking,' zei Chris.

Ja, ik weet het, dacht Cassie. Ze keek Chris aan. 'Adelaide?'

'Ja.'

Hiervoor had hij niet mee hoeven komen. Hij kon niets veranderen aan het bonzen van haar hart, het misselijke gevoel in haar maag. Ze richtte zich tot Steven. 'We vliegen haar nu meteen naar het brandwondencentrum in Adelaide.' God, zou Jennifer het nog zo lang redden? 'Ik geef haar een spuitje om haar slapend te houden, zodat ze niets zal voelen. Maar we moeten snel zijn.'

Steven keek naar Chris, die instemmend knikte.

'Ik ga mee,' zei Steven.

'Natuurlijk,' zei Cassie, haar hand op zijn arm leggend.

Hij draaide zich om en sloeg zijn armen om haar heen. Hij barstte in tranen uit. 'Cassie, ik kan niet zonder haar.'

'We gaan,' zei Chris.

O, verdomme, dacht Cassie. Hij is helemaal niet goed met familie van patiënten. Hij is niet goed met patiënten die op sterven liggen. Waarom heb ik hem in vredesnaam meegenomen?

Maar Chris had Jennifer al opgetild en droeg haar nu de deur uit, de verandatrap af en naar het vliegtuig. Hij droeg haar alsof ze niets woog, alsof de geschroeide en leerachtige huid niet afschuwelijk rook, alsof het misvormde figuurtje dat hij in zijn armen had niet weerzinwekkend was. Misschien was het toch maar goed dat hij was meegekomen. Noch zij, noch Steven was in staat objectief te blijven als het om Jennifer ging.

Warren was bezig de benzinetank bij te vullen aan de pomp. Voordat ze in Adelaide waren moesten ze nog minstens twee tussenstops maken om te tanken. O, lieve God, bad Cassie in stilte, laat het weer alstublieft goed zijn.

En dat was het. Zodra ze waren opgestegen en op hoogte waren, haalde Cassie rollen verband te voorschijn. 'Geef maar,' zei Chris, die zijn hand uitstak, 'ik zal het wel doen.' Voorzichtig wond hij verband om Jennifers gezicht en armen, zodat haar huid beschermd zou zijn. Het was een opluchting niet naar de afgrijselijk verbrande huid te hoeven kijken, ook al konden ze die nog steeds ruiken.

Waarom, vroeg Cassie zich af, moest het zo warm zijn? Ze vermoedde dat het tegen de veertig graden liep. Jennifer was afwisselend bedekt met kippevel en zweet, en naarmate zij in zuidelijke richting vorderden werd haar ademhaling steeds moeizamer.

Het waren de langste zeven uur die Cassie ooit had meegemaakt. Steven zei de hele reis geen woord. Hij zat naast Jennifers brancard en hield haar hand vast, terwijl zijn lippen geluidloze woorden prevelden.

Toen zij over het Eyremeer vlogen, bijna zeshonderd kilometer ten noorden van Adelaide, begon Jennifers ademhaling martelend moeizaam te klinken, haar borst zwoegde. Een luid gerochel borrelde op uit haar half geopende mond.

Met grote paniekogen keek Steven Cassie aan, die – op haar beurt – Chris aankeek. Hij schudde zijn hoofd. Cassie stond op en liep naar Steven. Ze sloeg haar armen om zijn schouders en samen keken zij neer op Jennifer.

De geluiden van een stervende.

Tot haar verbazing zag ze dat Chris naar Steven zat te staren en zijn ogen niet van de door verdriet geteisterde man af kon houden.

Het vechten om adem, de verstikte geluiden hielden op. Jennifers borst bewoog niet meer.

Steven wierp zich over de brancard, greep Jennifers handen vast en riep wanhopig: ‘Nee, nee, nee.’

Hoofdstuk 32

Steven was ontroostbaar. Toen hij weer thuis was, trok hij zich helemaal terug van zijn omgeving. Hij staakte zijn werkzaamheden voor de *Flying Doctors Council.* Hij klonk kortaf toen Don McLeod belde. Hij liet zijn gezicht niet zien toen Cassie langskwam voor haar maandelijkse spreekuur op Tookaringa. Cassie was van plan geweest net als anders de nacht op Tookaringa door te brengen en hem 's avonds gezelschap te houden tijdens de maaltijd. Op die manier hoopte ze zijn gedachten even van zijn verdriet te kunnen afleiden. Maar hij liet zich niet zien en zij, Warren en Mary vlogen nog dezelfde avond terug naar Augusta Springs.

De tweede keer dat Cassie er spreekuur hield, stond hij haar op te wachten en duwde een brief van Blake in haar handen. Toen ze hem gelezen had, nam hij de brief weer terug en verdween naar zijn werkkamer, waarna ze hem niet meer te zien kreeg. De brief stond vol van het verdriet over het verlies van zijn moeder. Hij stond vol herinneringen aan haar. Hij stond vol woorden van troost voor zijn vader. Maar er stond geen woord in over hemzelf, de oorlog, of Cassie.

In drie maanden tijd had ze niets meer van Fiona gehoord, maar Cassie ontving wel een brief van Sam.

Beste doc,

Wat een verrassing, hè? Je had vast niet verwacht iets van mij te zullen horen.

Ik vraag me elke dag af hoe het leven daar staat, wie er een baby heeft gekregen of een operatie heeft ondergaan of wie er gestorven is en wat er verder allemaal gebeurt. Ik hoop dat de piloot een beetje goed is (maar als hij van QANTAS is, dan kan dat gewoon niet anders), maar ook weer niet al te goed. Want ik kom weer terug, zoals ik je al heb verteld, naar die baan en dat stadje en de FDS.

Waar ik nu ben is het koud en somber; waar ik nu ben wil ieder-

een die ik ken een kans om Het Kanaal over te vliegen en zoveel mogelijk Duitsers om te brengen, of het nu vrouwen, kinderen of ouden van dagen zijn, of ze onschuldig zijn of niet. Nou ja, helemaal onschuldig kunnen ze natuurlijk nooit zijn als ze bereid zijn mee te gaan in de dromen van die megalomane gek.

Het grootste deel van mijn tijd ben ik bezig met lesgeven. Er zijn maar zo weinig getrainde piloten dat we veel tijd kwijt zijn aan het opleiden van anderen, terwijl we het liefst daarginds ons steentje zouden bijdragen. Ja, ik wil graag een held zijn. Ik wil een borst vol medailles. Wanneer ik thuiskom wil ik dat jij naar me kijkt en me een echte held vindt. Ik wil een boordschutter die de ene na de andere nazi-Messerschmitt uit de lucht schiet, net zolang totdat er niet ééntje meer over is.

Oké, dat is de kleine jongen in mij. De man denkt dat deze oorlog voorlopig nog niet voorbij is en misschien nog wel jaren gaat duren. Het geloei van de luchtalarmsirenes werpt een mantel van duisternis over Engeland. Mensen beginnen eraan te wennen en er heerst een geest van kameraadschap in de ondergrondse schuilkelders. Er ontstaan veel vriendschappen, die veel sneller dan anders vertrouwelijk en intiem worden. Je ontmoet een leuk meisje in een schuilkelder en voor je het weet kus je haar al, terwijl je misschien niet eens weet hoe ze heet. Zoiets zou onder normale omstandigheden nooit gebeuren.

Beschouw het als je vaderlandse plicht om een eenzame piloot een brief te schrijven en hem op te vrolijken en op de hoogte te houden van de situatie thuis. Ik denk aan jullie allemaal en verlang ernaar over alles en iedereen te horen.

~~Het beste~~ ~~Vriendelijke groeten~~
Veel liefs, SAM

Tegen de tijd dat zij Sams brief ontving was hij al zeven maanden weg, en Blake acht. Ze had een hele stapel aantekeningen die ze had bijgehouden, dingen die ze Blake had willen toesturen. Brieven die ze op eenzame avonden had zitten schrijven. Ze las alles nog eens door, gooide alle verwijzingen naar liefde eruit, stopte alles in een grote enveloppe en stuurde die naar Sam.

Bertie Martin en haar zuster Andy brachten een bezoek aan de stad. Ze arriveerden op een zaterdagmiddag, parkeerden hun gammele pick-up voor Cassies huis, liepen op hun gemak de veranda op en de woonkamer binnen en riepen Cassies naam. Ze stond in de keuken toen ze hen hoorde.

Bertie omhelsde Cassie en knikte naar Andy. Ze hadden wel een eeneiige tweeling kunnen zijn, zo leken zij op elkaar qua figuur en haarkleur. Met hun voluptueuze, rijzige lichamen, liepen zij met een katachtige gratie en straalden een en al kracht uit. Toch hadden zij allebei ook iets liefs en onschuldigs, iets onweerstaanbaar vreugdevols.

'Ik heb Andy meegebracht zodat zij ook eens kan zien hoe het in de stad toegaat.'

Cassie heette hen welkom. 'Ik neem aan dat jullie vooral voor de zaterdagse dansavond zijn gekomen.'

Bertie knikte. 'Dan ben ik bang dat jullie een teleurstelling te wachten staat. Er zijn nog maar heel weinig mannen.'

Bertie liet zich op de bank ploffen en gebruikte haar halsdoek om het stof van haar gezicht te vegen. 'Hoe dat zo?'

'Ze zijn allemaal naar het front vertrokken.'

Bertie en Andy keken elkaar aan. 'Meen je dat nou?' vroeg Andy. 'Alle mannen?'

'Nou, niet allemaal, maar de meeste mannen wel. Er wordt vanavond wel gedanst, maar het zal heel anders zijn dan de vorige keer dat je hier was.'

Bertie vroeg: 'Is die kok er nog, of is die ook vertrokken?'

'Cully? Die is er nog. Ik geloof dat hij platvoeten had, of zoiets. In elk geval was er iets met hem waardoor hij geen dienst kon nemen.'

'Te mager, waarschijnlijk,' zei Bertie. 'Maar koken kan hij als de beste.'

Twee dagen later vertrokken ze weer, teleurgesteld dat de stad heel anders was dan in Berties herinnering. 'Ik heb Cully een baan aangeboden,' zei Bertie. 'Maar hij voelt er niets voor om zo ver buiten de stad te wonen. Hij praat niet veel, is het wel?'

De week daarop brachten dominee McLeod en zijn Margaret een bezoekje aan de stad. Margaret was een mooi meisje met gitzwart haar in een wrong en heldere, hemelsblauwe ogen.

Cassie nodigde Don en zijn Margaret uit om tijdens hun verblijf in de stad bij haar te logeren en in Fiona's kamer te slapen. Ze vroeg Horrie, Betty en hun nieuwe baby ook te eten en realiseerde zich dat dit de eerste keer was dat ze thuis zoiets organiseerde, behalve dan het feestje dat zij en Fiona hadden gegeven toen ze, nu bijna twee jaar geleden, hier net was komen wonen. Misschien moest ze er dan maar meteen een echt feest van maken. Ze kon Warren en Mary nog uitnodigen. En Chris misschien. Ze had het gevoel dat ze diep bij hem in het krijt stond. En ze wist dat hij eenzaam moest zijn, nu Isabel er niet meer was. Ze zag hem alleen wanneer ze elkaar assisteerden of elkaar in het ziekenhuis toevallig tegen het lijf liepen.

De stilzwijgende overeenkomst die zij hadden beviel haar uitstekend. Het maakte haar werk veel interessanter. Nu dokter Edwards er niet meer was, had Chris het veel te druk om de FDS-patiënten te behandelen, dus stond hij haar toe haar eigen patiënten te opereren. Nu kon ze haar patiënten dus ook na de operatie blijven behandelen, en op die manier leerde ze de mensen uit de Outback veel beter kennen dan voorheen. Hoewel Chris nog dezelfde bevooroordeelde, vooringenomen man was van wie ze af en toe helemaal gek werd, was het tegenwoordig een genot om met hem samen te werken. Ze mochten dan buiten het ziekenhuis niet zo harmonieus met elkaar overweg kunnen, maar ze waren elkaars mening en assistentie bij gecompliceerde operaties bijzonder op prijs gaan stellen. Hij had zuster Claire opgeleid om de anesthesie te doen, maar ook zij had nu besloten de gelederen van de strijdkrachten te gaan versterken.

Cassie plande haar dineetje op een zaterdagavond, zodat ze op haar gemak de hele dag in de keuken kon staan. Het was een welkome afleiding.

Ze had dringend afleiding nodig. Ze bracht vijftien tot twintig uur per week in de lucht door, met haar ogen dicht en denkend aan Blake. Haar hart begon verbitterd te raken. Hij had haar voor zich gewonnen, langzaam maar zeker haar zorgvuldig opgebouwde verdedigingslinies afgebroken, waarna hij haar had verleid – nu ja, dat klopte niet helemaal. Hij had de liefde met haar bedreven – wild en hartstochtelijk – tweeëneenhalve week lang. Hij had niet alleen de liefde bedreven met haar lichaam; hij had haar geest en haar hart weten te verleiden. Hij had haar een wildernis getoond waarvan ze het bestaan niet had vermoed en hun primitieve ritmes hadden meegedeind op de wildheid van dat land. Zij had zichzelf in hem verloren. Een deel van haar was nog steeds weg. Was het haar hart? Ze rouwde net zo goed om hem als om Jennifer. Ze had last van een algeheel gevoel van onbehagen. Kon het zijn dat die weken in Kakadu zo weinig voor hem hadden betekend? Was hij zo snel de magie vergeten die zij hadden gedeeld?

In haar hart kon ze niet geloven dat hij het vergeten was. Ze wachtte nog steeds op bericht van hem. Kijk maar naar die ene brief die hij zijn familie had geschreven – als reactie op zijn vaders tragische verlies. Geen woord over wat hij deed. Misschien had hij gewoon een hekel aan brieven schrijven. Misschien droeg hij inderdaad zijn herinnering aan haar met zich mee in zijn linker borstzakje, net zoals hij had gezegd.

Ze was zo boos dat ze bij het snijden van de tomaten voor de sla in haar vinger sneed.

Op dat moment klonk er een claxon, en toen ze uit het raam

keek zag ze een van de drie taxi's die de stad rijk was de hoek omkomen en voor het huis tot stilstand komen. Uit de taxi stapte een elegante vrouw. De chauffeur begon koffers uit te laden.

Cassie greep naar haar borst. Tranen prikten in haar ogen. Ze bleef ongelovig staan staren, totdat ze eindelijk in staat was met wijd open armen en snikkend van vreugde naar buiten te rennen.

Huilend strekte Fiona haar armen naar Cassie uit. Ze klemden zich aan elkaar vast en bleven elkaars naam maar prevelen.

'Je bent thuis, o, je bent weer terug,' riep Cassie uit. 'Ik heb je zo nodig gehad!'

Toen begonnen zij te lachen. Ze deden een stapje achteruit om elkaar eens goed te bekijken en kusten elkaar op de wangen. Cassie dacht dat haar hart zou barsten van geluk. O, Fiona was thuis. Nu kon ze eindelijk haar hele verhaal kwijt, alles vertellen wat er sinds haar vertrek was gebeurd. Fiona wist niet eens dat ze verliefd was geworden, laat staan wat er daarna allemaal was voorgevallen. Er was zoveel te vertellen. Het zou heerlijk zijn. Tegen Fiona kon ze alles zeggen.

'Het eerste wat ik moet doen,' zei Fiona, 'is naar Tookaringa bellen.'

'Waarom, wat is er aan de hand?' Cassie dacht niet dat Fiona al op de hoogte kon zijn van Jennifers dood.

Fiona lachte en haar gezicht straalde. 'Niets. Ik moet hun het nieuws vertellen.'

'Welk nieuws?' *Alles was toch wel goed met Blake*?

'Dat ze sinds kort een schoondochter hebben.' Ze keek Cassie lachend aan. 'Ik ben de kersverse mevrouw Blake Thompson.' Ze stak haar hand uit zodat Cassie haar brede gouden trouwring kon bewonderen.

Cassie sloeg op haar kussen, dat al nat was van de tranen. Ze probeerde haar gesnik te dempen – de langgerekte, wanhopige snikken waaraan geen einde leek te komen. Gemene pijnsteken schoten door haar borst en ribben. Haar hele lichaam schudde.

Blake en Fiona.

Opnieuw ontsnapte haar een luide snik.

De afgelopen dertig uur waren de zwaarste van haar leven geweest. Ze had geen tijd gehad om te treuren. Geen tijd om na te denken.

Pas toen Don en Margaret waren vertrokken, was zij alleen met Fiona. Fiona wilde haar alles vertellen over haar huwelijk en Cassie wilde er geen woord over horen.

'Weet je nog dat ik je vertelde over mijn ongelukkige liefde? En dat ik die beddesprei van jou had gehaakt in de tijd dat ik er overheen probeerde te komen? Nou, ik ben er dus nooit helemaal overheen gekomen. En toen ik hem in Ierland opeens weer zag, bleek hetzelfde gevoel er nog steeds te zijn. Ik wist dat het stom was om me weer met hem in te laten, maar ik kon het niet helpen. En toen hij me voor het eerst sinds vier jaar weer kuste, gaf ik me gewonnen. Ik hield mezelf voor dat er even weinig van terecht zou komen als die eerste keer, maar toch kon ik geen nee zeggen. Twee dagen nadat ik mijn thuisreis had geboekt, kreeg zijn eenheid opdracht om te vertrekken. Ik weet niet waar ze nu zijn. En toen zei hij: "Lieveling, niemand weet of ik dit zal overleven en of wij elkaar ooit zullen weerzien, maar ik zou graag willen dat je op me wacht. Bij jou wil ik thuiskomen. Ik wil hopen dat je misschien mijn kind wel draagt. Laten we trouwen." En dat hebben we toen gedaan. O, Cassie, na al die jaren dat ik van hem droomde nadat hij nooit echt afscheid van me had genomen, had ik nooit kunnen denken dat hij me nog zou aankijken. En ook al zijn we niet bij elkaar en maak ik me zorgen over het feit dat hij op dit moment misschien wel boven Duitsland vliegt, ondanks alle onzekerheden ben ik zo verschrikkelijk gelukkig.'

Blake en Fiona? Was híj degene op wie ze al die tijd verliefd was geweest? Degene die jaren geleden haar hart had gebroken?

O, jammerde Cassie hardop, terwijl ze met haar vuisten in haar kussen stompte. Ze ging zitten, drukte het kussen tegen zich aan en huilde alsof de wereld op het punt stond te vergaan.

Fiona was al die tijd verliefd geweest op Blake. Terwijl ik met hem lag te vrijen was hij in Fiona's hart. En nu Fiona met hem getrouwd is, is hij nog steeds in het mijne.

Ze zei tegen zichzelf dat ze niet van Blake hield, niet van de echte Blake. Ze was verliefd geweest op een hersenspinsel. Hij was heel iemand anders dan zij had gedacht.

Ze herinnerde zich dat hij haar nooit had verteld dat hij van haar hield. Maar op de momenten dat ze zijn handen op haar borsten had gevoeld en hun naakte lichamen versmolten, wanneer hij in haar kwam en haar naam uitriep, was zij er zeker van geweest dat hij hetzelfde voelde als zij: eeuwige liefde. Ellendeling. Het enige wat hij waarschijnlijk had gevoeld was genot. Had het hem eigenlijk wel wat uitgemaakt met wie hij daar lag? Rotzak. Vuile rotzak.

'Dat nooit meer!' schreeuwde ze, hoewel er geen echo van haar stem door het huis klonk. Nooit zou ze zich meer door een man laten aandoen wat Blake Thompson en Ray Graham haar hadden aangedaan. Nooit meer zou ze haar hart verliezen. De volgende keer, àls er een volgende keer was, zou zíj het heft in handen nemen. Ze zou nooit, maar dan ook nooit meer het slachtoffer zijn. Nooit meer het slachtoffer van de liefde. Nooit meer!

Hoofdstuk 33

Godzijdank. Fiona was naar Tookaringa vertrokken om Steven te bezoeken. 'Ik blijf een week of tien dagen weg,' zei ze bij haar afscheid tegen Cassie.

Het kostte Cassie moeite vriendelijk te doen tegen Fiona, ook al wist ze dat zij er ook niets aan kon doen. Fiona had geen idee dat Cassie verliefd was geworden op Blake. Ze had niet het geringste vermoeden dat Cassie zwanger van hem was geraakt en dat hij haar hart had gebroken.

Aan die dingen moest Cassie zichzelf tientallen keren per dag herinneren.

Ze was op weg naar het radiostation, in de tweedehands auto die de Flying Doctor Service eindelijk tot haar beschikking had gesteld. Ze begreep niet hoe Betty en Horrie en hun baby in zo'n benauwde ruimte konden leven. De veranda die Horrie zijn Betty voor hun huwelijk had beloofd, was er nog steeds niet en zij woonden in twee piepkleine kamertjes, waarin het 's zomers bloedheet werd. Toch zag ze Betty nooit anders dan vrolijk en opgewekt. Af en toe loste ze Horrie af aan de radio; ze wist precies de juiste, geruststellende toon aan te slaan tegen de mensen in de Outback. Net als Horrie praatte ze met hen alsof ze hen al jarenlang kende.

Er waren geen spoedgevallen binnengekomen, maar een paar andere telefoontjes hadden wel verandering gebracht in het spreekuur in Medumcook dat voor vandaag op het programma stond. Stockton Wells en Mount Everett hadden gehoord dat ze helemaal naar het noorden kwam en belden om te vragen of zij ook op het programma konden worden gezet.

'Met twee overnachtingen moet dat wel lukken,' zei ze door de telefoon tegen Warren. 'Denk je dat Mary er wat voor voelt om mee te gaan? Er zullen tientallen kinderen moeten worden ingeënt en waarschijnlijk heel wat kiezen moeten worden getrokken. Ik kan haar hulp goed gebruiken.'

Mary's hulp was strikt vrijwillig, maar ze zei nooit nee. Cassie vroeg zich wel eens af waarom ze zich niet nauwer verbonden kon voelen met Warren en zijn vrouw. Ze waren ontzettend aardig. Altijd bereid om te helpen. Misschien kwam het wel omdat ze altijd zo hetzelfde waren. Zij leken zich door niets uit het veld te laten slaan, maar echt blij waren ze ook nergens mee. Ze leken alles te accepteren met dezelfde emotie – plichtsbesef.

Even na halfelf vertrokken ze met z'n drieën. Mary had een krant meegenomen om te lezen en ging daarna zitten breien. Ze praatte vrijwel nooit tijdens een vlucht. Cassie bleef even naar haar zitten kijken en staarde vervolgens naar buiten. Ze deed haar ogen dicht en stelde zich voor hoe Fiona op Tookaringa zou arriveren. Ze zag hoe Steven haar met open armen ontving, het eerste teken van leven dat hij vertoonde sinds de dood van Jennifer. Ze hoorde Fiona zeggen: 'Hallo, pap.' Ze stelde zich voor hoe Fiona op Tookaringa zou rondkijken met de gedachte in haar achterhoofd: Op een dag zal ik hier wonen als meesteresse van Tookaringa. Toen dacht Cassie: Fiona's kinderen zullen Tookaringa erven.

Misschien ging Fiona er wel alvast wonen om Steven gezelschap te houden. Verhuizen naar een plek waar ze nu thuishoorde. Naar een huis dat nu ook van haar was. Zou ze het prettig vinden, vroeg Cassie zich af, om Fiona niet meer te zien en niet meer aan haar te hoeven denken? O, God, terwijl ze toch zo had uitgekeken naar de terugkeer van haar vriendin... terwijl ze zich er zo op had verheugd hun vriendschap weer op te pakken en al haar hartsgeheimen met haar te delen.

Ze keek uit het raampje naar het steeds groener wordende land onder haar, naar de tropische vegetatie... de bananebomen, de palmen, de suikerrietvelden en stelde zich voor hoe Blakes handen Fiona aanraakten, hoe Blake zich over Fiona heen boog om haar te kussen en te zeggen: 'Ik hou van je,' en ze balde haar vuisten in haar schoot. Blake, die nooit meer aan haar, Cassie, dacht. Blake, die alle hartstocht was vergeten die zij in Kakadu voor elkaar hadden gevoeld. Blake, die niet eens meer wist hoe zij eruitzag.

De enige die enigszins had aangevoeld wat Cassie doormaakte was, vreemd genoeg, Chris. Op een ochtend, kort na Fiona's thuiskomst, had hij plotseling op haar deur geklopt. Cassie had opengedaan in haar ochtendjas. Hoewel ze er zeker van was dat hij het niet had gedaan, had ze kunnen zweren dat hij een buiging voor haar had gemaakt. Zijn vormelijke manier van doen moest hem met de paplepel zijn ingegoten, dacht zij.

'De reden voor mijn komst op dit vroege tijdstip is dat ik je wil uitnodigen voor het ontbijt,' zei hij.

'Voor het ontbijt?' Ze streek een paar lokken uit haar ogen.

Hij keek om zich heen, alsof hij zich ervan wilde overtuigen dat er niemand was die hen kon horen. 'Ja,' zei hij. 'Het kwam me zo voor dat je wellicht iemand nodig hebt om mee te praten.'

Hij wist natuurlijk dat Fiona was thuisgekomen, getrouwd met de man van wie Cassie hield.

Ook al was het nog zo vriendelijk bedoeld, Chris was beslist niet degene aan wie zij haar diepste gedachten wenste toe te vertrouwen. Als ze dat zou doen, wilde ze dat de ander met haar kon meevoelen, en Chris Adams was niet iemand die zij daartoe in staat achtte. Niettemin had het Cassie een warm gevoel bezorgd, net als die keer toen hij haar had voorgesteld om naar Townsville te gaan. Ze kon zich niet voorstellen dat ze in het bijzijn van Chris in tranen zou uitbarsten en dat hij daar dan begrip voor zou hebben. Zelf had hij waarschijnlijk, voor de dood van Isabel, nooit last gehad van een gebroken hart. Hij was al die jaren met dezelfde vrouw getrouwd geweest. Hij wist niet wat het was om afgewezen te worden. Hij wist niet wat een onbeantwoorde liefde in je hart kon aanrichten. Hij wist niet wat het betekende om verraden te worden. Hij zou niets begrijpen van emotionele pijn, afgronden zo diep als de ziel.

Toen ze hem om zeven uur 's ochtends zo voor de deur had zien staan, haalde ze een hand door haar slordige haar. God, ik zal er wel vreselijk uitzien, dacht ze.

'Met iemand praten?' herhaalde ze. 'Waarover dan?' Nee, ze wilde niet dat hij die vraag beantwoordde. 'Ik heb geen idee wat je bedoelt.'

Hij bleef haar even staan aankijken, met een blik op zijn gezicht alsof hij niet wist wat hij nu moest doen. 'O, in dat geval ben ik buiten mijn boekje gegaan. Daar was ik al een beetje bang voor.' Hij draaide zich al om om de veranda af te lopen, toen Cassie, die zich toch wel schaamde dat ze zo kortaf tegen hem was geweest, zei: 'Als je even kunt wachten, ik zou heel graag met je ontbijten. Het is de beste uitnodiging die ik in lange tijd heb gehad.'

'Dat betwijfel ik,' mompelde Chris.

'Kom binnen en ga zitten terwijl ik me even aankleed. Ik ben binnen tien minuten klaar.'

Hoewel hij met geen woord over Blake had gerept en zij niets had laten blijken van het verdriet dat haar kwelde, hadden ze toch gezellig met elkaar zitten ontbijten. Ze hadden wat zitten bekvechten, en dat had haar wat afleiding bezorgd. Maar zij en Chris hadden altijd wel iets om over in discussie te gaan. Deze keer ging het over aboriginals. Zijn stelling dat hun hersens kleiner waren en dat zij nog maar net bezig waren het meest primitieve stadium te boven te komen, maakte haar woedend. Hij beschouwde hen amper als mensen. 'Kijk maar naar die uitstekende kaken. Ze zien er meer uit als apen dan als mensen,' had hij gezegd. 'Kijk maar naar hun gebruiken, die stammen regelrecht uit het stenen tijdperk. Kijk naar het feit dat zij niet in staat zijn de blanke maatstaven op het gebied van hygiëne over te nemen, onze arbeidsethiek, het geloof in één God.'

Uiteindelijk had Cassie haar hoofd maar geschud en was tot de slotsom gekomen dat het toch geen zin had tegen hem in te gaan. Chris' standpunten zeiden meer over Chris dan over het gespreksonderwerp. Maar, hoe irritant en onbegrijpelijk zijn standpunten ook waren, toch was ze dankbaar voor zijn poging haar te helpen. Twee jaar geleden had ze zich niet kunnen voorstellen dat hij zoiets zou doen. Maar twee jaar geleden waren Sam en Fiona haar vrienden geweest en had ze Blake nog niet ontmoet. Toen zou ze nooit hebben geloofd welke diepe gevoelens Blake in haar zou losmaken, ze had zich vast niet kunnen voorstellen ooit een abortus te zullen ondergaan. Ze had nooit de dingen kunnen voorspellen die haar allemaal waren overkomen.

Zij slaakte een diepe zucht en Mary boog zich naar haar toe en vroeg: 'Is er iets?'

Cassie keek haar niet-begrijpend aan.

'Je zuchtte alsof alle problemen van de wereld op jouw schouders rusten.'

Cassie schudde haar hoofd. 'Ik had er niet eens erg in.'

Mary knikte en ging weer verder met haar breiwerk.

Het vliegtuig zette de daling in en Cassie keek uit het raampje. Ze naderden Medumcook; Cassie was er drie keer eerder geweest. Het vliegtuig moest drie kilometer buiten het stadje landen, omdat het plaatsje omgeven werd door palmen en de rivier de Medumcook er dwars doorheen stroomde. Ze was hier nog nooit in het regenseizoen geweest, wanneer de rivier net zo spectaculair buiten haar oevers trad als de Nijl, kilometers breed werd en meters diep. Nu bestond zij uit een paar waterputten, met elkaar verbonden door een nietig stroompje water. Houten whiskeykratten werden gebruikt als stapstenen van de ene oever naar de andere.

Het stadje bestond uit een pub, aan de oever van de rivier. De eigenaar vertelde haar dat hij zijn pub elk jaar na de overstromingen moest herbouwen. Warren overhandigde de post aan de postmeester-barkeeper. Medumcook had acht inwoners. Een politieman, die in zijn eentje een gebied bestreek van meer dan negenhonderd vierkante kilometer. De postmeester-barkeeper. De eigenaar van de pub was eveneens eigenaar van de plaatselijke winkel, die grensde aan de pub. Anderhalve kilometer buiten het stadje lag een veehouderij, die hard op weg was een van de grootste ter wereld te worden en nu reeds vijftienduizend stuks eersteklas Santa Gertrudi's per jaar afleverde.

Fred, de baardige barkeeper, vertelde hun dat er heel wat mensen werden verwacht. Ze zouden wachten tot het bijna donker was omdat 'in deze verschroeiende hitte in deze tijd van het jaar geen levend wezen zich overdag verroert'.

Ze dronken thee op de veranda van de pub en luisterden naar het getik van insekten op het aluminium dak.

Om een uur of vijf begonnen de eerste mensen te arriveren. Zo was er een heel gezin dat ongeveer honderdtwintig kilometer verderop woonde en dat de rit in een bestelwagen had gemaakt. De vrouw was weer zwanger en de drie kleine kinderen hadden loopogen, waar de vliegen omheen zwermden. Een van de twee kleine meisjes had een ontstoken wond op haar been, een gemene open zweer.

Zes mannen kwamen aangereden uit de richting van de vlakte. Twee van hen hadden verschrikkelijke kiespijn en een derde had een steenpuist. De anderen waren meegekomen voor een avondje drinken onder de sterrenhemel.

Drie andere mannen kwamen uit een kamp zo'n dertig kilometer naar het oosten en een van hen had zo'n lelijke hoest dat Cassie hem voorstelde met hen mee terug te vliegen om röntgenfoto's te laten maken vanwege de kans op tuberculose. Nee, daar voelde hij helemaal niets voor. Ze bleven zitten drinken en praten met mannen die ze niet kenden of al in geen jaren hadden gezien.

Vier mannen arriveerden met hun slaapzakken. Ze waren bezig geweest met het repareren van hekken en toen een van hen over kiespijn begon te klagen, hadden zij besloten naar Medumcook te komen voor een avond in de pub. Tegen tienen hadden zich meer dan honderd mannen aan de bar verzameld.

Fred zei tegen Cassie: 'Ik wil wedden dat niet één van hen de afgelopen dertig jaar in een bed heeft geslapen.'

'Misschien kun je wel goede zaken doen,' zei Mary, 'als je hier een hotel begint.'

Fred schudde zijn hoofd. 'Nee. Ik denk dat ze geen van allen ooit nog in een bed willen slapen. Ze houden van het leven waarvoor ze hebben gekozen. Voor hen staat het slapen in bedden voor het leven binnen de maatschappij en dat is nu precies waaraan ze hier willen ontsnappen.'

'En jij zelf?' vroeg Cassie, die het tot haar eigen verbazing best naar haar zin had.

'Ik? Ik zou niet weten wat ik in de grote stad zou moeten doen. Dan zou ik het regenseizoen mislopen en daar hou ik juist zo van. De overstromingen – die zou ik niet willen missen. De regen vanuit het noorden laat dit kleine riviertje vollopen; een klein, kabbelend golfje kruipt van de ene waterput naar de andere en wordt onderweg steeds breder. Uit alle richtingen komen kleine beekjes, die door het regenwater zijn aangezwollen tot krachtige stromen, aangekolkt, totdat het er overal om je heen uitziet en klinkt alsof het water woedend is. Het sleurt dieren mee, zowel dode als levende, en afgebroken boomtakken grijpen alles vast waarmee ze in aanraking komen. Ik kan me een nacht herinneren dat de rivier tussen zonsondergang en zonsopgang drieëneenhalve meter steeg! Dat was me het nachtje wel.'

Het was al middernacht geweest toen de eerste mannen begonnen te vertrekken. Sommigen reden de nacht in, terwijl anderen hun slaapzakken ergens tussen de tropische vegetatie neergooiden. Fred zei: 'Ik slaap wel buiten. Ik heb mijn bed vandaag opgemaakt en er staat een bank. Jullie drieën kunnen in mijn huis slapen.'

Zijn huis was een hutje met een aluminium dak, dat zo heet was als een oven. Cassie lag de hele nacht te draaien en te woelen. Maar de volgende ochtend maakte Fred pannekoeken voor hen klaar en de grootste lamskoteletten die Cassie ooit had gezien en koffie waarvan ze vermoedde dat hun haren er recht van overeind zouden gaan staan.

'Vanmorgen zullen de abo's wel komen. Die komen van overal langs de rivier.'

Toen Cassie naar buiten keek zag ze een stuk of vijf zwarten zitten wachten.

Het was al vroeg in de middag toen ze vertrokken naar Stockton Wells, een veel groter plaatsje, dat zelfs over een ziekenhuisje met vijf bedden beschikte. Cassie besprak die middag met zuster Maureen de mogelijkheid voor maandelijkse bezoeken en behandelde vervolgens een man met gebroken ribben, een baby met darmkoliek, een kind met kinkhoest en een zwangere vrouw met diabetes. Ze stelde voor dat deze laatste de laatste drie maanden van haar zwangerschap in de stad zou komen wonen, zodat ze in de buurt zou zijn van het ziekenhuis in Augusta Springs, 'voor het geval dat'.

Verder was er nog een tiental poliklinische patiënten die zij op verzoek van de zuster onderzocht.

Toen ze eindelijk klaar was, begon het al te schemeren. Maureen stond erop dat ze bij haar thuis zouden overnachten; zelf kon ze wel in het ziekenhuis slapen. Ze bleven nog bijna tot middernacht zitten praten en bier drinken.

Cassie sliep nog maar net toen er op de deur werd geklopt. Ze schoot geschrokken overeind. Een stem riep: 'Dokter, dokter.'

Ze greep haar ochtendjas en deed de deur open. Voor haar stond een lange, knappe man met verschrikte donkere ogen.

'Een noodgeval.'

'Wacht even tot ik me heb aangekleed.' Cassie kon amper uit haar slaperige ogen kijken.

Geheel gekleed en met haar dokterstas in haar hand, kwam ze even later weer bij de deur, waar de man meteen haar andere hand greep en met haar in de richting van het hotel begon te rennen, dat slechts drie deuren verder stond. 'Ze is achter,' zei hij, zonder zijn pas in te houden.

'Ik ben bang dat ze doodbloedt. Dat mag niet. Dat mag gewoon niet gebeuren.' Ze vroeg zich af of de man zou gaan huilen.

Op het terrein achter het hotel stond een schuur en in een van de stallen lag, op haar zij en hevig bloedend, een reusachtig paard. Er liepen twee grote snijwonden dwars over haar borst. Drie mannen stonden om het dier heen. Een van hen streelde haar en sprak haar geruststellend toe, terwijl de andere twee ervoor zorgden dat ze bleef liggen, hoewel ze geen aanstalten maakte om op te staan. De plas bloed werd steeds groter.

Cassie bleef staan. 'Ik ben geen veearts.'

De man die nog steeds haar hand vasthield keek haar smekend aan. 'Doc, u moet Cleo redden. Zij is mijn enige kans voor De Cup.'

Alle vier de mannen keken haar verwachtingsvol aan. Met een zucht liep Cassie langzaam naar de gewonde merrie toe.

'Rond middernacht hoorde ik schoten. Ik denk niet dat iemand haar probeerde neer te schieten, het zal wel iemand geweest zijn die op een kangoeroe schoot. Maar ze schrok ervan en is op hol geslagen, regelrecht het prikkeldraad in. Doc, u moet haar weer oplappen, hoor.'

Cassie knielde naast het paard neer, dat haar met grote paniekogen lag aan te staren.

'Ik heb licht nodig.'

Binnen enkele minuten hadden alle vier de mannen een lantaarn gevonden om haar bij te schijnen. 'Zet er maar een paar op die balk daar,' stelde Cassie voor, 'dan hebben twee van jullie de handen vrij om het paard in bedwang te houden. Ik heb haar een spuitje gegeven.' Ze vroeg zich af of de hoeveelheid pijnstillers die zij bij zich had voldoende was voor dit reusachtige dier.

Binnen tien minuten begon Cleo slaperig te worden; de medicijnen deden hun werk. Cassie klemde de gescheurde bloedvaten af en hechtte de wonden. Ze was er meer dan een uur mee bezig. 'Laat haar een paar dagen zo min mogelijk bewegen en daarna alleen om haar naar huis te brengen, indien mogelijk met een vrachtwagen, zodat ze daar helemaal kan herstellen. Het zal op z'n minst een maand duren voordat je haar weer kunt berijden. En doe het ook dan nog heel voorzichtig aan.' Ze wist niet waarom ze dit allemaal zei. Ze wist helemaal niets van paarden af. Maar het klonk wel logisch.

Om twee uur lag ze weer in bed.

De volgende ochtend waren ze in Mount Everett, een stoffig stadje, even ten zuiden van de groene tropen, op de terugweg naar Augusta Springs. De lucht zag er roze van het stof. Terwijl ze daar waren en in de achterkamer van de pub – een van de drie gebouwen van de stad – enkele patiënten behandelden, vertelde de pubeigenaar dat Templeton Station had gevraagd of de dokter langs kon komen voor een zieke. Het was hier maar vijfenzestig kilometer vandaan.

Even na tweeën gingen ze op weg. De lucht was zo heiig dat Warren bijna niets kon zien. Hij informeerde bij het radiostation naar het weer en zei: 'Er is een koufront in aantocht vanuit het noordoosten.' Cassie wist niet wat dat betekende.

Toen ze naar buiten keek, kon ze de grond bijna niet meer zien. Ze waren pas een half uur in de lucht en het stof maakte het zicht uitermate slecht, hoewel ze zo laag vlogen dat Cassie dwars door het stof bomen kon zien en kuddes kangoeroes.

'Wil je liever terug?' riep ze naar Warren.

Hij schudde zijn hoofd. 'We zijn er bijna. Het is hier zo vlak dat ik er makkelijk zou moeten kunnen landen.' Op dat moment verdween het stof. Ze waren erdoorheen en vlak voor hen, een beetje naar links, lag Templeton Station. Paarse bougainvillea schitterde vrolijk in de middagzon.

Ondanks stevige zijwinden zette Warren het toestel probleemloos aan de grond.

Cassie stelde vast dat de vrouw voor wie zij hier waren een blindedarmontsteking had, dus legden zij haar op de brancard en laadden haar in het vliegtuig.

'Waarom ga je niet voorin zitten?' zei Cassie tegen Mary, terwijl ze op de stoel achter Warren wees waar zijzelf meestal zat. 'Ik ga wel achterin zitten, bij de patiënt.'

Mary knikte en maakte haar gordel vast.

Warren keerde het toestel met de neus naar de landingsbaan. Hij gaf vol gas en liet de remmen en de juiste aileron los. Terwijl hij een paar honderd meter over de zelfgemaakte landingsbaan taxiede, kwam het staartgedeelte langzaam omhoog. Hij trok de stuurknuppel naar achteren en het vliegtuig draaide log naar links. Het was wel duidelijk dat hij niet in staat was de plotselinge zwenking naar links snel genoeg te corrigeren om hen weer op de juiste koers te brengen. Hij zette de motor af en bracht het vliegtuig abrupt tot stilstand.

Even later maakte hij een bocht en keerde terug naar het punt waar ze begonnen waren. Hij keek achterom de cabine in en wenkte Cassie naar voren. 'Die krachtige neerwaartse trek zorgde ervoor dat ik al uit mijn baan raakte voordat ik voldoende snelheid had. Het toestel lijkt wat staartlastig. Kun jij hier in de deuropening van de cockpit komen staan en de brancard ook naar voren rollen? Zodra we in de lucht zijn kun je dan weer op je gewone plek gaan zitten.'

Het kostte Cassie geen moeite de brancard naar voren te rollen. Zij en Mary maakten hem vast aan de voorstoelen zodat hij niet weg kon rollen en Warren knikte goedkeurend. 'Oké.'

Hij gaf weer vol gas en het toestel kwam in beweging. Hoewel de staart nog steeds te langzaam omhoog kwam, begon het toestel niet te slingeren toen het van de grond kwam.

Cassie bukte zich om door de voorruit te kunnen kijken en zag vlak voor hen lange rijen bomen. Het vliegtuig was nog niet zo hoog dat het over de bomen heen kon vliegen en zij keek snel naar Warrens achterhoofd. Zijn nekspieren stonden strak gespannen. 'We stijgen niet snel genoeg,' mompelde hij zachtjes voor zich uit. 'Het kreng wil niet stijgen.'

Nadat zij ternauwernood over de boomtoppen waren heen gescheerd, strekte zich kilometers ver een landschap van niets anders dan laag struikgewas voor hen uit.

Warrens stem klonk weer normaal toen hij naar Cassie opkeek en zei: 'Ik denk dat ik eerst maar eens een hele cirkel maak om goed op hoogte te komen voordat we onze koers gaan vervolgen.' Hij zette een draai naar bakboordzijde in, waarbij hij lichtjes naar links overhelde.

Cassie vroeg: 'Hoop je tegen de wind in te draaien om luchtsnelheid te winnen?'

Hij gaf geen antwoord. Cassie wierp een blik op de hoogtemeter. Ze had lang genoeg met Sam gevlogen om enkele instrumenten te kunnen lezen. Ze vlogen op nog geen driehonderd voet.

Met een schok besefte ze dat Warrens knokkels wit waren van de druk die hij uitoefende op de gashendels. Goeie God, dacht ze, zelfs op volle kracht verliezen we nog snelheid.

'Stijgen we nog steeds niet?'

Warren schudde zijn hoofd. 'Met die draai hebben we hoogte verloren.' Hij draaide zich om en keek Cassie recht in de ogen.

'O, God,' zei ze, toen de waarheid tot haar doordrong.

We zijn in moeilijkheden.

'Nu is de neus weer te zwaar belast. Ga naar achteren,' zei hij op dringende toon.

Cassie liet geen ogenblik verloren gaan. Ze wrong zich tussen de brancard en Mary's stoel door en holde naar de achterkant van de cabine, waar zij zich tegen de wand op de grond liet vallen.

Ze kon nog steeds uit het raampje kijken en zag dat de neus van het vliegtuig naar de grond wees.

Het toestel begon te tollen. Ze wist zich nog vast te grijpen aan de poten van de stoel voor haar, toen zij de grond raakten en alles zwart werd.

Hoofdstuk 34

Het gezicht van een man keek op haar neer. 'Alles in orde?' vroeg hij.

Cassie wist het niet. Ik zal wel een hersenschudding hebben, dacht zij verward. De man stak een hand uit om haar overeind te trekken van de vloer van wat er nog over was van het vliegtuig. Hij sloeg een arm om haar schouders en leidde haar naar de rand van het toestel, waar de wand ontbrak. Iemand anders stond te wachten om haar op te vangen.

O, God, wat is er gebeurd? Ze keek omhoog naar het vliegtuig; de binnenkant was nog intact. *Godzijdank. Dat betekende dat Warren en Mary en hun patiënte niets mankeerden. Hoe was het in hemelsnaam mogelijk dat de hele zijwand van het toestel was weggeslagen?* Ze stond tussen de brokstukken.

Tussen de verwrongen massa van wat het raam was geweest lag Mary, op haar rug en bewegingloos. Cassie rende naar haar toe. Zo op het eerste gezicht had ze geen schrammetje, hoewel haar blouse was gescheurd en haar rechterborst onbedekt was. Cassie bukte zich en bedekte Mary's borst met de gescheurde stof. Toen zij knielde om Mary wat gemakkelijker neer te leggen, zag zij de lege blik in haar ogen, die recht omhoog staarden in het verblindende licht van de zon.

O, mijn God.

Toen zij omkeek naar het vliegtuig, in de hoop Warren te kunnen bijstaan wanneer hij zijn vrouw ontdekte, zag zij hem door twee mannen uit de cockpit gesleept worden. Hij zat zo ernstig beklemd dat ze meteen begreep dat hij op het moment van neerstorten verpletterd moest zijn.

Het bloed stroomde uit zijn neus, mond en zelfs uit zijn oren. Hij haalde moeizaam adem en had veel pijn.

'Leg hem in de schaduw,' zei Cassie, terwijl zij een hand op haar achterhoofd legde, dat opeens verschrikkelijk pijn deed. De twee mannen tilden Warren op en legden hem in de schaduw van de linkervleugel. Cassie knielde naast hem neer. Even kon ze hem niet zien, omdat ze bevangen werd door haar eigen pijn. Ze zag meteen dat hij stervende was. Ze kon niets meer voor hem doen.

Ze stond op en keek om zich heen, op zoek naar hun patiënte. Tot haar afschuw zag ze haar lichaam in een onnatuurlijke bocht om de brancard heen gedraaid, waarvan sommige stukken dwars door haar heen staken.

Met een gevoel van onmacht en wanhoop ging Cassie weer naast Warren zitten en hield zijn hand vast totdat hij een half uur later ophield met ademhalen.

Ze legde haar hoofd op zijn borst en huilde.

Inmiddels hadden zich meer dan tien mensen op de plaats van het ongeval verzameld.

Een man die ze nog nooit had gezien kwam naar haar toe. 'Ik heb contact opgenomen met jullie radiobasis,' zei hij, met een hand op haar schouder. 'Zij sturen iemand uit Highcastle met een ambulance. Het is ongeveer honderdvijftig kilometer, dus het zal wel een uur of drie, vier duren voordat hij hier is.'

Cassie wilde naar hem opkijken, maar het enige wat zij kon zien waren onduidelijke omtrekken. De geluiden van de mensen om haar heen vervaagden en het enige dat ze nog kon zien waren de oogverblindende stralen van de zon. Nu ga ik ook dood, dacht ze, terwijl haar achterhoofd leek open te splijten van de pijn.

Het vergde te veel inspanning om haar ogen open te doen, maar ze hoorde vage geluiden – het zuigend geluid van rubberzolen op een tegelvloer, het krakend geluid van gesteven uniformen en de onmiskenbare geur van een ziekenhuis. Ze zakte weer weg.

Toen ze weer wakker werd, was het eerste wat ze voelde een hand om de hare. Ze probeerde haar ogen open te doen, maar slaagde er alleen maar in een beetje met haar oogleden te knipperen.

Een vertrouwde, vlakke stem zei: 'Je hebt een hersenschudding. Je hebt vlak boven je haargrens een klap gekregen, waardoor er een scheurtje in je schedeldak is ontstaan. Het is nog geen drie centimeter lang, maar je zult je nog wel een paar dagen gedesoriënteerd voelen.'

Ze dwong zich ertoe haar ogen te openen. Chris Adams zat naast haar bed haar hand vast te houden.

'Je linkerarm is bijna doorboord door een scherp voorwerp.' Hij keek bezorgd. 'Vlak boven de elleboog. Gelukkig zijn er geen zenuwen geraakt. Het zal een paar weken duren voordat je weer volledig hersteld bent.' Hij greep haar hand nog wat steviger vast.

'Ben ik thuis?' vroeg Cassie.

'Nee, je bent in het ziekenhuis in Highcastle. Je ligt hier al bijna twintig uur.'

Wat doe jij dan hier? wilde Cassie vragen, maar ze miste de energie om te praten.

Toen ze weer wakker werd, stond Chris bij het raam naar buiten te turen. Het schemerde.

'Wat gebeurt er nu met je patiënten?' vroeg ze. Niet *Hallo*, niet *Wat fijn je te zien*, niet...

'Ik ben op dit moment bij een van mijn patiënten.'

'Dus Augusta Springs zit zonder dokter?'

'Augusta Springs zit even zonder dokter.' Hij leek zich er niet erg druk om te maken.

'Warren? Mary?' Ze moest het hem horen zeggen.

'Zij zijn allebei dood. Hun lichamen zijn al teruggebracht naar Augusta Springs.'

Cassie deed haar ogen weer dicht. Het was te veel om te bevatten. Drie mensen dood en zij leefde nog. Waarom?

'Laat ik het niet merken,' hoorde ze Chris' stem zachtjes tot zich doordringen.

Ze opende haar ogen. 'Wat bedoel je?'

'Dat je je schuldig gaat voelen. Dat je gaat denken dat jij dood had moeten zijn, in plaats van zij. Want dat is pure nonsens.' Met zijn arm tegen de muur geleund en zijn benen gekruist, stond hij vanaf de andere kant van de kamer naar haar te kijken.

'Dat dacht ik helemaal niet.'

'Nee, maar dat kan nog komen. Het komt heel veel voor. Er is geen enkele reden voor, Cassie, waarom de een het wel overleeft en een ander niet.'

Ze slaakte een diepe zucht en haar ogen vulden zich met tranen. 'Het is allemaal voorbij.'

Chris liep naar haar toe en ging op de rechte stoel naast haar bed zitten.

Ze keek hem aan. 'Zo moet jij je gevoeld hebben toen Isabel stierf.'

'Nee, geen moment,' zei hij en er lag een ijskoude blik in zijn ogen. 'En jouw leven is nog lang niet voorbij.'

O, wat kostte het haar moeite om te praten. 'Ik bedoelde ook niet mijn leven. Ik bedoelde de Flying Doctors. Geen vliegtuig, geen piloot. Hoe moeten we aan een nieuwe komen in oorlogstijd...?'

Het bleef even stil. 'Je kunt altijd in Augusta Springs blijven werken. Ik heb een partner nodig en jij bent veel beter dan Edwards ooit is geweest.'

Een vlieg vloog zoemend achter de raamhor.

‘En als je mij niet als partner wilt, kun je altijd nog je eigen praktijk beginnen. Dan kunnen we elkaar in het ziekenhuis blijven assisteren.’

Cassie wilde eigenlijk alleen nog maar slapen, maar ze hoorde nog net de stem van Chris, heel zachtjes: ‘Ik blijf bij je totdat je voldoende bent hersteld om naar huis te worden gebracht.’

Twee dagen later werd ze overgedragen aan de zorgen van Chris. Hij legde haar op de achterbank van zijn auto en reed haar in anderhalve dag terug naar Augusta Springs. Hij zei bijna niets tijdens de rit.

Cassie keek naar zijn achterhoofd en vroeg zich af of ze zich in hem had vergist. Hij was zo attent en lief voor haar geweest. Hij bleek toch een echte vriend te zijn. Hij wist dingen over haar die niemand ter wereld wist. Gek eigenlijk, want ze had nooit kunnen denken dat Chris Adams nog eens haar vertrouwensman zou worden. Chris, in plaats van Fiona of Sam. Ze hield van Fiona – was dat nog wel zo? Fiona’s plaats in het leven was het plekje dat Cassie als het hare had beschouwd. Hadden de jaloezie en de afgunst die haar bleven steken, de liefde verwoest die zij voor haar vriendin had gevoeld? De wetenschap dat Fiona Blakes bed had gedeeld, dat hij de liefde met haar had bedreven… Het was alsof een mes haar hart doorboorde. Ze snikte.

Chris draaide zich naar haar om. ‘Gaat het nog?’

Cassie knikte terwijl er een traan langs haar wang gleed. Nooit meer Blakes liefde te kennen, zijn kussen te voelen, nooit meer door hem te worden aangeraakt, nooit meer… Ze barstte in snikken uit en kon niet meer ophouden.

Toen ze in Augusta Springs arriveerden, liep het tegen vijven. Chris hielp haar uit de auto, maar Cassie stond erop zelf de trap naar de veranda op te lopen. ‘Je zult je nog wel een paar dagen zwak en gedesoriënteerd voelen,’ zei hij. ‘Ik zal iemand vragen om bij je te blijven.’

‘Nee,’ zei ze. ‘Ik wil geen vreemde in huis. Ik blijf heus wel in bed. Ik kom er alleen uit om thee te zetten en een boterhammetje te pakken.’

Nadat hij zich ervan had overtuigd dat zij veilig haar slaapkamer had bereikt, zei hij: ‘Ik loop even naar de winkel voor brood, eieren en melk en dat soort dingen.’

Hij was binnen een half uur terug en in de tussentijd had zij haar nachtjapon aangetrokken en was tussen de lakens gekropen.

Met de zak boodschappen in zijn armen stond hij in de deuropening van haar slaapkamer. ‘Ik ben heel goed in roereieren,’ zei hij. 'Zal ik een bordje voor je klaarmaken, met bacon en toast? En een kopje thee?'

Zijn bril stond scheef op zijn hoofd en er viel een lok haar over zijn voorhoofd. Hij zag er eigenaardig jongensachtig uit en Cassie glimlachte. 'Alleen als je zelf ook meeëet. Als je hier aan mijn bureau komt zitten kunnen we samen eten.'

Met een van zijn zeldzame brede glimlachjes, zei hij: 'Ik ben zo terug.'

Toen hij terugkwam met het dienblad stond er een glaasje met madeliefjes naast haar bord. 'De enige bloemen die ik kon vinden,' grijnsde hij.

'Schattig, Chris, echt waar.'

Even later bracht hij zijn eigen bord en koffie binnen, zette ze op het bureau en ging ernaast zitten, met zijn gezicht naar haar toe.

'Ik zal Horrie bellen om hem te vertellen dat je terug bent.'

'Misschien heeft hij een idee hoe we nu verder moeten. Ik moet het er ook over hebben met dominee Flynn en Don McLeod. Ze hebben de Flying Doctors in dit gebied hard nodig.'

'Je bent mooi,' zei Chris plotseling, alsof hij de woorden zo uit de lucht had gegrepen.

Cassie staarde hem verbaasd aan.

'De lamp schijnt zo mooi op je haar.' Hij nam een slok van zijn koffie, maar bleef haar aankijken.

Ik zal nooit van hem kunnen houden, dacht zij. Hij is bevooroordeeld en arrogant en vooringenomen en kil.

Terwijl zij haar thee dronk bleven zij elkaar aankijken en voelde zij hoe zich ergens diep vanbinnen iets begon te roeren. Hij zag er goed uit – dat moest ze hem nageven. Hij was knap op een koninklijke, aristocratische, levenloze manier. Net als Sam was hij te mager, stakerig. Hij had een weke kin, maar daar kon hij ook niets aan doen, dat was genetisch bepaald. Ze keek voor het eerst bewust naar zijn lippen. Die waren vol en sensueel. Gemaakt om te zoenen. Ze vroeg zich af hoe het zou zijn om door hem gezoend te worden.

Zijn handen om de koffiebeker waren sterk. Lange, slanke vingers. Chirurgenhanden. Hoe zou het voelen om door die handen te worden aangeraakt? Hoe zou het voelen als zijn naakte lichaam tegen het hare lag?

Hij stond op en kwam naar het bed om het dienblad te pakken, waarmee hij vervolgens de kamer uitliep. Ze hoorde hem in de keuken de vaat doen en glimlachte, verrast door haar eigen gedachten. Hij moest eens weten. Maar op de een of andere manier voelde ze zich veilig bij hem. Ze zou nooit van hem kunnen houden, maar ze had er wel behoefte aan dat iemand naar haar verlangde, al was het alleen maar voor vanavond.

Toen hij weer in de deuropening verscheen zei hij met zachte stem: 'Als je me nodig hebt, ik ben de hele avond thuis. Het zal wel niet nodig zijn. Maar je weet maar nooit...'

'Ga nog niet weg,' zei ze. 'Alsjeblieft.'

Hij keek besluiteloos.

'In het kastje boven het fornuis staat een fles wijn. Waarom schenk je ons niet allebei een glaasje in?'

'Cassie...'

Toen hij geen aanstalten maakte, zei ze nogmaals: 'Alsjeblieft.'

Hij liep weg en kwam even later terug met twee kleine glazen rode wijn. Toen hij er een aan haar wilde geven, schoof zij naar het midden van het bed en klopte op het plekje naast zich. 'Kom hier zitten,' zei ze. 'Ik wil niet alleen zijn.'

Hij ging onhandig zitten en Cassie zag dat hij een kleur had gekregen.

'Ik weet niet hoe ik je moet bedanken voor alles wat je voor me hebt gedaan, voor al je goede zorgen.'

Hij dronk zijn glas in één teug leeg en zette het op het nachtkastje.

Zij pakte zijn hand. Zijn ogen verlieten haar geen moment. 'Hoe red je het op het gebied van de liefde nu Isabel er niet meer is?'

Hij keek haar aan. Toen brak zijn stem: 'O, God, Cassie...'

Ze leunde naar voren en trok hem naar zich toe. Haar mond vond de zijne.

Hij worstelde zich los en stond op. Er lag een eigenaardige blik in zijn ogen. 'Ik moet nu weg.'

Maar toen hij het huis had verlaten en het weer stil en donker was en het enige geluid het gejank van honden in de verte was, wist Cassie dat hij naar haar verlangde.

Toen ze de volgende ochtend wakker werd, wilde Cassie meteen uit bed springen. De zon scheen naar binnen en ze had het gevoel laat te zijn voor het ochtendspreekuur. Ze werkte zichzelf op haar elleboog omhoog.

Toen begon alles weer terug te komen. Het ongeluk, Warren, Mary, haar verblijf in het ziekenhuis, de rit naar Augusta Springs. Chris.

Ze bracht het grootste deel van de dag in bed door, of lui zittend op de veranda. Wel belde ze 's middags John Flynn, om hem te vertellen dat Augusta Springs geen vliegtuig en geen piloot meer had. Aan het einde van hun gesprek had Flynn gezegd: 'Ik zal zien wat ik kan doen. Geef de moed niet op. Maar het kan wel even duren voordat er schot in de zaak komt. Het zou wel eens makkelijker kunnen zijn om aan een vliegtuig te komen dan aan een piloot, nu alle vliegeniers aan het front zitten. Doe het maar rustig aan. Ik doe mijn best. Ik weet dat QANTAS heel erg om piloten verlegen zit. Het zou er wel eens op neer kunnen komen dat we er zelf een moeten zien te vinden.'

Ze wisten allebei dat dat niet mee zou vallen. Iedereen wilde tegen de nazi's gaan vechten en er was heel veel vraag naar piloten.

Laat in de middag kwamen Horrie en Betty langs. 'Doc Adams belde om te zeggen dat je het heel kalm aan moet doen,' zei Betty. Ze was weer in verwachting. 'Ik heb een stoofschotel voor je meegebracht.'

Cassie bedankte haar.

Horrie stak een sigaret op. 'Ik heb Fiona verteld wat er is gebeurd. Ze komt meteen naar huis. Ik wou dat ik iets in elkaar kon knutselen zodat je van hieruit met je patiënten kon praten. Dan zou je niet naar het radiostation hoeven komen.'

'Ik denk dat ik over een paar dagen wel weer in staat ben radiospreekuren te gaan doen. Nu ik een auto heb, kan ik makkelijk weg, zonder dat ik van iemand afhankelijk ben. Weet je wat, ik ga het morgenochtend meteen proberen.'

'Doc zegt dat we niets moeten overhaasten.'

'Ik ben zelf ook dokter.' Het ontroerde Cassie dat Chris zo goed voor haar probeerde te zorgen. 'Oké, overmorgen dan. Ook al kunnen we niet vliegen, we kunnen wel adviseren. Dominee Flynn heeft gezegd dat hij zijn best zal doen, maar dat het wel even kan duren.'

'Wat doen we met spoedgevallen?' Horrie krabde op zijn hoofd.

'Niets. We kunnen de mensen gewoon onmogelijk bereiken. De enige vliegtuigen die benzine krijgen zijn postvliegtuigen. Misschien kunnen we in geval van nood meneer Brock inschakelen. Ik zou het anders ook niet weten.'

'Met al die vrije tijd die je nu hebt,' zei Betty, met een ondeugende blik naar haar man, 'kun je misschien eindelijk een kamer aan het huis bouwen en een veranda aan de achterkant zodat we buiten kunnen zitten.'

Hij trok een wenkbrauw op. 'Ik beloof niets, maar het klinkt niet onredelijk.'

'Ik ben best goed met een hamer en spijkers,' bood Cassie aan.

'Dat is geen werk voor een vrouw,' zei Horrie, terwijl hij opstond. 'Kom op, schatje. Laten we Cassie niet te veel vermoeien.'

Ze waren nog maar net weg toen Chris aan kwam lopen, met een tas vol boodschappen. Zonder Cassie aan te kijken liep hij het pad op. 'Een sappige steak leek me wel goed voor je. Lekker met gebakken aardappelen.'

Cassie besefte opeens dat ze zich de hele dag nog niet had aangekleed en nog steeds in haar ochtendjas zat. Haar haar zag er natuurlijk ook niet uit. Ze streek er met haar hand doorheen.

'Ik geloof dat ik wel in staat ben zelf zo'n eenvoudige maaltijd te bereiden,' zei ze. 'Eet ik alleen?'

Hij keek haar aan, maar ze wist niet wat er achter zijn blik verborgen ging. 'Ik wist niet of je mijn gezelschap op prijs zou stellen.' Er steeg een blos op vanuit zijn hals, over zijn wangen, naar zijn voorhoofd. Zij stond op en nam de tas van hem aan. 'Zou je me niet eens een zoen geven?'

Er verscheen een verschrikte blik op zijn gezicht, maar hij bukte zich en gaf haar een onhandige zoen op haar wang.

'Wil jij een drankje voor ons inschenken? Ik heb wijn voor bij de steaks, maar ik wil voor het eten nog wel iets anders. Doe mij maar een whisky met veel water. De drank staat in het kastje boven het fornuis,' zei ze, terwijl ze voor hem uit naar de keuken liep. 'Die gebakken aardappelen duren wel een uurtje, dus we hebben tijd genoeg voor een gezellige babbel.'

Chris pakte een fles, een paar glazen en begon de drankjes in te schenken. 'Morgenavond worden Warren en Mary begraven,' zei hij. 'Ik kende hen niet zo goed, maar als je wilt ga ik wel met je mee.'

Cassie boende de aardappelen, stak de oven aan en nam het glas aan dat Chris haar voorhield. Tegen het aanrecht leunend bekeek ze de amberkleurige vloeistof en zei: 'Dat zou ik fijn vinden, Chris. Bedankt. Maar zal ik je eens wat vertellen? Er is iets mis.'

Hij hield zijn hoofd een beetje schuin en wachtte.

'Ik voel niets. Ik heb niet gerouwd. Ik heb niet getreurd. Ik zit niet in de put. Ik maak me alleen zorgen om de Flying Doctors. Wat ben ik toch voor iemand?'

'O,' zei hij, met opluchting in zijn stem. 'Dat is ontkenning, Cassie. Dat is heel normaal. Je geest heeft het ongeluk en de dood van die mensen nog niet geaccepteerd. Als je het op dit moment emotioneel zou accepteren, zou je waarschijnlijk zelf instorten. Het is maar goed dat je niet kunt werken en dat er geen vliegtuig en geen piloot is. Maakt de gedachte aan vliegen je niet zenuwachtig?'

Zij schudde haar hoofd. 'Niet in het minst. Het zit me dwars dat al die mensen mijn hulp nodig hebben en dat ik ze die nu niet kan geven. Het liefst zou ik meteen in een vliegtuig stappen en ernaar toe gaan.'

'Je beseft niet wat je op dit moment emotioneel doormaakt. Je beseft het nu alleen nog maar op verstandelijk niveau, maar wanneer daar verandering in komt, zul je in een diepe afgrond storten, jou kennende.'

Ze liep naar hem toe en pakte zijn hand. 'Ken je mij dan zo goed, Chris?'

Hij deed zijn hand om de hare. 'Ik weet het niet, Cassie. Ik weet niet of ik ooit wel iemand goed heb gekend, mijzelf niet uitgezonderd. Ik wil je leren kennen. Dat wil ik al heel lang.'

Zij keken elkaar diep in de ogen.

Ze ging op haar tenen staan om zijn wang te kussen. 'Geef me even de tijd om iets fatsoenlijks aan te trekken en mijn haar te kammen, oké? Ik had geen herenbezoek meer verwacht.'

'Je had het kunnen weten.' Er verscheen een flauw glimlachje op zijn gezicht.

'Misschien. Maar ik was niet voorbereid op deze verandering in jou.'

'Ik ben niet veranderd. De situatie is veranderd.'

'Misschien.' Ze keek hem glimlachend aan. 'Maar nu ga ik eerst eens proberen mezelf een beetje aantrekkelijker te maken.'

'Dat lijkt me onmogelijk.' Hij ging in de enige gemakkelijke stoel zitten. 'Maar ik heb geduld. Ik heb tenslotte meer dan twee jaar op je gewacht. Kam je haar, als je dat dan per se wilt, hoewel ik het zo eigenlijk veel leuker en ondeugender vind staan.' Ze vond dat hij een lieve glimlach had. Het was de eerste keer dat zij enig gevoel voor humor bij hem bespeurde.

Ze haalde een kam door haar haar, poetste haar tanden en trok een lange broek en een beige zijden blouse aan. Haar schoenen liet ze uit. Als hij haar niet blootsvoets wilde hebben, dan maar helemaal niet.

'Ziezo, vind je dit niet een stuk beter?' vroeg ze. Ze was zich ervan bewust dat ze aan het flirten was. Ze had nooit eerder seksuele spelletjes gespeeld. Ze was altijd zo serieus geweest. Maar nu ging ze doen wat ze de meisjes om zich heen al jaren had zien doen.

Chris' ogen zochten de hare, waarna hij zijn glas leegdronk en opstond. Hij liep naar de veranda en Cassie zag hem in de duisternis staren.

Toen hij de kamer weer binnenkwam, bleef hij even in de schaduw staan. Toen kwam hij in het licht staan, zette zijn bril af en keek haar diep in de ogen. 'Je maakt me bang, Cassie.'

Wat verrukkelijk. Hij was bang van haar. 'Waarom, Chris?'

'Ik ben bijna vijfenveertig jaar oud en ik ben nog nooit van mijn leven verliefd geweest.'

Hoofdstuk 35

Het is me verdorie toch wat, dacht Cassie. Van alle mensen in Augusta Springs... sterker nog, in de hele wereld. Ook toen Fiona weer thuis was, bleef Chris twee à drie avonden per week bij hen eten, en bracht dan altijd een fles wijn mee of een bos bloemen.

Beide vrouwen waren op een dood punt aangeland. Fiona's baan was al lang overgenomen door een jonge vrouw uit Charters Towers. En John Flynn zei tegen Cassie: 'Ik denk dat we aan een oud vliegtuigje kunnen komen, maar dat moeten we dan wel helemaal aanpassen. Ik kan echter in het hele land geen piloot vinden die nog niet naar het front is vertrokken of is ingepikt door een luchtvaartmaatschappij.'

Cassie bleef dagelijks haar drie radiospreekuren doen, maar ze kon geen reizende consulten houden of naar spoedgevallen vliegen. Ze assisteerde Chris bij operaties en nam soms patiënten van hem over wanneer hij het erg druk had, maar haar dagen duurden heel lang. Ook Fiona had de hele dag niets nuttigs omhanden. 'Heb je soms een romance met de dokter?' vroeg ze.

Cassie schudde haar hoofd. Ze kon Fiona niet langer in haar diepste geheimen laten delen. 'Zo zou ik het niet willen noemen. Hij is gewoon eenzaam zonder Isabel. Wij hebben hetzelfde beroep en ik denk dat hij inmiddels begrepen heeft dat de Flying Doctors geen bedreiging voor hem vormen. Hij is heel aardig geweest en heeft spoedgevallen voor me waargenomen toen ik... toen ik weg was. En na het ongeluk is hij meteen naar me toe gekomen om voor me te zorgen. We praten veel over ons werk.'

'Volgens mij is hij tot over z'n oren verliefd op je. Hij lijkt ook zo anders, niet meer zo stijfjes. Veel minder gespannen.'

'Als je bedoelt dat hij niet meer zo'n scherpe tong heeft, ben ik het met je eens. Dat merken zijn patiënten ook. Misschien wordt hij nog lief op z'n oude dag.'

'Hij ziet er jonger uit sinds de dood van Isabel.'

'Ik denk dat hij ouder leek omdat hij de vrouw van wie hij hield langzaam zag sterven En nu, ja nu is die vreselijke spanning natuurlijk verdwenen.'

'Wanneer hij komt eten heb ik helemaal niet de indruk dat jullie zoveel met elkaar praten. Jullie zijn net oppervlakkige kennissen die niet weten waarover ze het moeten hebben. Ik vraag me af of jullie ook maar één woord zouden wisselen als ik er niet bij was. De mensen in de stad noemen jullie een eigenaardig stel.'

Cassie keek op. 'Wij zijn geen stel.'

'Dat kan zijn, maar als het wel zo was, waren jullie inderdaad een vreemd stel.' Zij las Cassie passages voor uit de brieven die Blake haar schreef. Het waren er niet veel, maar wanneer er eentje kwam, was Fiona dagenlang in de zevende hemel en las ze hem zo vaak opnieuw dat het papier op het laatst bijna uit elkaar viel.

'Hij gaat nu ook bombardementen uitvoeren,' zei Fiona angstig. 'Hij gaat Het Kanaal overvliegen.'

Cassie zei niets.

'O, God, was ik maar zwanger geworden. Wat zou ik nu graag zijn kind dragen.'

Op een avond vertelde Chris hun dat hij een patiënte had die aan haar ogen geopereerd moest worden, maar die geen geld had voor het vliegtuig of de trein naar Adelaide. Hij had voorgesteld dat ze met de auto zou gaan. Maar de vrouw kon zelf niet rijden. Ze konden het zich niet veroorloven hun drie kleine kinderen mee te nemen en hij vroeg zich af of Cassie en Fiona ertoe bereid waren een weekje in hun huis te gaan wonen terwijl de man zijn vrouw met de auto naar Adelaide bracht. Fiona was kleine kinderen gewend en het zou voor hen allebei een beetje vakantie zijn, een verandering van omgeving. Misschien was het wel eens goed voor hen zich weer nuttig te kunnen maken na drie weken niets te hebben uitgevoerd. Hij bood aan Cassies radiospreekuren een weekje waar te nemen.

'Ze wonen een kilometer of zeventig ten zuidoosten vanhier. Jullie zouden de koe moeten melken, maar verder is het maar een klein stukje land en hoeven jullie alleen maar voor de kinderen te zorgen.'

Cassie en Fiona keken elkaar aan. 'Nou, ik wil wel weer eens het gevoel hebben dat iemand me nodig heeft,' zei Fiona. 'Het lijkt me wel leuk.'

'Ik kan jullie zondag brengen,' zei Chris, 'en dan kom ik jullie de zondag daarop weer ophalen. De weg ernaar toe is niet meer dan een karrespoor en er zijn geen andere boerderijen in de buurt.'

'Pioniersvrouwen,' zei Cassie. Misschien zou het haar wat meer inzicht geven in haar patiënten en hun manier van leven. 'Natuurlijk, ik ben van de partij.'

'Dat hoopte ik al. Bedankt allebei.' Hij stond op om te gaan. Cassie liep met hem mee naar het hek.

Hij pakte haar beide handen. 'Ik kan 's nachts niet slapen omdat ik almaar aan jou moet denken.'

Ze legde haar armen om zijn middel en ging op haar tenen staan om hem te kussen. Er sprongen geen vonken over, maar het was wel prettig.

Fiona was in de schuur geweest en kwam nu lachend aanlopen met een mandje bruine eieren. De twee oudste kinderen, Laurie en Phil, waren bij haar. 'Dat ruikt verrukkelijk,' zei ze tegen Cassie, die spek stond te bakken.

Cassie had net de baby eten gegeven en de hele kinderstoel zat onder de spetters. Ze wist niet of ze dit altijd zou willen doen, maar voor een weekje was het dikke pret. De kinderen waren schatjes, vooral de oudste, Phil. Hij stond in de deuropening en wees naar het oosten.

'Kijk eens naar dat licht daar,' zei hij.

Fiona keek over haar schouder. Ze liep naar de deur. 'Hé, Cass, kom eens kijken.'

In het midden van de horizon, die zo kaal was dat je kilometers ver kon kijken, voorbij de lage bomen, was een fel, zilverachtig licht te zien. Het scheen in hun richting, was langwerpig en lag plat tegen het land.

'Mijn God, dat is vuur,' zei Cassie. 'Over een breedte van misschien wel veertig kilometer.'

De twee vrouwen keken elkaar aan.

'Daar komen we nooit op tijd voor weg,' zei Fiona.

'Nee, natuurlijk niet, niet zonder het een of andere vervoermiddel in elk geval.' Cassie voelde een hevige druk in haar borst. Ze keek om zich heen. 'Het is nog ver weg. Laten we eerst maar eens ontbijten.'

'Ontbijten?' Fiona's stem klonk schor.

'Natuurlijk. Het wordt een lange dag.' Met een luid bonkend hart draaide Cassie het spek om in de pan en hield haar hand op voor de eieren die nog in Fiona's mandje zaten. 'Kom op, doe zo gewoon mogelijk. Alsof we iets heel leuks gaan doen.'

Fiona keek haar aan en wendde zich toen tot de kinderen. 'Kijk eens wat een lekker ontbijtje! Laten we gaan eten.' Ze zette Laurie op de stoel naast de hare en wenkte Phil naar de stoel aan haar andere kant.

Cassie ging zitten en vroeg zich af wat ze in hemelsnaam konden doen. Ze vroeg aan Phil: 'Hoeveel schapen hebben jullie?'

'Negen. Mijn vader heeft ze pas gekocht. Hij heeft er heel lang voor gespaard. Ze heten...'

'Negen,' zei Cassie peinzend.

'Waar denk je aan?' vroeg Fiona, die zich ertoe moest dwingen iets te eten.

'Zal ik je eens wat vertellen? Vuur brandt niet op verbrande grond. Als we ons eigen brandje er nu eens naar toe konden sturen, zou het zichzelf doven. In elk geval zou het de verschroeide aarde omzeilen die we om ons heen zouden kunnen creëren. Je weet wel, vuur met vuur bestrijden.'

'Hoe pakken we zoiets aan?' Fiona's stem trilde van angst.

'Ik weet het niet. Laat me even denken. Als jij samen met Phil en Laurie de afwas doet, ga ik het terrein verkennen en zien of ik misschien op een idee kom.'

Toen zij het huis verliet kwam de hond op haar afgerend en begon haar hand te likken. Ze wilde dat ze wat spek voor hem had meegenomen. Hij rende rondjes om haar heen. Ze kreeg een vervelend gevoel in haar maag. De schapen stonden in hun wei, vlak bij het huis, tevreden te grazen. Ze wist dat schapen altijd de leider volgden en zelfs in staat waren zich van de rotsen te storten als de leider dat deed. Kon zij de dieren in bedwang houden? Er begon zich een plan te vormen.

Bij de waterpomp vulde ze een emmer met water en sjouwde die moeizaam naar de wei waar de schapen stonden. Toen zij het water in de trog goot kwamen ze meteen naar haar toe en begonnen te drinken. Terwijl ze naar de dieren stond te kijken, trachtte ze het idiote idee te verwerpen dat zich in haar hoofd begon te vormen. Toen liep ze weer terug naar de pomp. Na nog drie keer heen en weer te hebben gelopen, zei ze hardop: 'Oké, vrienden, dat was het. Rust nu maar even uit, want jullie hebben een zware werkdag voor de boeg.'

Er hing een rode gloed boven de horizon. Het vuur leek niet dichterbij te zijn gekomen, maar ze wist dat het de kilometers langzaam maar zeker wegvrat. Ze wist niet hoe ze het moest inschatten, maar ze vermoedde dat het nog wel enkele uren zou duren voordat het zo dichtbij was dat het schade kon veroorzaken. Ze vroeg zich af hoe lang, hoe gruwelijk lang, het duurde om in de vlammen te sterven.

Moesten ze proberen te vluchten? Zijwaarts misschien, bij het vuur vandaan? Konden zij twintig of misschien wel meer kilometer rennen, vandaag nog? Natuurlijk niet. Niet met drie kleine kinderen in elk geval. De pick-up was er niet en ze hadden niet eens een tractor.

Toen ze weer terugkwam bij het huis, stond Fiona in de deuropening met de baby in haar armen. 'Heb jij nog briljante ideeën?'

'Ik weet niet of het briljant is, maar tenzij jij iets beters weet...'

'Ik heb helemaal geen ideeën. Het liefst zou ik gaan rennen, maar ik weet ook wel dat ik niet ver zal komen. Vooral niet met de kinderen.' Fiona was dus tot dezelfde conclusie gekomen.

Cassie aarzelde nog even en haalde een keer diep adem. 'Wat ik heb bedacht is dat we de schapen halen, alle negen als dat lukt, en dat we ze, met mij aan de buitenkant, in steeds groter wordende cirkels om het huis laten lopen. Als jij en de kinderen er dan achteraan lopen, zullen onze voetstappen het gras hopelijk zo plattrappen dat het vuur...'

'Het gras plattrappen?' Fiona keek Cassie aan alsof haar vriendin stapelgek was geworden. 'Zie je hoe dik dat gras is?'

'Dat zie ik.' Heel even voelde Cassie de aanvechting om het op te geven en, in de hoop het vuur voor te blijven, op de vlucht te slaan. 'Daarom moeten we dus zoveel mogelijk rondjes om het huis lopen om het plat te stampen. We kunnen niet meer dan tien kilometer afleggen, want dat is de maximumafstand die schapen per dag kunnen afleggen.'

'Je weet er heel wat van.'

Cassie veegde met de rug van haar hand een lok haar uit haar ogen. 'Ik had nooit kunnen denken dat die informatie nog eens van pas zou komen. Wat denk je ervan?'

'Het enige dat ik denk is dat ik doodsbang ben.' Fiona liep het huis binnen en legde de baby in het wiegje. 'Maar als we niets doen hebben we helemaal geen kans. En als de schapen ervandoor gaan?'

'Dat weet ik ook niet. Denk je dat het zou helpen om ze aan elkaar vast te binden?'

'En wilde jij ze dan vasthouden? Als ze gaan rennen, dacht jij dan negen schapen van ruim vijftig kilo per stuk in bedwang te kunnen houden?'

'Eh...' Ondanks haar angst begon Cassie te lachen. 'We zien wel hoe het gaat. Jij en de kinderen – leg jij hen alles maar uit, jij bent meer aan kinderen gewend dan ik. Misschien weet de hond wel wat hij moet doen. Misschien kun jij de hond het beste bij je houden wanneer je achter mij en de schapen aan loopt, zodat hij de dieren bij elkaar kan houden...'

Het was niet moeilijk de schapen bijeen te drijven en zodra Cassie om het kleine huis heen begon te lopen, liepen ze achter elkaar aan alsof ze nooit anders hadden gedaan. Hun hoeven lieten nauwelijks een indruk achter in het gras. Ze liepen een uur lang dezelfde cirkel, net zolang totdat Laurie begon te huilen. Cassie dacht: ik laat haar even uitrusten, maar ze moet meehelpen. We hebben zoveel mogelijk voeten nodig.

'Ik zal de schapen laten drinken,' zei ze tegen Fiona. 'Geef de kinderen ook maar iets te drinken. En schenk ook iets in voor jou en mij.' Ze voelde een blaar opkomen op haar hiel.

Fiona verzorgde de baby en Laurie zei: 'Ik vind er niets aan. Ik ben moe.'

Cassie keek naar Fiona.

'We gaan zingen. Ik zal jullie wat wandelliedjes leren.' Fiona lachte, hoewel Cassie kon zien dat het niet van harte ging. 'Weet je wat? We gaan een touw zoeken en dat binden we vast aan een schaap, zodat hij je een beetje kan trekken. Lijkt je dat niet leuk?'

Het tweede uur verliep net zoals het eerste, alleen was Cassies blaar nu open en deed elke stap die ze zette haar pijn. Ze wist dat de kinderen er slechter aan toe moesten zijn, maar Phil zei voortdurend: 'Ik ben een man, en mannen klagen niet.' Terwijl hij het zei knarste hij met zijn tanden.

's Middags, toen Fiona sandwiches had gemaakt, vroeg ze: 'Kunnen de kinderen geen dutje doen?'

'Ik wil dat ze zo moe worden dat ze vanavond niets anders meer kunnen dan slapen.' Cassie keek naar de horizon. De zilveren gloed was veranderd in een licht oranje en kwam steeds dichterbij. 'Het is nog kilometers van ons verwijderd,' zei ze, in de hoop dat Fiona het met haar eens zou zijn.

Fiona zei niets.

Ze liepen de hele dag en lieten de kinderen af en toe rusten. De hond, die achter de schapen aan liep, leek onvermoeibaar. Cassie lette erop dat alle dieren regelmatig water kregen. Uiteindelijk begonnen haar blaren zoveel pijn te doen dat ze haar laarzen maar uittrok en op haar blote voeten over het spoor liep.

Tegen zessen waren de schapen uitgeput. 'Maak jij iets te eten klaar,' zei Cassie tegen Fiona. 'Het maakt niet uit wat. En kijk ook even of er koffie is. Die zou ik nu wel kunnen gebruiken.' Ze kon het vuur nu ruiken. Waarschijnlijk was het niet meer dan twintig kilometer bij hen vandaan. Er hing een scherpe rooklucht.

'Breng de hond en de schapen naar binnen,' zei Cassie tegen Phil.

'De schapen?' vroeg hij grinnikend.

'Je vader wil er toch een kudde mee beginnen, nou dan? Breng ze maar naar de keuken.'

Fiona zei: 'Ruik dan. Ruik je het vuur?' Ze legde een arm om Laurie heen.

'Luister,' zei Phil, terwijl hij de hond opdracht gaf de schapen naar binnen te loodsen. 'Het knettert.'

Laurie barstte in tranen uit. 'Nu gaan we verbranden,' jammerde ze.

'Stil,' snauwde Cassie. Als ze net zo moe waren als zij, zouden ze na het eten als een blok in slaap vallen. Ze was blij dat Fiona er was, want zonder haar zouden de kinderen doodsbang zijn.

Laurie viel boven haar bord in slaap.

'Ik ben nog nooit zo moe geweest,' zei Fiona. 'Denk je dat we dit overleven?' Ze tilde Laurie op en droeg haar naar de slaapkamer. De baby sliep al als een roos. Phil zat op zijn bed met de hond te kroelen, die nog nooit eerder in het huis was geweest. Het arme dier had bloedende poten en hij jankte toen hij ze begon te likken. De schapen waren opgesloten in de keuken en stonden aan het hooi te knabbelen dat Cassie uit de schuur had gehaald.

'Ben je bang?' vroeg Cassie toen de beide vrouwen even later alleen waren.

'Jij niet dan?'

'Doodsbang.'

'Ik denk steeds aan Blake en dan vind ik het zo jammer dat we nooit de kans hebben gehad samen een leven op te bouwen. Ik heb de hele dag aan hem lopen denken.'

Blake.

Cassie stond op en liep op haar blote voeten naar de deur. 'Moet je kijken,' fluisterde ze. 'Het is gewoon onbeschrijfelijk. Luister eens naar dat gesis, ook al is het nog kilometers ver weg.'

'Hoeveel kilometer?' Fiona kwam naast Cassie staan en legde een arm om haar heen.

Cassie haalde haar schouders op. 'Niet genoeg. Ik voel me zo hulpeloos, alsof alles wat we doen volkomen zinloos is.'

'Je hebt gedaan wat je kon. Ik heb alleen maar achter je aan gelopen. Ik ben degene die zich hulpeloos voelt.'

'Misschien zijn we dat allebei wel. Maar er valt nu gewoon helemaal niets meer tegen dat vuur te beginnen.'

'Jawel,' zei Fiona. 'We moeten het aansteken. Daar hebben we immers de hele dag aan gewerkt, of niet soms?'

Cassie keek haar vriendin aan. 'Als we niet omkomen in de vlammen, kom ik waarschijnlijk om van pure uitputting.' Fiona knikte instemmend. 'En als het niet werkt?'

Fiona pakte Cassies hand vast en gaf haar een kus op haar wang. 'Cassie, ik heb alle vertrouwen in je. Maar als het niet werkt, en als ik dus hier moet sterven, dan doe ik dat liever met jou dan met iemand anders.'

'Ik hou ook van jou.' Cassie sloeg haar armen om Fiona heen.

'Maar ik ben zo verschrikkelijk bang. Ik wil nog niet dood. Ik wil niet dat die drie kinderen doodgaan.'

'Je bent een rots in de branding, Cassie. Met iemand anders was ik vast niet zo rustig gebleven. Ik heb het gevoel dat jij ons hier uit kunt halen. Ik weet het zeker. We gaan niet dood, we zijn alleen maar heel erg bang, en terecht. Ga jij dat vuur nu maar aansteken, dan schenk ik koffie in.'

Cassie deed de deur open en zag een kip ineengedoken op de drempel zitten. Ze pakte het dier op, gooide het naar binnen en nam de lucifers aan die Fiona aan haar gaf. Vervolgens liep ze in de richting van de vlammen, die nu in hoog tempo naderbij kwamen. Ze hoorde het suizende geluid van verplaatste lucht terwijl het vuur door de boomtoppen raasde en van de ene boom naar de andere oversprong. Het siste en het licht was zo fel dat ze erdoor werd verblind.

Toen ze door het platgetrapte gras liep, vroeg Cassie zich af of het naderende onheil hen zou vellen. Af en toe bracht een windvlaag een scherpe brandlucht mee. Hoewel het vuur nog een kilometer of twee bij hen vandaan was, kon ze de hitte al voelen en moest ze af en toe even goed kijken om zich ervan te vergewissen dat ze zelf nog niet in brand stond.

Aan de rand van de strook platgestampt gras, waaraan zij de hele dag hard hadden gewerkt, bleef ze staan. Ze knielde neer en streek een lucifer af. De windvlagen die veroorzaakt werden door het aanstormende vuur bliezen hem weer uit. De volgende lucifer beschermde ze met haar hand en ze slaagde erin een plukje gras aan te steken. Ze blies voorzichtig om het aan te wakkeren en bedacht intussen hoe ironisch het was dat zij nu haar best deed een vuurtje te stoken, terwijl een brand die de hele hemel in vuur en vlam zette in haar richting stormde. Het vlammetje sloeg aan en verspreidde zich snel. Vlug rende ze naar een andere plek, waar ze eveneens het gras in brand stak. Ze weigerde erover na te denken of het in de richting van het allesvernietigende vuur zou snellen, of via de strook platgestampt gras alsnog naar het huis zou razen.

Het vuur begon te loeien en te knetteren. Het ging de goede kant op, de aanstormende vlammenzee tegemoet.

'Meer kan ik niet doen,' zei ze hardop, waarna ze zich omdraaide en terugliep naar het huis. Ze voelde dat haar handen beefden.

Fiona stond vanuit de deuropening toe te kijken. 'De koffie staat klaar,' zei ze. 'Hij is gloeiend heet.'

'Wat niet?' zei Cassie, misselijk van angst.

Ze gingen tegenover elkaar aan tafel zitten, allebei met een kop koffie in hun handen.

Fiona raakte even Cassies hand aan. 'Straks zijn we een eiland in een zee van vuur.'

'Had ik er maar zoveel vertrouwen in als jij.'

Fiona legde een hand op Cassies arm. 'Weet je waar ik al een tijdje over loop na te denken? Wij voeren geen van beiden veel nuttigs uit omdat iemand anders mijn baantje heeft en jij geen piloot hebt. Weet je nog dat Sam mij leerde vliegen? En dat ik bijna zover was dat ik een solovlucht zou maken toen ik opeens naar Ierland moest? Wat zou je ervan vinden als ik naar Adelaide zou gaan om nog wat lessen te nemen? Hoe lijkt het je om mij als piloot te hebben? Dan zouden we samen kunnen werken.'

Cassie staarde haar met halfopen mond aan.

Fiona gaf een kneepje in Cassies arm. 'Ik durfde er niet eerder over te beginnen uit angst dat je het niets zou vinden. Ik wilde niet dat je me zou afwijzen. Maar echt, Cass, volgens mij zou ik een goede piloot zijn en je moet maar zo denken: òf je neemt mij als piloot, òf Augusta Springs heeft helemaal geen Flying Doctors.'

Cassie sprong overeind en sloeg haar armen om Fiona heen. 'O, ik vind het een geweldig idee. Een prachtig idee. Ik kan me gewoon niets mooiers voorstellen.'

Behalve mevrouw Blake Thompson zijn.

Het geknetter van de vlammen klonk nu zo hard dat zelfs de hond er niet meer overheen kon blaffen.

Hoofdstuk 36

De volgende ochtend, toen het parelgrijze ochtendgloren de oostelijke horizon verlichtte, waar het vuur vandaan was gekomen, was er niets anders meer te zien dan verschroeide aarde en gevelde bomen. Uit de smeulende, verkoolde aarde kringelden rookpluimen omhoog en er heerste een doodse stilte. Er was geen vogel te horen en het was windstil.

Cassie en Fiona hadden de hele nacht geen oog dichtgedaan. Ze deden de keukendeur open om de schapen eruit te laten, maar de dieren kropen weg in een hoek en weigerden een poot buiten de deur te zetten. In de hoop dat ze haar zouden volgen, liep Cassie naar buiten, maar de verbrande grond was te heet en ze rende snel weer naar binnen. Er was tot in de wijde omgeving geen levend wezen te bekennen.

Met een flauw glimlachje draaide ze zich om naar Fiona. 'Ik geloof dat we het overleefd hebben.'

Daar zag het inderdaad naar uit. Ze vroeg zich af waarom ze niet blijer was. 'Ik zal de baby eten geven. Zorg jij voor de andere twee?'

'Zal ik je eens wat vertellen? Ik sta helemaal te bibberen,' zei Fiona, verbaasd. 'Moet je kijken, terwijl nu alles juist achter de rug is. Je zou zeggen dat ik dat gisteren had moeten doen, in plaats van vandaag, nu het gevaar geweken is.'

'Helemaal niet,' zei Cassie op nuchtere toon. 'Het gebeurt heel vaak dat mensen in tijden van nood het hoofd koel houden en zich er heldhaftig doorheen slaan, terwijl ze naderhand instorten en soms niet eens meer normaal kunnen functioneren.'

'Nou, zo erg is het in mijn geval niet, ik ben alleen een beetje bibberig.' Fiona liep de kinderkamer binnen, waar de baby in zijn ledikantje stond te kwijlen en haar met een brede glimlach begroette. Phil lag helemaal om de hond heen gekruld, die aan zijn elleboog lag te likken. Laurie hikte in haar slaap.

Cassie zette water voor koffie op en vroeg zich af hoe ze over de nog brandende aarde naar het buitentoilet moesten lopen. Daar zou ze iets op moeten verzinnen.

Er waren vandaag geen kippen om hun eieren te geven. Was er, zonder de voorraadschuur, eigenlijk nog wel voldoende voedsel om hen de week door te helpen? Hadden ze nog vier dagen te gaan? Nee, drie. Nu ja, dat redden we wel, dacht ze. Maar zou de aarde zondag zodanig zijn afgekoeld dat er een auto over kon rijden? Overal waar ze keek zag ze een mist van rook opstijgen van het verschroeide land.

Twee dagen later slaagde een oude vrachtwagen er echter in de twintig kilometer verbrande aarde te overbruggen toen Steven Thompson en Chris Adams over wat eens een weg was geweest kwamen aangereden.

Steven sloeg zijn armen om Fiona heen, terwijl Chris alleen maar naar Cassie kon kijken. 'Jezus,' zei hij, 'zodra ik het hoorde van de brand heb ik geprobeerd om hier te komen, maar het was eenvoudig onmogelijk. Vanaf gisteren hebben we zitten wachten totdat de aarde voldoende was afgekoeld om onze banden niet te verbranden. Steven en ik bleven elkaar maar voorhouden dat jullie niets zou overkomen, maar...'

Steven viel hem in de rede. 'Volgens mij geloofden we er geen van beiden meer in. Begrijpen jullie wel wat er door ons heen ging toen we opeens het huis zagen staan en iemand zagen lopen? Ik heb tegen Chris gezegd: Als er twee vrouwen zijn die zoiets overleven, dan zijn zij het wel.' Hij liet Fiona los, kwam naar Cassie toe en omhelsde haar innig. 'God in de hemel, ik ben nog nooit zo blij geweest twee mensen terug te zien.' De tranen sprongen in zijn ogen.

'Hoe hebben jullie het gedaan?' vroeg Chris. 'Hoe is dit kleine lapje grond in vredesnaam ontsnapt aan die vuurzee? Het lijkt wel een eilandje midden in de hel.'

Hij verraste Cassie door zijn armen om haar heen te slaan en haar dicht tegen zich aan te trekken. 'God, ik dacht dat mijn leven was afgelopen,' zei hij met hese stem. Hij hield haar tegen zich aan en zijn armen weigerden haar los te laten.

Eenmaal terug in Augusta Springs ging Cassie meteen naar bed. Ze lag in haar donkere kamer, met de gordijnen dicht, onbeheerst te rillen. Haar tanden klapperden. Fiona gaf de kinderen te eten en legde ze in bed.

Steven zei: 'Ik slaap wel op de bank. Ik laat jullie nu niet alleen.'

Chris bleef ook en stak om het kwartier even zijn hoofd om de deur van Cassies kamer. Op een gegeven moment kwam hij op de rand van haar bed zitten en streelde haar voorhoofd. Maar ze duwde hem weg en zei: 'Laat me nu maar met rust. Ik wil liever alleen zijn.'

Toen hij weg was barstte ze in tranen uit. Ze kon niet meer ophouden met snikken. Fiona, Steven en Chris kwamen allemaal in de deuropening staan, maar het enige wat Cassie wilde was dat ze weggingen en haar met rust lieten. Ze wist niet eens waarom ze huilde. Ten slotte viel ze in slaap.

De volgende ochtend werd ze wakker van de vrolijke geluiden van de kinderen, die lachend rondrenden en Steven wakker maakten. Tegen de tijd dat Cassie de keuken binnenkwam, had Steven al koffie gezet en stond hij roereieren te bakken.

'Wat heb jij een hoop verborgen talenten,' zei ze, en probeerde naar hem te lachen, terwijl ze eigenlijk het liefst meteen haar bed weer in was gedoken. Maar ze kon Fiona toch niet alleen opzadelen met de drie kinderen. En trouwens, ze waren nu veilig. Waarom voelde ze zich dan zo ellendig, zo koud, zo duizelig?

Toen Steven haar een kopje koffie wilde geven, viel ze flauw.

Toen ze weer bijkwam, stond Chris over haar heen gebogen. 'We gaan je hier weghalen, weg van al het lawaai en de kinderen. Hun vader komt ze vanmiddag weer ophalen en Fiona zorgt voor hen terwijl ik jou naar mijn eigen huis breng. Wat jij nodig hebt zijn rust en stilte.'

Cassie was te zwak om te protesteren. Hij tilde haar op en droeg haar naar buiten, waar zijn auto stond. 'Je kleren komen later wel,' zei hij.

Dankbaar liet zij zich in de stoel zakken.

Hij stopte haar in zijn bed en trok de gordijnen dicht. 'Ik moet nu naar het ziekenhuis, maar vanmiddag kom ik thuis om iets te eten voor je te maken. In de tussentijd geef ik je iets waarvan je tot rust komt en waarvan je lekker kunt slapen.'

Ze werd pas weer wakker toen het al bijna donker was. Ze rook etensluchtjes. Ze wilde opstaan en naar de woonkamer lopen om Chris te laten zien dat hij haar geen eten op bed hoefde te brengen, maar ze slaagde er niet in zich te bewegen.

Toen Chris binnenkwam, deed hij het licht aan en zei: 'Denk je dat je zelf naar het toilet kunt komen? Je bent de hele dag nog niet geweest.'

Cassie knikte. Natuurlijk kon ze dat, maar toen ze probeerde te bewegen lukte het haar niet eens de dekens van zich af te schuiven. Chris tilde haar op en droeg haar naar het toilet. 'Ik wacht voor de deur,' zei hij, 'maar geneer je vooral niet om me te roepen als je me nodig hebt. We zijn tenslotte allebei arts.'

Toen hij haar weer had ingestopt, zei hij: 'Ik heb wat kippebouillon gemaakt.' Hij had twee kussens onder haar hoofd gelegd.

'Jij krijgt wel je portie met het verzorgen van zieke vrouwen, hè?'

Hij legde zijn hand om haar pols. 'Zo moet je niet praten. Dit is heel iets anders. Jij bent Isabel niet.' Er klonk boosheid in zijn stem.

Ze begon weer te beven en zo hevig te rillen dat haar tanden ervan klapperden. Chris zat naast haar, met zijn armen om haar heen. Af en toe streek hij met zijn hand door haar haar en fluisterde: 'Stil maar, stil maar. Er is niets aan de hand. Alles komt goed.' Ten slotte maakte de warmte van zijn lichaam haar wat rustiger en viel ze naast hem in slaap. Hij bleef haar de hele nacht vasthouden en dommelde af en toe zittend wat weg.

Voordat hij de volgende ochtend naar zijn werk ging, gaf hij haar nog een spuitje, maar ditmaal werd ze al wakker voordat hij thuiskwam. Ze lag, gespannen als een veer, in bed en had het gevoel dat ze het niet meer uithield. Waarom zijn Warren en Mary dood en ik niet? Waarom leef ik nog? Waarom wilde Blake niet met me trouwen? Waarom heeft hij voor mijn beste vriendin gekozen? Hij is tussen ons gekomen en nu kan ik haar niet langer mijn diepste geheimen vertellen. Waarom is Jennifer gestorven? Die beeldschone, vrouw, in de kracht van haar leven. Onherkenbaar verbrand.

Ze huilde en de tranen stroomden geruisloos over haar wangen.

Toen Chris thuiskwam lag Cassie opgerold in foetushouding in bed, haar gezicht vlekkerig van de tranen, terwijl ze met grote ogen voor zich uit staarde. Ze wilde niet met hem praten en liet zelfs niet merken dat ze wist dat hij er was. Toen Steven even later langskwam, staarde Cassie hem uitdrukkingsloos aan en beide mannen begrepen dat zij hen niet zag.

'Ze verkeert in een shocktoestand,' zei Chris tegen Steven. 'Ik denk dat het haar allemaal wat te veel is geworden. De oorlog – het vertrek van haar vrienden, Jennifers dood, en toen het vliegtuigongeluk. De brand was de druppel die de emmer heeft doen overlopen. Wanneer de persoon in kwestie de werkelijkheid niet langer wil accepteren, gebeurt het vaak dat hij of zij in een soort coma raakt. Het is een soort ontsnapping.'

Steven liep naar haar toe en streelde haar gezicht. 'Ik dacht dat zij mijn schoondochter zou worden,' zei hij, met schorre stem. 'Ik hou van haar als van een dochter.' Toen draaide hij zich om naar Chris. 'Wat kunnen we doen?'

Chris schudde zijn hoofd. 'Het heeft z'n tijd nodig. Bedrust.'

'Nu ja, de kinderen gaan morgen weg,' zei Steven. 'Daarna kan Fiona haar verzorgen.'

'Nee, dat doe ik zelf.'

Steven keek hem aan. 'Laat het me weten als ik ergens mee kan helpen. Ik logeer bij Fiona.'
Cassie hoorde alles als door een tunnel, gedempt, heel ver weg. Dus Steven had ook verwacht dat zij met Blake zou trouwen. Maar er kwamen geen tranen. Er kwam helemaal niets.

Toen Cassie drie dagen later haar ogen opende en zich weer bewust was van haar omgeving, zat Chris in een stoel naast haar bed te lezen. Hij sloeg zijn boek onmiddellijk dicht en kwam naast haar op het bed zitten.
'Ik heb soep. Heb je daar trek in?'
'Ik zou wel wat sinaasappelsap lusten,' zei ze, terwijl ze rechtop ging zitten. 'Dat en een tandenborstel. Ik heb een vreselijke smaak in mijn mond. Hoe lang ben ik hier al?'
'Vijf dagen.' Hij stond op en liep naar de deur. 'Ik ben zo terug.'
Cassie stond op en liep naar de badkamer, waar ze het bad liet vollopen. Even later klopte Chris op de deur van de badkamer. Toen zij opendeed stond hij grijnzend voor haar, met een nieuwe tandenborstel in zijn hand.
Cassie glimlachte. Wat een aardige man was hij geworden. 'Ik wil geen soep. Ik wil een zachtgekookt eitje en toast en thee.'
Toen hij het haar op bed bracht, op een dienblad met een roos ernaast, zei hij: 'Jammer dat je weer beter bent.'
Ze keek hem vragend aan.
'Ik bedoel, nu ga je natuurlijk weer weg.'
Ze legde een hand op zijn arm. 'Hopelijk vind je me nog aardig nu ik weer tot leven ben gekomen. Ik voel me alsof ik twintig jaar in een en dezelfde houding heb liggen slapen.'
'Je lag er inderdaad nogal gespannen bij. Zal ik je masseren?'
Zo lief was hij nog nooit geweest. 'Wacht even tot ik mijn thee op heb, daarna graag.'
Hij keek toe hoe zij haar bord leegat. Toen draaide zij zich op haar buik.
'Ik ben geen expert hoor.'
'Dat geeft niet.' Ze legde haar hoofd op haar armen.
'Je hebt een prachtig lichaam,' zei hij.
'Je hebt het nog nooit gezien.' En toen: 'Harder, harder wrijven. Dit is verrukkelijk.'
Even later vroeg hij: 'Ben je nog verliefd op Blake Thompson?'
Haar hart stond stil. Er ontsnapte haar een diepe zucht. Het duurde even voordat ze antwoordde. Intussen masseerden zijn handen de gespannen spierknopen in haar schouders. Ondanks zijn vragen voelde zij zich ontspannen.
'Ik weet het niet. Geef me maar een definitie van liefde.'

Hij lachte verbitterd en zijn vingers kneedden haar bovenarmen. 'Ik ben geen expert op dat gebied.'

'Ach, kom nou,' zei ze, haar hoofd opzij draaiend om hem beter te kunnen zien. 'Jij en Isabel zijn meer dan twintig jaar getrouwd geweest.'

Hij zweeg. Zijn handen werkten door, hoewel ze voelde dat hij gespannen was. Opeens kuste hij haar tussen haar schouderbladen.

'Je kunt onmogelijk geïnteresseerd zijn in Isabel en mij.'

Cassie hoorde iets ondefinieerbaars in zijn stem, iets dat ze niet begreep. Hij streelde haar benen en dijen en ze voelde de spanning van zich afglijden.

'Mmm, dat is heerlijk,' mompelde ze. Hij ontspande haar lichaam en prikkelde tegelijkertijd haar nieuwsgierigheid.

'Draai je eens om,' zei hij.

Ze rolde op haar rug en zag een tederheid in zijn ogen die ze nog niet eerder had gezien.

Hij begon over haar armspieren te wrijven. De knoop die zich vijf dagen geleden in haar maag had gevormd kwam tot ontspanning. Zijn handen gleden langs haar benen en ze voelde de spieren in haar bovenbenen losser worden. Ze sloot haar ogen en ontspande zich volledig onder zijn handen.

Hij streelde de binnenkant van haar dijen en toen hij ophield was zij vervuld van verlangen. Toen ze haar ogen opendeed zag ze dat hij op haar neer stond te kijken, en op dat moment wist ze dat ze met hem naar bed wilde.

Hij bleef haar een poosje staan aankijken en zei toen: 'Wacht even.' Toen hij terugkwam had hij twee glazen wijn bij zich.

Cassie ging zitten. Toen hij haar een glas had gegeven, hield ze zijn hand vast, draaide hem met de palm naar boven en kuste hem.

Ze hoorde dat hij zijn adem inhield.

'Vrij met me, Chris.'

Even keek hij haar aan, toen knielde hij naast het bed. Ze legde zijn hand op haar borst en voelde haar tepels hard worden. 'Nu. Hier.'

Hij bleef haar recht in de ogen kijken, totdat hij zich over haar heen boog om haar te kussen, zijn lippen hongerig op de hare, en zij haar armen om zijn hals sloeg en fluisterde: 'Kom bij me, Chris.'

Hij stond op, maakte zijn stropdas los, trok zijn overhemd uit... en even later stond hij naakt voor haar. Zijn lichaam was hard en pezig, precies zoals een mannenlichaam er volgens haar behoorde uit te zien, en zij wierp de dekens terug en opende haar armen.

De manier waarop ze de liefde bedreven had iets wilds en bezetens. Hij verkende haar dieptes en toen zij dacht dat hij zich wilde terugtrekken, riep ze onwillekeurig uit: 'Nee, niet doen,' maar hij was dat helemaal niet van plan. Hij plaagde haar net zolang tot ze aan niets anders meer kon denken. Ze bracht haar heupen omhoog en samen bewogen zij zich in een wild samenspel... een ongeremde kracht.

Het enige geluid was haar gekreun – zuchten van hartstocht die opwelden vanuit het diepst van haar wezen. Haar lichaam huiverde onder hem en kwam keer op keer omhoog om het zijne te ontvangen. Ze wilde hem zo diep mogelijk in zich voelen. Haar spieren spanden zich om hem heen en ze hoorde hem uitroepen: 'Jezus. O, Jezus Christus!'

Even later rolde hij van haar af en ging, leunend op zijn elleboog, op zijn zij naast haar liggen om naar haar te kijken. Zij hijgde. 'Ik was vergeten hoe fijn het kan zijn.'

Hij legde zijn handen onder zijn hoofd en staarde naar het plafond, hoewel Cassie voelde dat dat niet was wat hij zag. Ten slotte zei hij: 'Hier heb ik zo vaak aan gedacht. O, God, wat heb ik over jou gefantaseerd. Meteen al vanaf de eerste dag dat ik je zag.'

'Meteen die eerste keer al?'

Hij knikte. 'Zolang ik je ken wil ik al niets liever dan je neuken.'

Ze had nog nooit iemand op die manier horen praten. 'Ik dacht dat je me niet uit kon staan.'

'Dat was ook zo. Maar ik wilde je ook hebben. Ik heb alles gedaan om jou en je lichaam uit mijn gedachten te bannen. Ik dacht niet dat dit ooit zou gebeuren.'

Ze streelde met haar hand over zijn buik. 'Ik heb er zelfs nooit aan gedacht.'

'Dat weet ik.' Hij glimlachte. 'Niet ophouden, dat voelt lekker.'

Ze boog zich over hem heen, kuste zijn borst en liet haar tong over zijn tepels glijden. Ze voelde hem huiveren toen ze hem zachtjes beet. Toen pakte hij haar vast, keek haar diep in de ogen, trok haar naar zich toe en begon weer helemaal van voren af aan.

'Vertel eens over jou en Isabel,' zei ze toen ze weer naast elkaar lagen.

'Daar wil jij niets over horen.'

'Jawel,' fluisterde ze, tegen hem aan gekruld.

Hij zuchtte. 'Laat me dan eerst nog wat wijn halen,' zei hij, terwijl hij opstond en naar de keuken liep. Toen hij terugkwam zei Cassie: 'Jij hebt ook een mooi lichaam.'

Chris keek omlaag en begon te lachen. 'Dat heeft nog nooit iemand tegen me gezegd.'

Hij stapte weer in bed en duwde een kussen tegen het hoofdeind. 'Wil je het echt horen?'

Toen Cassie knikte, zei hij: 'Ik heb nog nooit iemand verteld over Isabel en mij.'

'Isabel was het mooiste meisje dat ik ooit had gezien. Ik leerde haar kennen tijdens het laatste jaar van mijn medicijnenstudie. Voor haar had ik eigenlijk nog nooit een vriendinnetje gehad. Ik kwam haar tegen op een avondje van de kerk en zij was zo verlegen dat ze de hele avond langs de kant zat, terwijl iedereen druk aan het flirten en dansen was. Dat trok me aan. We begonnen uit te gaan, de gebruikelijke dingen, naar het strand en rolschaatsen en naar de bioscoop. Haar familie nodigde me uit om zondags op de thee te komen. Haar ouders waren nog stijver dan ik inmiddels ben geworden en je zag hen zelden lachen, maar het feit dat ik arts zou worden beviel haar vader wel.

Isabel vertelde me dat ze een hekel had aan grote steden, die boezemden haar angst in. Ze zei dat ze dol was op kinderen, en ik wilde heel graag kinderen. Ik verlangde wanhopig naar haar. Maar we raakten elkaar amper aan. Dat wil zeggen, dat deed zij niet en ze stond me bijna nooit toe haar aan te raken, maar dat vond ik niet erg. Ik vond haar lief en schattig en ze wilde haar maagdelijkheid bewaren voor de huwelijksnacht, je kent die onzin wel. Ik deed 's nachts bijna geen oog meer dicht, zo graag wilde ik met haar naar bed.

Net als zoveel mensen van die leeftijd, of misschien wel van elke leeftijd, liet ik mijn gevoelens regeren door mijn hormonen. Volgens mij is dat de reden voor heel veel huwelijken. Maar we trouwden dus. We trouwden de dag na mijn eindexamen. Daarna heb ik een jaar stage gelopen en toen zijn we naar Augusta Springs vertrokken, maar tegen die tijd wist ik al dat ik een reusachtige vergissing had begaan.'

Cassie staarde hem aan.

'Cassie, ik heb nooit van Isabel gehouden. Helemaal nooit. Ik ben met haar getrouwd omdat ik met haar naar bed wilde en zij haatte het. Wanneer ik een poging deed haar te kussen, deinsde ze achteruit en zei: "Ik heb een hekel aan die vreselijke natte zoenen. Ik vind het walgelijk." Wanneer ik haar voorzichtig aanraakte, duwde ze mijn hand weg en zei: "Ga weg. Ik kan er niet tegen." Als ze in bed lag hield ze zich helemaal stijf en verroerde zich niet. "Schiet in hemelsnaam op, dan hebben we het maar weer gehad," riep ze dan. Ik wist natuurlijk absoluut niet wat ik ermee aan moest.

Er gingen weken, maanden voorbij zonder dat wij elkaar aanraakten, zelfs niet in bed, waar ze zover mogelijk bij me vandaan ging liggen. Maar op een gegeven moment was ik dan wild van verlangen, niet zozeer naar haar, maar naar om het even welke vrouw. Op een nacht heb ik Isabel tegen haar zin genomen. Ik deed haar pijn, maar dat kon me op dat moment niet schelen. We waren verdorie bijna een jaar getrouwd!'

Zijn stem trilde zo dat Cassie dacht dat hij zou gaan huilen. Ze pakte zijn hand.

'Ze keek me aan met een blik vol haat, anders kan ik het niet noemen, en zei: "Dit wil ik nooit meer hoeven meemaken!" Het was de laatste keer dat wij de liefde bedreven. We hebben nooit meer gevrijd, in al die tweeëntwintig jaar niet.'

Cassie zat rechtop in bed en keek hem met open mond aan. 'Nooit meer? In al die jaren niet?'

Hij schudde zijn hoofd. 'Nooit. Zou jij het nog gewild hebben? Zou jij met iemand willen vrijen die je zo behandelde? Maar weet je, ze deed wel alsof ik met iedere vrouw die ik tegenkwam de koffer in wilde duiken. Ze was een heel jaloerse vrouw. Een paar keer per jaar ging ze tegen me tekeer als een heks, gooide ze me van alles naar mijn hoofd en beschuldigde ze me van allerlei buitenechtelijke relaties.'

'Chris, wil je me vertellen dat je sinds je twee- of drieëntwintigste met niemand meer de liefde hebt bedreven?'

'De liefde bedreven? Met iemand naar bed gaan, bedoel je. Ik ben geen complete neuroot, Cassie. Natuurlijk, wanneer ik naar een stad moest, voor een conferentie of zo, dan vond ik wel iemand. Prostituées. Niet al te best voor mijn ego, dat moet ik toegeven. Iemand moeten betalen om met me naar bed te gaan omdat mijn eigen vrouw het niet wilde.'

'Waarom heb je die situatie zolang getolereerd?'

Hij haalde zijn schouders op. 'Niet genoeg lef. Scheiden hoort niet. Aardige dokters zijn niet gescheiden. Omdat ik dacht dat het ergens toch aan mij moest liggen. God, ik heb zo mijn best gedaan. Jaar in jaar uit bleef ik er mijn best voor doen, net zolang totdat ik helemaal op was, Cassie.'

'O, Chris...'

'En toen jij... Jezus Christus, Cassie, je weet niet wat er met me gebeurde toen Fiona je die eerste keer aan me voorstelde. Ik was absoluut niet blij met jou of de Flying Doctors. Ik vond dat ze het recht niet hadden hier een vrouwelijke arts naar toe te sturen. Maar weet je wat er gebeurde? Toen jij en Fiona weer weg waren begon ik te beven. Ik moest gaan zitten omdat ik zo trilde. Ik begon avondwandelingen te maken om niet aan jou te hoeven denken, maar op de een of andere manier kwam ik altijd weer langs jouw huis. Dan hoopte ik dat je me goedenavond zou wensen, of ik fantaseerde dat je me binnen zou vragen, dat je mijn hand zou strelen, of per ongeluk mijn arm zou aanraken.'

'Echt waar? Ik heb nooit geweten...'

'Natuurlijk niet. Maar Isabel wist het wel. Wanneer ik 's avonds thuiskwam nadat jij haar had voorgelezen, zei ze altijd: "Hier heb je toch altijd van gedroomd? Een mooie, jonge vrouw met dezelfde interesses als jij? Je kunt zeker niet wachten tot je haar tussen haar benen kunt grijpen? Maar zal ik je eens wat vertellen, dat vindt ze toch niet goed, net zomin als ik het ooit goed heb gevonden. Zij is een dame, en dames doen die dingen niet. Wanneer ze mij komt voorlezen zie ik zo dat ze niets van jou en je walgelijke mannenwensen moet hebben. Je komt er nog wel achter. Wanneer ik doodga en jij haar probeert te krijgen, zal ze je uitlachen. Dames houden er niet van, let op mijn woorden, en zij is een dame. Je zult nooit iets bij haar bereiken, ook niet als ik dood ben."'

'God, maar je bent toch al lang genoeg arts om te weten dat dat nergens op slaat. Waarom ben je er dan mee doorgegaan?'

Chris haalde zijn schouders op. 'Die vraag heb ik mezelf zo vaak gesteld.'

Cassie lachte naar hem. 'Je bent anders een fantastische minnaar. Dat wil ik je toch even vertellen.' Ze leunde achterover in de kussens en bestudeerde zijn gezicht. 'Arme Chris. Isabel wist er niets van. Ik wil juist heel graag met je vrijen. Wat we zojuist hebben gedaan is me heel goed bevallen.'

'Jezus, Cassie...'

Ze lachte en zei: 'Geen wonder dat je zo'n stuk chagrijn was.'

Even deed hij net of hij haar niet begreep, maar toen begon ook hij te lachen.

'Met jou heb ik al meer gelachen dan in de afgelopen drieëntwintig jaar.'

'En dat is nog lang niet alles wat je met mij gaat doen,' zei ze, terwijl ze zich boven op hem liet glijden.

'Volgens mij ben ik doodgegaan en in de hemel terechtgekomen,' zei hij, met elke hand een borst omvattend.

'Nonsens,' fluisterde ze, op hem neerkijkend, 'je leven begint nog maar net.'

Hoofdstuk 37

De anderhalf jaar sinds Fiona's terugkeer waren snel voorbijgegaan. Fiona zou nooit de piloot worden die Sam was geweest – daar was zij, net als Warren, veel te voorzichtig voor – maar zij en Cassie konden heel goed samenwerken. De enige kink in de kabel was, ondanks Cassies relatie met Chris, nog steeds Blake. Cassie kon er niet tegen wanneer Fiona haar passages uit Blakes brieven voorlas. Wanneer ze spreekuur hielden op Tookaringa, regelden ze het altijd zo dat ze een weekendje konden blijven en Cassie was jaloers wanneer Steven en Fiona openlijk blijk gaven van de genegenheid van de schoonvader voor de vrouw van zijn geliefde zoon. Wanneer hij in zijn stoel zat gaf Fiona hem soms in het voorbijgaan een zoen op zijn hoofd en af en toe pakte hij opeens even haar hand vast. Ze praatten eindeloos over Blake. Blake. Blake.

Soms stond Cassie van tafel op om over het gazon naar de billabong te lopen. Daar keek ze naar de zwanen, naar de jabiroes en de lepelaars, en naar de vleermuizen die ondersteboven in een van de bomen hingen. Hoor eens, zei ze tegen zichzelf, dat deel van je leven is voorbij. Blake behoort tot je verleden.

Waarom kon Chris de gedachte aan Blake dan niet uitwissen?

Hij bemoeide zich nooit meer met haar patiënten. Die waren helemaal van haar en zij was blij met die verandering in hem. Ze voelde zich veilig bij Chris, ook al waren ze het vaak niet met elkaar eens, niet alleen over hun oude meningsverschil, de aboriginals, maar ook over religie, politiek, arts-patiëntverhoudingen en de rol van de vrouw in de maatschappij. Cassie vond dat er niet zoiets moest zijn als de rol van de vrouw, maar dat elke vrouw individueel haar eigen rol moest kiezen. Chris beschouwde het feit dat vrouwen niet meer tevreden waren met hun rol als echtgenote en moeder als een van de problemen van het moderne leven en was van mening dat dat het evenwicht in de maatschappij verstoorde.

Nou en? vroeg Cassie. *Tot dusverre is dat evenwicht altijd doorgeslagen in het voordeel van de mannen.*

Enkele maanden nadat Fiona haar vliegbrevet had gehaald, vond Cassie haar eigen huis. Ze zei tegen Fiona dat zij en Chris behoefte hadden aan privacy, en dat was ook zo. Zolang ze bij Fiona woonde, kon hij 's nachts onmogelijk ongezien haar slaapkamer binnenglippen. De mensen wisten dat zij met elkaar omgingen en dus 'een stel' waren, en vroegen zich af waarom ze niet trouwden, maar het mocht niet bekend worden dat ze ook een seksuele relatie hadden.

Hoewel Chris Cassie veel meer gaf dan seks, en dat wist ze heel goed, hoefde ze niet bang te zijn dat ze verliefd op hem zou worden. Toen ze in haar eigen huis trok zei hij tegen haar: 'Ik weet dat je nooit van mij zult kunnen houden, maar laat mij alsjeblieft bij je zijn tot de ware Jacob zich aandient.'

Hij vond het heerlijk haar aan te raken en wanneer ze samen waren hield hij haar graag dicht tegen zich aan. Hij sliep met zijn arm om haar heen en zei tegen haar: 'Isabel raakte mij nooit aan. Ik geniet ervan wanneer je je vingers over mijn arm laat glijden. Je bent je er niet eens van bewust dat je dat doet, hè? Voor jou is het iets heel natuurlijks. Je merkt niet eens dat je af en toe even je hand op de mijne legt.'

In het ziekenhuis was hij heel formeel tegen haar, noemde haar 'dokter' en gedroeg zich even vormelijk als vroeger. Maar iedereen in het ziekenhuis, iedereen in de stad, wist dat zij een relatie hadden, zodat zijn gedrag een beetje lachwekkend werd. Het kostte hem echter moeite de barrières af te breken die hij in de loop der jaren om zich heen had opgetrokken.

Omdat zij en Fiona elkaar elke dag zagen, betreurde Fiona Cassies vertrek niet. In plaats daarvan adopteerde zij twee aboriginalmeisjes uit Mundoora en bracht hen onder in Cassies oude kamer. Hun moeder was overleden en hun vader was op 'walkabout' gegaan. Ze bouwde een extra slaapkamer aan de achterkant van het huis en nam een huishoudster-kindermeisje in dienst. Ze stuurde Anna, het oudste meisje, naar school en besteedde haar vrije tijd aan het voorbereiden van Marian op school en de blanke levenswijze.

'Ik wil niet dat ze hun erfgoed gaan verloochenen,' zei ze tegen Cassie en Chris toen ze een keer gezamenlijk aan de avondmaaltijd zaten, hetgeen een paar keer per week gebeurde. 'Maar ik wil wel dat ze zich in onze cultuur zullen thuis voelen en niet gedoemd zijn om aan de zelfkant van de maatschappij te leven. Als ze willen kunnen ze altijd nog terug naar hun stam en de traditionele manier van leven, maar ik wil hen in elk geval een kans geven.'

Ze realiseerde zich niet dat daar geen kans op was. De kinderen op school lachten hen uit en betrokken hen nooit bij spelletjes of in vriendschappen. Het gevolg was dat Anna een boekenwurm werd en veel betere cijfers haalde dan de meeste andere kinderen. Fiona bracht al haar vrije tijd met hen door. Ze speelde met hen, leerde hen van alles en moederde over hen.

'Fiona, je bent een geboren moeder. Jij zou het liefst elk kind adopteren dat je ziet,' zei Cassie.

'Zou jij geen kinderen willen?' vroeg Fiona. 'Ik denk voortdurend aan het krijgen van kinderen – Blakes kinderen natuurlijk.' Ze draaide zich om naar Cassie. 'Waarom trouwen jij en Chris niet, zodat jullie kinderen kunnen nemen?'

'Ik ben niet verliefd op hem.'

'Jullie brengen anders meer tijd in elkaars gezelschap door dan de meeste getrouwde stellen die ik ken. Hij is duidelijk stapelgek op je.'

Net als Blake had Chris haar echter nooit verteld dat hij van haar hield. 'Ik wil niet met hem trouwen. Ik wil met niemand trouwen. Ik voel me veilig bij Chris en op mijn gemak en bovendien is hij fantastisch in bed.'

'Wat kun je nog meer verlangen?'

'Fiona, dat geloof je zelf niet. Jij was zo verliefd op Blake, ook al wist ik dat destijds niet, dat je absoluut niet openstond voor andere mannen. Je weet heel goed dat het niet slim is alleen om de seks met iemand te trouwen.'

Fiona lachte. 'Ik vermoed dat dat toch de reden is waarom de meeste mensen trouwen. En trouwens, jij bent niet verliefd op iemand anders.'

Cassie zei niets.

'O, mijn God,' zei Fiona, terwijl ze haar vriendin in de ogen keek. 'Het is Sam, nietwaar? Jij bent verliefd op Sam.'

Cassie schudde haar hoofd en streek haar haar uit haar ogen. 'Nee, dat is het helemaal niet.'

'Natuurlijk wel! Mij kun je niet voor de gek houden. En hij schrijft je van die leuke, maar broederlijke brieven. Je wilt niet dat hij het weet, is dat het? O, Cassie, ik had echt geen idee.' Ze stond op en sloeg haar armen om Cassie heen. 'Wat doe je met Chris wanneer Sam terugkomt?'

O, Fiona, je weet niet half hoezeer je je vergist. 'Misschien hoef ik wel helemaal niets te doen.'

'Je zult hem verschrikkelijk kwetsen.'

'Chris weet dat ik niet verliefd op hem ben.'

'Je zult zijn hart breken wanneer Sam terugkomt.'

'Sam heeft hier niets mee te maken.' *Kom op, Fiona, hou erover op. Je zit er zover naast dat ik erom zou lachen als het niet zo'n pijn deed. Je weet niet dat ik zwanger ben geweest van jouw man. Ik kan hem niet vergeten. Jij hebt datgene wat ik dacht te zullen krijgen. Jij hebt de schoonvader die ik al als de mijne beschouwde.*

'Nou ja, Chris is wel goed voor je geweest. Je bent veel aardiger voor mannen in het algemeen. Je bent zachter geworden.'

Omdat ik weet dat hij me niet kan kwetsen. Daarvoor geef ik niet genoeg om hem. Als hij vandaag zijn boeltje zou pakken en ervandoor ging, zou ik alleen de seks missen. Meer niet.

Maar ze wist dat dat niet helemaal waar was. Ze vond het fijn om bij hem te zijn, medische problemen met hem te bespreken, hem te zien ontspannen, te merken dat hij steeds opener begon te worden. Niet alleen met haar, maar ook met zijn patiënten.

Op 19 februari 1942 vernietigde de Japanse luchtmacht bijna de gehele stad Darwin. Honderden mensen sloegen in paniek op de vlucht voor de vrijwel volledige verwoesting, waarbij ze brandende sigaretten, half afgemaakte karweitjes en pannen op het gasfornuis achterlieten.

Na Pearl Harbor hadden de meeste vrouwen en kinderen Darwin al verlaten. De Japanners waren te dichtbij. Er waren die noodlottige dag nog nauwelijks tweeduizend inwoners over en van die mensen kwamen er meer dan tweehonderdvijftig om het leven. Bommen brachten schepen tot zinken en maakten vliegtuigen onklaar, woningen werden gebombardeerd; niet alleen Australische schepen, maar ook Amerikaanse en Britse – kruisers en torpedobootjagers die in de haven voor anker lagen – werden vernietigd. Engelse tankers explodeerden, Amerikaanse en Australische luchtmachttoestellen gingen in vlammen op, munitieschepen werden opgeblazen. Andere vliegtuigen werden uit de lucht geschoten. Communicatiesystemen werden vernietigd, overal heerste paniek.

Mensen vluchtten op fietsen, in pick-ups, op bulldozers, ijscokarretjes, alles wat maar bewoog.

Binnen een half uur, nog voor halftien in de ochtend, was het kwaad geschied en keerden de Japanse toestellen terug naar hun wachtende vliegdekschepen, met achterlating van de brokstukken van Australië's meest noordelijk gelegen hoofdstad, ooit een lome, tropische stad vol bougainvillea en weelderige tropische begroeiing, palmen en bananebomen, een gemeenschap die bekendstond om haar rebelse geest en drankgebruik, haar afkeer van autoriteit.

Tegen de middag keerden de Japanse vliegtuigen terug om de RAAF-basis plat te bombarderen, waarbij de luchthaven en alle andere gebouwen volledig met de grond gelijk werden gemaakt.

Het zware gedonder weerklonk door de lucht, die zwart was van de rook; de hemel was één grote rode en gele vlammenzee.

Nog geen maand eerder was in Darwin het modernste en best uitgeruste ziekenhuis van het land geopend. Binnen twaalf minuten vielen er zes bommen in de omgeving, die het ziekenhuis dan wel niet direct raakten, maar toch aanzienlijke schade veroorzaakten. Stenen sloegen door het dak, glas versplinterde over bedden en in operatiekamers, hele afdelingen werden verwoest. Op één aan zijn bed gekluisterde patiënt na, wist iedereen van de aparte afdeling voor aboriginals te ontkomen.

Communicatie was niet langer mogelijk en de rest van Australië kreeg pas enige uren later te horen wat er was gebeurd. De hieropvolgende drieëneenhalf jaar verwachtte Australië elk moment opnieuw door de Japanners te worden aangevallen en de noordkust werd in de loop van 1942 en 1943 inderdaad nog drieënzestig keer gebombardeerd. Deze bombardementen beperkten zich echter tot de tropische kust van het continent. Nooit werd er meer zoveel schade aangericht of gingen er zoveel mensenlevens verloren als tijdens die eerste aanval.

Bijna alle Australische jongemannen bevonden zich in Europa en Noord-Afrika en daar bleven zij nog jaren.

Tijdens het ochtendspreekuur, drie dagen na het bombardement op Darwin, ontving de Flying Doctor Service van Augusta Springs een noodoproep van Heather Martin.

'Cully is neergeschoten,' zei ze.

'Is hij dood?'

'Nee. Hij is gewond aan zijn been. Hij verliest heel veel bloed en het bloeden lijkt ook maar niet op te houden.'

'Wat is er gebeurd?'

Het bleef stil aan de andere kant van de lijn. Cassie wachtte, maar toen er niets meer werd gezegd, vertelde zij dat hij plat moest blijven liggen, met zijn been een stukje hoger om het bloedverlies te verminderen. 'Druk de slagader in het bovenbeen dicht om het vloeien te stoppen. Waar die zit? Oké, halverwege het uitstekende gedeelte van het heupbeen en het schaambeen – dat is het kruis – op een lijn halverwege die twee kun je de bovenbeenslagader voelen en dichtdrukken. Wij komen eraan. We vertrekken nu meteen.'

'Wat kan er in vredesnaam gebeurd zijn?' vroeg Fiona terwijl zij naar het vliegtuig liepen.

Cassie haalde haar schouders op. 'Dat weet ik ook niet. Zou een van de meisjes hem hebben neergeschoten?'

Fiona trok de remblokken achter de wielen van het vliegtuig vandaan. 'Denk je dat hij een van hen heeft lastiggevallen?'

'Cully? Wie weet? Het lijkt me onwaarschijnlijk, en bovendien zou je toch denken dat die meisjes van Martin stuk voor stuk heel goed in staat zijn voor zichzelf te zorgen.'

Ze stapten in het vliegtuig en Fiona startte de motoren. 'Volgens mij hebben we hen voor het laatst gezien toen we Cully naar hen toe hebben gebracht.'

'Ze hebben er moeite genoeg voor moeten doen om hem over te halen voor hen te komen werken. Addie's is nooit meer hetzelfde geworden. Cully mocht dan geen knappe vent zijn, maar koken kon hij als de beste.'

'Volgens mij had Bertie altijd wel een zwak voor hem, of hij nu kon koken of niet. Ik heb Estelle wel eens horen zeggen hoe blij ze allemaal met hem waren en dat de meisjes vaak speciaal van hun werk naar huis kwamen om te eten. Je weet wat een onbeduidend mannetje het is, mager en een kop kleiner dan al die forse meiden.'

'Het verbaasde me eigenlijk al dat ze Don niet hebben laten komen om een huwelijk in te zegenen. Ik was ervan overtuigd dat een van hen hem zou veroveren in dat halve jaar dat hij daar nu zit.'

Binnen een uur cirkelde Fiona boven de ranch van de Martins en zette een landing in op hun altijd perfect onderhouden landingsstrook. 'Werden alle vliegvelden maar zo goed onderhouden,' merkte ze op.

Er stond niemand op hen te wachten. Cassie greep haar tas en begon de paar honderd meter naar het huis te rennen, langs het houten hek en over het stenen pad de veranda op.

Alle meisjes stonden op de veranda. 'Ma is binnen met Cully,' zei Bertie. 'Het bloeden is opgehouden.'

Cassie knikte naar de meisjes. Niemand verroerde zich.

Billie zei op effen toon: 'Ze zijn in ma's kamer.'

Fiona bleef op de veranda staan, terwijl Cassie de hordeur achter zich dichttrok en regelrecht naar Estelles kamer liep, die zich op de begane grond bevond.

De gordijnen waren dichtgetrokken en Cully lag onder een laken op het bed. Zijn been lag zo te zien op een paar kussens. Er lag een koel washandje op zijn voorhoofd. Estelle zat in een stoel naast het bed. 'Cassie, godzijdank.' Ze stond op en stak haar armen uit. Cassie omhelsde haar en keek neer op Cully. Zijn ogen waren gesloten.

'Hij heeft veel pijn, maar de kogel is dwars door zijn been gegaan,' zei Estelle, op het bebloede beddegoed wijzend.

'Ik heb licht nodig,' zei Cassie.

Estelle trok de gordijnen open en het zonlicht stroomde de kamer binnen.

'Dit is een mooie wond,' zei Cassie opgelucht. Ze pakte iets uit haar tas. 'Cully, ik geef je iets waardoor je zonder pijn kunt slapen. Wanneer je wakker wordt, heb ik je weer helemaal dichtgenaaid en zul je het een poosje kalm aan moeten doen. Nu ga ik je omdraaien en... o, hij heeft geen broek aan.'

Ze stak de naald in zijn bil en wendde zich tot Estelle. 'Wat is er in hemelsnaam gebeurd?'

'God, Cassie, ik weet niet of ik moet lachen of huilen. Alle meiden zijn verliefd op hem, vanaf zijn eerste maaltijd, vanaf de eerste keer dat hij hier binnenkwam. Ook al is hij niet de meest spraakzame man ter wereld, toch zijn we allemaal verliefd op hem geworden. Ik denk dat de meisjes stuk voor stuk afwachtten tot hij een van hen zou kiezen. Ze probeerden hem allemaal het hof te maken – met kleine attenties, je kent dat wel.

Maar wat er gebeurde, je gelooft het niet. Hij en ik. Ik ben meer dan zeventien jaar ouder dan hij, maar toch gebeurde het. Hij komt al maandenlang elke nacht stiekem naar mijn slaapkamer.

Ik wilde niet dat de meiden het wisten. Ik was bang dat ze het me kwalijk zouden nemen, dat ik naar bed ging met een man van hun leeftijd. Hij is pas negenentwintig. En kijk nu eens naar mij... zesenveertig. En ik dacht dat ze boos zouden zijn, omdat ik hen de enige man afnam die ze ooit hebben gekend. Als hij nu een van hen had gekozen, maar hun eigen moeder!'

Terwijl Estelle haar verhaal deed, had Cassie steriele rubber handschoenen gepakt, een ontsmettend middel, een naald en hechtdraad. Ze boog zich over haar patiënt heen.

'Vanmorgen was Cully al vroeg wakker en kuste mij ook wakker. Hij vrijt het liefst 's ochtends vroeg, dus we gingen er flink tegenaan toen opeens Bertie de kamer binnenkwam, ons tussen de verkreukelde lakens zag liggen, met Cully's blote kont erbovenuit en dacht dat hij bezig was mij te verkrachten. Ze rende weg, kwam terug met een geweer en mikte op zijn been. Ze schiet als de beste, dus ze heeft hem precies geraakt waar ze wilde. Ze wilde hem niet doodschieten, maar alleen verwonden zodat hij naar de gevangenis kon. Je begrijpt wel dat ze niet wist wat ze hoorde toen ik haar vertelde hoezeer ze zich vergiste. Ik denk dat het voor alle meisjes een schok is dat dit al zo lang gaande is tussen Cully en mij.'

Cassie, die nog over haar patiënt gebogen stond, glimlachte. Wat was het leven toch onvoorspelbaar.

Estelle legde een hand op Cassies schouder. 'Ik wil niet dat ze een hekel aan me hebben. Kun jij niet wat mannen zoeken en naar ons toesturen?'

'Er zijn bijna geen mannen meer in de stad. Ze zijn allemaal aan het oorlogvoeren,' zei Cassie. Ze bekeek de hechtingen nog eens en was tevreden met haar werk.

'Nou ja, wanneer je er eens een paar tegenkomt. Of wanneer de oorlog is afgelopen. Je kunt ze één voor één sturen of een paar tegelijk. Als het maar een beetje aardige jongens zijn. Wanneer de oorlog is afgelopen zullen er genoeg mannen thuiskomen en meteen zonder werk zitten. Wij kunnen ze allemaal werk verschaffen.'

'En een bed,' zei Cassie zonder erbij na te denken. Ze keek Estelle beschaamd aan.

Estelle lachte. 'Dat geeft toch niet, Cassie. Het is de natuur. Ik was vergeten hoe belangrijk het was, nadat ik al zo lang zonder man had geleefd. Maar weet je, na een goeie vrijpartij voel ik me de hele dag fantastisch. Gezond.' Toen was het Estelles beurt om zich te verontschuldigen. 'O, dat was ik helemaal vergeten. Dat weet jij allemaal nog niet. Neem toch een man, Cassie. Wanneer de jongens thuiskomen zoek je er gewoon een uit en trouwt met hem. Of trouw met Sam. Jullie zouden een goed stel zijn.'

Reken er maar niet op, dacht Cassie. Sam niet. En eigenlijk wist ze niet eens of seks al die ellende wel waard was. Haar relaties met Ray en Blake hadden haar in elk geval veel verdriet bezorgd. Korte, intense seksuele escapades leidden tot langdurig, hevig liefdesverdriet. Ze dacht dat ze van nu af aan wel zonder kon. Zonder liefde.

Pas toen zij en Fiona terugvlogen naar Augusta Springs, begon Cassie zich af te vragen of seks en liefde altijd onlosmakelijk met elkaar verbonden waren.

Deel drie

JULI 1944 – JANUARI 1947

Hoofdstuk 38

'Trouw met me,' zei Chris voor ongeveer de honderdste keer in vier jaar.

'Ben je dan niet blij met hoe het nu gaat?' vroeg Cassie, die wat met haar kipsandwich zat te spelen. Het was zondagavond en ze zaten te eten op Fiona's veranda. Fiona logeerde een weekend op Tookaringa bij haar schoonvader en Cassie had aangeboden op Marian en Anna te passen. De kinderen hadden al gegeten en speelden nu achter het huis op de schommel die Steven voor hen had opgehangen aan de hoge eucalyptus.

'Daar ben ik wel blij mee, alleen heb ik altijd het gevoel dat ik je elk moment kan kwijtraken. Onze relatie geeft me geen rust.'

'Denk je dan,' vroeg Cassie, terwijl zij met haar vingers over zijn hand streelde, 'dat een velletje papier daar verandering in zal brengen?'

'Ja,' zei hij, 'dat denk ik.'

'Wat wil je dan wat je nu nog niet hebt?'

'Ik wil hier 's ochtends vroeg niet hoeven wegsluipen. Ik wil zeven avonden per week naast je kunnen slapen. Ik wil thuiskomen in een huis dat van ons allebei is.'

'Je wilt ook graag kinderen, nietwaar?'

Hij schudde zijn hoofd. 'Ik denk dat ik te oud ben om nog geduld te kunnen hebben met kinderen. Ik wil jou. Maar als jij kinderen wilt, Cassie,' zei hij zacht, terwijl hij zich over de tafel naar haar toe boog, 'dan zou ik daar natuurlijk heel gelukkig mee zijn.'

Cassie stond op en keek hem aan. 'Nog ijsthee?'

'Nee.'

'Ik wel.' Ze verdween naar de keuken.

Kon ze maar van hem houden. Kon ze hem maar vertellen dat hij haar opwond, maar dat kon ze niet. Ja, zo nu en dan, in bed. Ze vond het fijn om met hem te vrijen. Hij wond haar niet op zoals Blake dat had gedaan, maar hij had de dingen geleerd die ze opwindend en prettig vond. Toch ontbrak er iets – iets ondefinieerbaars eigenlijk. Meestal genoot ze ervan om bij hem te zijn, maar ze wilde niet de rest van haar leven met hem delen. Het kwam wel voor dat ze blij was wanneer hij wegging en zij wat tijd voor zichzelf had. Soms, als ze samen waren, werd zij overvallen door een vreselijk gevoel van eenzaamheid en ze vroeg zich wel eens af wat haar mankeerde.

Ze liep weer terug naar de veranda en keek vanuit de deuropening naar Chris. 'Je bent een ontzettend aardige man,' zei ze.

'Ik weet niet waar ik dat opeens aan verdiend heb,' zei hij glimlachend. 'Maar ik heb het in elk geval grotendeels aan jou te danken. Ik ben nog nooit zo gelukkig geweest als de afgelopen vier jaar.'

'Kijk maar uit dat je niet naast je schoenen gaat lopen,' grinnikte zij. 'Je hebt nog wel een paar tekortkomingen.'

Toen ze door de hordeur keek zag ze een lange, magere man in uniform door de straat lopen. Hij liep mank en zijn linkerschouder zat lager dan de andere. Ze had hem hier nog nooit gezien.

'Weet jij wie dat is?' vroeg ze aan Chris, terwijl ze in de richting van de man knikte die langzaam naderbij kwam.

Chris draaide zich om en kneep zijn ogen tot spleetjes tegen het zonlicht. Hij stond op en boog zich naar voren. 'Jezus Christus!'

'Wat?' Ze kon het gezicht van de militair niet zien, maar ze wist zeker dat ze niemand kende die zo liep als hij.

Chris keek haar aan. 'Het is Blake Thompson,' zei hij met schorre stem.

Cassie keek nog eens goed toen de militair het paadje insloeg dat naar het huis voerde. Hij kon het niet zijn. Hij was te mager. Te scheef. Te... o, God. Ze voelde zich verstijven. Het wàs Blake.

'Fiona?' riep Blake, die van buitenaf niet naar binnen kon kijken.

Cassie kon geen woord uitbrengen. Ze probeerde het wel, maar er kwam geen geluid.

Chris legde een hand op haar schouder en liep toen naar de deur. 'Fiona is er niet, maar welkom thuis.'

Blake keek hem aan en leek hem eerst niet te herkennen. 'Dr. Adams, is het niet?' Hij schudde Chris de hand.

'Ik ben hier met Cassie,' zei Chris, in haar richting knikkend.

Blake liep het trapje op en even later stond hij in de deuropening. Cassie herkende hem bijna niet. Hij keek haar grijnzend aan, hoewel zijn ogen niet meelachten, en zei: 'Geen omhelzing voor de teruggekeerde held?'

Ze liep naar hem toe, regelrecht in de omhelzing van zijn rechterarm, die om haar schouder gleed. Ze sloeg haar armen om hem heen en voelde tot haar afgrijzen dat zijn linkermouw gedeeltelijk leeg was. Ze deinsde naar achteren en staarde naar de mouw.

Blake rechtte zijn rug en zei: 'Tja, aan die reactie zal ik moeten leren wennen.'
'Blake, je arm...'
'...Vanaf de elleboog, ja. Daar is niets meer aan te doen, maar mijn been heelt goed. Ze zeggen dat ik weer gewoon zal kunnen lopen.'
Zij keek in de ogen van een vreemde.
'Kom binnen, kom binnen.' Chris trok Blake mee naar de veranda en gebaarde dat hij moest gaan zitten. 'We wilden net gaan eten. Eet je mee?'
Blake keek om zich heen. 'Fiona. Waar is Fiona?'
Cassie kon amper uit haar woorden komen. 'Ze logeert een weekendje op Tookaringa.' Haar hart ging zo tekeer dat ze bang was om flauw te vallen.
Blake ging zitten. 'Wanneer komt ze terug?'
Geen *Ha, die Cassie. Fijn je weer te zien.* Alleen maar *Waar is Fiona.*
'In elk geval voordat het donker wordt. Over een uurtje of zo.'
'Wil je iets drinken?' vroeg Chris.
Blake knikte. 'Ja, graag, dat klinkt goed.'
'Waar heb je trek in?'
Blakes ogen waren uitdrukkingsloos. 'Ik heb het Australische bier erg gemist. Heb je dat in huis?'
'Natuurlijk,' zei Cassie. 'En een sandwich?'
Blake knikte. 'Lekker.'
Cassies handen waren klam. Het slikken kostte haar moeite. Ze slaagde er alleen maar in de keuken te bereiken door heel goed haar best te doen de ene voet voor de andere te zetten.
Als in trance sneed ze de kip in plakjes, deed mayonaise en wat sla op het brood en voelde toen opeens een paar armen om haar heen. 'Gaat het een beetje?' fluisterde Chris in haar oor.
Nee, het ging niet. Verre van dat. Maar in plaats van tegen het aanrecht in elkaar te zakken, rechtte ze haar rug, draaide zich glimlachend naar Chris om en gaf hem een kus op zijn wang. 'Natuurlijk. Aan wat wij samen hebben gehad is al heel lang geleden een eind gekomen.'
'Kon ik dat maar geloven,' fluisterde Chris tegen zichzelf.
'Pak nu maar een biertje voor hem. Je weet waar het staat.' Cassies stem klonk onpersoonlijk en koel, zelfs in haar eigen oren. Oscars, dacht ze. Reiken ze ook Oscars uit voor acteerprestaties zoals deze? En waarmee ik door moet gaan wanneer ik Fiona straks in zijn armen zie?
Ze wachtte tot Chris het flesje had opengemaakt, want ze wilde niet alleen zijn met Blake. Haar benen begonnen te trillen en ze

deed haar best zich te beheersen. Ze smeekte onzichtbare goden haar niet te laten huilen. Ze slikte haar tranen weg.

Met Chris achter zich aan liep ze terug naar de veranda, waar Blake nog in dezelfde houding in zijn stoel zat.

'Fiona schreef dat je tegenwoordig op jezelf woont,' zei Blake.

Koetjes en kalfjes.

Cassie zette de sandwich voor hem neer en Chris zette het flesje bier ernaast. Met een blik op de lege mouw, vroeg ze: 'Is dat de reden waarom ze al zolang niets van je heeft gehoord?'

'Ja.' Hij beet in zijn sandwich en nam toen een slok van zijn bier. 'Ik was vergeten hoe lekker een goed biertje kan zijn.'

'Ik neem aan dat je voorgoed thuis bent,' zei Chris, zijn benen strekkend nadat hij in de stoel naast Cassie was gaan zitten. Terwijl hij tegen Blake praatte keek hij haar aan.

'Voorslècht, zul je bedoelen,' zei Blake, zijn stem al even verbitterd als zijn blik. Hij nam nog een slok. 'Verdorie, dat smaakt goed.'

Cassie had het gevoel dat ze geen lucht meer kreeg. Ze probeerde heel bewust via haar buik te ademen om meer lucht te krijgen.

Blake keek haar aan en zei: 'Jij bent een genot om naar te kijken, Cassie.'

Ze was bang dat haar stem het zou begeven, maar vroeg toch: 'Hoe is het gebeurd?'

Blake keek naar zijn linkermouw. 'Hoe ik mijn arm ben kwijtgeraakt, bedoel je? Mijn toestel werd neergeschoten boven Düsseldorf, maar ik ben er nog net in geslaagd het vliegveld te bereiken. Ik had een granaatscherf in mijn arm, maar de boordschutter en de navigator hebben het niet gered.'

Cassie staarde hem aan.

Chris zei: 'Fiona zal straks de gelukkigste vrouw op aarde zijn.'

Blake zweeg een ogenblik. 'Met een man die niet langer compleet is? Dat betwijfel ik.'

Daarom had hij dus niet geschreven. Hij wist niet of Fiona hem nog wel wilde. O, wat een idioot. Wat heeft een arm nu met liefde te maken? Cassie wilde haar armen om hem heen slaan en hem geruststellen. 'Arm of geen arm, Fiona houdt toch wel van je.'

Blake lachte. Een vreemd, schel geluid. 'Ze is dus voor de Flying Doctors gaan werken, hè? Wie had dat kunnen denken?'

'Je zult trots op haar zijn. Ze doet het geweldig. We hebben een fijne tijd gehad.'

Nu keek Blake Cassie voor het eerst recht in de ogen. Ze zeiden geen van beiden iets.

'Ik kan me haar niet voorstellen als pilote van een vliegtuig,' zei hij.

Cassie knipperde met haar ogen en tuurde naar buiten. 'Ze is niet alleen pilote, maar ook anesthesiste, ze heeft al de nodige kiezen getrokken, twee aboriginal-meisjes geadopteerd...'

Op dat moment kwamen Anna en Marian de hoek van het huis om gerend. Marian huilde en stak haar hand omhoog. 'Anna heeft me gebeten,' huilde ze. De tranen trokken strepen over haar stoffige gezichtje.

'Ik deed het niet expres,' zei Anna, met een schuldbewuste uitdrukking op haar gezicht. 'We waren aan het spelen.'

Marian rende naar Cassie toe, maar bleef stokstijf staan toen ze de vreemdeling zag zitten.

'Jullie moeten me even excuseren,' zei Cassie, terwijl ze opstond en Marian bij de hand nam. 'Ik moet dit even schoonmaken en er iets op doen.'

Marians ogen werden groot van angst. 'Prikt dat?'

Cassie tilde haar op en hield haar dicht tegen zich aan. 'Een klein beetje, maar het duurt maar heel eventjes. Kom, ik zal er een kus op geven. Anna, kom jij ook maar mee.'

Ze hield zich zo lang mogelijk met de beide meisjes bezig. Toen ze een pleister had geplakt op wat niet meer was dan een schrammetje, gaf ze hen melk en koekjes en liet hen druk babbelend achter in de keuken. Ze liep naar de badkamer en ging op de rand van het bad zitten. O, arme Blake. Bang dat hij geen echte man meer was omdat hij een arm was kwijtgeraakt. Arme Blake... mager, gewond. Die blik in zijn ogen, zo doods. Zijn kameraden omgekomen in het vliegtuig waarmee hij nog net Het Kanaal had kunnen oversteken. En hij keek haar aan alsof ze elkaar nooit zo goed hadden gekend. Alsof hij alleen maar wist hoe ze heette en meer niet. Ze had net zo goed heel iemand anders kunnen zijn. Medelijden maakte plaats voor woede, voor haar eigen pijn. Haar eigen wonden.

Ze haalde drie keer diep adem en keerde weer terug naar de veranda. 'Pa zal weinig aan me hebben met die ene arm,' zei Blake. 'Ik weet nog niet wat ik ga doen.'

Op dat moment kwam Fiona's kleine groene sportwagentje de hoek om rijden. Zodra de oorlog was afgelopen, was het eerste dat zij wilde doen een nieuwe auto kopen, eentje zonder deuken en krassen, eentje die soepel schakelde en die je niet aan het eind van de straat al hoorde aankomen.

Blake herkende het oude karretje. Hij stond op en liep naar de deur. Cassie vond eigenlijk dat zij en Chris nu moesten verdwijnen, zodat dit moment helemaal van Blake en Fiona zou zijn, maar ze slaagde er niet in zich te verroeren en zag bovendien dat Chris ook geen aanstalten maakte.

Het schemerde en de veranda was in schaduwen gehuld, maar

Fiona's gezicht was vrolijk en opgewekt. Zwierig kwam ze het pad oplopen, haar kleine koffertje in haar hand. 'Joehoe,' riep ze, met een verwachtingsvolle klank in haar stem, 'waar zijn mijn meisjes?'

Toen bleef ze staan. Ze liet haar koffertje vallen en bleef een ogenblik doodstil naar de deuropening staan staren, waar haar man stond te wachten. Haar gezicht vertrok, haar lippen trilden en haar hand vloog naar haar keel. 'O...' terwijl de tranen over haar wangen stroomden, rende ze met open armen op hem af. Ze rende in de arm die op haar wachtte en begroef heel even haar gezicht tegen Blakes borst, alvorens een stapje naar achteren te doen en naar hem op te kijken, met een betraand gezicht waar de liefde, de vreugde en de blijdschap van afstraalden.

Ze sloeg haar armen om hem heen en hun lippen vonden elkaar. Cassie wendde haar gezicht af. Toen ze dit deed, realiseerde ze zich opeens dat Chris niet naar het tafereeltje voor hen stond te kijken, maar naar haar.

'Wij horen hier niet te zijn,' zei hij op zachte toon.

Nee, je hebt gelijk, beaamde zij zwijgend.

'O, lieve God.' Fiona's stem klonk opgewonden en haar rode haren zwierden in het rond. 'Wat is dit een fantastische... o, lieveling, je arm... maar dat geeft niet. O, liefste...' Op dat moment werd ze zich opeens bewust van de aanwezigheid van Chris en Cassie. 'Is dit niet fantastisch?' Ze kuste hem opnieuw en lachte en huilde tegelijk.

Hij had nog niets gezegd, maar trok haar met zijn rechterarm dicht tegen zich aan, zonder haar nog los te willen laten.

Cassies hart werd ijskoud.

Ze greep Chris bij de hand en zei: 'Wij gaan.'

Fiona en Blake hoorden hen niet eens weggaan.

In de invallende duisternis liepen ze naar het huis van Cassie. Toen ze er waren, vroeg Chris: 'Wil je alleen zijn?'

Cassie beefde over haar hele lichaam en vroeg zich af wat ze eigenlijk wilde. Ze dacht aan de manier waarop Blake Fiona tegen zich aan had gedrukt. Toen ze haar ogen dichtdeed zag ze weer hoe zij elkaar kusten.

'Nee,' zei ze. 'En Chris, dit doet me echt niet zoveel als jij denkt.' *Leugenaar.* 'Het is bijna vijf jaar geleden dat ik hem voor het laatst heb gezien. Kom binnen. Laten we nog wat drinken.'

Hij liep naar de keuken. 'Wat wil jij?'

'Whisky. Een dubbele.'

'Cassie...'

'Waag het niet om weg te gaan, Chris Adams. Daar hoef je niet eens aan te dènken. Blijf hier. Blijf de hele nacht. Al ziet de hele stad dat jij hier morgenochtend weggaat, het kan me niks schelen.

Maar laat me in hemelsnaam niet alleen.' Ze draaide zich om en keek hem woedend aan. 'Het kan me niet schelen wat je denkt. Het kan me zelfs niet schelen wat je vanavond voelt. Als je me maar niet alleen laat.'

Hij stak zijn hand uit en raakte een losse haarlok aan. 'Cassie, ik wil nooit meer bij je weg.'

Ze sloeg zijn hand weg.

Terwijl ze wachtte tot hij haar haar whisky bracht, tikte ze met haar nagels op het bijzettafeltje en ging haar voet ongeduldig heen en weer.

Ze dronk de whisky in drie teugen op en keek toen naar Chris. 'Vrij met me.'

Hij zuchtte en keek haar aan. 'Kom hier,' zei hij, een hand op haar schouder leggend.

'Nee,' zei ze op boze toon. 'Kom mee naar bed.' Ze stond op en liep naar de slaapkamer.

Hij keek haar hoofdschuddend na en mompelde: 'Arme schat.' Maar hij volgde haar wel en maakte intussen vast zijn stropdas en overhemd los.

Ze had haar kleren op een hoop gegooid en stond al op hem te wachten, haar slanke lichaam scherp afgetekend tegen het licht van de straatlantaarn. Ze was zo gespannen als een veer. Ze keek toe hoe hij zich uitkleedde in het halfdonker.

Hij ging op het bed liggen en keek naar haar. Opeens sprong zij op het bed, klom boven op hem, drukte haar lichaam tegen het zijne en kuste hem heftig.

'Doe me pijn, Chris. Ik wil zo woest met je vrijen dat niets anders er meer toe doet.'

'Jou pijn doen? O, God, Cassie...'

Haar nagels krasten over zijn schouders toen zij zich nog dichter tegen hem aandrukte. Ze knielde boven hem, liet haar borsten langs zijn lippen glijden en zei: 'Bijt me, Chris.'

Hij deed het, maar zachtjes, terwijl zijn handen haar billen streelden. Zij wiegde boven hem heen en weer, haar lichaam tegen het zijne en gleed langzaam omlaag, kuste zijn tepels, gleed met haar tong over zijn buik, lager... lager... langs de binnenkant van zijn dijen. Ze kroop naar het voeteneind van het bed en nam één voor één zijn tenen in haar mond. Ze kuste de wreven van zijn voeten, en knabbelde zich een weg omhoog langs zijn been, totdat zij hem in haar mond nam en hem hoorde kreunen.

'Christus, Cassie, voorzichtig.'

Ze rolde van hem af en trok hem boven op zich. Hun lichamen wreven tegen elkaar aan, steeds sneller en sneller, totdat ze een uitzinnig ritme hadden bereikt, draaiend en kronkelend.

'Nu,' zei ze en bracht haar onderlichaam omhoog zodat hij gemakkelijk in haar kon komen. Hij stootte in haar, keer op keer, totdat alles om hen heen ophield te bestaan. Het was geen liefde, dat wist Chris ook wel. Hij wist precies wat het was.

Cassie sloeg haar benen om hem heen, om hem in haar te houden. Ze kromde haar rug, trok met haar nagels strepen over zijn rug en haalde hortend en stotend adem. Ze wilde dat hij Blake uit haar gedachten verdreef. Uit haar gedachten en uit haar hart. Ze wilde dat Chris haar hielp vergeten. Dat hij ervoor zorgde dat zij niemand anders meer zou willen dan hem. En ze riep: 'Chris!' toen de verrukkelijke, warme golven over haar heen spoelden, keer op keer. 'Niet ophouden! Hou alsjeblieft niet op!'

Hij was helemaal niet van plan om op te houden. Keer op keer bracht hij haar tot een hoogtepunt. Toen zijn lichaam het liet afweten, gebruikte hij zijn tong om haar tot een climax te brengen.

Ze gunde hem de hele nacht geen rust. Vlak voor zonsopgang stond hij op en kleedde zich aan. Hij kon het zich niet veroorloven dat men hem op dit tijdstip het huis zag verlaten. Zij nam geen afscheid van hem.

Toen hij weg was, viel ze in slaap. Dromen deed ze niet.

Hij kwam niet meer aan slapen toe. Hij liep wat door zijn huis, nam een douche, poetste zijn tanden en wandelde naar het ziekenhuis, waar een van de verpleegsters een kopje hete thee voor hem inschonk.

Niet slecht voor een man van mijn leeftijd, dacht hij. Hardop zei hij: 'Verdomme. Verdomme. Verdòmme.'

Hoofdstuk 39

Cassie werd wakker van het gerinkel van de telefoon. Het was Fiona.

'Cassie, denk je dat het mogelijk is dat we vandaag het spreekuur afzeggen?'

'Ik weet het niet,' zei ze, zich afvragend of dat wel waar was.

'Laat Horrie het maar doorgeven. Tenzij er sprake is van levensbedreigende noodsituaties, kan niets ter wereld mij vandaag bij Blake vandaan houden.'

Zonder nog iets te zeggen legde Cassie neer. Ze staarde naar het gordijn dat opbolde in de ochtendbries. Volgende maand was het vijf jaar geleden dat zij en Blake op weg gingen naar Kakadu. Vijf jaar min tweeëneenhalve maand geleden was zij in Townsville om zijn kind te laten aborteren. God, wat was ze blij dat ze dat toen had laten doen. Hoe zou haar leven er hebben uitgezien als ze het niet had gedaan? Ze wilde er niet eens over nadenken.

Ze stond op en liep naar de badkamer, waar ze de douche vast aanzette om het water goed heet te laten worden, terwijl zij intussen haar tanden poetste. Ze keek naar zichzelf in de spiegel. Wat ze daar zag beviel haar niets. Ze vermoedde dat Blake het ook maar niets vond.

Ze waste en boende zich onder de douche en draaide vervolgens de warmwaterkraan uit om zich door het ijskoude water te laten geselen. Vijf jaar dacht ze, terwijl ze zich afdroogde. Werd het dan niet eens tijd om Blake van zich af te zetten en verder te gaan met haar leven? Vijf jaar waarin ze emotioneel niets had laten gebeuren. Was het geen tijd om iets aan haar privé-leven te gaan doen?

Nog steeds naakt, belde ze Horrie. 'Wil jij Winnamurra even bellen,' zei ze, 'en het spreekuur van vandaag afzeggen? Blake is gisteravond thuisgekomen en Fiona wil vandaag liever niet vliegen. Ik kom straks langs voor het radiospreekuur.' Zonder zijn antwoord af te wachten liep ze naar haar kast en trok een gele overhemdjurk te voorschijn. Toen zocht ze haar schoenen met hoge hakken op en trok een paar zijden kousen aan. Niemand zal me op dit tijdstip, in deze kleren herkennen.

Ze belde Chris, maar die nam niet op. Ze keek op haar horloge. Nog een half uur voordat ze bij de radio moest zitten. Ze zou bij hem langsgaan en hem verrassen.

Tien minuten later wandelde ze het ziekenhuis binnen en liep meteen door naar zijn spreekkamer. Daar zat hij zijn derde kop thee van die ochtend te drinken en zijn gezicht lichtte onmiddellijk op toen hij haar zag binnenkomen. 'Dit is een aangename verrassing.' Hij stond op en gooide bijna zijn thee om.

Ze liep naar hem toe en ging op haar tenen staan om hem te kussen. Hij trok zijn wenkbrauwen op.

'Als ik erachter kan komen waar Don McLeod zit, wil je dan samen met mij naar hem toe vliegen en hem vragen of hij ons wil trouwen?'

Chris keek haar zwijgend aan.

'Wat? Heb je na al die huwelijksaanzoeken in de afgelopen jaren nog tijd nodig om erover na te denken?' Er lag een scherpe klank in haar stem.

Hij schudde zijn hoofd. 'Nee, dat is het niet. Natuurlijk wil ik met je trouwen, waar en wanneer je maar wilt.'

'Ik zal Horrie laten uitzoeken waar hij zit.' Ze draaide zich om en liep de spreekkamer uit, de gang door en over het parkeerterrein naar haar auto. Zonder ook maar iets te voelen reed ze naar het radiostation. Ze was niet gelukkig of boos of verdrietig of wat dan ook. Misschien was ze wel gewoon dood.

Ze wist dat ze niet eerlijk was tegenover Chris. Hardop nam ze zich voor: 'Ik zal ervoor zorgen dat hij hier nooit spijt van krijgt. Dat zweer ik.' Haar knokkels klemden zich spierwit om het stuur.

Tijdens het radiospreekuur vroeg ze of iemand soms wist waar dominee McLeod was. Hij bleek in Yancanna te zijn. Brigid en Marianne waren daar al lang niet meer; hun verplichte twee jaar waren verstreken en sinds hun vertrek waren er alweer drie paar andere zusters geweest. Maar Marianne, die met de Chief was getrouwd, was in Yancanna blijven wonen, waar ze nog steeds beschikbaar was voor noodgevallen en het druk had met het opvoeden van haar twee zoontjes.

Cassie wilde niet dat iemand in het district te weten kwam wat haar plannen waren; ze vertelde de dominee dus alleen dat ze binnen enkele dagen naar Yancanna kwam en vroeg hem niet te vertrekken zonder haar in te lichten.

'Wat is er aan de hand?' vroeg Horrie.

'Beloof je me met je hand op je hart dat je het tegen niemand zult vertellen?'

Hij grijnsde. 'Zelfs niet tegen Betty?'
'Alleen als je haar ook geheimhouding laat beloven. Ik ga trouwen en ik wil dat Don het huwelijk inzegent.'
'Cassie! Gaan jij en doc Adams eindelijk de grote stap wagen?'
Zij knikte en kreeg een gespannen gevoel in haar borst. Waarom ook niet? Hij was goed in bed, hij hield van haar, hij was veel milder geworden, hij smeekte haar nu al jarenlang met hem te trouwen. Hij was iemand om dingen mee te doen, naar de film gaan en praten – vooral over geneeskunde. Zodra ze over andere belangrijke dingen begonnen te praten liep het uit op ruzie. Nu ja, ze hoefden ook niet over belangrijke dingen te praten. Ze hadden genoeg aan de roddel van de stad.
Ze ging weer bij het ziekenhuis langs en wachtte tot Chris klaar was met zijn rondes. 'Don is in Yancanna. Zullen we er meteen naar toe vliegen?'
In plaats van gelukkig te kijken, had Chris een gepijnigde blik in zijn ogen. 'Romla zal het me nooit vergeven als ik haar niet de tijd geef om te komen. Ik moet wel, Cassie. Buiten jou is zij de enige mens op aarde van wie ik werkelijk hou.'
Wat was alles toch altijd ingewikkeld. 'Bel haar dan.'
Chris maakte een geërgerde beweging. 'Goed dan.' Hij ging achter zijn bureau zitten en belde de telefoniste. Toen Romla opnam legde hij haar onmiddellijk uit waarom hij belde. 'Hoe snel kun je hier zijn?' vroeg hij.
Ze praatten nog een paar minuten en hij keek op zijn horloge. 'Oké, morgenmiddag. Ik haal je op van de bus.'
Hij legde neer en keek naar Cassie, die zei: 'Als er zich niets bijzonders voordoet ben ik de hele dag thuis. Ik moet alleen de radiospreekuren doen. Kom je eten?'
Alvorens naar huis te gaan, ging ze eerst bij Fiona langs, om haar te vertellen dat zij hen morgenavond allemaal naar Yancanna moest vliegen.
'Trouwen?' riep Fiona uit. 'O, Cassie, wat geweldig! Maar is dit niet wat plotseling?'
'Zo is het leven nu eenmaal.' Ze hoorde nu al de hele dag een harde klank in haar stem en daar was ze niet blij mee.
Blake zat nog in zijn pyjama aan de keukentafel. Cassie keurde hem nauwelijks een blik waardig.
'Ik schenk een kopje thee voor je in,' zei Fiona.
'Nee, dank je.'
'Ga toch maar even zitten. Wil je liever koffie? Ik heb ook een nieuwtje.'
Cassie vroeg zich af waarom ze het niet meteen had begrepen.

'Je gaat weg.' Nu klonk haar stem mat. Natuurlijk. Ze had het kunnen weten.

'Blake wil op Tookaringa gaan wonen.'

'Daar hoort ze thuis,' zei Blake. 'Ze hoort niet in een vliegtuig het halve land door te vliegen.'

Natuurlijk. Fiona als meesteresse van het grootste veebedrijf in dit deel van de wereld. Als Blakes echtgenote was dat haar taak.

Cassie ging zitten. 'Hoe kom ik aan een andere piloot?'

'Ik weet het, daar heb ik aan gedacht. Maar Cassie, lieverd, je begrijpt het toch wel?'

'Natuurlijk.' Maar in gedachten vroeg ze zich af of dit het einde van de Flying Doctors betekende tot het einde van de oorlog. 'Ik had het moeten zien aankomen. Nee, ik hoef geen koffie.'

'Wanneer ga je trouwen?'

'Chris wil wachten tot Romla er is en ik wil dat Don het huwelijk inzegent, dus ik hoop dat je ons morgen naar Yancanna wilt vliegen.'

Fiona en Blake keken elkaar aan. 'Mijn vader komt morgen,' zei Blake.

'We blijven maar een paar uur weg,' zei Cassie.

Fiona zei: 'Steven is heel erg op jou gesteld, dus ik weet zeker dat hij er ook bij wil zijn. Maar we kunnen nooit met z'n allen in het vliegtuig.'

Met z'n allen? Het was niet Cassies bedoeling dat Blake er ook bij zou zijn.

'Nee. Ik wilde er verder eigenlijk niemand bij hebben. Romla. Jij misschien als mijn getuige. Maar verder niemand.'

Lachend sloeg Fiona haar armen om Cassie heen. 'Denk je nu echt dat de stad daarmee akkoord zal gaan? Er zijn zoveel mensen die van jou en Chris houden, en die zouden het vreselijk vinden als ze niet bij jullie huwelijk aanwezig konden zijn. Je zou hen echt beledigen, Cassie.'

'O, shit!' Als ze dit allemaal van tevoren had geweten, had ze het niet eens voorgesteld. Ze wilde er gewoon vandoor gaan om te trouwen.

Fiona's arm lag nog steeds om haar schouders. 'Toe nou, Blake en ik kunnen toch naar Yancanna vliegen om Don op te halen zodat jullie hier kunnen trouwen? Als je geen grootse, kerkelijke inzegening wilt, doen we het hier, in de tuin. Met een receptie na afloop. Romla kan ook meehelpen wanneer ze morgen arriveert. Toe, Cassie. Je kunt niet gewoon even trouwen zonder iemand erbij. De stad zou het je nooit vergeven.'

Cassie begon te huilen.

Blake zat onafgebroken naar haar te kijken.

'Je hoeft zelf niets te doen,' zei Fiona. 'Ik regel alles.'
'Nee, jij moet nu bij Blake zijn.'
'We zijn toch bij elkaar. Hij kan met me meevliegen naar Yancanna om Don op te pikken. Cassie, je moet niet vergeten dat je een bekende figuur bent. En Chris ook. Je moet iedereen op de galah-bijeenkomst vertellen dat je gaat trouwen, voor het geval dat ze er ook bij willen zijn.'
Waar was ze in vredesnaam aan begonnen? 'Ik wil al die rompslomp niet. Ik wil in stilte trouwen. Ik wil gewoon even snel trouwen en...'
Fiona schudde lachend haar hoofd. 'Dit is voor de hele stad net zo'n grote en belangrijke gebeurtenis als de Race Week. Nu ja, misschien niet helemaal, maar...'
Lieve Fiona. Cassie vond het vreselijk wat ze deed. Ze gaf haar hele wittebroodstijd met Blake op voor haar huwelijk.
'En wij verwachten Chris en jou vanavond hier aan tafel. Dan kunnen we plannen maken,' vervolgde Fiona.
'Het kan Chris niets schelen wat we doen. Hij wil alleen maar trouwen.'
'Volgens mij vindt Chris een huwelijk met alles erop en eraan juist leuk.'
Cassie schudde haar hoofd. 'Hij is geen sociaal wezen, dat weet je best.'
'Let op mijn woorden. Hij zal het prachtig vinden dat er zoveel mensen komen. Volgens mij kennen jullie hier iedereen binnen een gebied van zo'n vierhonderdduizend vierkante kilometer.'
Blake had nog steeds amper een woord gezegd. Hij stond op en liep de kamer uit.
Cassie keek Fiona aan. 'Ik wilde jou niet van je geluk beroven.'
Fiona lachte. 'Mij van mijn geluk beroven? Mijn geluk begint pas. Ik barst van geluk. Ik wist niet dat iemand zo gelukkig kon zijn. O, Cassie, ik vind het zo heerlijk dat je gaat trouwen. Ik dacht echt dat je op Sam wachtte.'
Cassie stond op. 'Komen jullie maar bij mij eten. Ik kook beter dan jij. En trouwens, jij wilt de eerste dag dat Blake thuis is vast niet meteen de hele middag in de keuken staan.'
'Oké.' Fiona gaf Cassie een kus op haar wang. 'Ik ben zo blij voor je, lieverd. Net zo blij als jij voor mij.'
Terwijl ze naar huis reed, dacht Cassie: *Ik ben blij voor haar. Echt waar. Ik wil graag dat ze gelukkig is. Werkelijk.*

Ze had zich in Chris vergist. Hij vond Fiona's plannen prachtig. 'Romla zal graag helpen. Voor je het weet regelt ze alles. Dit is precies in haar straatje.'

'Ik zou het juist fijn vinden als zij alles regelt,' zei Fiona. 'Maar als we er werkelijk iets groots van willen maken, kunnen we beter wachten tot zaterdagavond. We moeten de mensen de kans geven om naar de stad te komen. Iedereen zal taarten willen bakken en van alles meenemen. Dit wordt het huwelijk van het jaar.'

Precies wat Cassie niet had gewild.

Blake zei de hele avond niet meer dan tien woorden. Hij en Fiona gingen vroeg naar huis.

Toen ze weg waren en Cassie en Chris samen de afwas deden, zei hij: 'Waar wil je gaan wonen? In jouw huis of het mijne?'

'Ik heb geen zin om over al die dingen na te denken.'

Chris kuste haar op haar wang. 'Het zijn maar details. Maar ik wil ons huwelijk liever niet beginnen in het huis waarin ik zoveel ongelukkige jaren heb doorgebracht met Isabel.'

Cassie spoelde het laatste bord af. 'Waarom ben je daar eigenlijk zo lang blijven wonen?'

Hij haalde zijn schouders op. 'Het is nooit bij me opgekomen om te verhuizen.'

'Dit huis vind ik eigenlijk ook niet zo geweldig.'

'Zullen we Fiona's huis dan kopen? Dat heb jij altijd een fijn huis gevonden en zij gaat er toch weg.'

'Chris, dat is een fantastisch idee.' Ze keek hem glimlachend aan, voor het eerst sinds ze Blake had zien aankomen over het pad naar Fiona's huis. 'Ik heb me nog nooit ergens zo op mijn gemak gevoeld. Ja, laten we het haar vragen. Dat vind ik een prachtig idee.'

Zodra ze klaar waren met afwassen, zei Chris: 'Ik ga naar huis.'

'Ga je naar huis? Waarom? Niemand zal er nu nog vreemd van opkijken als je pas morgenochtend weggaat.'

Hij boog zich naar haar toe en kuste haar vluchtig. 'Nee, ik wil niet meer bij je blijven slapen totdat we getrouwd zijn. Dat is al over vijf dagen, lieveling.'

Zo had hij haar nog nooit genoemd.

'In al die tijd dat we nu samen zijn hebben we nog nooit vijf nachten achtereen apart geslapen.'

Hij lachte. 'Des te fijner wordt het zaterdagnacht.'

'Wil je me soms vertellen dat afgelopen nacht niet de meest fantastische nacht was die we ooit samen hebben doorgebracht?'

'Zaterdagnacht wordt het nog fijner.'

Romla nam inderdaad de hele organisatie over. Ze verzamelde voldoende platen om de mensen de hele avond te laten dansen, ook al was er geen orkest beschikbaar. Ze vertelde Cassie dat ze heel blij was dat zij zussen werden en voor haar broer was ze dolgelukkig. Dit had ze al voor hem gewild vanaf het moment dat Cassie bij haar had gelogeerd in Townsville. 'Ik was meteen al dol op je,' verklaarde Romla.

Het huwelijk was dè gebeurtenis van de winter van 1944. Mensen reden tien, twaalf uur om erbij aanwezig te kunnen zijn. Alle armoedige kamers van het hotel, alle kamers van Addie's, en vrijwel alle logeerkamers in de hele stad waren bezet. Het was onmogelijk de huwelijksinzegening en de receptie bij Fiona te houden. De plechtigheid zou plaatsvinden in de presbyteriaanse kerk en de receptie in de gymnastiekzaal van de school.

De dag voor het huwelijk was Steven naar haar toe gekomen. 'Cassie, je hebt iemand nodig om je weg te geven. Ik zou het een eer vinden om dat te mogen doen.'

Hoe ironisch.

Don en Margaret logeerden bij haar en Don was uitermate vereerd met het feit dat zij Fiona helemaal naar Yancanna had gestuurd om hem te halen. Hij vertelde haar dat Margaret in verwachting was en dat hij een aanstelling als dominee in Alice Springs had geaccepteerd zodat hij haar en het kind niet alleen hoefde te laten. 'Ik geef mijn bestaan als zwervende dominee op en vestig me als een gewone eerwaarde.' Hij lachte.

'Hoe zal dat je bevallen?' vroeg Cassie. 'Heel veel mensen zullen je missen.'

'En ik zal hen ook missen. Maar het kan niet anders. Maar ik blijf wel contact houden, hoor.' Hij legde zijn handen op Cassies schouders. 'En denk jij gelukkig te worden, meisje?'

'Wat is geluk?' vroeg ze.

'Ik denk dat ik wel weet waarom je dit doet, maar Chris Adams is een fijne vent. En sinds jullie bij elkaar zijn is hij er alleen maar op vooruitgegaan. Heeft hij je verteld van zijn ongelukkige huwelijk? Ik heb het altijd geweten. Maak hem niet opnieuw ongelukkig, Cassie.'

Cassie voelde zich gekwetst. 'Wat voor vrouw denk je eigenlijk dat ik ben? Ik dacht dat je me aardig vond!'

'Aardig vond? Cassie, ik hou van je. Naast mijn eigen Marg ben jij de vrouw met wie ik het liefst getrouwd zou willen zijn. Dat weet je best. Dat heb je altijd geweten. Maar dat wil nog niet zeggen dat ik denk dat je volmaakt bent.'

'Je zou me toch beter moeten kennen!'

Hij schudde zijn hoofd. 'Je begrijpt me helemaal verkeerd. Ik heb het over de zuiverheid van je bedoelingen. Het kan zijn dat je dit niet om de goede redenen doet, maar wat zijn de goede redenen om te trouwen? Ik wil alleen maar zeggen dat ik hoop dat je de vrouw bent voor wie ik je hou en dat je Chris Adams niet ongelukkig gaat maken omdat je Blake Thompson zo nodig wilt bewijzen dat je niets om hem geeft.'

Ze staarde in Dons ogen en fluisterde: 'Doe ik dat dan?'

'Dat vermoed ik.' Don sloeg zijn armen om haar heen. 'Maar dat betekent nog niet dat je geen goed huwelijk kunt krijgen. Je zult het feit moeten accepteren dat Blake bij Fiona hoort en nooit van jou kan zijn. Eigenlijk weet je dat natuurlijk al een hele tijd, maar nu je het met eigen ogen hebt gezien, zul je het moeten accepteren en je eigen leven gaan invullen.'

'O, Don, dat is precies wat ik mezelf almaar voorhou. Ik moet mijn eigen leven leiden.'

'Mooi, Cassie, laten we dan hopen dat dit de juiste manier is om dat te doen.'

De volgende dag zei hij: 'Heb je ooit willen vliegen?'

'Wat bedoel je? Ik breng mijn halve leven in de lucht door.'

'Nee, ik bedoel of je ooit piloot hebt willen worden.'

'Lieve hemel, nee.'

'Ik wilde aan John Flynn vragen hoe hij ertegenover zou staan als jij leerde vliegen. Er is geen andere piloot beschikbaar en je wilt toch niet dat dit het einde is van de FDS, wel?'

Cassie hield haar hoofd een beetje schuin. 'Je kent de voorschriften. Artsen mogen geen vliegtuigen besturen.'

Don knikte. 'Ja, maar Cassie, dat voorschrift hield geen rekening met de oorlog. Of jij leert vliegen, òf de FDS is tot het eind van de oorlog uitgeschakeld.'

'Ik zal er eens over nadenken. Ik weet niet of ik het zou kunnen.'

Don glimlachte. 'Cassie, ik zou niet weten wat jij niet zou kunnen als je het echt wilt.'

Ze keek hem lachend aan. 'Denk je dat werkelijk, Don?'

'Je houdt van een uitdaging. Je presteert het beste onder druk. Ik ken je zo goed. Ik heb je elke beproeving zien doorstaan die op je weg kwam. Misschien is dit precies wat je nodig hebt, meisje. Een gloednieuwe bergtop om te bedwingen.'

Iedereen uit de stad en nog een stuk of honderd mensen uit de bush woonden het huwelijk bij. Nog niet de helft van hen paste in de kerk, dus stond de straat ook vol met mensen.

Het feest na afloop duurde tot drie uur in de ochtend, maar om negen uur werd Chris weggeroepen voor een bevalling. Het was al na middernacht toen Don en Margaret de bruid naar huis brachten.

Cassie bleef nog een tijdje op haar man zitten wachten. Ze was rusteloos en gebruikte ten slotte haar huwelijksnacht maar om Sam een brief te schrijven over de meest recente ontwikkelingen.

Toen Chris om halfzes thuiskwam, was hij doodmoe. Hij had een keizersnede moeten uitvoeren.

Hij liet zich op het bed vallen en sliep binnen een minuut.

Cassie klom naast hem in bed en luisterde naar het gekraai van hanen en het geblaf van honden. Ze vroeg zich af of Fiona en Blake sliepen. Of ze straks wakker zouden worden en of Blake haar dan in zijn armen zou nemen en opnieuw de liefde met haar zou bedrijven. En opnieuw.

Hoofdstuk 40

'Zenuwachtig?' vroeg de instructeur.

Cassie ging op de plek van de piloot zitten, klaar voor haar eerste vlucht achter de bedieningsinstrumenten. De instructeur kwam rechts van haar zitten.

'Het is niet nodig om de motor warm te laten draaien,' zei hij. Rob Wright was een lange, magere, kettingrokende man van achter in de veertig. 'Het is een warme dag. Als de motor koud was zou je eerst een paar keer rijk mengsel kunnen geven, dan de motor inschakelen en hem even laten lopen. Maar het is warm vandaag.'

Waarom was dit niet hetzelfde als de duizenden andere keren dat zij in een vliegtuig had gezeten?

'We vliegen in een staartglijder, dus ligt het staartwiel laag. Dat betekent dat de motorkap aan de voorkant zit en je het zicht ontneemt op alles wat zich vlak voor je bevindt. We gaan nu taxiën in "S"-bochten. Dus terwijl je over de taxistrook rijdt draai je bochten in een "S"-vorm. Dat is belangrijk wanneer er andere toestellen langs de taxibaan staan. Wanneer je een "S" naar rechts maakt, heb je links goed zicht. Oké, laten we naar het eind van de startbaan taxiën.'

Ze had hard gestudeerd en wist precies waarover hij het had. Ze hadden al twee weken theorie gedaan.

'Goed,' zei Rob grijnzend, 'we werken het rijtje af.'

Cassie keek hem aan. 'Welk rijtje?'

'Dat zal ik je uitleggen,' zei hij. 'We beginnen met het controleren van het instrumentenpaneel. Deze Cessna heeft een stuurwiel in plaats van een knuppel, dus beweeg dat even heen en weer om te zien of de hoogteroeren werken en gebruik je voeten op de roerpedalen. Trek het stuur naar links en rechts en kijk naar buiten om te zien of de rolroeren werken.'

Hij wachtte tot ze hiermee klaar was.

'En dan nu de instrumenten. Deze Cessna 140 heeft niet zoveel instrumenten, maar we hebben kompas, olietemperatuur- en oliedrukmeter, en dan hebben we nog een toerenteller, dus gaan we nu eerst maar eens controleren of onze hoogtemeter goed is ingesteld. Bij het instellen moeten we rekening houden met de atmosferische druk. Als je die informatie niet van een weerstation kunt krijgen, moet je uitzoeken wat de hoogte van het vliegveld is. Laten we zeggen dat het vijfenzeventig meter boven de zeespiegel ligt, dan stel je de altimeter daarop in. Dat is van het allergrootste belang.'

Cassie knikte, hopend dat ze dit allemaal kon onthouden.

'Oké,' vervolgde Rob, 'dan krijgen we nu het hoofdstuk brandstof. Weet je nog dat ik je daarnet dat kleine laddertje op liet klimmen en dat je de dop van de benzinetank af moest draaien en er je vinger in moest steken om te zien of je voldoende brandstof had? Vergeet nooit dat je dat altijd aan beide kanten van het vliegtuig moet doen, want je hebt in elke vleugel een tank.

Ten slotte hebben we het rpm, ofwel het aantal toeren per minuut. Wanneer je de motor opvoert, kijk je op de rpm-wijzer. Ga tot ongeveer vijftienhonderd rpm's. Het toestel heeft twee sets ontstekingsbougies, dus wanneer er eentje hapert, valt niet meteen alles uit. Je hebt ook twee magneetnaalden, die vergelijkbaar zijn met de stroomverdeler van een auto, maar dan veel veiliger en beter.' Hij ging verder met het uitleggen van alle ingewikkelde dingen die ze eerder al hadden bestudeerd.

'Oké,' zei hij, terwijl hij opzij leunde om haar een schouderklopje te geven. 'Klaar voor de start? Ik doe het opstijgen en daarna doen we de rest samen. Hou het stuurwiel vast en zet je voeten lichtjes op de roerpedalen. Dit toestel is nogal lastig in het gebruik van de remmen. Als je het linker- en rechterpedaal tegelijk intrapt, komt het vliegtuig tot stilstand.'

Ze keken zorgvuldig alle kanten op en reden de startbaan op. De gashendel liet zich soepel bedienen, een snel duwtje naar voren, en zij reden over de startbaan. 'Druk het stuur een klein beetje naar voren, totdat we de staart omhoog voelen gaan en hou hem dan op z'n plek. Hou het toestel met behulp van de roerpedalen in een rechte lijn op de startbaan, dan kun je naarmate de snelheid toeneemt het stuur langzaam weer terug laten komen – ja, zo gaat-ie goed, knappe meid.' Hij vertelde haar de staart enigszins omlaag te brengen, waarop de neus omhoog kwam. Het vliegtuig begon te klimmen. 'We laten de gashendel openstaan tot we een hoogte van vierhonderd voet hebben bereikt en een mooie luchtsnelheid hebben, laten we zeggen honderdveertig kilometer per uur. Hier, kijk goed wat ik doe.'

Hij maakte een bocht naar rechts. 'Nu stijgen we naar een hoogte waar we wat manoeuvres gaan maken. Als we geen strand hadden zoals daarbeneden, zouden we een rechte lijn moeten zoeken, zoals een spoorlijn of een rechte weg. Een van de eerste manoeuvres is dat je moet leren in een mooie, rechte lijn te vliegen. Ik zal je demonstreren hoe dat moet, hoewel het niet makkelijk is met een stevige wind.'

Hij vloog tot vijfentwintighonderd voet en zei toen tegen Cassie: 'Oké, nu vlieg je met me mee, zodat je kunt voelen wat er met de roeren en het stuurwiel gebeurt. Kijk goed naar de horizon, die in een bepaalde stand moet staan ten opzichte van de motorkap, net alsof je over de motorkap van een auto kijkt. Er is een afstand tussen motorkap en stijgen of dalen of draaien.

Nu je dit snapt, gaan we een licht hellende manoeuvre maken. Hellen en keren. Wanneer je een vliegtuig keert maak je een hellende beweging die veel lijkt op die van een racebaan. De instrumenten moeten exact gecoördineerd worden om een bepaalde hoogte te krijgen, anders verliest het toestel snelheid.'

Zelfs na al die honderden vlieguren die Cassie al achter de rug had, was dit een heel nieuwe ervaring voor haar. Ze was zich nog nooit zo bewust geweest van haar relatie tot de aarde, van het draaien van een vliegtuig of van wat er zich onder haar bevond. Ze oefenden het hellen en keren.

'En nu,' zei de piloot, 'ga ik je leren overtrekken, waarbij het toestel ophoudt met vliegen en toch niet neerstort tenzij jij de neus door de een of andere buitengewoon stomme handeling recht omlaag stuurt. Het toestel zal in een verhouding van een op tien doorglijden. Met andere woorden; als je op een hoogte van anderhalve kilometer zit, zou je nog vijftien kilometer kunnen vliegen. Kijk, we overtrekken het toestel en nemen wat snelheid terug. Trek nu het stuurwiel naar achteren totdat het niet verder kan. Dan zal de neus van het toestel omlaag gaan.'

Cassies hart bonkte in haar keel. Ze had nog nooit zoveel waardering gevoeld voor de capaciteiten van Sam en Fiona. 'Het zal neerdwarrelen als een boomblaadje, maar niet loodrecht naar beneden vallen. Hou het stuur naar achteren en gebruik de roeren zodat we blijven dalen en dalen en dalen en snelheid verliezen.' Hetgeen precies was wat er gebeurde. Cassies keel werd dichtgeschroefd en ze had het gevoel dat ze geen lucht meer kreeg.

Rob keek naar haar en lachte. 'We komen hier weer uit door heel simpel het stuurwiel weer naar voren te duwen. Maak nooit abrupte bewegingen, maar laat de neus soepel omhoog komen. Zodra je de knuppel naar voren duwt, zakt de neus, krijgt het toestel weer snelheid en vliegen we verder.'

Cassie keek hem aan en haalde diep adem.

Toen ze weer terug was na een maand in Brisbane en voor het

eerst voor haar spreekuur naar Tookaringa was gevlogen, vertelde Fiona dat ze zwanger was.

'Waarom lijk je dan niet zo gelukkig?' vroeg Cassie. 'Ik dacht dat jullie het juist zo graag wilden.'

'Ik ben dolgelukkig. En Steven ook.'

Het bleef stil. 'Maar Blake?'

Fiona kreeg tranen in haar ogen. 'Blake is nergens meer gelukkig mee. Hij praat nauwelijks meer. Hij zit de hele dag in onze kamer te lezen of uit het raam te staren.'

'Dat zie je wel vaker bij mannen die een oorlog hebben meegemaakt, die verschrikkelijke dingen hebben gezien en hun vrienden hebben zien sterven. Misschien vraagt hij zich af waarom hij nog leeft en zij niet.'

Fiona knikte. 'Ik denk wel dat dat ermee te maken heeft, maar hij denkt dat hij niets meer kan, dat zijn leven voorbij is.'

Cassie nam een slok van haar thee. 'Je bedoelt vanwege zijn arm?'

Fiona knikte. 'Ja. Hij vindt zichzelf niet compleet meer. Hij kan niet meer rijden en hij vraagt zich af wat hij hier nog zoekt als hij niet eens meer op een paard kan klimmen. Hij kan niet brandmerken. Hij kan geen vee opdrijven. Hij kan niets meer van al die dingen die hij zijn leven lang heeft gedaan. Hij kan niet eens een paard bestijgen.'

Hier had Cassie geen antwoord op. 'Maar hij kan toch vader en echtgenoot zijn.'

'Hij dacht dat ik niet eens meer met hem in één bed wilde slapen nu hij zijn arm kwijt is. Hij dacht dat ik hem niet meer zou willen als ik het zag. O, Cassie.' De tranen rolden over Fiona's wangen. 'Ik heb van alles moeten verzinnen om hem... te verleiden! Ik weet niet eens of hij het eigenlijk wel wilde.'

'Mijn God, Fi, hij is nog steeds een man.'

'Daar schijnt hij zelf heel anders over te denken. Steven en ik slagen er niet in hem uit die apathische toestand te halen. Hij heeft nergens belangstelling voor. Toen we erachter kwamen dat ik zwanger was, leek er heel even iets op te flakkeren in zijn ogen en hij zei: "Laten we in godsnaam hopen dat het een meisje wordt." Volgens mij bedoelt hij dat meisjes geen oorlog hoeven voeren.'

'Maar hij kan zich toch niet de rest van zijn leven zielig blijven zitten voelen?' Terwijl ze het zei, realiseerde Cassie zich dat zij een groot deel van de afgelopen vijf jaar bezig was geweest zich zielig te voelen omdat Blake haar had verlaten. Misschien kon een mens zijn gevoelens niet bedwingen. Misschien kon niemand Blake uit zijn zwartgallige gemoedstoestand halen en had het gewoon z'n tijd nodig. 'De enige wijsheid die de jaren mij hebben bijgebracht is dat ook dit voorbij zal gaan. Alles gaat voorbij.'

Fiona glimlachte flauwtjes. 'Wanneer ik me echt gelukkig voel weet ik zeker dat dat zo is, en dat mijn geluk elk moment voorbij kan zijn. Wanneer ik in een diep dal zit, weet ik zeker dat het niet waar is en dat ik de rest van mijn leven diep ongelukkig zal blijven.'

'Onthou nu maar dat het echt voorbijgaat.'

Fiona sloeg een arm om Cassies schouder. 'Je hebt gelijk. Ik zal er elke avond aan denken. Maar intussen wilde ik toch dat ik hem op de een of andere manier kon helpen. Ik kan er niet tegen hem zo te zien. Hij was een gigant, Cassie. En nu...'

'Blake Thompson wordt weer een gigant, Fiona, je zult het zien. We verzinnen er wel iets op. Het heeft ook voor een deel te maken met dit klamme weer. Daar zou iedereen futloos van worden. Maar voordat ik er weer vandoor ga, moet ik eerst bij Horrie informeren of er nog spoedgevallen zijn. Mag ik jullie radio gebruiken?'

Horrie verbond haar door met de vrouw van Ian James, die een ziektebeeld beschreef dat volgens Cassie alleen maar op longontsteking kon duiden.

'Ik vlieg er meteen naar toe,' zei Cassie. Ze pakte haar tas en zei tegen Fiona: 'Ik zie je over een paar weken. Ik ga naar de Jameses.'

Fiona liep met haar mee naar het vliegtuig. 'Je snapt natuurlijk wel dat ik verwacht dat jij bij de bevalling bent.'

'Natuurlijk.' Cassie gaf haar vriendin een zoen.

Veertig minuten later arriveerde ze bij de boerderij van de familie James. Ian James lag op zijn bed te vechten om adem, wat hem door de hitte en de luchtvochtigheid niet makkelijk werd gemaakt. Cassie ging naast hem zitten en telde hoe hij in een minuut veertig keer naar adem hapte. De lucht die hij naar binnen wist te zuigen gaf hem geen verlichting; zijn longen zaten waarschijnlijk vol vocht en pus.

'Hoest hij veel?'

Mevrouw James knikte angstig. 'En hij geeft groengeel slijm op met sporen van bloed erin.'

Cassie voelde zijn pols.

'Hoe komt het dat hij zo blauw ziet?' vroeg zijn vrouw.

'Omdat er niet voldoende zuurstof in zijn bloed zit.'

'Is het longontsteking?'

Cassie knikte. Ze moest hem naar een zuurstofmasker zien te krijgen en daarna naar het ziekenhuis. Hij transpireerde en zijn spieren stonden strak gespannen. Ze vond dat hij eruitzag als een bokser die met veel vertoon zijn spieren aanspande, zoals hij daar lag te worstelen en naar adem te happen.

'Ik zal hem naar het ziekenhuis moeten brengen. Ik neem vanavond vanuit Augusta Springs contact met u op. Ik heb een zuurstofmasker in het vliegtuig, maar als ik hem niet op tijd in het ziekenhuis krijg, tja...'

Ze keek om zich heen. 'Ik heb een brancard in het vliegtuig. Kunt u een van uw mannen vragen mij te helpen?'

'Ik help wel.'

Samen tilden ze Ian James op de brancard en bonden hem vast in het vliegtuig. Cassie boog zich over de patiënt heen om het zuurstofmasker te bevestigen. Zijn hartslag was afgenomen en zijn bloeddruk daalde. Zijn zwoegende ademhaling werd minder frequent en zijn krachten namen zichtbaar af, als een zwemmer die moeite moet doen het hoofd boven water te houden.

Ze startte de motor en even later steeg ze op. Het was haar vijfde solovlucht. Ze moest zich concentreren op het vliegen, op de stormachtige tegenwind die plotseling was komen opzetten. Maar een deel van haar bewustzijn bevond zich achter haar, waar zij niet kon zien. Ze worstelde met de wind en vroeg zich af of dit betekende dat er een tropische storm in haar richting kwam. Ze bad dat ze Augusta Springs zou bereiken voordat het noodweer losbarstte.

Naarmate ze zuidelijker kwam liet ze de tegenwind achter zich en vloog ze door een kalm luchtruim. Ze wilde niets liever dan bij haar patiënt zijn en kijken wat ze voor hem kon doen. Zat het zuurstofmasker nog op zijn plaats? Ademde hij nog? Ze draaide zich om in haar stoel en keek achterom de cabine in. Ze hoorde een soort gerasp en wist dat dit lucht was die langs het vocht in het bovenste deel van de borstkas omhoog kwam, zodat er een borrelend geluid ontstond.

Ze had een vreselijk voorgevoel dat ze niet op tijd in het ziekenhuis zouden zijn. Als ze bij hem had kunnen zitten, had ze misschien iets kunnen doen. Ze begreep waarom John Flynn de regel had gesteld dat vliegende artsen nooit hun eigen vliegtuig mochten besturen. Zij hoorde daar achterin te zitten, bij haar patiënt. Ze had hem net zo goed thuis in zijn bed kunnen laten liggen. Waarschijnlijk was hij liever daar doodgegaan dan onderweg naar Augusta Springs.

En dat was precies waar hij inderdaad stierf. Een kwartier voordat Cassie zou landen, haalde Ian James nog één keer diep adem en slaakte een lange zucht. Het waren de laatste geluiden die zij van hem hoorde.

Toen Cassie thuiskwam, had Chris al een whisky voor haar ingeschonken. Ze dronk haar glas in één teug leeg en vertelde wat er gebeurd was. Ze vertelde niet alleen over Ian James, maar ook van Fiona's zwangerschap.

'Wat is dat toch voor onzin dat wij, als artsen, aan de dood gewend zouden raken?' vroeg Cassie. 'Doet het jou nog wat?'
'Niet zoveel als ik de patiënt niet ken. Maar wel wanneer het iemand is die ik al heel lang ken. Of een baby.'
'Het de familie vertellen, dat vind ik het moeilijkst. Het leek zo onpersoonlijk het haar over de radio te vertellen.'
Chris zei niets.
'Ik ga douchen,' zei Cassie, terwijl ze opstond en naar hun kamer ging – de kamer waarin zij was komen wonen toen ze net in Augusta Springs was gearriveerd.
Toen ze uit de douche kwam, zei Chris: 'Je hebt nu vast geen zin om te koken. Zullen we bij Addie's gaan eten?'
'Goed.' Terwijl ze in de spiegel keek schudde ze haar hoofd. 'Chris, hoe zou je het vinden als ik mijn haar liet groeien?'
Hij kwam naar haar toe en keek naar haar spiegelbeeld. 'Dat heb ik altijd al willen voorstellen. Volgens mij zou het je goed staan.'
'Waarom heb je het dan nooit voorgesteld?'
'O, Cassie, ik heb het lef niet jou iets voor te stellen. Als ik had gezegd dat ik het leuk zou vinden als jij je haar liet groeien, had je het vast nooit gedaan. Jij gaat nooit in op suggesties. Je schijnt te denken dat het bevelen zijn, en als er iets is waar jij een hekel aan hebt dan is het autoriteit.'
Ze keek hem aan in de spiegel. 'Zo klink ik wel erg onhebbelijk.'
Hij keek haar glimlachend aan. 'Je hebt van die momenten.'
Was dat zo? Het was een eigenschap die ze nooit had onderkend.

Hoofdstuk 41

Op de dag dat de Verenigde Staten met het gooien van een atoombom het eind van de oorlog inluidden, bracht Fiona, met behulp van Cassie, een negen pond en twee ons wegende dochter ter wereld, die Jenny werd genoemd. Fiona had eigenlijk niet naar het ziekenhuis willen komen en had haar baby liever thuis gekregen, maar daar had Steven niets van willen weten. Hij had te veel kinderen verloren omdat ze zover bij het ziekenhuis vandaan woonden.

Cassie stelde Fiona voor om drie weken voor de uitgerekende datum naar de stad te komen en bij hen te komen logeren, in haar oude kamer. 'Het zou Blake ook geen kwaad doen om mee te komen. We hebben plaats genoeg.'

Toen ze Chris vertelde dat ze hen had uitgenodigd, vroeg hij: 'Vind je het geen raar idee dat Blake dan hier logeert, in ons huis?'

'Haal toch niet altijd die oude koeien uit de sloot. Ik vind het prima. Fiona is mijn beste vriendin en ik wil elk risico vermijden. Het is een rit van twaalf uur, dus stel je voor dat ze al weeën zou hebben. Ik adviseer al mijn aanstaande moeders om een paar weken voor de bevalling naar de stad te komen.'

'Dat weet ik wel,' zei hij, 'maar na wat je met Blakes baby hebt gedaan...'

Cassies ogen spuwden vuur. 'Kun je dat nu niet eens vergeten? Net als ik? Het is een van de verstandigste dingen die ik ooit heb gedaan. Ik voel niets meer voor Blake. Echt niet. Maar ik geef wel heel veel om Fiona. In hemelsnaam, Blake is een mislukkeling. Sinds hij thuis is heeft hij niets anders gedaan dan als een dodo voor zich uit zitten staren. Hij doet niets en hij zegt amper een woord. Hij bezorgt verdorie heel Tookaringa een depressie. Denk je nu werkelijk dat ik hem boven jou zou verkiezen?'

'Het is gewoon dat je af en toe zo ver weg lijkt.'

'Had je maar geen werkende vrouw moeten trouwen. Die heeft niet elke minuut van de dag de tijd om jou naar de ogen te kijken!

Lieve God, mijn werk brengt ook problemen en zorgen en gedachten met zich mee. Ik dacht dat je dat wel wist.'

Hij knikte. 'Natuurlijk. Natuurlijk. Sorry dat ik erover begon. Zolang jij het aankunt om Blake hier als gast te hebben, kan ik het ook.'

'Dat is je maar geraden. Het is jouw bed waar ik in slaap.'

'God, Cassie, dat is toch niet het enige waar het in een relatie om gaat!'

'O nee?' Ze keerde zich van hem af en keek uit het raam. 'Ik dacht dat dat nu juist de reden was waarom jouw huwelijk met Isabel zo ondraaglijk was.'

Chris zuchtte. 'Soms ben ik ervan overtuigd dat jij en ik elkaar nooit zullen begrijpen.'

Ze stoof op. 'Wat nu weer? Volgens mij begrijpen wij elkaar uitstekend. Ik probeer me niets aan te trekken van jouw bekrompen onverdraagzaamheid, je starre vormelijkheid, je reactionaire ideeen. Jij vindt dat ik fouten heb. Wat afschuwelijk om die niet te hebben. Dat houdt ons nederig, vind je ook niet? Je kent mijn lichtzinnige verleden en ik dacht dat je me vergeven had. Kennelijk is dat niet het geval, want je blijft het me voor de voeten...'

Chris hief zijn handen in de lucht. 'O, Cassie, dat is het helemaal niet. Ik weet best dat je niet van mij houdt zoals je van Blake hebt gehouden. Dat vraag ik ook niet van je. Ik ben dankbaar voor wat wij samen hebben, ook al weet ik dat jij niet hetzelfde voor mij voelt als ik voor jou...'

Cassies stem klonk hard en schel. 'Ik geef zoveel om je als ik maar kan. Ik heb beloofd van je te houden en je te koesteren, en volgens mij doe ik dat verdomme ook. Ik doe in elk geval mijn best. Ik doe mijn uiterste best je gelukkig te maken.'

'Dat weet ik, lieveling, dat weet ik.' Hij liep naar haar toe en legde zijn handen op haar schouders. 'Wat mij zo verdrietig maakt is dat je er zo hard je best voor moet doen.'

Ze keek naar hem op en sloeg haar armen om zijn hals. Ze kuste hem en liet haar tong over zijn lippen glijden. Ze trok zijn hoofd naar zich toe en likte aan zijn oor. 'Ben je niet gelukkig dan? Is dit dan niet wat je wilde?'

Hij trok haar dicht tegen zich aan, met zijn armen om haar middel. 'Het is meer dan ik ooit had durven dromen.'

'Hou dan je mond over Blake en laten we van elkaar genieten. Jij praat in elk geval tegen me. Hij doet zijn mond niet open tegen Fiona of Steven.'

Een maand later kwam Jennifer Stephanie Thompson, precies om twaalf uur 's middags, ter wereld.

Een uur later werd Cassie bij een ongeluk geroepen. Het ging om een veedrijver die geprobeerd had een koe te vangen met een lasso. Het dier was er met hem vandoor gegaan, waarbij het, met de arme man achter zich aan, dwars door een afrastering van prikkeldraad was gesprongen. Uiteindelijk was de man tegen een boomstam tot stilstand gekomen en had daarbij ernstige verwondingen aan zijn arm opgelopen.

Tegen de tijd dat Cassie arriveerde, was het resterende gedeelte van de arm gelig-grijs verkleurd en kon de man hem niet meer bewegen. Zijn kameraden hadden hem bedwelmd met whiskey, maar hij leed nog steeds ondraaglijk veel pijn. De botten staken uit zijn arm en het dode gedeelte bungelde in een vreemde hoek aan zijn lichaam. De man zag bleek van het bloedverlies, hoewel zijn maten vlak boven de elleboog een tourniquet hadden aangelegd om het bloeden te stoppen.

Cassie keek naar de voorman. 'Ik zal zijn arm ter plekke moeten amputeren,' zei ze. Amputatie was iets waar geen enkele arts ooit aan kon wennen. 'Zijn arm is grotendeels verbrijzeld.'

Ze zocht in haar dokterstas en overhandigde een van de knechten een mes. 'Steriliseer dit in een vuur of in kokend water. Vlug!'

Toen het mes klaar was, sneed Cassie de restanten van spieren en huidlagen door, bond de slagader af, zette er een klem op, trok het een beetje uit en maakte met vier of vijf knopen een lus hechtdraad vast om het uiteinde. Ze trok het strak aan zodat het niet meer zou bloeden. In een poging bacteriën op afstand te houden waste ze de stomp van de arm met het gekookte water, smeerde hem in met ontsmettende zalf en verbond de wond.

'Draag hem naar het vliegtuig. Ik neem hem mee naar het ziekenhuis voor verdere behandeling.'

Toen zij terugvloog naar Augusta Springs weerkaatsten de wolken dieppaars op de gescheurde aarde. Mijn God, dacht ze, hoe lang heeft het al niet geregend?

De bewusteloze man achter haar kreunde zacht en zij dacht aan Blake, zonder zijn arm, en hoe het moest voelen om te weten dat een deel van jezelf voorgoed weg was.

'Je hebt gelijk,' zei Chris, nadat Fiona, Blake en de baby waren teruggekeerd naar Tookaringa. 'Blake zegt vrijwel geen woord. En àls hij iets zegt zijn het zelden woorden van meer dan één lettergreep. Hij heeft ongelooflijk veel medelijden met zichzelf.'

Cassie smeerde bosbessenjam op haar toast. Ze had vandaag geen spreekuur, dus tenzij er een spoedgeval tussen zou komen, hoefde ze alleen de radiospreekuren maar te doen en was ze verder de hele dag vrij. Terwijl zij zo had zitten toekijken hoe Blake weigerde ook maar met iemand te communiceren, had er zich een idee bij haar gevormd.

'Volgens mij is het niet alleen het verlies van zijn arm. Het is ook het verlies van zijn manier van leven. Als hij maar wat dingen kon dóen, als hij kon paardrijden, een auto besturen, allerlei dingen kon doen die vroeger zo heel gewoon voor hem waren.'

'Jij hebt een idee, dat zie ik zo,' zei Chris, terwijl hij achteroverleunde in zijn stoel en zijn laatste beetje koffie opdronk voordat hij naar het ziekenhuis zou gaan.

'Heb je in een van die medische tijdschriften dat artikel gelezen over al die nieuwe dingen die ze uitvinden voor gewonde oorlogsveteranen? Ze hebben al zoveel prachtige hulpstukken uitgevonden. Heb je dat stuk gelezen over die elektrische arm?'

Chris schudde zijn hoofd. 'Daar ben ik nog niet aan toegekomen. Ik was gefascineerd door dat artikel over malaria. Wist je dat dat in de oorlog het grootste medische probleem was?'

Cassie hoorde hem nauwelijks. 'Ik ga Norm Castor bellen om eens te horen wat hij ervan weet, of dat hij me naar iemand anders kan doorverwijzen.'

De eerstvolgende keer dat zij naar Tookaringa vloog, regelde ze het zo dat ze een nachtje bleef logeren, zodat ze 's avonds met Blake, Fiona en Steven kon eten. Ze wachtte tot ze bezig waren met het hoofdgerecht en zei toen: 'Blake, ik zou graag zien dat je naar Melbourne vloog om een bezoekje te brengen aan een goede vriend van mij. Of liever gezegd, van mijn vader. Dokter Norman Castor. Een van de artsen in zijn staf doet geweldige dingen met veteranen die een arm of een been zijn kwijtgeraakt.'

Je kon een speld horen vallen. Sinds hij weer thuis was, had niemand Blakes invaliditeit meer ter sprake gebracht. Iedereen deed net of er niets aan de hand was. Zowel Fiona als Steven keek naar Blake, alsof ze op een teken van hem zaten te wachten.

'Wat heb ik daaraan? Ik hoef geen stuk hout met een klauw aan het uiteinde.'

Cassie hield vol. 'Zo zien ze er allang niet meer uit. Ze maken nu armen en handen die er levensecht uitzien, compleet met nagels, randjes die op spieren lijken en zelfs blauwe strepen voor de aderen. Je kunt ze nauwelijks van echt onderscheiden.'

Het bleef weer even stil. 'Ik wel.'

'En toch zou ik willen dat je eens ging kijken. Proberen kan toch geen kwaad? Het zou je hooguit een paar weken van je leven kosten. En volgens mij heb je er al meer dan een paar verspild.'

'Wat bedoel je daarmee?'

Fiona legde haar hand op de zijne. 'O, daar bedoelt Cassie toch helemaal niets mee...'

'Jazeker wel.'

Opnieuw die stilte. Hoewel zij ditmaal alle drie naar haar keken.

'Je zwelgt zo in je zelfmedelijden dat je niet eens ziet wat je je vrouw en je vader aandoet,' zei Cassie. 'Je breekt hun hart, elke dag weer. Je doet helemaal niets. Je zit maar op die veranda in het niets te staren. Ik wil wedden dat je niet eens zit te denken, of hooguit alleen een beetje aan jezelf en dat je geen man meer bent nu je een arm bent kwijtgeraakt in de oorlog. En al die mensen dan die hun leven hebben gegeven? Je bent er nog goed afgekomen. Je hebt het gevoel dat je leven voorbij is omdat je niet meer kunt rijden of veedrijven of schieten. Wat denk je dat al die miljoenen mensen die niet in de Outback leven de hele dag uitvoeren? Je kunt een leven voor jezelf creëren. Alleen weiger je dat te doen. Je zorgt ervoor dat je vrouw voortdurend op haar tenen loopt, je toont nauwelijks belangstelling voor je pasgeboren baby en je vader doet de hele dag niets anders dan proberen het jou naar de zin te maken.'

Ze zweeg even en haalde diep adem. Ze vroeg zich af of ze hen nu alle drie tegen zich in het harnas had gejaagd.

'Natuurlijk is dat hun eigen schuld,' ging ze verder toen niemand iets zei. 'Ze laten hun leven door jou beheersen, in plaats van hun eigen leven te leiden. In plaats van bevrediging te putten uit alle prachtige dingen die het leven te bieden heeft, laten ze zich door jou in een hokje duwen.'

Fiona's hand vloog naar haar borst. 'Cassie!'

'Het is waar, Fiona, en als je even goed nadenkt weet je dat zelf ook wel. Als Blake ook maar een greintje liefde kon opbrengen voor jou en Steven en als hij zichzelf de kans gaf van zijn kindje te houden, zou hij naar Melbourne gaan om zich een arm te laten aanmeten. Dokter Castor heeft me verteld dat zo'n arm je gevoel voor evenwicht herstelt – volgens hem zou je ook weer kunnen paardrijden. Je kunt er alles mee doen wat je vroeger ook deed, alleen misschien geen veters strikken, maar ik heb je nog nooit met veterschoenen gezien.'

Steven vroeg: 'Is dat allemaal echt waar, Cassie?'

'Het vergt tijd en wilskracht. Zelfdiscipline. Maar dokter Castor zegt dat de resultaten verbluffend zijn. Je bent niet de enige die een arm is kwijtgeraakt, Blake. Denk eens aan al diegenen die blind zijn geworden, gedeeltelijk verlamd zijn geraakt, of allebei hun benen hebben verloren. Denk aan al diegenen die zich helemaal niet meer kunnen bewegen. Het is niet zo dat je tegelijk met je arm je mannelijkheid hebt verloren. Die heb je zelf weggegooid. Welnu, dit is je kans om die terug te krijgen, iets met je leven te doen en weer de man te worden van wie je vader en Fiona zoveel hielden.' Ze benadrukte de verleden tijd.

Fiona begon te huilen en liep van tafel.

Cassie hoopte dat ze Fiona niet voorgoed tegen zich had ingenomen. Ze had het gevoel gehad tot het uiterste te moeten gaan om tot Blake door te dringen. Ze had overwogen hem er alleen op aan te spreken, maar had besloten dat haar woorden wellicht meer indruk zouden maken in het bijzijn van zijn familie.

In het jaar dat hij nu alweer thuis was, was dit het meeste wat zij alles bij elkaar tegen hem had gezegd. Hij had net gedaan of zij onzichtbaar was, maar dat deed hij met zijn vader en Fiona ook vaak genoeg.

Later die avond kwam Fiona naar Cassies kamer. 'Je mag niet denken dat ik boos op je ben. Alleen, o, Cassie, je hebt al die dingen gezegd die ik tegen hem had willen zeggen. Soms hou ik het gewoon niet meer uit. Het lijkt wel of ik samenleef met een onbewoond lichaam. Steven heeft dat gevoel ook. Er is absoluut geen vreugde meer in ons leven en wij hebben geen van beiden het lef gehad er iets van te zeggen. Niet dat het veel zal helpen dat het nu een keer gezegd is. O, Cassie, ik voel me zo ellendig en ik zou juist zo gelukkig moeten zijn, met mijn man thuis en een lieve baby.'

Cassie sloeg haar armen om haar vriendin heen. 'Als je in een stad woonde, zou ik je aanraden naar een psychiater te gaan, iemand die zich heeft gespecialiseerd in de negatieve gevolgen van oorlog op het gezinsleven. Misschien is dat trouwens toch niet zo'n slecht idee. Maar Fi, echt waar, die nieuwe armen en benen zijn gewoon wonderbaarlijk. Ik heb er zelf nog niet een gezien, maar ik heb me laten vertellen dat ze fantastisch zijn.'

'Hij doet het toch niet, weet je. Hij accepteert geen hulp. Hij vindt dat hij alles zelf moet kunnen en dat hij anders een tweederangsburger is. Maar bedankt dat je het hebt willen proberen. Ik wilde alleen maar zeggen dat ik niet boos op je ben, ook al moest ik daarnet aan tafel opeens huilen.'

'Gelukkig maar. Ik was er even bang voor, maar ik had echt het gevoel dat ik het ter sprake moest brengen.'

De volgende ochtend zat Blake alleen op haar te wachten aan de ontbijttafel. 'Kun jij een afspraak voor me maken?' vroeg hij. 'Ik ga naar Melbourne, naar die dokter van jou.'

Na het vliegtuig op het vliegveld te hebben achtergelaten, reed zij naar het radiostation. Ze was nog net op tijd voor het radiospreekuur van kwart voor vijf. Zoals altijd vroeg ze zich af wanneer Horrie nu eindelijk die veranda eens ging bouwen die hij Betty had beloofd. Met de komst van hun drie kinderen hadden ze wel twee kleine kamertjes aan het hutje gebouwd. Cassie verwonderde er zich altijd weer over dat ze Betty nog nooit anders had gezien dan vrolijk en opgewekt, hoewel ze Horrie nu al zes jaar lang minstens eenmaal per maand aan zijn hoofd zeurde om een veranda. 'Zodat ik een plek heb om in de schaduw te zitten,' zei ze er dan altijd bij.

Voor het huisje stond een gloednieuwe pick-up, een glanzende blauwe Holden. Er kwam hier bijna nooit iemand en ze vroeg zich onwillekeurig af wie Horrie en Betty op bezoek hadden.

Ze liep door het zand naar de dichte deur, deed hem open en zwaaide naar Horrie, die al voor de radio zat. Toen ze de deur achter zich had dichtgedaan werden er opeens twee handen voor haar ogen geslagen.

Horries stem klonk plagerig. 'Raad eens wie dat is?'

Even bleef ze doodstil staan, maar opeens, in een flits, wist ze het. Voordat ze zijn naam kon zeggen schoten de tranen al in haar ogen. 'Sam? Ben jij het, Sam?'

De handen gleden nu naar haar schouders en draaiden haar om. Opeens stond ze oog in oog met Sams lachende gezicht. Ze sloeg haar armen om hem heen en bleef, door een waas van tranen, zijn naam keer op keer herhalen. Ze was nog nooit van haar leven zo blij geweest iemand te zien. Toch zou ze hem na al die jaren niet zo makkelijk herkend hebben.

Hij was niet meer mager; hij was stevig. Hij had een borstelige snor laten staan en er zaten rimpeltjes in zijn ooghoeken, kraaiepootjes. Hij zag bleek onder de hoed die de plaats had ingenomen van zijn honkbalpet, maar in zijn ogen schitterden nog steeds dezelfde pretlichtjes.

'Waarom heb je ons niet van tevoren laten weten dat je kwam?' vroeg ze.

'Dan was het toch geen verrassing geweest?'

'Wanneer ben je aangekomen?'

'We zijn hier tegen de middag gearriveerd.' Sam legde zijn handen op haar schouders en deed een stapje naar achteren om haar goed te kunnen bekijken. 'Je ziet er fantastisch uit. Je haar zit leuk.'

Verlegen streek ze met haar hand door haar schouderlange lokken. 'Wat heerlijk je te zien.'

'Ik ben thuisgekomen omdat ik ervan uitging dat je nog steeds om een piloot verlegen zat. In je laatste brief schreef je dat je het nu zelf deed. Ik kwam niet meer bij van het lachen. Ik wist wel dat er niets was dat jij niet kon – maar toch hoop ik dat je een piloot nodig hebt.'

'Of ik een piloot nodig heb? Je weet niet half hoe moeilijk het is twee banen tegelijk te hebben.'

Het was zo heerlijk hem weer te zien, in die lachende ogen te kijken en zich te herinneren hoe het was om met hem te vliegen.

'Waar logeer je?'

'God mag het weten. Addie's is vol en het hotel is een smerig kot. We hebben ontbeten bij Horrie en Betty. Hé…' hij liep naar de deur die de radiokamer van Betty's keuken scheidde en deed hem open. 'Honnepon, kom eens kennismaken met de beste dokter ter wereld.'

In de deuropening verscheen een lichtblonde, glimlachende, heel mooie jonge vrouw. Ze was, schatte Cassie, een maand of vijf, zes zwanger.

'Liv, dit is nu de dokter van wie ik je zoveel heb verteld. Cassie, mijn vrouw Olivia.'

Zijn vrouw?

Voordat ze besefte dat ze het zei, zei ze: 'Jullie kunnen natuurlijk bij ons logeren totdat je iets anders hebt gevonden. Ik woon weer in het huis van Fiona – we hebben het van haar gekocht. En jullie kunnen haar oude kamer krijgen.'

Sam zette zijn hoed af. 'Ik kan niet geloven dat je nu mevrouw Chris Adams bent. Die brief was een hele schok, dat kan ik je wel vertellen.'

Waarom was het zo'n schok voor haar om Sam met dit blonde meisje getrouwd te zien? Want meer was Olivia niet. Precies het type dat ze bij hem had kunnen verwachten. Waarschijnlijk giechelde Olivia veel, peinsde ze.

'Ja, we worden allemaal volwassen,' vervolgde Sam.

Het zou eens tijd worden, dacht Cassie. We zijn volwassen en hebben verantwoordelijkheden die we misschien liever niet hadden gekregen.

Hoofdstuk 42

'Ik kan het gewoon niet geloven!' riep Cassie tegen Chris uit. 'Ze is zo'n leeghoofdje dat ik me niet kan voorstellen waarom Sam zich tot haar aangetrokken voelt!'

'Je bent gewoon vergeten,' zei Chris, terwijl hij zijn koffie pakte, 'dat Sam altijd al op het mooiste meisje van een groep viel en dat het hem dan niet uitmaakte of haar hersencellen naar behoren functioneerden. Integendeel, volgens mij gaf hij er de voorkeur aan als dat niet het geval was.'

Cassie schudde haar hoofd. 'Vlak voordat hij wegging leek hij belangstelling te hebben voor zuster Claire, en dat was een slimmerikje.'

'Dat was vijf jaar geleden.'

'Dat is wel zo. Maar Olivia lijkt zo – nu ja, het verbaast me gewoon dat Sam met zo iemand gelukkig kan zijn.'

'Ze is mooi genoeg voor hem om trots op te zijn en niet zo beeldschoon dat hij zich zorgen hoeft te maken. Zag je de manier waarop zij hem aankeek?'

Cassie vouwde hoofdschuddend haar servet op. 'Een pruilende kleine-meisjesglimlach. Alsof alles wat Sam denkt en doet volmaakt is.'

Chris schoot in de lach. 'Dat heeft zo z'n charmes, weet je.'

Cassies ogen spuwden vuur. 'Dus jij zou wel wat voelen voor een vrouw die het altijd onvoorwaardelijk met je eens is? Die je voortdurend aanstaart met van die grote herteogen...'

'Het zou een verfrissende afwisseling zijn. Maar nee, lieveling.' Hij boog zich naar haar toe en nam haar hand in de zijne. 'Ik zou me doodvervelen. Ik heb liever een vrouw waar wat pit in zit...'

'En dat is verdorie maar goed ook.' Cassie ontspande zich en keek hem lachend aan.

'Je bent blij dat ze zo snel een huis hebben gevonden, hè?'

'God, ik vond die tien dagen meer dan genoeg. Ik kon gewoon

niet langer aanzien hoe zij om alles wat Sam zei zat te giechelen en hoe hij zich koesterde in haar bewonderende blikken.'

Chris stond op. 'Vergeet Sam en Olivia nu maar. Vergeet Romla...'

'Romla vergeten? Ik heb al in tijden niet meer aan Romla gedacht.'

Hij schudde zijn hoofd. 'Ik was het vergeten. Ze heeft gisteren gebeld. Ze komen donderdag langs, met het complete gezin. Ik vertel je later nog wel waarom. Krankzinnig idee. Maar laten we nu even niet aan haar denken.'

'Nee,' zei Cassie, aan zijn arm trekkend. 'Vertel op.'

'Roger heeft genoeg van zijn werk als politieman in Townsville. En ik denk dat Romla, ook al zou ze het nooit toegeven, genoeg heeft van het leven dat zij daar leiden.'

'Toen ik bij haar logeerde in elk geval wel.'

'Roger is wel bereid om iets anders aan te pakken en Romla heeft zin in een uitdaging. Ze heeft gereageerd op een advertentie waarin gevraagd werd om een manager voor een hotel. Driemaal raden waar? De Royal Palms, hier in Augusta Springs.'

'De Royal Palms? Volgens Sam is dat een smerig kot.'

Chris knikte. 'Ik weet het. Ik weet het. Maar zij en Roger willen graag iets heel nieuws beginnen en toen ze hoorde dat het hotel hier stond, heeft ze een afspraak gemaakt om te komen kijken of ze er iets in zien. Je weet dat ze bijzonder op jou gesteld is.'

'En ik op haar.'

'Hoe dan ook, ze komen dus donderdag.'

'Wat leuk. Ik verheug me erop haar weer eens te zien. Jij hebt haar ook al niet meer gezien sinds die keer dat je naar Brisbane ging voor die conferentie en onderweg bij haar bent langsgegaan. Roger vond ik trouwens een ongelooflijk vervelende vent.' Ze begon zich af te vragen of ze hier soms een soort kosthuis hadden.

'Ongelooflijk,' beaamde Chris.

De volgende dag vloog ze voor het eerst weer samen met Sam naar een spreekuur. Tijdens hun vlucht naar Tookaringa merkte hij op: 'Tjonge, de bodem is kurkdroog en dit is nog wel het regenseizoen.'

Cassie had de mannen nu al een jaar lang over een grote droogte horen praten, maar er zat nog niemand zonder water en ze had nog niet gehoord dat er dieren omkwamen van de dorst.

'Als het niet snel gaat regenen, ziet het er niet best uit. Heb je wel eens een droogte meegemaakt?'

'Nee,' antwoordde zij, en toen ze naar buiten keek realiseerde ze zich opeens dat het land onder hen wel heel erg stoffig was.

Maar ze was zo gewend aan al die diepe scheuren in de aarde, dat dit er niet eens zo heel erg anders uitzag.

'In deze omgeving kan een droogte alles verwoesten waarvoor je hebt gewerkt. Ik herinner me een overstroming van achttien jaar geleden, die het einde inluidde van een droogteperiode van vijf jaar. Hele families zijn toen geruïneerd, alle dieren gingen dood. Mensen verhongerden en verlieten hun boerderijen om naar de stad te gaan, met achterlating van al hun dromen.'

Cassie keek hem aan. 'Sam, ik ben zo blij dat je weer terug bent. Je hebt geen idee wat een opluchting het voor me is dat ik geen twee dingen tegelijk meer hoef te doen.'

'Ik was al bang dat je liever piloot wilde blijven.'

Cassie schudde haar hoofd. 'Ik ben nooit zo dol geweest op het vliegen zelf. Ik heb niet dat zesde zintuig van jou voor wat wel en wat niet kan in de lucht.'

Hij vertelde haar niets over zijn belevenissen in de oorlog en ze zou er ook nooit zijn achter gekomen als Olivia haar niet een keer een artikel had laten lezen waarin hij vermeld stond als 'een held, een levende legende, die meer Duitse vliegtuigen heeft neergehaald dan enige andere Australische piloot'. In het artikel stond ook dat hij lager en sneller vloog dan andere piloten en het luchtafweergeschut leek uit te dagen hem neer te schieten.

Hij was rusteloos geworden. Hij vond het moeilijk om stil te zitten bij sociale aangelegenheden en het viel Cassie op dat hij zo nu en dan met een glazige blik in de verte begon te staren als mensen hem aanspraken. Hij wilde geen tijd verliezen om weer te gaan deelnemen aan het leven van alledag en kon niet wachten tot hij weer aan de slag kon.

Sam draaide zich naar haar om. 'Het verbaast me echt dat jij en Chris met elkaar zijn getrouwd. Ik dacht altijd dat jij en Blake... hoe dan ook, ik wist werkelijk niet wat ik las.'

Cassie staarde uit het raam en keek omlaag naar het droge, stoffige land, bezaaid met honderden eucalyptusbomen. Tussen de bomen door draafde een kudde kangoeroes. 'Dat is al heel lang voorbij.'

'Alles hier lijkt zo lang geleden. Ik vraag me af of het ooit nog hetzelfde zal worden. Ik heb ervan gedroomd om terug te keren naar alles dat ik kende en waarvan ik hield. Nu ben ik terug en is niets meer hetzelfde.'

'Is er zoveel veranderd?'

'Alles is veranderd,' zei Sam. 'De hele wereld is veranderd.'

'Heeft iemand je al verteld dat Blake een arm is kwijtgeraakt?'

Sam knikte. 'Ja, dat heb je me zelf geschreven.'

'Hij is een paar weken terug naar Melbourne gegaan en is inmiddels weer terug. Hij heeft zich een elektrische arm laten aanmeten. Ik ben zo benieuwd. Hij had psychische problemen. Maar het schijnt dat hij met zijn nieuwe arm alles weer kan doen.'

'Behalve voelen,' zei Sam. Hij wees. 'Kijk, Tookaringa! Ik heb nog steeds nergens iets gezien wat je hiermee kunt vergelijken. Wat een gek idee dat Fiona hier nu woont. Jongens, wat zal ik blij zijn haar weer te zien.'

Fiona en Sam vielen elkaar in de armen en Fiona's ogen schitterden. 'Cassie, het is zo'n wereld van verschil! Wacht maar tot je hem ziet! Hoe kan ik je ooit bedanken?' Tegen Sam zei ze: 'Zonder Cassie was ik vast en zeker gek geworden. En mijn man ook. Het spreekuur begint pas over een uur en ik heb eten klaarstaan – koffiecake en allerlei lekkere hapjes. We hebben iets te vieren. Blake kan zelfs weer lachen.'

'Ze heeft gelijk,' klonk een stem achter hen. 'Ik kan inderdaad weer lachen. Sam, welkom thuis. Fijn je weer te zien. Dat is lang geleden.'

Sam gaf hem een hand en keek naar Blakes arm. 'Ik ben er nog niet zo handig mee,' zei hij, maar er klonk weer veerkracht in zijn stem. Hij stak zijn arm uit naar Cassie. 'Voel eens.'

Ze stak haar hand ernaar uit en voelde aarzelend. Het enige dat ze voelde was levenloos plastic.

Blake was net een kind met een nieuw stukje speelgoed. 'Er zitten elektrische circuits in – kleine hefboompjes en radertjes en een knopje vlak onder mijn duim. Ik kan mijn hand aan- en uitzetten. Ik kan iets oppakken en vasthouden en als ik dan het knopje uitzet, houdt die verrekte hand het voorwerp voor eeuwig vast. Vind je het niet verbluffend?'

Wat verbluffend was, was de verandering die in Blake was opgetreden.

'Kijk! Ze hebben me verteld dat ik moest oefenen met het oppakken van eieren. Nou...'

'Hij heeft nog maar een paar dozijn eieren gebroken,' zei Fiona, terwijl zij met de cake, koffie en thee de veranda opkwam.

'Zie je? Hij loopt op batterijen.' Hij tilde zijn mouw op. 'Het grote probleem is dat hij zijn eigen tempo heeft, en dat is minder snel dan het tempo van hersengolven. Maar goed, zal ik je eens wat vertellen, Cassie? Volgende week ga ik voor het eerst sinds – God, is het werkelijk zes jaar? – weer paardrijden.'

Voor het eerst in al die jaren keek hij Cassie recht in de ogen en zijn stem klonk zachter. 'Hoe kan ik je ooit bedanken? Je hebt mij en mijn familie zo ongelooflijk geholpen. Het werd hoog tijd dat iemand eens flink kwaad op me werd.'

Hij en Sam bleven op de veranda zitten terwijl Cassie haar spreekuur hield – ze hoorde flarden van hun gesprek, vooral Blakes enthousiaste stem. Hij vertelde Sam iets over 'het opkopen van land, een smalle strook land helemaal tot aan de kust, meer dan vijftienhonderd kilometer lang'.

'Ga jij meer dan vijftienhonderd kilometer land kopen?' vroeg Sam ongelovig.

Blake begon te lachen. 'Dat klinkt meer dan het in werkelijkheid is. Als deze droogte aanhoudt, zullen steeds meer mensen hun land willen verkopen en kan ik het goedkoop van ze overnemen. Niet dat ik van hen wil profiteren, maar het betekent wel dat er land beschikbaar komt dat op dit moment niet te koop is. Het zal me in staat stellen mijn vee voor de droogte uit te sturen. Het begint hier, ongeveer in het midden. Ik drijf ze naar de kust, zodat er een heel stuk land niet begraasd hoeft te worden en klaarligt voor het vee dat er nog doorheen moet. Ik kan ze elk jaar op die manier naar de kust drijven, zodat ze vet blijven. Maar in tijden van droogte zijn ze hier weg voordat ze verhongeren of te mager worden om er nog iets mee te kunnen beginnen. Ik kan ze naar markten brengen waar de prijzen het hoogst liggen...'

Fiona keek Blake glimlachend aan. 'Hij is de enige persoon die ik ken wiens dromen altijd uitkomen.'

'Dat komt,' zei Cassie, 'omdat hij ervoor zòrgt dat ze uitkomen.'

'Met meer dan een beetje hulp van de vrouwen in mijn leven.' Blake hief zijn plastic arm omhoog en groette niet alleen Fiona maar ook Cassie. 'Als zij er niet was geweest,' hoorde Cassie hem tegen Sam zeggen, 'had ik nu nog steeds zielig voor me uit zitten kijken. Ze is wel een harde leermeester.' Toen voegde Blake eraan toe: 'Wanneer krijgen we de vrouw in jouw leven te zien?'

Fiona's blik zocht die van Cassie; dacht ze nog steeds dat Cassie verliefd was op Sam?

Ze spraken niet over de oorlog. Het was net of al die jaren in het niets waren opgegaan, alsof het leven helemaal niet was veranderd. En er leek een nieuw soort kameraadschap te ontstaan tussen Sam en Blake.

Toen ze die middag naar huis vlogen, raakte Sam even haar arm aan. 'Het spijt me, doc. Ik was er bijna ingetrapt.'

'Wat bedoel je?' vroeg Cassie verbaasd.

'Je bent nog steeds verliefd op hem. Misschien ziet hij het niet en misschien ziet Fiona het niet, maar ik zie het van een kilometer afstand.'

Cassie rechtte haar rug. 'Je vergist je, Sam. Je hebt het helemaal bij het verkeerde eind.'

'Was het maar waar. Eerlijk, ik zou me maar wat graag vergissen.

En als jij dat graag wilt, speel ik het spelletje gewoon mee. Maar als je ooit behoefte hebt aan een schouder om op uit te huilen...'

'Krijg de kolere, Sam.'

Hij lachte. 'Ha, zo ken ik mijn Cassie weer. Ik dacht al dat je iets mankeerde, dat je milder was geworden of zo.'

'Milder? Ik? Vergeet het maar.'

Hij pakte haar hand vast en kneep er zachtjes in. 'Ik ben blij dat we weer samenwerken, doc. Ik heb je gemist.'

Ze genoot van zijn aanraking. O, wat heerlijk dat hij weer terug was. Op de een of andere manier had ze het gevoel dat ze naar elkaar toe waren gegroeid in de tijd dat hij weg was geweest. Misschien kwam het door al die brieven die ze geschreven hadden. Ze was blij dat Sam getrouwd was. Ze had alleen liever wat beter willen kunnen opschieten met de vrouw van wie hij hield.

De eerste noodoproep sinds Sams thuiskomst kwam van Mattaburra. Dwars door de atmosferische storingen klonk de angstige stem van een man. 'U spreekt met Gregory Carlton...' Zijn stem brak. 'Mijn zuster is neergeschoten!'

Horrie verstijfde. 'Neergeschoten?'

'Is ze dood?' vroeg Cassie.

'Bijna... kom snel... o, God!'

Stilte.

Cassie keek naar Horrie. 'Bel Sam en laat hem meteen komen. Zeg het spreekuur af.'

Terwijl Horrie de telefoniste belde, pakte zij haar zonnebril uit haar tas en begon de glazen schoon te wrijven.

'Sam is al onderweg.'

Vijf minuten later kwam Sam binnenslenteren.

'Alison Carlton is neergeschoten. Kom mee,' zei Cassie.

Terwijl zij naar het vliegveld raceten, vertelde zij Sam: 'De enige hulp die zij heeft gehad in de tijd dat Greg aan het front zat, was van een oude aboriginal en zijn vrouw. Alison heeft alles zelf gedaan. De enkele keer dat ze naar de stad kwam heeft ze bij mij gelogeerd. God, wat vreselijk.'

Had Greg, bij zijn thuiskomst uit Europa, Alison gewond aangetroffen? Hoe lang had ze daar al gelegen? Cassie begreep niet wat er gebeurd kon zijn.

Binnen tien minuten waren ze in de lucht en binnen anderhalf uur arriveerden ze op Mattaburra. Toen zij boven de boerderij cirkelden, kwam Greg al wuivend naar buiten rennen. Sam landde op het veld dat altijd gebruiksklaar werd gehouden. Toen hij de motor had afgezet en de deur had geopend, kwam er al een oude pick-up in een mist van stofwolken de hoek om stuiven.

Cassie zou Greg nooit herkend hebben. Zijn ogen waren wazig en bloeddoorlopen, zijn haar zat in de war – ze kon maar één woord verzinnen om hem mee te beschrijven: krankzinnig. Na meer dan vijf jaar begroette hij hen niet eens. Als hij niet achter het stuur van zijn wagen had gezeten, zou Cassie hebben gedacht dat hij in een comateuze toestand verkeerde. Hij keerde de auto en reed terug naar het huis, terwijl hij steeds maar weer mompelde: 'Allemaal mijn schuld. O, God!'

'Leeft Alison nog?' vroeg Cassie.

Even dacht ze dat hij haar niet had verstaan, maar uiteindelijk knikte hij. 'Nauwelijks.'

Toen zij voor het huis tot stilstand kwamen, bleef Greg achter het stuur zitten. Cassie greep haar tas en sprong uit de wagen. Ze rende de drie treden op, de veranda over en duwde de keukendeur open.

De anders zo keurige gele muren zaten vol met bloedspetters. In het helderrode vocht kleefden stukjes weefsel. Op de houten vloer lag, ineengezakt, het lichaam van een vrouw, kleiner en tengerder dan Alison. Haar borst was weggeschoten. Ze lag in een grote plas bloed.

Greg had gezegd dat Alison was neergeschoten. Hij had het niet over een andere vrouw gehad. Terwijl Sam achter haar de kamer binnenkwam, liep Cassie naar de slaapkamer van Alison. 'Jezus!'

Alison lag op bed, met een gat waar haar linkerborst had gezeten. Haar blouse zat onder het bloed. Cassie zag aan de zwakke bewegingen van haar borst dat ze nog ademde. In haar hand hield ze een pistool geklemd. Cassie hoorde voetstappen achter zich en voordat ze zich kon omdraaien, was Greg de kamer al binnengestormd en had zich op het lichaam van zijn zuster geworpen. Hij nam haar gezicht tussen zijn handen en jammerde: 'Ik had beter moeten weten. Ik dacht dat het de beste oplossing was. O, God, wat heb ik gedaan?'

Cassie liep naar hem toe en bukte zich om haar hand op zijn schouder te leggen. 'Jij hebt het niet gedaan. Zij heeft het pistool in haar hand.'

Hij keek met roodomrande ogen naar haar op. 'Ik had net zo goed zelf de trekker kunnen overhalen. O, Jezus, God!' snikte hij.

'Laat mij haar onderzoeken,' zei Cassie, hoewel ze wist dat de vrouw nog hooguit een paar minuten te leven had.

Huilend schoof Greg een eindje opzij, en verborg zijn gezicht in zijn handen.

'Wie is die andere vrouw?' vroeg Cassie.

Greg keek op en zijn ogen leken nog dieper in hun kassen weg te zinken. 'Mijn vrouw,' zei hij met verstikte stem.

O, lieve God, dacht Cassie terwijl zij Alison onderzocht. 'Ik kan niets voor haar doen.'

Ze sloeg haar armen om Gregs schouders. Ze begreep wat er was gebeurd. Alison had niet kunnen accepteren dat haar broer was teruggekeerd met een vrouw. Het zou betekend hebben dat zij hier niet langer op haar plaats was.

Sam stond in de deuropening.

'Christus, we waren nog geen uur thuis,' zei Greg, waarna hij weer begon te huilen. 'Ik had haar moeten schrijven. Ik had haar moeten waarschuwen.'

Ja, dacht Cassie, dat had je zeker moeten doen. Haar ogen ontmoetten die van Sam. 'De politie zal langskomen om vragen te stellen.' Ze keek hoe Alison haar laatste adem uitblies. Het leek haar beter voor haar dan een gerechtelijk onderzoek te moeten meemaken, een rechtszaak en opsluiting in de gevangenis. Sam zou lijkezakken uit het vliegtuig moeten halen en dan zouden ze samen de boel een beetje opruimen. Greg was in elk geval niet in staat hen te helpen.

'Wil je me vertellen wat er gebeurd is?' Ze dacht dat de politie dat wel graag zou willen weten.

Hij zweeg zo lang, dat Cassie maar alvast naar de keuken liep, over het lichaam van Gregs vrouw heen stapte, en een ketel water op het vuur zette. In de bijkeuken vond ze poetsdoeken, waarmee ze de muur begon te boenen. Stukjes huid bleven aan de vochtige doek kleven. Ze voelde zich misselijk worden. Dit had hij toch ook niet kunnen vermoeden, dacht Cassie. Hij kon er niets aan doen. Alison had kunnen weten dat haar broer ooit, op een dag... Greg was tenslotte nog maar net in de dertig. Alison had toch kunnen weten dat hij op een dag behoefte zou krijgen aan een vrouw en kinderen.

In een kast vond Cassie een deken waarmee zij het lichaam van de echtgenote bedekte. Inmiddels kookte het water. Ze zette een pot thee en bracht een kopje naar Greg, die nog steeds naast het lichaam van zijn zuster zat en in haar nietsziende ogen staarde. Hij wuifde met zijn hand in de lucht, ten teken dat hij geen thee wilde.

'Het kan me niet schelen of je er trek in hebt of niet, drink op.'

Hij keek Cassie aan en nam het kopje van haar aan, terwijl zij naast hem kwam zitten om haar eigen thee te drinken.

'Eigenlijk wist ik meteen al dat het niet eerlijk was tegenover Susan,' zei hij met trillende stem en bevende handen. 'Maar ik dacht dat het onze problemen zou oplossen en een eind zou maken aan de leugens waarmee we ons hele leven hebben geleefd.'

Ze wilde dit helemaal niet horen. Sam kwam naast haar staan

en legde een hand op haar schouder. Buiten hoorde ze een vogel tsjilpen. Een zacht briesje deed het mousselinen gordijn opbollen. Cassie was bang dat ze al wist wat er ging komen.

Greg keek haar aan. 'Ik dacht dat, als ik Susan zou meebrengen, als zij en Alison vriendinnen zouden worden, dat we dan met ons allen... o, Christus! Natuurlijk wist ik wel beter. Diep in mijn hart wist ik beter. Maar ik wilde zo graag het patroon doorbreken, de vicieuze cirkel waarin Alison en ik terecht waren gekomen. Ik hield niet van Susan. Ik heb nooit van een andere vrouw gehouden dan van Alison.' Hij liet zijn kopje op de grond vallen, verborg zijn gezicht in zijn handen en begon zo hartverscheurend te huilen dat het Cassies hart brak.

Tegelijkertijd voelde zij zich een beetje misselijk.

'Ik dacht,' jammerde hij, 'dat ik op die manier kon voorkomen dat we in de hel terecht zouden komen.'

Cassie stond op, liep naar het raam en raakte het opbollende gordijn aan. In de verte zag zij een zwartbonte koe staan herkauwen bij een voederbak.

'Vertel maar niet verder,' fluisterde zij.

Hij leek haar niet te horen. 'Na de dood van onze ouders zijn we hiernaar toe gekomen, in de hoop hier te kunnen ontsnappen aan het harde oordeel van de maatschappij. We hoopten hier een wat minder starre en bekrompen mening te vinden over wat wij als goed en kwaad beschouwden.'

In de stilte die volgde, keek Cassie uit het raam en hoorde ze Sam zeggen: 'Maar jullie slaagden er niet in aan jezelf te ontsnappen?'

Gregs stem was bijna onverstaanbaar. 'We hebben jaren geleden al geprobeerd onszelf te bedwingen. Alison heeft toen bijna een jaar lang door Europa gereisd en we hoopten allebei iemand anders tegen te komen. Maar we konden er niet tegen van elkaar gescheiden te zijn. Vanaf de tijd dat we dertien, veertien jaar waren, probeerden we altijd al manieren te verzinnen om aan de aandacht van onze ouders te ontsnappen. We vonden een zolderkamer waar nooit iemand kwam, zelfs de bedienden niet, en daar brachten we lange uren door, onder het schuine dak, en deden dingen waarvan we heel goed wisten dat ze niet mochten, slechte dingen, dingen die ervoor zouden zorgen dat we naar de hel gingen, maar we konden er niet mee ophouden. We hielden zoveel van elkaar dat voor het overige niets er meer toe deed.'

Cassie voelde zich doodziek, maar tegelijkertijd voelde ze een enorm medeleven met Greg.

Hij stond op en kwam achter haar staan. Hij wees naar een boom vlak bij de schutting. 'Onder die boom hebben we ons kind begraven,' zei hij. 'Ik heb haar bij de bevalling geholpen en vervolgens hebben we hem samen gesmoord, zodat onze zonden niet nog groter zouden worden. Zelfs toen konden we er niet mee ophouden. Ik had het idee dat, als ik thuiskwam met een vrouw, Alison en ik onmogelijk op dezelfde voet konden doorgaan. Ik wist – Jezus Christus, diep in mijn hart wist ik het – dat het een ijdele hoop was. Ik wist dat het oneerlijk was tegenover Susan en dat ik haar gebruikte om de demonen te verdrijven die in mij en Alison huisden. Ik wist dat het niet eerlijk was, maar ik heb nooit gewild dat zij zou sterven.'

Cassie kon zich er niet toe brengen hem aan te kijken.

'Ik heb haar vermoord, net zoals ik die zoon van ons heb vermoord. En Alisons dood is ook mijn schuld. Ik heb hen alle drie vermoord,' zei hij. Waarna hij er met een verbitterd lachje aan toevoegde: 'Terwijl het me in Noord-Afrika zo'n moeite kostte een Duitse soldaat te doden, omdat ik zijn gezicht zo duidelijk kon zien!'

Als we weggaan pleegt hij zelfmoord, dacht Cassie, die heel goed wist dat ze de politie nooit zou vertellen wat hij haar zojuist allemaal had verteld. Ze zou zeggen dat Alison de vrouw uit jaloezie had doodgeschoten, punt uit.

Ze draaide zich om en sloeg haar armen om hem heen zodat hij kon uithuilen tegen haar schouder. Hij snikte onbedaarlijk en klemde zich aan haar vast. Sam stond haar aan te kijken en schudde langzaam zijn hoofd.

Hij liep weg en kwam even later terug met twee lijkezakken.

Tegen Greg zei zij: 'Kom, vlieg met ons mee terug. Je zult toch een keer met de politie moeten praten. Het is makkelijker als je dat meteen doet.'

'Nee.' Hij schudde vastberaden zijn hoofd.

Sam legde even zijn hand op Cassies arm. 'Niet doen,' zei hij. 'Laat hem maar.'

Toen ze hem aankeek zag ze dat hij wist wat Greg zou gaan doen. Hij wil dat ik Greg niet tegenhou. En dat is waarschijnlijk maar het beste ook. Ze had opnieuw het gevoel dat ze moest overgeven.

'Ik stuur morgen de politie langs.'

Greg knikte. 'Ja.'

In het vliegtuig zeiden Sam en Cassie bijna niets tegen elkaar, alleen: 'Je weet wat hij nu gaat doen, hè?'

'Natuurlijk,' antwoordde Sam, met doffe stem.

En toen de politie de volgende ochtend arriveerde, troffen zij precies aan wat Sam en Cassie hadden verwacht.

Hoofdstuk 43

'Ik vind het allemaal wel heel erg spannend,' zei Romla, terwijl zij in de spiegel keek en een van haar oorbellen verschoof.

'Het is verschrikkelijk,' zei Cassie, die bezig was haar jurk aan te trekken. 'Ik was nog niet eerder in het hotel geweest. Het ziet er niet uit. Het behang komt los van de muren. De kamers zijn armoedig, de matrassen doorgezakt. De bar stinkt – het is een ongelooflijke rotzooi.'

'Precies,' zei Romla met een stralende glimlach. 'Een geweldige uitdaging. Augusta Springs wordt steeds groter, Cassie, en behalve bij Addie's, dat, laten we wel wezen, toch wel heel erg burgerlijk is, is er in de hele stad geen enkele fatsoenlijke kamer te krijgen.'

'Zeker niet in de Royal Palms. Trek jij mijn rits even dicht?'

'Maar dat is het 'm nu juist,' hield Romla vol, terwijl ze Cassies japon van groene, gevlamde zijde dichtritste. 'Je ziet er beeldschoon uit. Ik kan me helemaal voorstellen wat er van dat hotel te maken valt.'

'Romla, niemand uit deze stad zal ernaar toe komen en veel mensen op doorreis krijgen we hier ook niet.'

'Noem me één goed restaurant in Augusta Springs.'

Cassie knikte en haalde intussen een kam door haar haar. 'De enige plek waar je fatsoenlijk kunt eten is Addie's.'

'En dat is echt een restaurant met sfeer, vind je niet? En zo chic. En niet te vergeten romantisch. En wat dacht je van drankjes mixen, zoals martini's en gin fizzes en whiskey sours? Dat kunnen ze hier helemaal niet. En dansavonden?'

'Zoals vanavond bij Addie's?'

'Ja, natuurlijk, maar zonder een greintje sfeer. Vanavond wordt er nota bene gedanst in de gymnastiekzaal. Hunker je dan niet naar een heel klein beetje klasse?'

'Ik kan me nauwelijks herinneren wat dat is. En wat dat dansen betreft, in al die jaren dat jouw broer en ik nu bij elkaar zijn wordt dit de eerste keer dat hij meegaat naar een dansavond. En dat is omdat jij hier bent en hij je aan iedereen wil laten zien.'

'O, Cassie, ik zou het uitgaansleven van deze stad helemaal kunnen omgooien!'

Cassie keek naar Romla, met haar stralende ogen en in haar vuurrode jurk. Je vergat heel makkelijk dat Romla niet mooi was – haar enthousiasme werkte aanstekelijk. Maar Cassie wist ook dat het voor één enkele persoon onmogelijk was om het uitgaansleven in Augusta Springs te veranderen. Het was een stoffig koeiestadje, het eindpunt van een spoorlijn. Er waren inderdaad meer mensen komen wonen en er was gebrek aan woonruimte, maar ze kon zich niet voorstellen dat Augusta Springs ooit een toeristencentrum zou worden of een plek waar mensen opeens graag wilden komen wonen. Maar er zat wel degelijk groei in. Steven had onlangs nog een schenking gedaan voor een nieuwe vleugel aan het ziekenhuis en Chris voerde gesprekken met sollicitanten omdat de staf moest worden uitgebreid. Voor de oorlog had hij bijna alles alleen gedaan, maar nu was hij voortdurend moe en overwerkt en had hij eindelijk toegegeven dat hij een collega nodig had. Hij had gezegd dat hij niet eens jaloers zou zijn als zich een nieuwe arts in de stad zou vestigen. Hij had nog een chirurg nodig, en een kinderarts kon hij ook goed gebruiken.

'Wat dacht je van een psychiater?' vroeg Cassie.

'Daar is hier niet voldoende vraag naar,' had hij geantwoord.

Maar of de Royal Palms goed genoeg zou gaan lopen om in het levensonderhoud van Romla en haar gezin te voorzien?

'Roger zou de bar kunnen doen en ik het restaurant en de kamers. De mensen die het willen kopen zijn bereid er een aardige som geld in te steken. Ze kunnen het voor een habbekrats kopen.'

'Voelt Roger er wat voor om hier te komen wonen?'

'O, hij wil overal wonen waar ik naar toe wil. Hij is ook aan een verandering toe. Hij zou liever naar Sydney of Brisbane willen, maar hij wil het best proberen. Pamela zit toch op school en Terry zou hier nog maar twee jaar naar school kunnen, maar dat zou in Townsville precies hetzelfde zijn. Hij zal hoe dan ook naar kostschool moeten. Op dit moment heeft hij er wel zin in om naar de bush te verhuizen. En misschien hebben we hier over twee jaar ook wel vervolgonderwijs.

Chris en Roger kunnen absoluut niet met elkaar opschieten, maar jij en Chris zijn wel de redenen waarom ik dit allemaal zo zie zitten. Ik heb al zoveel jaar nauwelijks contact met mijn broer gehad. Ik ben zo blij dat hij met jou is getrouwd; het is het beste dat hem had kunnen overkomen.' Ze sloeg haar armen om Cassie heen.

'Ik zou het wel ontzettend leuk vinden als je hier kwam wonen.'

'Oké, dat is dan geregeld.' Romla bracht snel wat lippenstift op haar mond aan. 'Kom op. Ik ben er klaar voor.'

De gymnastiekzaal van de school was versierd met felblauw en wit crêpepapier; aan het plafond hing een stroboscooplamp, die ronddraaide en allerlei schaduwpatronen over de dansers wierp. Aangezien alcohol hier niet was toegestaan, was er buiten een bar opgezet, terwijl binnen alleen vruchtesap en priklimonade werden geserveerd. Dit was de eerste geldinzamelingsactie die door de Flying Doctors werd gesponsord en de bedoeling was geld in te zamelen voor nieuwe medische apparatuur. De mensen waren van kilometers ver naar de stad gekomen en niemand had nog een vrije logeerkamer. Addie's, en zelfs het hotel, zaten vol. Voor morgenochtend stond er een ontbijt in de open lucht op het programma, bij de grote eucalyptussen langs de rivier, die op dit moment niet meer was dan een minuscuul stroompje.

'Roger is met geen tien paarden bij de bar vandaan te krijgen,' zei Romla. 'Die krijg ik nog niet op de dansvloer als zijn leven ervan afhangt.'

De ruimte was, zoals in dit deel van het continent gebruikelijk was, afgeladen met mannen. Geen enkele vrouw was een muurbloempje. En Romla stond, ondanks haar drieëndertig jaar, overal in het middelpunt van de belangstelling.

Romla had gelijk. Roger liet zijn neus niet zien in de gymnastiekzaal. Hij bleef de hele avond buiten staan drinken en praten.

Blake en Fiona waren niet naar de stad gekomen, maar Steven wel en zodra hij Cassie in de gaten kreeg kwam hij naar haar toe. 'Gun je deze oude man de eerste dans?'

'Ik zie nergens oude mannen,' zei Cassie, om zich heen kijkend.

'Met vleien bereik je alles wat je wilt,' zei hij. Toen het orkest begon te spelen pakte hij haar bij de hand.

'En ik dacht nog wel dat ik dit nooit meer zou kunnen,' zei Steven, toen hij zijn armen om haar heen sloeg.

'Dat je wat nooit meer zou kunnen?' Cassie was helemaal vergeten hoe verrukkelijk dansen kon zijn.

'Lachen en dansen. Ik zal Jenny mijn leven lang blijven missen, maar ik begin toch weer van bepaalde dingen te genieten.'

'De tijd heelt wel degelijk alle wonden,' mompelde Cassie. Inderdaad, ze voelde niet meer elke keer een mes in haar hart wanneer ze Blake zag.

'Zoals dansen met jou.' Hij trok haar dichter tegen zich aan en ze zweefden gracieus over de dansvloer, die steeds drukker begon te worden.

'Jij danst geweldig, Steven.'

'En jij wordt steeds maar mooier en mooier. Ik vind je haar mooi als het zo lang is.'

'Dank je,' zei ze. 'En jij, dat zie ik zo, geniet ervan om opa te zijn.'

Steven lachte. 'Ik vind het heerlijk om opa te zijn. Fiona en kleine Jenny zijn het beste wat ons is overkomen sinds... nu ja, Jenny zou ook dol zijn geweest op Fiona en haar kleindochter. Zij dacht altijd dat jij en Blake... En dat dacht ik ook. Misschien wilden we het wel te graag. Ik had in elk geval nooit verwacht dat jij en Chris...'

Vanuit haar ooghoek zag Cassie Sam en Olivia in de deuropening staan. Olivia zag eruit alsof ze elk moment kon gaan bevallen. Ze klemde zich vast aan Sams arm en keek om zich heen. Cassie kon niet zien of ze nu vrolijk keek of angstig.

Sam kreeg haar in het oog en zwaaide.

Steven draaide zich om om te zien naar wie Cassie keek. 'Leuk ding, vind je niet?'

Ding? Ja, misschien was Olivia dat wel. Cassie kon haar nog steeds niet aardig vinden. Zij en Chris hadden Sam en Livvie een keer te eten gehad en haar conversatie beperkte zich tot zwangerschapspijntjes en -kwaaltjes, hoe bruin en dor Australië was in vergelijking met Suffolk en hoe heet het was in Augusta Springs. Ook had ze niet verwacht dat Sam voor zijn werk regelmatig nachten van huis was en dat hij zo vaak volkomen onverwacht werd weggeroepen.

Cassie danste met verschillende mannen die speciaal voor deze gelegenheid naar de stad waren gekomen en ging toen naar Chris toe. 'Moet ik jou ten dans vragen?'

'Lieve schat, ik heb in geen vijfentwintig jaar gedanst.'

'Dat had je me wel eens kunnen vertellen – dan hadden we kunnen oefenen. Kom op, schuifel maar met me mee.' Ze pakte zijn hand en leidde hem naar de dansvloer. '*What a Difference a Day Makes...*' Ze begon mee te neuriën met het orkestje. 'Hé, je danst helemaal niet slecht. Je onderschat jezelf,' fluisterde ze. Zijn hand greep de hare wat steviger vast.

Ze zag Sam naar de orkestleider lopen en iets tegen hem zeggen. Vervolgens draaide hij zich om om haar te zoeken en wachtte tot het nummer was afgelopen alvorens over de dansvloer naar haar toe te komen.

'Nu ben ik aan de beurt, Chris,' zei hij. 'Ze gaan onze muziek spelen,' fluisterde hij. 'Ben je er klaar voor?'

'Ik heb niet meer gejitterbugd sinds de laatste keer dat wij samen hebben gedanst.'

De orkestleider begon te zingen: '*Pardon me, boy, is this the Chattanooga Choo Choo...*' Meteen voelde ze zich vervuld van een ritme dat ze reeds lang verloren meende te hebben. Ze draaide naar binnen en naar buiten en steeds ving Sam haar op en hun voeten maakten passen die ze al zes jaar niet meer had geoefend. De lichte druk van zijn hand op haar rug vertelde haar precies wat hij van haar verwachtte en zij gaf zich volledig over aan de muziek en het genieten van dit moment.

'Sam,' zei ze, toen hun gezichten op een gegeven moment dicht bij elkaar waren, 'het is *zo* heerlijk je weer thuis te hebben.'

'Je bent veranderd, doc,' zei hij, 'maar je danst gelukkig nog even goed.'

'Veranderd? In goede of in slechte zin?'

'Mij bevalt het wel,' zei hij met een grijns. 'Je bent milder. Niet meer zo snel op je teentjes getrapt, maar nog wel een beetje opvliegend. Ik had niet graag gezien dat je dat was kwijtgeraakt. Ik ben blij dat ik weer met je kan werken, doc. Ik ben blij weer met je te kunnen dansen. Blij dat alles weer een beetje bij het oude is.'

Maar toen er weer een langzaam nummer werd ingezet, maakte Sam glimlachend een buiginkje voor haar en liep terug naar Olivia, die op een rechte stoel tegen de muur zat.

Cassie zag dat Romla bij de schaal met punch stond te praten met Jim Teakle en realiseerde zich opeens dat ze hen die avond al een paar keer samen had zien dansen. Jim was iemand die ze wel kende, maar niet zo vaak zag. Hij was veel onderweg en reisde van het ene gehucht naar het andere, om de zakelijke belangen van het familiebedrijf te behartigen.

Toen Romla Cassie later naar hem vroeg, antwoordde Cassie: 'Zij zijn in al die kleine dorpjes eigenaar van dè winkel. Veel meer dan een benzinestation en die winkel zijn er vaak niet te vinden. De hele Outback schaft zijn voorraden aan bij Teakle and Robbins. Ze bestellen er een bed of een nieuw wiegje of een fornuis en verder al hun voedselvoorraden. Twee of drie keer per jaar komt er bij al die boerderijen een karavaan langs – vroeger met kamelen, tegenwoordig met vrachtwagens – om de bestellingen te bezorgen. Jim is degene die dat allemaal in goede banen moet leiden, dus daarom zie ik hem waarschijnlijk bijna nooit. Hij heeft natuurlijk ook aan het front gezeten, en volgens mij is hij nog niet zo lang terug. Ik heb hem in geen jaren gezien. Voor de oorlog hadden alle huwbare meisjes hun zinnen op Jim gezet, maar hij is nooit voor iemand gevallen, ook al had hij altijd, voor zover ik me dat kan herinneren, een behoorlijk druk sociaal leven. Maar hij is vaker niet in de stad dan wel. Hij heeft vanavond veel aandacht aan je besteed, hè?'

Romla knikte. 'Nogal, ja, en dat was best leuk. Ik heb hem verteld dat ik getrouwd ben, maar dat leek hem niet veel te kunnen schelen. Hij was gewoon aardig. Toen we naar buiten gingen heb ik hem voorgesteld aan Roger, en toen ik vertelde dat we hier kwamen wonen zei hij dat we een prima aanwinst waren voor de stad.'

'Aha, je hebt dus een besluit genomen? Het is de uitdaging die je aantrekt, hè?'

Romla sloeg een arm om Cassies schouder. 'Dat en het feit dat ik dicht bij jou en Chris zal zijn. Ik heb meer nodig in mijn leven dan alleen Roger. Ik wil iets bereiken en dicht bij de mensen zijn van wie ik hou. Ik heb er zin in en ik loop de hele dag al te verzinnen wat ik allemaal voor de Royal Palms en Augusta Springs kan gaan doen. Ik ga leven in de brouwerij brengen, Cassie.'

Hoofdstuk 44

'Ik kan alleen maar landen als je op de een of andere manier kans ziet een vlak stuk land te verlichten,' zei Sam, terwijl hij de microfoon greep. Horrie had gebeld dat er een spoedgeval was. Sam en Cassie waren tegelijkertijd bij de radiohut gearriveerd – Cassie zag er niet uit, want Horrie had haar wakker gebeld. Het was nog maar tien uur, maar ze had al een uur liggen slapen.

'Zet zoveel mogelijk auto's en trucks met brandende koplampen langs de rand van het veld. Ik kan niet landen als ik niet kan zien waarop ik moet landen.'

Een kilometer of tweehonderdvijftig naar het westen was een ongeluk gebeurd met een auto en een vrachtwagen vol vee. De chauffeur van de vrachtwagen en de drie inzittenden van de auto waren allen zwaargewond.

'We durven hen geen van allen te verplaatsen,' had de beller tegen Cassie gezegd. Zij had Sam aangekeken en hij had de microfoon van haar overgenomen.

'Ik ken de omgeving en ik denk dat ik het in het donker wel kan vinden, maar of ik kan landen hangt er helemaal van af hoe goed jullie het kunnen verlichten.'

Hij luisterde naar de beller en knikte. Alvorens neer te leggen, zei hij: 'We zijn er over ongeveer anderhalf uur.' Tegen Cassie zei hij: 'Ben je klaar voor een nachtelijke vlucht?'

'We hebben geen keus.'

'Even Liv bellen,' zei Sam, terwijl hij de telefoon pakte. Hun baby was over tijd. 'Zul je zien dat het kind vannacht geboren wordt.'

'Chris is thuis.'

Sam was snel klaar. 'Oké, Liv denkt niet dat het vannacht nog gaat gebeuren en ze kent Chris' telefoonnummer uit haar hoofd. Maar verdomme, Cassie, ik had toch het liefst gehad dat jij mijn kind op de wereld had geholpen.'

Chris zou het goed hebben gevonden, dat wist ze, hoewel zij er met geen woord over had gesproken. Over wie Fiona's kindje ter wereld zou helpen had geen enkele twijfel bestaan, ook al was Fiona voor de bevalling naar het ziekenhuis gekomen. Cassie had het idee dat Olivia de voorkeur gaf aan Chris. Op een keer, toen ze niet in de gaten had dat Cassie in de buurt was, had ze haar eens horen zeggen: 'Vrouwen horen geen dokter te zijn. Ik zou niet willen dat een vrouw met haar vingers in mijn lijf gaat zitten porren.'

Zilveren manestralen weerkaatsten op het vliegtuig. De inktzwarte hemel was bezaaid met sterren, maar onder hen scheen geen enkel licht. Vastgesnoerd op haar stoel was Cassie blij dat ze deze vlucht niet alleen hoefde te maken. Ze deed haar ogen dicht, viel in slaap en werd pas weer wakker toen Sam naar achteren riep: 'Daar is het. Ze hebben het goed verlicht. Mooi werk.'

Toen ze naar voren leunde en uit het raam keek, zag ze ongeveer vijfhonderd voet onder hen een rechthoekig veld, afgezet met lichten. 'Ik vlieg er een paar keer overheen om de boel te verkennen,' zei hij, meer tegen zichzelf dan tegen haar. Toen ze naar hem keek besefte ze opeens dat hij geen hoed droeg. Eigenlijk vond ze hem zijn nieuwe bush-hoed nog beter staan dan zijn honkbalpet. En zijn snor vond ze ook leuk.

'Hou je vast,' riep hij.

Hij hobbelde over het veld, maar de omstandigheden in aanmerking genomen vond Cassie het een bijna volmaakte landing. Er stonden drie mannen op hen te wachten en een van hen gaf Sam een hand. 'Ik ben Bob Mason – ik heb jullie gebeld. Ik vrees dat we nog een eindje moeten rijden. Het is nog bijna dertig kilometer hiervandaan, maar dit was het enige stuk vlakke land tussen hier en daar.'

Binnen een half uur bereikten ze de plaats van het ongeluk. Een aantal runderen was uit de vrachtwagen ontsnapt en ze blokkeerden de weg. De reusachtige vrachtwagen lag op zijn kant en Cassie rende er meteen naar toe. De chauffeur zat in elkaar gezakt achter het stuur, dood.

Ze richtte haar aandacht op de auto. De voorruit en zijraampjes waren versplinterd en de motorkap was als een accordeon ineengedrukt. De vrouw die naast de bestuurder had gezeten was uit de wagen geslingerd en lag er roerloos bij, met een hoofdwond waarvan het bloed al begon te stollen. Ze lag erbij als een lappenpop. Nog voordat Cassie zich over haar heen boog om haar pols te voelen, wist ze al dat de vrouw dood was. Beklemd tussen de rugleuning van zijn stoel en het stuur zat de bestuurder, met een gebroken nek.

Op de grond lag, zachtjes kreunend, een meisje van een jaar of twaalf. Cassie knielde naast het bewusteloze kind en stelde vast dat haar polsslag nog maar zestig slagen per minuut telde. Ze lag in een diep coma en haar ademhaling versnelde van een normale twintig tot dertig.

Cassie zei: 'Hier moet een neurochirurg aan te pas komen. Dit kan ik niet alleen.'

Sam legde een hand op haar schouder. 'Natuurlijk kun je dat. We moeten alleen even goed bedenken wat we moeten doen.'

'Ze moet worden opgenomen, maar ik durf haar niet te vervoeren.'

'Wat is het alternatief?' vroeg Sam, terwijl hij naast haar neerknielde, maar meer naar haar keek dan naar het kind.

'Advies vragen van een neurochirurg. Ik vermoed dat het een hematoom is.'

Zij zwegen allebei. Hoe moesten ze dat voor elkaar krijgen, midden in de wildernis, zeker vijftienhonderd kilometer verwijderd van de dichtstbijzijnde neurochirurg?

'Ik heb een draadloze radio in mijn pick-up,' zei Bob.

'Wat hebben we daaraan als er aan de andere kant niemand klaarstaat om te antwoorden?' vroeg Sam.

Bob krabde op zijn hoofd. 'Ik zou naar huis kunnen rijden om een ziekenhuis te bellen – dan kan ik doorgeven op welke frequentie we zitten en vragen om een arts bij de radio te zetten om jullie vragen te beantwoorden.'

Sam keek Cassie vragend aan. 'Wat denk jij ervan?'

'We hebben niets te verliezen,' zei ze.

Sam wendde zich tot Bob. 'Heb je thuis ook een radio?'

Bob knikte.

'Oké, de dokter zal je vertellen wie je moet bellen. Zodra je hem telefonisch hebt bereikt, maak je radiocontact, dan zorgen wij dat we hier klaar zitten. Luister goed mee, voor als je misschien iets voor ons mee moet brengen, oké?'

Bob knikte.

'Goed,' zei Sam tegen Cassie, 'met welk ziekenhuis wil je contact opnemen voor een arts?'

De enige neurochirurg die Cassie kende was Ray Graham. Ze vertelde Bob zijn naam en de naam van het ziekenhuis waar hij werkte.

Het duurde een uur voordat het contact tot stand was gebracht, een uur waarin Cassie voortdurend de hand van het meisje vasthield en haar polsslag en ademhaling in de gaten hield.

'Wat is een hematoom?' vroeg Sam.

'In de meest eenvoudige bewoordingen: een zwelling die bloed bevat.'

'Oké, en in wat minder eenvoudige bewoordingen?'

Cassie glimlachte in de duisternis. Deze termen zeiden Sam helemaal niets. Ze vroeg zich af waarom hij zelfs maar de moeite nam om uitleg te vragen, maar het feit dat hij het deed gaf haar het gevoel dat ze iets gemeenschappelijks hadden.

'Ik vermoed dat het een subduraal hematoom is. Het kan worden veroorzaakt door een val of een klap tegen het hoofd. De behandeling bestaat uit het verwijderen van de bloedprop.'

Sam knikte. Ze praatten over van alles en nog wat, totdat hij zei: 'Toen ik in Engeland zat heb ik aan niets anders gedacht dan aan jou en Augusta Springs. Het ergste was het nietsdoen – 's ochtends wakker worden en weten dat je de hele dag niets te doen hebt, tenzij er een luchtaanval werd voorbereid. Hele dagen zitten, een beetje kaarten, praten over thuis, voor je uit zitten staren in de mist, wachten op een opdracht.

Olivia was het eerste meisje dat ik ontmoette nadat je me had geschreven dat je met Chris was getrouwd. Zij was de vrijwilligster van het Rode Kruis die me die brief kwam brengen. Het was een ongelooflijke klap. Ik heb er een paar dagen voor nodig gehad om... Liv was mooi en als ze me aankeek knipperde ze met die lange wimpers van haar. Ze gaf me een pakje kauwgom en zei glimlachend: "Kapitein, u ziet eruit alsof u speciaal op mij zit te wachten." Ik kon me nauwelijks beheersen om me niet ter plekke aan haar te vergrijpen.'

Hij zweeg even. In de verte jankte een dingo. 'De drie weken daarop kookte ze elke avond voor me en toen zijn we getrouwd.'

Cassie trok haar wenkbrauwen op. 'Dus je kende haar pas drie weken?'

Hij knikte. 'Dat was toen ik in Dorset was om andere piloten op te leiden. Ik had er op dat moment geen moeite mee.'

Na een korte stilte vroeg hij: 'Hou je van hem, doc?'

Op dat moment hoorde ze het gekraak van atmosferische storingen op de draadloze radio die Sam en Bob uit de truck hadden gesjouwd. Sam draaide aan knopjes, blij dat Bob een zaklamp voor hen had achtergelaten. Ze hoorden overal koeien om zich heen, maar konden ze niet zien.

Toen klonk de stem van Bob: 'Ik heb hier dokter Graham. Hij is aan de telefoon, en ik zal hem vlak bij de zender houden in de hoop dat je hem kunt verstaan.'

'Dokter Graham, u spreekt met dokter Cassandra Clarke uit Augusta Springs.' Ze wachtte tot haar naam tot hem door zou dringen. Na al die jaren moest het horen van haar naam toch als een verrassing voor hem komen, en dan nog wel in het holst van de nacht.

'Ja, dokter?' Zijn stem klonk slaperig.
'Ik zit hier midden in de bush,' zei ze, waarop ze het ongeluk en de toestand van het meisje beschreef.
'Klinkt als een subduraal hematoom,' zei Graham.
'Dat dacht ik zelf ook al, maar ik weet niet precies wat ik eraan moet doen.'
'U zult een gat in haar schedel moeten boren om de druk te verlichten en het vocht te laten wegvloeien.'
'Daar heb ik niet de geschikte medische instrumenten voor.'
Het bleef even stil en toen klonk Grahams stem vanuit Melbourne door de radio: 'Er zal daar toch wel iemand zijn die een boor heeft. Gewoon een boor uit een garage of een schuur. Eerst ontsmetten in kokend water. Niet zo'n hele grote boor, natuurlijk.'
'Dat kan wel even duren.'
Het bleef een hele tijd stil, maar toen klonk Bobs stem: 'Ik kom zo snel mogelijk een boor brengen, maar het kan een half uurtje duren voordat ik er ben. Mijn vrouw belt straks dokter Graham terug en verbindt ons weer met elkaar via de radio. Ik kom eraan.'
Cassie wendde zich tot Sam. 'Een meubelmakersboor?' Ze voelde een rilling over haar rug lopen. Een gat boren in het hoofd van dat meisje?
'O, Sam, zoiets heb ik nog nooit gedaan.' Ze keek naar het meisje, haar gezichtje bleek in het schijnsel van de maan, haar ademhaling steeds sneller en oppervlakkiger. 'Waarschijnlijk is ze al dood voordat Bob hier is. Tegen die tijd zijn we hier al bijna twee uur.'
Hij boog zich naar haar toe en zei: 'Je kunt alleen je best doen. Meer niet.'
Zwijgend bleven ze zitten wachten tot Bob terugkwam, met twee gesteriliseerde boren van verschillende afmetingen.
Ze legden weer contact met Ray Graham. Bob trapte de radio aan terwijl Cassie praatte.
'Subdurale hematomen zijn over het algemeen bilateraal,' zei Graham.
'Dat weet ik,' antwoordde Cassie, 'maar ik weet niet welke kant ik moet proberen.'
De bijna vergeten stem van Ray Graham bereikte haar over een afstand van honderden kilometers. 'Dat maakt niet uit. Als je níets doet sterft ze in elk geval. Probeer eerst de ene kant en als er geen bloed uitkomt, probeer je de andere.'
Cassie keek naar Sam, die de zaklamp goed verankerd had neergezet, zodat hij zijn handen vrij had om te helpen. 'Hou haar hoofd stevig vast,' zei Cassie. Ze haalde een keer diep adem en luisterde naar Ray Graham, die haar door de operatie heen zou loodsen.
'Maak een kleine incisie in de huid.'

Ze deed het.
'Goed. Heb je daar operatiehaken?'
'Ja.'
'Trek daarmee de huid weg totdat je het bot kunt zien. Dat hoort spierwit te zijn.'
En dat was het, zelfs in de nachtelijke duisternis. De zaklamp scheen erbovenop.
'Mooi, zet nu de boor erop en boor tot ongeveer een centimeter in het bot.'
Er kwam een benauwd geluid uit Sams keel.
Grahams stem vervolgde krakend: 'In plaats van houtschaafsel aan de punt van je boor, zul je in dit geval botschaafsel aantreffen en een witte, waterige substantie die eruitziet als een soort dikke pudding.'
'Dat is precies wat ik hier aantref,' mompelde Cassie. 'Zorg dat haar hoofd niet beweegt, Sam.'
Sam hield het hoofd van het meisje stevig vast, maar keek tegelijk naar Cassies gezicht.
Opeens gaf Cassie een gil. 'Ik heb de bloedprop geraakt. Het spuit eruit!' Uit de wond begon waterig bloed te stromen.
'Bingo!' zei Graham. 'De druk wordt nu verlicht en nu zullen binnen enkele minuten de ademhaling en polsslag verbeteren. Dan kan ze ook worden opgetild en naar een ziekenhuis worden gevlogen.'
'Bedankt, dokter,' zei Cassie, terwijl de vloeistof uit het gat bleef stromen.
'Het was me een genoegen,' zei hij. 'Als je ooit in Melbourne bent, kom dan eens langs. Goed werk, dokter.'
Hij had haar niet herkend. Haar naam zei hem niets.
'Je kunt de verbinding nu wel verbreken,' zei Cassie tegen Bob. 'We kunnen haar nu naar het ziekenhuis vervoeren.'
'En wat gebeurt er met de anderen? De lichamen, bedoel ik.' vroeg Bob.
'Die nemen we ook mee,' zei Sam, terwijl hij ging staan. 'Hadden ze papieren bij zich? Weten we wie we moeten inlichten?'
Bob overhandigde hem een stapeltje papieren. 'Deze zijn van de chauffeur van de vrachtwagen en dit is de portefeuille van de bestuurder van de personenwagen. De man en de vrouw waren waarschijnlijk de ouders van het meisje. Arm kind.'
Sam keek Cassie aan. Zij knikte. Hij knielde en tilde heel voorzichtig het meisje op, waarna hij haar neerlegde op een stapeltje dekens achter in de pick-up. Cassie klom er ook in en legde het hoofd van het meisje op haar schoot.
'Ik vraag me af of ze nog meer familie heeft. Kun je je voorstellen

hoe verschrikkelijk het voor haar zal zijn om straks bij te komen en te horen dat allebei haar ouders dood zijn? Kijk jij eens in die papieren waar ze vandaan komen.'

Sam bekeek het rijbewijs. 'Alice Springs,' zei hij. 'We zullen contact moeten opnemen met de politie daar.'

Toen Sam via de radio in het vliegtuig contact opnam met Horrie om door te geven dat er een ambulance moest komen, zei Horrie: 'Olivia is naar het ziekenhuis en doc Adams ook.'

'Misschien kan ik beter vliegen,' zei Cassie plagerig. 'Jij zult wel één brok zenuwen zijn.'

Maar Sam vloog kaarsrecht en maakte een mooie landing op de helder verlichte landingsbaan. In het oosten begon de hemel langzaam roze te kleuren.

'Ik rij in mijn pick-up achter de ambulance aan,' zei Sam, maar hij was uiteindelijk als eerste in het ziekenhuis.

Cassie overtuigde zich er eerst van dat haar patiëntje in goede handen was en ging toen naar de wachtkamer, waar Sam nerveus liep te ijsberen. 'Ik dacht dat je wel wat gezelschap kon gebruiken.'

'Kun jij niet gaan kijken hoe het met haar gaat en wat er allemaal gebeurt?'

Cassie liep de hal door naar de operatiekamer. Toen ze door de raampjes tuurde, zag ze een glimlachende zuster Frances met een baby in haar armen staan. Ze wikkelde het kindje in een deken en legde het in Olivia's armen.

Cassie liep terug naar de wachtkamer. 'Zo te zien gaat het prima met Olivia en heb je een kind – of het een jongetje of een meisje is, dat weet ik niet.'

Sam slaakte een kreet, tilde Cassie op en begon met haar in het rond te dansen. 'Ik ben vader!' riep hij.

Lichamelijk herstelde het jonge meisje prima, maar geestelijk ging het minder goed. Toen ze hoorde van de dood van haar ouders, wilde ze niet meer eten en na vier dagen moest ze via een infuus worden gevoed. Ze praatte niet en deed niets anders dan doelloos voor zich uit staren.

Haar oom en tante woonden in Tennant Creek en toen het meisje lichamelijk voldoende was hersteld om uit het ziekenhuis te worden ontslagen, kwam de oom – een lange, magere man – naar Augusta Springs en keek naar het stille kind. 'Ik heb er zelf al acht,' zei hij, een tandenstoker tussen zijn tanden geklemd. 'Ik weet niet hoe ik er nog eentje te eten moet geven.' Maar hij boog zich over het meisje heen en gaf haar een zoen op haar voorhoofd. Het meisje glimlachte zwakjes en fluisterde: 'Hallo, oom Jack.'

Hij tilde haar in zijn armen en droeg haar naar zijn pick-up, waar Cassie haar in een deken wikkelde en een kussen onder haar hoofd schoof.

Met tranen in haar ogen keek ze hen na.

Sam, die zich even had weten los te scheuren van zijn zoon, zag hoe Cassie zich de tranen uit haar ogen stond te wrijven. Hij liep naar buiten om een arm om haar schouders te slaan, maar toen hij bij de voordeur was aangekomen, was Cassie al verdwenen.

Een week later lag er op het radiostation van de Flying Doctors een brief op haar te wachten.

Toen ik de ochtend na die middernachtelijke hematoomoperatie wakker werd, zei ik tegen mezelf: 'Cassandra Clarke. Die ken ik.' Er kunnen in Australië onmogelijk twee artsen rondlopen met dezelfde naam. Opeens kwamen er allerlei herinneringen boven. Het is lang geleden, dokter, maar ik hoop toch dat je mijn excuses wilt aanvaarden. Ik ben niet trots op de manier waarop ik je heb behandeld. Ik was bang dat je een scène zou maken en ik heb nooit geweten hoe ik met dergelijke dingen moet omgaan.

Mijn vrouw en ik zijn uiteindelijk toch gescheiden en ik ben opnieuw getrouwd. Ik heb een zoon van twee, de grote vreugde van mijn middelbare leeftijd. Hij is even oud als mijn kleindochter.

Ik heb me in de loop der jaren vaak afgevraagd hoe het jou was vergaan.

Nu weet ik in elk geval dat je nog steeds werkt. Dat was goed werk, laatst, dokter. Gefeliciteerd. Het zat er altijd al in dat je een uitstekend arts zou worden.

Als je ooit in Melbourne bent, zoek me dan eens op. Dan gaan we samen wat drinken.

Raymond J. Graham, M.D.

Ja, gezellig samen wat drinken – herinneringen ophalen aan die goeie ouwe tijd.

Cassie verscheurde de brief en gooide de snippers in de lucht. Glimlachend realiseerde ze zich dat ze Ray Graham eindelijk achter zich kon laten.

Hoofdstuk 45

'Ik heb het gevoel,' zei Fiona, 'dat ik nooit iets anders zal bereiken dan waar een vrouw gewoonlijk voor in de wieg is gelegd.'

'En wat is daar mis mee? Je hebt drie kinderen... mooie kinderen, mag ik wel zeggen.'

'Cassie, beste meid, je bent wel een heel klein beetje bevooroordeeld. Natuurlijk ben ik dol op mijn kinderen. En ik ben met de enige man getrouwd van wie ik ooit heb gehouden en ik ben buitensporig gelukkig. Maar is dit nu alles? Moet ik mijn hele leven dan in dienst stellen van mijn man en kinderen?'

Cassie keek naar haar vriendin, terwijl ze een slokje van haar ijsthee nam op de veranda van Tookaringa. Het spreekuur was achter de rug en zij en Sam zouden over een half uur vertrekken. Ze bleven bij spreekuurvluchten tegenwoordig alleen nog maar overnachten als het echt niet anders kon, want Olivia wilde Sam 's nachts thuis hebben. Cassie vermoedde dat ze er een flinke ruzie over hadden gehad en Sam had zich min of meer verontschuldigd toen hij haar had gevraagd om in het vervolg zo min mogelijk te overnachten.

'Je zult het wel heel erg druk hebben, met de kinderen en Blake...'

'...en ook met Steven. Blake is vaak weg om land en vee te kopen en de andere ranches te controleren. Hij heeft het druk met het in vervulling laten gaan van zijn grote droom. Sinds hij die helikopter heeft gekocht, zie ik hem helemaal nooit meer. En nu wil hij ook nog een Cessna aanschaffen. Niet dat ik zo eenzaam ben – ik heb genoeg omhanden. Begrijp me niet verkeerd, Cassie. Ik hou van dit leven. En toch heb ik het gevoel dat ik een deel van mezelf ben kwijtgeraakt. Ik doe nooit meer iets voor *mij*. Het is net of ik alleen nog maar in de weer ben voor anderen, om het anderen naar de zin te maken.'

'Volgens mij,' zei Cassie lachend, 'noemen ze dat koesteren en verzorgen, en zo ben jij altijd al geweest, Fi, zelfs toen je nog voor de klas stond.'

'Kon ik dat maar weer gaan doen. Dat gaf me zoveel voldoening. Of vliegen, hoewel dat het niet haalde bij lesgeven. Ik bedoel, ik genoot er zo intens van de ogen van een kind te zien oplichten bij een nieuw idee of een vraag. Daar verlang ik naar terug.

En ik zou zo graag de aboriginals helpen. Ik heb er de tijd en de energie niet voor, maar o, wat zou ik graag scholen beginnen op de missieposten. Daar droom ik gewoon van.'

'Maar kijk eens wat er is gebeurd met Marian en Anna,' zei Cassie. 'Je hebt hun een opleiding en de hulpmiddelen gegeven om deel te gaan uitmaken van de wereld van de blanken en wat deden ze na hun eindexamen? Ze gingen meteen terug naar hun stam. Ik zie hen een paar keer per jaar en dan zitten ze een beetje in hun gescheurde kleren te babbelen en zien eruit alsof ze heel tevreden zijn met hun leven.'

Fiona slaakte een zucht. 'Ik weet het. En de reden is volgens mij dat ze in de wereld van de blanken het gevoel kregen niets waard te zijn.'

'Dat is het niet alleen,' zei Cassie, terwijl zij zich nog wat thee inschonk uit de kan op het tafeltje naast haar. 'Sommige ideeën zijn aangeboren. Ze hebben er een hekel aan in de huizen te moeten wonen die wij voor hen bouwen. Voor je het weet hebben ze die gesloopt. Ze nemen het bezitten van dingen niet serieus, zoals wij, en geven er de voorkeur aan onder een afdakje van takken te slapen, in de buitenlucht, als deel van het heelal. Ze kunnen eenvoudig niet begrijpen waarom wij onszelf opsluiten in kleine afgesloten ruimtes...'

'En wij begrijpen niet waarom zij geen behoefte hebben aan onze verworvenheden.'

'Verder genieten zij natuurlijk niet dezelfde vrijheden als wij. Het is immers verboden drank aan hen te verkopen.'

'Ben je het daar niet mee eens?' vroeg Fiona, terwijl zij met haar hand door haar pas geknipte haar streek.

'Eigenlijk weet ik niet precies wat ik van alcohol vind. Maar ik drink zelf sterkedrank en ik geloof dat elk mens het recht heeft zijn eigen keuzes te maken, zelfs als het zijn ondergang betekent. Wij behandelen de aboriginals als enigszins achterlijke kinderen, die geen verantwoording kunnen dragen voor hun eigen gedrag. Alleen omdat sommigen van hen de aangeboren neiging vertonen zich helemaal bewusteloos te drinken, wil dat nog niet zeggen dat wij het hen mogen verbieden. Een heleboel blanken doen immers precies hetzelfde. Persoonlijk denk ik dat het probleem eerder fysiek is dan psychisch. Ik zeg niet dat mensen niet gaan drinken wanneer ze depressief zijn, hetgeen de kwestie alleen maar compliceert en ik ben tegen de kwalijke gevolgen die alcohol kan hebben. Toch ben ik ervoor dat een mens zijn eigen keuzes kan maken. Ik vind dat zij het recht moeten hebben om te drinken als ze dat willen.'

'Toch blijft de vraag, waarom aboriginals vrijwillig naar onze steden zouden willen komen om afgewezen, vernederd en belachelijk gemaakt te worden.'

'Waarom wil je hen dan een opleiding geven?'

'Om de samenleving een andere koers te geven. Op een dag, Cassie, zullen sommigen van hen de twijfelaars bewijzen dat ze wel degelijk hersens hebben en dat ze dezelfde dingen als wij kunnen bereiken.'

'Maar willen ze dat?'

'Hoezeer het ons, en hun, ook tegen de borst stuit, ze zullen zich moeten ontwikkelen of ten onder gaan. En ik wil op de een of andere manier bijdragen aan die ontwikkeling.'

Cassie stond op. 'Je bent een geboren lerares, Fiona. Jij denkt dat je de wereld kunt redden door onderwijs te bieden.'

Fiona lachte. 'Zag ik je maar wat vaker. Twee keer per maand is niet genoeg. Ik mis je in mijn leven en ik ben jaloers op je nieuwe vriendin, Romla. En niet alleen omdat jullie elkaar zo vaak zien, maar ook omdat zij op jou lijkt en dingen doet die haar voldoening schenken.'

'Nou ja, haar man draagt ook zijn steentje bij. Het is een gezamenlijke onderneming.'

'Meen je dat nou? Toen ik in de stad was heb ik gezien wat zij heeft gedaan. Dat hotel is hartstikke chic. Kalfsfricandeau met dille! Ik bedoel maar! Zoiets hebben we hier nog nooit meegemaakt.'

'Ik kan me nog niet voorstellen dat zo'n project in Augusta Springs werkelijk kans van slagen heeft.'

'Geniet er in elk geval maar van zolang het kan.'

'Ze heeft een chef-kok uit San Francisco in dienst genomen,' zei Cassie. 'Kun je het je voorstellen? En ze heeft alle kamers anders ingericht. Zij en Roger hebben een kamer in een van de vleugels en aan de andere kant van de gang hebben de kinderen allebei een slaapkamer. Romla vindt het heerlijk en heeft zich heilig voorgenomen nooit van haar leven meer zelf te koken. Natuurlijk wordt het echte geld aan de bar verdiend.'

'Zo gaat dat altijd. Maar dat is het enige dat haar man uitvoert, achter de bar staan. En als je goed kijkt staat hij daar meteen de winst weer op te drinken.'

'Dat zou niet zo slim zijn. Het hotel is niet van hen. Zij zijn alleen maar bedrijfsleiders.'

'Nou ja, het is *haar* project en daar ben ik best jaloers op. Niet dat ik haar die echtgenoot benijd. Hoewel dat zoontje van haar onweerstaanbaar is.'

Cassie genoot altijd meer van haar bezoekjes aan Fiona wanneer Blake er niet was en zij hem niet onder ogen hoefde te komen. Het was in het verleden een paar keer voorgekomen dat hij zijn pogingen om met zijn plastic arm te leren omgaan had willen opgeven. Op zulke momenten had Fiona haar gebeld en was zij meteen gekomen om de strijd met hem aan te binden. Maar dat was nu gelukkig allemaal verleden tijd. Niettemin was de agressie van die confrontaties blijven hangen.

Zij en Fiona sloegen hun armen om elkaars schouder en liepen de veranda af, naar het vliegtuig dat achter de bijgebouwen op het veld stond. Cassie droeg haar gebruikelijke bush-kleding – een op maat gemaakte gabardine pantalon, een katoenen overhemd met een halsdoek om haar nek om het zweet te absorberen, laarzen met hoge hakken en haar Stetson.

Ook Fiona droeg een lange broek, alleen droeg zij er een elegante zijden blouse en sandalen bij. Zelfs in haar dure, op maat gemaakte pantalon zag zij er op en top vrouwelijk uit.

'Ik ken geen enkele andere vrouw die midden in de bush woont en er net zo uitziet als jij,' zei Cassie tegen haar.

'Blake vindt het prettig wanneer ik me zo kleed. Ik ben er inmiddels zo aan gewend dat ik het zelfs draag wanneer hij er niet is. Hoewel ik eerlijk moet toegeven dat ik me dan niet altijd omkleed voor het diner.'

Cassie bedacht dat er nog een reden was waarom Fiona er altijd zo kon uitzien: ze had twee meisjes om voor de kinderen te zorgen. Fiona had na een bevalling altijd snel haar oude figuur weer terug en Cassie begreep waarom Blake zo trots op haar was.

Op dat moment kwam Sam uit tegenovergestelde richting aanlopen. 'Ik heb Horrie net gesproken,' riep hij al van verre. 'Spoedgeval.'

'Ik ben klaar.' Cassie gaf Fiona een zoen op haar wang.

'Ambrose Pulham is vermoord.'

Cassie herinnerde zich de keren dat ze Sylvia Pulham met een blauw oog had gezien, wanneer ze wel eens bij de Pulhams langsgingen omdat Sylvia weer zwanger was. Alle vijf de kinderen leken te verstijven van angst zodra hun vader in de buurt was. De laatste keer dat ze er waren geweest, was het niet vanwege Sylvia's zwangerschap, maar omdat de jongste uit zijn kinderstoel was gevallen en daarbij een gebroken neus en een hersenschudding had opgelopen. Ze hadden hem naar het ziekenhuis moeten brengen en de andere kinderen hadden verschrikkelijk gehuild toen hun moeder met de acht maanden oude baby in het vliegtuig was gestapt. Cassie had nooit geloofd dat hij uit de kinderstoel was gevallen.

Toen ze het met Chris had besproken had hij, net als een aantal jaren eerder, gezegd: 'We kunnen er niets aan doen, Cassie. We kunnen ons niet bemoeien met de gang van zaken binnen een gezin.' Maar hij had eraan toegevoegd: 'Christus, er is hier al even veel moord en doodslag als in de oorlog.'

Toen Cassie er met Sylvia over probeerde te praten, herhaalde zij alleen maar keer op keer dat de baby gevallen was. Nee, die blauwe ogen waren het gevolg van haar eigen stommiteiten – zo was ze een keer tegen een deur aangelopen – was dat niet stom van haar? – en een andere keer was ze, in het donker, in de schuur gestruikeld en gevallen. Ze was ook zo onhandig. Nee hoor, de kinderen waren niet bang van hun vader, ze waren alleen niet gewend aan vreemden en daarom waren ze altijd zo verlegen wanneer Cassie er was.

En nu had de oudste, Dan, zijn vader vermoord.

De schemering kleurde de hemel paars en roze toen zij op het terrein van de Pulhams landden. Het was geen zachte landing, want Pulham had de landingsbaan nooit goed onderhouden. Er stond geen auto om hen op te halen, en Sam droeg Cassies dokterstas tijdens de wandeling van nog geen kilometer naar het huis.

'Alles klinkt en oogt net zo als anders,' zei Cassie, luisterend naar het geloei van de koeien en het gekwetter van de vogels die zich opmaakten voor de nacht.

'Had je verwacht dat alles dood zou zijn?'

'Zoiets, ja.' Cassie moest rennen om Sams grote passen bij te kunnen houden.

Sylvia stond op de veranda op hen te wachten. Ze droeg een schoon schort over haar jurk en hield een rauwe biefstuk tegen haar oog. Ze opende de tussendeur en maakte een hoofdbeweging naar de andere kant van de zitkamer. 'Hij is daarbinnen.' Ze volgde hen niet naar de slaapkamer.

Ambrose Pulham was dwars door het hoofd geschoten – een schot van dichtbij met een jachtgeweer had zijn hoofd compleet van zijn lichaam gerukt. Zijn lichaam lag dwars over het bed en zijn hoofd was tegen het hoofdeind uit elkaar gespat.

Zijn vrouw stond in de keuken voor het fornuis, haar linkerwang gezwollen en al aardig paars verkleurd. Ze bakte spek en aardappelen. 'De kinderen zijn eieren aan het verzamelen. Ze zullen zo wel komen. Blijven jullie eten?'

Sam ging zitten, maar Cassie bleef in de deuropening staan, in verwarring gebracht door Sylvia's manier van doen.

Sylvia keek naar Sam, pakte een mok en schonk thee voor hem in. 'Suiker?'
'Nee, dank je.'
Ze zette de mok met een klap voor hem op tafel. 'Ik zal voor twee extra eters dekken.'
'Wat is er gebeurd?' wist Cassie met moeite uit te brengen. Ze had het gevoel dat ze droomde.
'Dat zal ik jullie vertellen,' zei een jongensstem, toen Dan via de achterdeur naar binnen kwam. Hij droeg een mand vol eieren en werd op de voet gevolgd door de jongere kinderen. Niemand leek bijzonder van streek.
'Ik heb hem vermoord.'
Hij gaf de mand aan zijn moeder en keerde zich om naar Sam.
'Allemaal handen wassen,' zei zijn moeder. De kinderen verdrongen zich rond de gootsteen.
'Wil je ons vertellen wat er gebeurd is?' vroeg Sam. 'Wij zullen het aan de politie in Augusta Springs moeten vertellen.'
'Papa zei dat ik het jachtgeweer moest schoonmaken, het geweer in de slaapkamer daar, en toen zei hij dat ik het moest laden. Het ging af terwijl ik...' Er verscheen een uitdrukkingsloze blik in zijn ogen en Sylvia keek haar zoon aan.
'Terwijl hij bezig was het te laden. Hij wist niet hoe de trekker werkte.'
Sam wierp een snelle blik naar Cassie. Een veertienjarige jongen in de Outback die niet wist hoe een trekker werkte?
Sam leunde achterover in zijn stoel zodat de voorpoten van de grond kwamen. 'Laten we eens proberen hoe zelfverdediging klinkt.'
De lepel in Sylvia's hand viel kletterend op de grond. 'Laat mij eerst de kleintjes wat te eten geven, dan kunnen wij terwijl zij eten naar de zitkamer gaan.'
Dan zei: 'Ik ook, mama.'
Zij knikte. Haar opgezette oog begon nu donkerpaars te kleuren.
Toen ze met z'n vieren in de zitkamer zaten, vroeg Sylvia: 'Dus je denkt niet dat de politie dat verhaal zal geloven?'
'In geen honderd jaar,' zei Sam.
Cassie zat op het puntje van de bank en had het liefst haar armen om de moeder en de zoon heen willen slaan. Sylvia keek haar aan. 'Jij wist het, nietwaar? Toen we met de baby naar het ziekenhuis moesten? Toen wist je toch dat hij niet uit zijn kinderstoel was gevallen?'
Cassie knikte. 'Ik vermoedde het. En ook waar al die blauwe ogen vandaan kwamen waar ik je altijd mee zie lopen.'

Sylvia zei tegen Dan: 'Trek je hemd uit, jongen. Laat je rug eens zien.'

Zijn rug was bedekt met dikke, witte striemen. Sommige van de littekens waren al jaren oud, maar uit één ervan druppelde nog bloed.

'O, mijn God,' fluisterde Cassie. 'Kom hier, dan zal ik er iets ontsmettends opsmeren.'

'Hij deed het alleen wanneer hij dronk,' zei Sylvia, met een verontschuldigende klank in haar stem. 'Soms verstopten we zijn drank of we goten de flessen leeg in de gootsteen. Dan was hij woedend, maar hij sloeg ons niet. Dat deed hij alleen wanneer hij dronken was.'

'Hoe lang was dit al gaande?' vroeg Cassie.

Sylvia haalde haar schouders op. 'Hij deed het gewoon altijd zodra hij gedronken had.'

'Soms sloeg hij mama zo hard dat ze overal bloedde,' zei Dan met tranen in zijn stem. 'En daarna verkrachtte hij haar.'

Sylvia keek hem aan. 'Hoe weet jij wat dat woord betekent?'

'Mama, ik ben niet gek. Ik wist best wat hij met je deed wanneer jij lag te huilen en te gillen. 's Ochtends zag ik het bloed op de lakens. Ik hoorde je jammeren. Op zulke avonden kon ik niet in het huis blijven. Dan ging ik in de schuur slapen.'

Sylvia stond op en liep naar haar zoon toe. Ze ging naast hem zitten en trok zijn hoofd tegen zich aan. 'O, jongen, ik dacht dat je het niet wist.'

Hij trok zijn hoofd weg. 'Mama, je hebt hem nooit tegengehouden, ook niet wanneer hij mij sloeg. En zelfs vandaag niet, toen hij Susie te grazen nam. Je hebt hem nooit, helemaal nooit tegengehouden.'

Sylvia begon te huilen.

Dan wendde zich tot Sam. 'Ze begon vlak na het middageten te gillen en toen dacht ik, nu laat ik hem zijn gang niet meer gaan. Ik doe het gewoon niet. Gisteren heb ik haar de hele avond horen huilen en schreeuwen: "Niet doen, in godsnaam, niet doen." Ik ben naar de schuur gegaan, maar ik kon niet slapen omdat ik zo trilde, en toen heb ik gezworen dat ik het niet meer zou laten gebeuren. Dus toen ik haar weer hoorde gillen, heb ik het geweer van de muur gepakt en ben ik naar de slaapkamer gegaan. Maar toen ik de deur opendeed zag ik dat het niet mama was die hij afranselde met zijn riem, maar Susie.'

Susie was net zes jaar.

'Het kan me niet schelen wat ze met me gaan doen, maar ik heb hem neergeschoten en daar ben ik blij om.'

Sylvia begon onbeheerst te snikken. 'Ik ben er ook blij om.' Toen zei ze tegen Sam: 'Ze zullen hem toch niet in de gevangenis stoppen? Hij is nog geen zestien. Hij hoeft toch niet naar de gevangenis?'

'Als het aan mij ligt niet,' zei Sam. 'Maar ik denk, jongen, dat we nog wat aan dit verhaal moeten sleutelen. Laten we zeggen dat je vader bezig was het geweer schoon te maken. Als alle kinderen dat bij hoog en bij laag blijven volhouden, zal de politie nooit iets kunnen bewijzen. Ze zullen het niet eens willen bewijzen. Zodra we terug zijn in de stad zal ik hun vertellen dat hij zich tijdens het schoonmaken van zijn geweer door zijn hoofd heeft geschoten. Dat gebeurt wel vaker. We stoppen hem in een lijkezak en nemen hem mee naar de stad. Je hebt best kans dat er niet eens iemand langskomt om vragen te stellen.' Hij keek naar Cassie. 'Ben jij het daarmee eens?'

'Natuurlijk.' Sam, je bent geweldig, dacht ze ontroerd.

'Ze kunnen zo'n jonge jongen toch niet opsluiten, hè?' vroeg Sylvia opnieuw. 'Ik heb hem hier nodig op de boerderij. Hij is nu de enige man in huis.'

Hij was nog geen man, dacht Cassie. Een jongen. Een jongen die deze littekens zijn leven lang met zich mee zou dragen en dan dacht ze niet alleen aan de littekens op zijn rug.

Sam haalde een lijkezak en ze legden Ambrose Pulham erin.

'Zal ik iemand sturen om een paar dagen bij je te blijven?' vroeg Cassie.

Sylvia schudde haar hoofd. 'Nee, we hebben niemand nodig.'

Sam nam Cassie even terzijde. 'Zullen we hier overnachten of wil je terugvliegen? We hebben inmiddels verlichting op het vliegveld, dat weet je.'

'We kunnen hen maar beter met rust laten.'

Sam tilde de stoffelijke resten in het vliegtuig. Het was donker. Sterren schitterden aan de fluweelzwarte hemel.

'Is het zo koud of ligt dat aan mij?'

'Het is kil,' antwoordde hij. Hij wilde al in het vliegtuig stappen, maar toen hij haar zo omhoog zag staan staren naar de sterrenhemel, kwam hij naast haar staan.

Tot haar eigen verbazing hoorde Cassie zichzelf zachtjes huilen. Sam sloeg zijn armen om haar heen en hield haar dicht tegen zich aan. 'Wat moet er in vredesnaam van hen terechtkomen?' Sam rook lekker.

'Misschien kunnen ze nu eindelijk beginnen te leven,' opperde hij, terwijl hij een zakdoek uit zijn zak trok en hem aan haar gaf.

Deel vier

1948 – 1950

Hoofdstuk 46

In 1948 brachten vier van de meisjes Martin met behulp van Cassie een zoon ter wereld. Het jaar ervoor had zij al twee dochters op de wereld helpen zetten en nu waren dus alle meisjes Martin moeder.

De droogte ging haar vierde jaar in.

Heel veel ranchers waren al hun vee kwijtgeraakt en hadden hun boerderijen verlaten om ergens in een stad te gaan wonen en het eerste het beste baantje aan te nemen waarmee ze hun gezinnen konden onderhouden totdat zij konden terugkeren naar hun land.

Chris hielp Olivia bij de geboorte van haar tweede kind, een dochter. En Cassie hielp Fiona's tweede dochter, haar vierde kind in vier jaar tijd, ter wereld. Ze wist niet dat Sam had voorgesteld hun dochter naar haar te noemen en dat hij tegen Olivia had gezegd: 'Laten we haar Sandy noemen.'

'Over mijn lijk,' zei Olivia.

'We kunnen haar Sandra noemen,' stelde Fiona Blake voor.

'Oké,' zei hij.

En zo kwam het dat Sams dochter Samantha werd genoemd en Fiona's dochter de naam Cassandra kreeg.

Augusta Springs was uitgegroeid tot een stad van drieduizend inwoners en had er een methodistenkerk bij gekregen, twee nieuwe onderwijzers en een uitgaansleven waarvan Romla de grondlegster was en degene die toezicht hield op het naleven van de goede omgangsvormen. Zij organiseerde theeuurtjes – heel damesachtig, compleet met komkommersandwiches en een strijkkwartet. Vrouwen ontmoetten elkaar voor de lunch in de elegante eetzaal van de Royal Palms. En terwijl het bij Addie's bijna nog drukker was dan vroeger, werd Romla's restaurant beroemd om de dineetjes bij kaarslicht met kalfsoesters, kip cordon bleu, lamscurry's en boeuf Stroganoff. Het was duur en chic. Haar serveersters droegen keurige parelgrijze uniformpjes die niettemin mooi om hun borsten sloten en daar ook iets van lieten zien – en er viel heel wat te zien – en strak om hun billen spanden.

'Die serveersters van jou zouden stuk voor stuk zo bij de film kunnen,' zei Cassie tegen Romla. 'Waar haal je ze vandaan?'

Romla glimlachte slechts.

Ze had een meester-banketbakker naar Australië laten overkomen die zich uitsluitend bezighield met het bakken van exquise desserts. Van zoiets hadden ze in Augusta Springs nog nooit gehoord. Van frituren wilde Romla niets weten. Ze was intelligent genoeg om een gewone steak op het menu te laten staan en haar maaltijden waren zowel vanuit esthetisch als gastronomisch oogpunt verrukkelijk.

In de eetzaal lag donkergroen tapijt en verder was hij uitgevoerd in verschillende tinten zachtpaars. De lampjes waren roze, zodat iedereen die er dineerde flatteus werd belicht. Zelfs aan het ontbijt, wanneer de lampjes niet brandden, leken de mensen er beter uit te zien dan in het ongenadig felle zonlicht van de Outback.

Romla gaf feesten. Tijdens de raceweek stelde zij de hotellobby open voor een bal en er werden aan de lopende band feestjes georganiseerd. Zij nam de taak op zich geld in te zamelen voor de immer in geldnood verkerende Flying Doctors. Voor dit doel organiseerde ze atletiekwedstrijden en gekostumeerde bals, picknicks en ritjes per kameel naar de heuvels om daar in het maanlicht te dineren. Zij bezorgde Augusta Springs niet alleen veel vrolijkheid, maar ook een echt nachtleven en de dames van de stad werd een duidelijk sociaal bewustzijn ingeprent.

Maar er was een voortdurende bron van ergernis.

Haar man.

Hij beklaagde zich over het gebrek aan amusement in Augusta Springs en vond dus zijn eigen vorm van amusement uit. Er ging geen avond voorbij zonder een serieus partijtje poker helemaal achter in de bar van de Royal Palms, aan een tafeltje waaraan je drie, vier avonden per week de rijkste mannen van de stad kon aantreffen. De rechter was van de partij wanneer hij in de stad was; mannen als de vader van James Teakle en Old Man Stanley, eigenaar van een van de grootste ranches, die minstens twee keer per week naar de stad kwam om aan het pokerspel deel te nemen. Voor de meeste mannen was de inzet veel te hoog en zij die het zich niet konden veroorloven speelden darts bij Addie's. De mannen die de bar van de Royal Palms bezochten kwamen niet voor een enkel borreltje – het waren stevige drinkers die zich hun zwakheden konden permitteren. Maar de enige die zeven avonden per week speelde was Roger, en hij was tevens de enige die zich de hoge inzetten niet kon veroorloven.

'Het enige,' zei Romla tegen Cassie, 'waaraan we geld verdienen is de bar. Voor het overige zal het nog een jaar of twee duren voordat we quitte spelen. De bar is ons vangnet. Maar godzijdank is hij winstgevend en is ons eten bij ons salaris inbegrepen, want verder hebben we geen cent om ergens aan uit te geven.'

Cassie zei tegen Chris: 'Dat kan toch helemaal niet. Het is er altijd druk. Het restaurant zit altijd vol.'

'Misschien drinkt Roger de winst op,' zei Chris. 'Ik weet wel dat hij nooit echt dronken lijkt, maar er wordt daar stevig gedronken en gegokt.'

Cassie en Chris aten een paar keer per week in het hotel, niet alleen omdat zij het eten verrukkelijk vonden, maar ook omdat het hen de kans gaf wat tijd door te brengen met Romla en Terry. Meestal was Roger niet van de bar weg te slaan en Cassie en Chris genoten altijd bijzonder van hun avondjes met Romla. Op de maandagavond was het nooit zo druk in het restaurant, zodat Romla de leiding over kon laten aan de eerste kelner en zij en Terry bij Chris en Cassie konden gaan eten. En op zaterdagmiddag, wanneer Cassie geen spoedgevallen had, nam zij Terry mee naar de bioscoop, of speelde zij een spelletje domino met hem of nam zij hem mee voor een wandeling langs de droge rivierbedding.

Maar het kwam steeds vaker voor dat Terry de zaterdag doorbracht bij Jim Teakle. Jim was vaker in de stad dan vroeger en bleek, tot Cassies verbazing, heel goed overweg te kunnen met Chris. Chris was blij een goede vriend gevonden te hebben en ging vaak op zaterdagochtend samen met Jim kleiduivenschieten. Ze namen Terry vaak mee en leerden hem schieten. Op een gegeven moment besloot Jim dat alle jongens moesten leren kamperen. Hij kocht een slaapzak voor Terry, nam hem af en toe een weekend mee de bush in en leerde hem zijn eigen ongezuurde brood bakken en koffiezetten en spoorzoeken. Chris vergezelde hen vaak.

'Het is een fijne vent,' zei Chris. 'Ik kan me niet herinneren dat ik ooit zo'n goeie vriend heb gehad. Niet meer na mijn schooltijd in elk geval.'

Jim Teakle was niet alleen een fijne vent, maar Romla vond hem ook een echte heer. 'Zo iemand als hij heb ik nog nooit ontmoet,' bekende zij.

Het kwam steeds vaker voor dat hij ook bij de etentjes op maandagavond aanwezig was, of Roger er nu bij was of niet, en meestal vond Roger dat hij de bar niet in de steek kon laten. Iedereen zag dat Romla druk op hem uitoefende om toch vooral maar wèl te komen; maar wanneer hij kwam at hij snel zijn bord leeg en haastte zich vervolgens weer terug naar het hotel. Hij deed nauwelijks pogingen zijn ergernis over de gesprekken en het gelach aan Cassies tafel onder stoelen of banken te steken.

Naarmate de tijd verstreek merkte Cassie dat Romla hem steeds minder onder druk zette en uiteindelijk kwam hij helemaal niet meer en werd het een vaste gewoonte dat zij, Chris, Romla en Jim Teakle de maandagavonden in elkaars gezelschap doorbrachten. Wanneer Cassie wel eens laat thuis was vanwege een spoedgeval nam Jim zelfs de taak op zich om het eten klaar te maken. Terry was stapelgek op Jim, die op een volwassen manier met de jongen praatte, hem vragen stelde en ook de antwoorden afwachtte omdat hij die kennelijk van belang vond.

'Het is zo fijn voor hem om een echte vaderfiguur te hebben,' zei Romla op een maandagavond, terwijl zij op een kruk zat toe te kijken hoe Cassie de aardappels schilde. 'Roger lijkt die rol te hebben afgezworen. Wanneer Pam in de vakanties thuis is zegt hij geen stom woord tegen haar. Hij negeert de kinderen gewoon.'

'Alleen de kinderen?' vroeg Cassie, terwijl zij zout over de aardappels strooide.

Romla zweeg even, maar toen verschenen er tranen in haar ooghoeken. 'Nee. Mij ook. Hij doet net of ik niet besta. We eten nooit samen. Hij gaat zo laat naar bed dat we nooit samen ontbijten. Cassie, volgens mij heeft hij elke dag een kater. En toch lijkt hij nooit dronken. Hij leeft alleen maar voor die verdomde bar.'

'Heb je er spijt van dat je dit werk bent gaan doen?'

Romla vocht tegen de tranen en veegde ze weg voordat ze over haar wangen konden rollen. 'Nee. Misschien was ons huwelijk al voorbij voordat we hier kwamen en probeer ik nu de bar de schuld te geven. Of de drank. Als ik de schuld maar niet bij onszelf hoef te zoeken. Weet je wel dat we hier veel minder geld hebben dan in Townsville, met het salaris van de politie?' Romla barstte in tranen uit. 'We krijgen allebei een salarischeque van de eigenaars – Roger voor de bar en ik voor het hotel en het restaurant. Ik heb de mijne altijd aan Roger gegeven om op de bank te storten en Cassie, o Cassie, nu ben ik er achter gekomen dat er helemaal *niets* – geen rooie cent – op onze rekening staat.'

'Lieve hemel, waar is het dan gebleven?'

Romla veegde haar tranen weg. 'Hij heeft het verdronken en vergokt.'

'Heb je al aan een scheiding gedacht?'

Romla keek Cassie aan en barstte opnieuw in tranen uit. 'O, Cassie, ik denk aan niets anders. Vanavond heb ik hem een ultimatum gesteld: je houdt op met drinken en gokken en anders is het afgelopen.'

Cassie begon met het doppen van de boontjes. Ze keek naar Romla en liet haar uithuilen. Na enkele minuten zei ze: 'Je bent bang, is 't niet? Waarom?'

'In onze familie is nog nooit iemand gescheiden,' snikte Romla, terwijl ze een Kleenex pakte uit het doosje dat boven op de koelkast stond. 'Hij en ik hebben al in geen jaren meer echt gepraat. Het is al zeker een jaar geleden dat we voor het laatst tegelijk naar bed zijn gegaan. Niet dat ik ernaar verlangde dat hij me aanraakte, maar het lijkt me symbolisch voor wat er van ons huwelijk terecht is gekomen. Denk je dat hij een ander heeft?'

'Als hij zoveel drinkt zou dat een hoop kunnen verklaren. Maar wat de reden ook is, er is wel degelijk iets mis met jullie huwelijk.'

'Er is van het begin af aan al iets mis geweest met ons huwelijk,' snikte Romla. 'Maar als ik ga scheiden, zal Chris zich zo voor me schamen en wat dacht je van de kinderen? Kinderen moeten niet opgroeien in een gebroken gezin.'

'Gebroken? Wat wil je nu eigenlijk? Hij besteedt totaal geen aandacht aan hen. Hij geeft alleen maar om die bar.'

'Voordat we hier kwamen, kwam hij 's avonds thuis, legde zijn voeten op een bankje, leunde achterover in zijn stoel en deed zijn ogen dicht. We deden nooit iets. Wij hebben het saaiste huwelijk dat je je kunt voorstellen, maar je kunt toch moeilijk van iemand scheiden omdat hij zo saai is.'

'Hoe lang zijn jullie al getrouwd?' Cassie gooide de boontjes in een pan kokend water en deed de koelkast open om sla, tomaten en groene pepers te pakken.

'Achttien jaar.' Romla had haar tranen gedroogd.

'Achttien jaar verveling? En nu is alles waarvoor je gewerkt hebt weg. Je hebt helemaal niets meer?'

Romla schudde haar hoofd. 'Geen cent.'

'Volgens mij is dit wat die schrijver, ik weet niet meer hoe hij heet, bedoelde toen hij zei dat de meeste mensen een leven leiden van stille wanhoop. Hoe oud ben je nu?'

'Zesendertig.' Romla zweeg even en keek Cassie aan. 'Ik ben ook bang omdat ik denk dat ik verliefd ben op Jim. Hij is het soort vader voor mijn kinderen dat Roger nooit geweest is. Wanneer Pam thuis is, krijgt ze van Jim meer aandacht dan van haar eigen vader. En toch heeft hij nooit avances gemaakt, hij heeft me nooit gekust en raakt me alleen maar aan wanneer we samen dansen...'

'Je weet heel goed dat Jim altijd zorgt dat hij in de stad is wanneer er een dansavond is en dat hij dan uitsluitend met jou danst. Nu ja, voor de beleefdheid danst hij wel eens met iemand anders, maar...'

'Ik weet het.' Romla glimlachte flauwtjes door haar tranen heen. 'En ik vraag me altijd af of het echt is of dat ik me het maar inbeeld. Hij zegt nooit iets persoonlijks tegen me en hij drukt me nooit stevig tegen zich aan... maar hij is zo lief, Cassie! Hij is attent en Terry adoreert hem.'

'Hij en Chris zijn ook goede vrienden geworden.'

'Ik lig er elke avond aan te denken. Echt elke avond, en volgens mij zal hij niet eens avances gaan maken wanneer ik van Roger zou scheiden.'

'Je moet niet scheiden vanwege een andere man,' zei Cassie, terwijl ze sla mengde en er uien en olie aan toevoegde. 'Als je gaat scheiden moet je het alleen voor jezelf doen. En voor de kinderen. En als er tussen jou en Jim dan toch iets moois ontstaat, dan is dat meegenomen.'

Romla stond op van haar kruk en begon door de keuken te ijsberen. In de woonkamer werd gelachen. 'Ik ben opgevoed met de gedachte dat het huwelijk voor eeuwig is. Ik zou het niet kunnen verdragen als Chris mij een scheiding kwalijk zou nemen.'

Cassie liep naar Romla toe en sloeg een arm om haar heen. 'Niemand gelooft in scheiden. Maar een huwelijk zoals het jouwe kan toch ook nooit de bedoeling van het leven zijn. En het maakt ook niks uit wat Chris ervan vindt. Hij blijft heus wel van je houden. Hij zal het jammer vinden, maar hij zal je absoluut steunen. Hij heeft toch nooit met Roger kunnen opschieten.'

'Gek eigenlijk, dat wij allebei een hekel hadden aan elkaars wederhelften.'

'Als Chris de moed had kunnen opbrengen om van Isabel te scheiden, was hij niet zo'n groot deel van zijn leven ongelukkig geweest. Ik zou er maar eens goed over nadenken. Ik zou je niet graag zo ongelukkig zien als Chris met Isabel was.'

'O, ik wist het wel! Ik heb altijd geweten dat hij niet gelukkig was met Isabel. Maar hij heeft er nooit iets over gezegd.'

Cassie gaf een handvol bestek aan Romla en zei: 'Ga jij de tafel nu maar dekken en zeg maar tegen iedereen dat we over tien minuten kunnen eten.'

Later die avond, toen zij zich in de slaapkamer stonden uit te kleden, vroeg Cassie aan Chris: 'Zou jij het erg vinden als Romla bij Roger wegging en zich van hem liet scheiden?'

Chris wierp haar een scherpe blik toe. 'Is de wens hier niet een beetje de vader van de gedachte?'

'Nee, ze is echt al een hele tijd diep ongelukkig. En nu is ze er ook nog eens achter gekomen dat hij al hun geld heeft vergokt. En uitgegeven aan drank.'

'Die ellendeling – hoewel ik het eigenlijk wel had verwacht.' Hij trok zijn pyjama aan.

'Je hebt nog geen antwoord gegeven op mijn vraag.'

'Ik zou dolblij zijn. En ik zal haar helpen ook, als dat nodig mocht zijn.'

'Zeg dat dan zelf tegen haar,' zei Cassie, terwijl zij naar het bed toeliep. Chris boog zich over haar heen en legde een hand op haar borst. 'En kus me, precies waar je nu je hand hebt.'
Terwijl hij deed wat zij vroeg, fluisterde zij: 'O, God, Chris, doe dat nog eens. Hou daar nooit meer mee op.' Het was zo'n heerlijk gevoel. Ze kromde haar rug.

Voordat zij in slaap vielen, fluisterde ze: 'Ik zou willen dat het leven altijd bleef zoals het nu is. Vergeet niet de wekker te zetten.'
Chris stak zijn hand uit naar de wekker. 'Niets blijft ooit hetzelfde,' zei hij.
De volgende ochtend zei Romla tegen Cassie: 'Roger is weg. Hij heeft zijn koffer gepakt en is met de bus van acht uur vertrokken. Ik heb het gevoel dat hij die mannen met wie hij altijd pokert een heleboel geld schuldig is.'
'Wat ga je nu doen?'
'Ten eerste ga ik al zijn schulden aflossen, tot op de laatste cent, zodat ik met opgeheven hoofd over straat kan lopen.'
Toen ze die middag, na een spreekuur ergens in het zuiden, terug naar huis vlogen, vroeg Sam: 'Heeft de oorlog jouw leven veranderd?'
Ze dacht over zijn vraag na. Als de oorlog niet was uitgebroken, was Blake nooit weggegaan. Dan was haar abortus ook nooit nodig geweest en zou ze nu mevrouw Blake Thompson zijn. Ze zou Romla nooit hebben leren kennen. En ze zou nu haar bed niet delen met Chris.
'Natuurlijk,' antwoordde ze, terwijl ze naar een grote kudde schapen keek, die op het rode land onder hen liep te grazen.
'Alles is anders gelopen dan ik had verwacht,' zei hij. 'Ik dacht dat jij met Blake zou trouwen. Ik bedoel, voordat ik wegging, zijn jullie nog een paar weken met elkaar op vakantie geweest in het noorden.'
'En ik dacht dat jij met zuster Claire zou trouwen.'
'Dat was niet onmogelijk geweest,' zei hij. 'Als jij met Blake was getrouwd.'
Ze vroeg zich af wat het een met het ander te maken had.
Het bleef een tijdje stil. In de verte glinsterde er een zilveren vlekje in de zon. Nog een vliegtuig.
'Ben jij wel eens eenzaam, doc?'
Ze wist dat alles geen koek en ei was tussen hem en Olivia. Ze had Liv horen klagen over de hitte en de vliegen, over de droogte en de klamheid... steeds opnieuw. Ze hield van de dansavonden, wanneer alle aanwezige mannen wilden dansen met dat tengere blondje, het meisje dat eruitzag zoals meisjes eruit behoorden te

zien, gekleed in zachte tinten en veel plooien en ruches, het meisje dat hen toelachte met die grote, blauwe kijkers en alles wat zij zeiden ontzettend interessant leek te vinden. En dat was ook zo, want ze vertelden haar hoe mooi ze was, en dat Sam toch maar een bofferd was en dat ze geweldig danste.

'Helpen Harry en Samantha niet?'

'Natuurlijk. Ik zou voor hen door het vuur gaan. Mijn hart begint sneller te kloppen wanneer ze op mijn schoot klimmen of wanneer ik hen optil of verhaaltjes voorlees voor het slapengaan of wanneer ik antwoord geef op hun vragen. Als ik naar hen kijk heb ik het gevoel dat mijn hart elk moment kan barsten. Dan heb ik het gevoel dat ik onsterfelijk ben en dat zij het enige belangrijke zijn in het leven.'

Het bleef weer even stil en toen vervolgde Sam: 'Misschien probeer ik er wel achter te komen wat geluk is. Jij lijkt niet ongelukkig. Heb je een geheim?'

Ze dacht even na. 'Ik weet ook niet precies wat geluk is, maar je hebt gelijk, ik ben niet ongelukkig.'

'Maar ben je dan nooit eenzaam?'

'Eenzaam? Ik heb niet genoeg tijd om daarover na te denken. Vroeger wel, maar nee, ik geloof niet dat ik nog eenzaam ben.' Eigenaardig, vroeger had ze altijd het idee dat ze diep vanbinnen heel eenzaam was.

'Eenzaamheid heeft niets te maken met de aanwezigheid van andere mensen om je heen – daar ben ik wel achter gekomen.'

Ze keek hem aan en zag dat hij ook naar haar zat te kijken. 'Weet je, voor de oorlog was het leven een lolletje. Maar nu...'

Plotseling sloeg de angst Cassie om het hart. 'Wil je weg? Hier? Wil je bij de Flying Doctors weg?'

'Nee!' riep hij uit. 'Dat is het niet. Het is alleen dat... ach, vergeet het ook maar, doc. Het spijt me dat ik erover ben begonnen. Kom, laten we het over iets anders hebben.'

Cassie voelde zich machteloos. Ze wilde hem troosten, maar begreep niet precies waar hij het over had. Ze wilde een hand op zijn arm leggen.

Sam zei: 'Wat vind je van het nieuwe huis van Blake en Fiona? Heb je ooit zoiets gezien?'

'Nooit. Tien slaapkamers en stuk voor stuk met een eigen bad. En dat allemaal verspreid over één verdieping. Fiona zei dat ze een feest zouden geven zodra al het meubilair is gearriveerd. Waarschijnlijk op oudejaarsavond.' Ze had Blake op een oudejaarsavond op Tookaringa leren kennen. Oudejaarsavond 1939. Bijna tien jaar geleden.

'Steven zal het wel stilletjes vinden wanneer al dat grut een paar kilometer verderop gaat wonen. Waarom zou Blake het gebouwd hebben? In het grote huis was immers plaats genoeg voor iedereen.'

Cassie haalde haar schouders op. 'Een nieuwe uitdaging. Daar geniet hij van. Hij is in dat huis geboren en getogen en misschien wilde hij wel eens iets anders.'

'Maar twintig kamers! Wie heeft er nu zoveel kamers nodig?'

'Het ging hem er ook niet om wat hij nodig had,' zei Cassie. 'Het ging hem erom wat hij wilde, een huis om mee te showen.'

'Misschien gaat Steven wel hertrouwen nu hij helemaal alleen is.'

'Het zal niet meevallen iemand te vinden die Jennifers plaats kan innemen.'

'Het is alweer bijna zeven jaar geleden dat ze stierf.'

Toen ze in Augusta Springs aankwamen stond Horrie hen op het vliegveld al op te wachten. Dat had hij nog nooit gedaan.

Zodra Cassie uit het toestel stapte, nam Horrie haar met een angstig gezicht bij de arm. 'Cassie, er is een ongeluk gebeurd. Je moet meteen door naar het ziekenhuis.'

'Kan Chris of Mel het niet doen?' Mel Delano was Chris' nieuwe partner.

Horries gezicht was krijtwit.

'Het ìs Chris.'

Ze keek hem aan en voelde Sams hand onder haar elleboog.

'Wat bedoel je, het ìs Chris?'

'Hij is zwaargewond, Cassie. Romla heeft gebeld. Auto-ongeluk. Ze heeft gevraagd of je meteen komt. Mijn auto staat al klaar.'

Chris? Een auto-ongeluk? Huiverend stapte ze bij Horrie in de wagen.

Sam stak zijn hoofd door het raampje. 'Ik rij achter jullie aan.'

Terwijl hij reed vertelde Horrie wat hij wist. 'Hij reed langs de oude boerderij van Curtin. Daar komt hooguit één auto per week langs. Hij werd gepasseerd door een grote tankwagen, die hem van opzij raakte. Zijn auto sloeg over de kop...'

'Horrie, waarom heb je in godsnaam niet meteen contact opgenomen met het vliegtuig?'

'Het is nog geen twee uur geleden gebeurd, Cassie. Jullie waren al op weg naar huis. Je had hier toch niet sneller kunnen zijn. Ik dacht dat je het beter van mij persoonlijk kon horen dan via de radio.'

'Natuurlijk.'

'Dokter Delano is er meteen naar toe gegaan met een ambulance.'

'Hoe lang heeft hij daar gelegen voordat iemand hem vond?' De toestand drong nog niet helemaal tot haar door. Het ging over een patiënt, niet over haar man.

'De chauffeur van de tankwagen heeft in het eerste het beste stadje gebeld. Daarna is hij meteen teruggekeerd naar de plaats van het ongeluk, waar hij op de ambulance heeft gewacht.'

'Hoe erg is het, weet je dat?'

Horrie schudde zijn hoofd. 'Romla zei alleen "ernstig".'

Vijf minuten later reden ze de parkeerplaats van het ziekenhuis op en rende Cassie naar binnen. Romla stond in de hal.

'Hij is buiten bewustzijn, Cassie. Ze hebben hem iets gegeven tegen de pijn. Dr. Delano... daar komt hij net aan.'

Dr. Delano, een kleine, slanke Ier met een engelachtig gezicht, kwam naar hen toe. Cassie zag meteen dat Chris stervende was. Delano schudde zijn hoofd en sloeg een arm om Cassie heen. 'Je kunt naar hem toe, maar hij heeft niet lang meer. Het spijt me, Cassie.'

Romla barstte in tranen uit. 'O, Chris.'

'Kom mee,' zei Cassie. 'Blijf nou niet staan dralen.'

Ze gingen de kamer binnen, waar het sterk naar ontsmettende middelen rook. Chris lag met zijn ogen dicht, maar Cassie zag dat hij nog zwak ademde. Zijn borst was bedekt met verband en langs zijn linkeroor en over zijn wang liep een lange snijwond, omgeven door geronnen bloed. Cassie pakte zijn ijskoude hand vast.

Zijn oogleden knipperden en hij deed zijn ogen open. 'Godzijdank,' fluisterde hij, zo zwakjes dat ze zich over hem heen moest buigen om hem te kunnen verstaan. 'Ik wilde zo graag dat je zou komen. Ik heb gewacht tot je er was.'

Ze kuste hem.

'Aan jou heb ik de gelukkigste jaren van mijn leven te danken,' zei hij.

Cassie knikte en had het gevoel dat een kille hand zich om haar hart sloot. 'En ik aan jou,' zei ze.

'Voel je nooit schuldig,' ging Chris verder, terwijl ze voelde hoe het bloed en het leven uit hem vloeiden. 'Ik weet waarom je met mij bent getrouwd. Ik weet dat je nooit van me hebt gehouden...'

'Dat is niet waar!'

'...zoals ik van jou hou, maar daar mag je je nooit schuldig om voelen. Je hebt me gelukkiger gemaakt dan ik ooit ben geweest. De liefde die ik voor jou heb gevoeld heeft mijn leven de moeite waard gemaakt. Beminnen is veel belangrijker dan bemind te worden.'

Aan de andere kant van het bed pakte Romla zijn andere hand en hij bewoog zijn ogen om te zien wie het was. 'Chris, lieverd, natuurlijk houdt Cassie van je, net als ik. Je bent de liefste, geweldigste... O, lieverd, na mijn kinderen ben jij degene om wie ik altijd het meest heb gegeven.'

Even verscheen er een zwakke glimlach op zijn gezicht. 'Jullie tweeën,' zei hij, zijn stem niet meer dan een fluistering, 'zijn verantwoordelijk voor al het geluk dat ik ooit heb gekend.' Toen deed hij zijn ogen dicht en gleed weg. Zijn lichaam lag tussen de koele, witte lakens en zijn linkerhand klemde zich om de rand van de deken, maar er was geen ademhaling meer, en geen Chris Adams meer.

Cassie keek naar hem en bedacht zich dat ze hem nu nooit meer de glazen van zijn bril zou zien schoonmaken aan zijn stropdas, nooit meer met hem zou discussiëren, nooit... nooit meer iets met hem samen zou doen. Ze hoorde Romla's gesnik, wendde zich tot haar schoonzuster en sloeg haar armen om haar heen. Toen ze over haar schouder keek zag ze Sam in de deuropening staan. Hij keek toe hoe zij, met droge ogen, de enige vrouw vasthield die ooit echt van Chris had gehouden.

Hoofdstuk 47

Wat Cassie in de maanden na het overlijden van Chris zo'n schuldgevoel bezorgde was het feit dat er zo weinig veranderde. Haar hele leven draaide om haar werk, net als altijd. Ze dineerde nog steeds een paar keer per week in het hotel met Romla, en Romla, Terry en Jim kwamen op maandag nog steeds bij haar eten. Het enige dat veranderde, was dat zij en Romla een nog hechtere band kregen. Romla vroeg een scheiding aan en het was alsof er een zware last van haar schouders werd gelicht.

'Weet je,' zei Romla, 'al die mannen – de rechter, Jims vader, en de oude Stanley – hebben stuk voor stuk ontkend dat Roger hen geld schuldig was. Ik weet dat ze mij een dienst wilden bewijzen en ik weet dat ze logen. Ik hou van die mannen. Zolang ik in dat hotel werk zullen ze nooit meer voor hun drankjes hoeven betalen.'

Terry bracht de zaterdagavonden bij Cassie door, wanneer Romla het druk had in het hotel, en dan gingen ze samen bij Addie's eten en daarna naar de film. Na al die deftige maaltijden van de Royal Palms vond Terry het heel spannend om bij Addie's te eten. Meestal bleef hij bij haar logeren en na de brunch op zondagochtend kwam Jim langs om met hem naar de kerk te gaan.

Cassie at vrijwel nooit alleen. Ze hoefde zelfs niet thuis te komen in een leeg huis, want twee weken na de begrafenis kreeg ze van Sam een jong hondje, een zwart-wit pluizebolletje dat onmiddellijk Cassies hart wist te stelen.

Ze speelde urenlang met het hondje en wanneer ze de straat in kwam rijden hoorde ze Bree al blaffen. Tegen het eind van de derde week sliep hij bij haar in bed en zij wende zich aan om twee keer per nacht haar bed uit te komen om hem uit te laten. Toen hij drie maanden oud was, was hij zindelijk. Niettemin miste ze het warme mannenlijf waar ze zo aan gewend was geraakt.

Op een zondagochtend kwam Sam langs met een rol prikkeldraad onder zijn arm. Terwijl hij zonder kloppen binnenkwam riep hij: 'Kan ik hier een kop koffie krijgen?'

Cassie en Terry waren net klaar met ontbijten.

'Ik kom een hek maken voor Bree,' zei Sam. 'Jij bent vaak zo lang weg en een hond hoort niet de hele dag in huis opgesloten te zitten. Daarom heb ik een hondehok voor hem getimmerd en daar ga ik een hek omheen maken.'

Op dat moment kwam Jim binnen, gekleed in een donker kostuum met een rode stropdas met een paisleymotief. Toen hij hoorde wat Sam van plan was, keek hij Terry aan en zei: 'Dat prikkeldraad ziet er behoorlijk onhandelbaar uit. Ik denk dat we de kerk wel een keertje kunnen overslaan om Sam te helpen, vind je ook niet?' Toen Terry gretig knikte, voegde Jim eraan toe: 'Als je even wacht, dan ga ik me eerst even omkleden.'

Sam grijnsde dankbaar. 'Dat is heel aardig van jullie. Cassie houdt me wel aangenaam bezig terwijl wij op je wachten.'

'Mag ik een eindje met Bree gaan wandelen?' vroeg Terry. Hij wist het antwoord al en had de riem en halsband al van de spijker aan de keukendeur gepakt.

Het viel Cassie op dat Sam haar de laatste tijd bij haar voornaam noemde.

Terwijl hij ging zitten en zij een kop koffie voor hem inschonk, zei ze: 'Ik geloof dat je bij Jim een beetje de plaats van Chris begint in te nemen.'

'Fijne vent,' zei Sam, terwijl hij een slok van zijn koffie nam. 'Ik vraag me af wanneer hij en Romla gaan trouwen.'

'Ik ben je erg dankbaar, Sam. Je hebt al zoveel voor me gedaan sinds Chris...'

'Als ik kon zou ik nog veel meer voor je doen, Cassie. Maar iedereen in de stad lijkt voor je te willen zorgen. Ik wil wedden dat je nog niet één keer alleen hebt gegeten sinds... nu ja, sinds.'

Het was waar. Op de avonden dat zij niet in het hotel dineerde, werd ze bijna altijd door iemand uitgenodigd. En als ze 's avonds laat thuiskwamen van een spoedgeval of van een uitgelopen spreekuur, had Betty altijd wel iets voor haar klaarstaan. Er ging geen weekend voorbij zonder dat er een cake of een taart op haar stoep stond.

Don McLeod was uit Alice Springs overgekomen om de begrafenisplechtigheid te leiden en hij schreef Cassie warme, bemoedigende brieven – elke week een, met naschriften van Margaret, die zwanger was van hun tweede kind.

'Ga jij nog naar het feest van de Thompsons?' vroeg Sam.

'Ik vraag me af of ik dat wel moet doen. Je weet wel, zo snel na...'

'Blake vroeg of we van woensdag tot zondag wilden komen. Dan zouden we woensdag het gebruikelijke spreekuur kunnen doen en met al die races zullen er best wat ongelukken gebeuren – en waarschijnlijk wordt er ook nog wel wat gevochten, met al dat gefeest. Volgens hem is het wel gerechtvaardigd om een paar dagen te blijven. Aangezien Liv nergens naar toe wil zonder de kinderen, stelde Fiona voor dat we ze mee zouden nemen, zodat ze leuk met de hare kunnen spelen. Er komen heel veel gezinnen.'

'Tja, als je het zo stelt en als ik nodig ben als arts...'

'Niemand zegt dat je niet mag dansen en wat plezier kan maken.'

'Maar wat zullen de mensen denken?'

'Hé, doc, het is niet belangrijk wat de mensen denken, maar wat jij wilt.'

Cassie stak haar hand uit en legde hem op de zijne. 'Sam, je bent geweldig. Bedankt, dat je zo'n goede vriend voor me bent. Waarom komen jij en Liv voortaan ook niet op maandagavond hier eten, samen met Romla en Jim? Lijkt me gezellig.'

Hij schudde zijn hoofd. 'Liv zou er niets aan vinden, Cassie. Ze vindt toch al dat ik te veel tijd met jou doorbreng. Ik heb gewacht tot zij naar de kerk ging voordat ik naar jou toe kwam om dat hek te maken.'

Waarschijnlijk was Liv zo'n vrouw die in elke andere vrouw een bedreiging zag, peinsde Cassie. Sam en zij konden gewoon heel goed met elkaar samenwerken. Hij had haar nooit gekust en zelfs nooit naar haar gekeken alsof zij een vrouw was. Zelf had ze nooit iets anders voor hem gevoeld dan respect en bewondering. In de afgelopen paar jaar, sinds zijn terugkeer uit de oorlog, was hun vriendschap uitgegroeid tot een van de belangrijkste punten van houvast in haar leven.

'Hè? Wat gek, dat heb ik me nooit eerder gerealiseerd.'

'Wat heb je je nooit gerealiseerd?' vroeg Sam, terwijl hij opstond om nog een kop koffie in te schenken.

'O, niets.'

Vanuit de lucht leek het alsof er van de ene op de andere dag een hele stad was neergezet. Honderden tenten stonden op het plateau zo'n tien kilometer ten noorden van Blakes nieuwe huis, in het midden van het grondgebied van Tookaringa. Blake had een stuk land dat zich uitstrekte van Tookaringa tot Adelaide, zo niet rechtstreeks, dan toch in elk geval in een route waarover vee kon worden voortgedreven zonder ooit op het land van iemand anders te komen. Cassie had horen beweren dat hij was uitgegroeid tot een van de belangrijkste grondbezitters van Australië. De droogte had hem in staat gesteld goedkoop aan land te komen, precies zoals hij had voorspeld.

Blake had besloten met dit feest niet alleen zijn nieuwe huis in te wijden, maar tevens de aanzet te geven tot iets wat hopelijk zou uitgroeien tot een jaarlijks evenement: dansen, picknicks en races waar paardenbezitters uit het hele land op af zouden komen. Het prijzengeld was hoog genoeg om de reis de moeite waard te maken. Alle eigenaars van boerderijen binnen een straal van minstens duizend kilometer waren gekomen en hadden hun eigen kleine tentendorp opgezet.

'Dit belooft een flink festijn te worden,' zei Sam, omlaag wijzend op de tijdelijke nederzetting waar het krioelde van de mensen. 'Kijk daar eens. Het moet een kostbare aangelegenheid zijn geweest om die racebaan met tribunes daar aan te leggen.'

'Hebben ze al dat geld besteed aan iets dat maar één keer per jaar gebruikt zal worden?' vroeg Olivia, die achter in het vliegtuig zat.

'Nou ja, schapenfokkers bouwen ook schuren voor het scheren van de schapen,' antwoordde Sam, alsof hij zich voor de overdaad trachtte te verontschuldigen. 'En onderkomens voor de schapenscheerders. Die worden ook niet meer dan één keer per jaar gebruikt.'

Maar die waren wel noodzakelijk voor het fokken van schapen. Dit alles zag eruit alsof het louter was neergezet om een paar dagen lol te maken.

'Ik hoop niet dat we hier worden weggeroepen voor echte spoedgevallen,' zei Sam, terwijl hij een vloeiende landing maakte. 'Zo te zien is dit precies waar ik behoefte aan heb.'

Plezier, dacht Cassie. Daar heeft Sam behoefte aan.

'Ik hoop maar dat ik de goede kleren heb meegenomen,' klonk Olivia's stem van achter Cassie.

'Jij ziet er altijd goed uit,' zei Cassie. Dat wist Olivia ook wel.

'Maar ik ben nog nooit op zo'n Outback-feest geweest.'

'Op een feest als dit is niemand ooit geweest,' zei Cassie, terwijl zij haar dokterstas en koffer pakte. Ze vroeg zich af of ze in het oude huis zouden logeren, bij Steven, of dat ze kamers toegewezen zouden krijgen in de nieuwe woning. Twee zulke reusachtige huizen op hetzelfde terrein en dan toch zover bij elkaar vandaan!

Er stonden al vier andere vliegtuigen, allemaal eenmotorige Cessna's, en twee helikopters. Steeds meer ranches in de Outback schaften zich een vliegtuig aan. De wereld werd steeds kleiner.

Cassie en Sam hadden nu al bijna een jaar de vorderingen gadegeslagen in de bouw van het nieuwe huis, maar de afgelopen twee maanden had Fiona hen niet meer binnengelaten. 'Pas wanneer het helemaal is ingericht. Ik wil dat jullie helemaal verbijsterd zijn,' zei ze.

Verbijsterd was niet helemaal het juiste woord.

Op een lage heuvel, met glooiende, groene gazons die helemaal tot aan de smalle rivier reikten, stond de nieuwe bungalow. Op het gazon stonden hier en daar jonge, dunne palmboompjes, vastgebonden aan steunpalen om te voorkomen dat ze omwaaiden. In de vijver, die was gevormd door een stuk van de rivier in te dammen, zwommen ganzen en zwanen, en over het gras renden twee honden, gevolgd door een ponykar waar zes kinderen in zaten. Naast de kar liep een jonge vrouw – dat moest het kindermeisje zijn, of misschien de nieuwe gouvernante, nu de oudste twee de schoolgaande leeftijd hadden bereikt.

De lucht was vervuld van vrolijk gelach en Cassie zag hoe Olivia's ogen oplichtten. 'Lieve hemel, ik wist niet dat er mensen waren die echt zo leefden,' zei ze, met een stem vol verwondering.

'Ik denk ook niet dat zoiets als dit al eens eerder is vertoond,' zei Sam, terwijl hij Samantha optilde en met een zwaai op zijn schouders zette. 'Kom op, de bagage haal ik straks wel op.'

Op dat moment kwam Fiona, gekleed in een marineblauwe linnen pantalon en een witzijden blouse, het trapje van de veranda afrennen. 'Ik heb op je zitten wachten.' Ze sloeg haar armen om Cassie heen en omhelsde haar stevig. 'Ik kan bijna niet wachten om je alles te laten zien. Het wordt een fantastisch weekend.' Ze gaf Sam een kus op zijn wang, en draaide zich toen om om Olivia te begroeten. Ze sloeg een arm om haar schouder en lachte tegen de kinderen.

'Livvy, ik ben zo blij dat je ook bent meegekomen. Er is voldoende personeel om voor de kinderen te zorgen, dus we hoeven ons nergens druk om te maken.'

Ze leidde hen naar het huis. 'Jullie logeren allemaal in de westelijke vleugel. Wij slapen precies aan de andere kant van het huis.' Tegen Sam en Olivia zei ze: 'Jullie en de kinderen hebben aangrenzende kamers, maar Linda zorgt voor de kleintjes. Zij zal hen te eten geven en met hen spelen en ervoor zorgen dat ze in bad gaan en op tijd in hun bedjes liggen.'

'Hemeltjelief,' verzuchtte Olivia.

Sam grinnikte. 'Zie je nu wel dat ik gelijk had?'

'Het is geweldig,' zei Olivia, met een stralende blik in haar ogen. Cassie hoopte dat alles in dat blonde hoofdje niet gecompliceerder was dan ze vermoedde. Op dit moment leek Olivia heel gelukkig.

Fiona kwam naar Cassie toe en gaf haar een arm. 'Ik zal je een rondleiding door het huis geven,' zei ze.

'Het is beeldschoon,' zei Cassie, hoewel het eigenlijk veel te modern was naar haar smaak.

De woonkamer was waarschijnlijk een meter of twaalf in het vierkant, als hij niet groter was. Overal lagen Perzische tapijten en het luxemeubilair was wit. Het geheel zag eruit als een advertentie uit een tijdschrift over binnenhuisarchitectuur, dacht Cassie. Alles was perfect, zelfs de kussens, die quasi nonchalant waren neergelegd. Ze kon zich niet voorstellen dat Fiona en de kinderen hier woonden. De woonkamer straalde niets uit van Fiona's warmte en Cassie vond het allemaal veel te steriel. Natuurlijk was het wel zo dat alle meubels in het andere huis door Jennifer waren uitgekozen. Maar Fiona's allereerste huis was de gezelligste plek waar Cassie ooit had gewoond en ze had het altijd jammer gevonden dat zij niet over Fiona's flair beschikte om een huis leuk in te richten. Maar Cassie wist dat Blake binnenhuisarchitecten uit Sydney had laten komen.

De ontzagwekkende keuken was al even modern en hotelachtig als de woonkamer, maar straalde toch iets warms uit. Aan brede, donkere, houten balken aan het plafond hingen koperen kettingen met glanzende koperen potten en pannen eraan. Het aanrecht was groot genoeg om vijf, zes mensen aan te laten werken en de houten tafel en stoelen aan het eind ervan boden uitzicht op een atrium vol ficussen en sinaasappelbomen, compleet met vogels die op de takken zaten te zingen. Op het water van de visvormige vijver dreven roze en gele lotusbloemen. Boven op het atrium lag een net om de vogels binnen te houden.

'Heel indrukwekkend,' mompelde Cassie.

'Vind je ook niet?' Fiona greep haar arm wat steviger vast. 'Cassie, ik had toch nooit kunnen dromen dat ik nog eens in zo'n huis zou wonen.'

'Ik zou het oude huis wel heel erg missen.'

'Dat zal ik ook gaan missen, maar dit is nu eenmaal Blakes grote droom. Ik maak me echter wel zorgen om Steven. Eerst had hij met ons gezin een huis vol en nu is hij opeens helemaal in zijn eentje.'

'Ach, hij is immers niet helemaal alleen? Ik bedoel, de slaapverblijven van de mannen zijn daar en het kantoor met de accountants...'

'Je snapt wel wat ik bedoel. Eenzame avonden. Niemand om mee te praten. Ik hou zo van die man. Ik zou niet met hem getrouwd kunnen zijn – hij moet altijd zo nodig stoer en mannelijk zijn – maar als schoonvader en vriend ben ik dol op hem. Ik zie hem vaker dan mijn eigen man.'

'Misschien is dat juist wel het geheim van een goed huwelijk.'

Fiona lachte. 'Als dat zo is, dan moet het maar. Het gaat in elk geval nog steeds goed, hoewel Blake nooit tevreden is. Hij heeft voortdurend behoefte aan nieuwe uitdagingen. Volgens mij is hij geboren met een rusteloze ziel.'

Ze liep samen met Cassie een van de gangen door naar de slaapkamers. 'Elke vleugel heeft vijf slaapkamers. Wij hebben onze vleugel natuurlijk helemaal voor onszelf. Kijk, dit is onze kamer.'

Hij was minstens twee keer zo groot als haar eigen slaapkamer thuis en uitgevoerd in dramatische tinten smaragdgroen en wit. Fiona wendde zich tot Cassie. 'Ik weet niet of Blake op dit moment boos op me is. Ik heb hem gisteravond verteld dat ik geen kinderen meer wil. Drie vind ik genoeg. Er zijn nog genoeg andere dingen die ik met mijn leven wil doen.'

Cassie keek haar aan. Wat verwachtte Fiona nu van haar?

'Ik wil ervoor zorgen dat de kinderen van de aboriginals de kans krijgen om naar school te gaan,' vervolgde Fiona. 'En ik wil al die honderden kinderen in de Outback ook iets meer onderwijs laten genieten dan wat hun ouders hen kunnen bieden. Kijk, mijn eigen kinderen komen niets te kort; zij hebben een onderwijzeres als moeder, maar het is wel een moeder die nog duizend-en-één andere dingen te doen heeft. Ik sta niet te juichen bij het idee dat mijn kinderen alles van onze gouvernante moeten leren, die op een aantal terreinen heel goed is, maar niet op allemaal. Enige onderwijskundige samenhang ontbreekt volledig. Het hangt er helemaal van af hoeveel een gouvernante weet en in hoeverre zij in staat is haar kennis over te brengen en... Ik heb een idee in mijn achterhoofd waarover ik het nog met je wil hebben. Ik heb gehoord dat er in Alice allemaal nieuwe dingen gaande zijn.' Ze kneep in Cassies hand. 'Gaat het wel goed met je? Zo te zien wel, maar ik wil het gewoon zeker weten – gaat het echt goed met je?'

'Met mij gaat het prima,' zei Cassie. 'Boven verwachting zelfs. Ik voel me een beetje schuldig dat ik er niet ongelukkiger onder ben. Ik was bijzonder op hem gesteld, weet je.' Zelfs in haar eigen oren klonk dat niet geweldig. *Bijzonder gesteld zijn op je eigen man.*

'Je bent ook zo dapper, lieverd, en zo sterk. En nu zal ik Henry naar het vliegtuig sturen om jullie bagage te halen. Je kunt het spreekuur achter het huis houden. Ik heb alles voor je klaargezet, onder de plataan. Ik denk dat het in het vervolg gemakkelijker voor je zal zijn om het gewoon bij het oude huis te doen, op de veranda, maar voor deze ene keer?'

'Natuurlijk,' zei Cassie. 'Dat geeft niets.'

'Wacht maar tot je alles hebt gezien,' ging Fiona verder. 'In de buurt van de racebaan heeft Blake een reusachtige eetzaal laten bouwen, waar deze week drie ploegen koks zullen werken. Volgens hem zullen er mensen zijn die helemaal niet aan slapen zullen toekomen! De bar is voorzien van zesduizend flessen bier, champagne, rum, je kunt het niet verzinnen of het is er.'

'Zesduizend flessen? Dat wordt een complete orgie.'

'Nu ja, we moeten er viereneenhalve dag mee doen en we verwachten meer dan duizend mensen. Sommige mensen zijn dinsdag al gekomen om tenten op te zetten, wedstrijden voor te bereiden en ervoor te zorgen dat er voldoende hout en water is. Het is allemaal heel opwindend, al die mensen die werkelijk overal vandaan komen voor een feest dat een week gaat duren.'

'Je weet dat Aussies er alles voor overhebben om paardenraces bij te wonen. Kom, hoe sneller ik klaar ben met mijn werk, des te sneller ik plezier kan gaan maken.'

Met uitzondering van een verbrijzelde hand bestond het spreekuur louter uit routinegevallen. Een aboriginal-vrouw, die veel pijn moest hebben maar daar volkomen stoïcijns onder bleef, legde haar hand op tafel en keek Cassie aan.

'Hoe kom je daaraan?' vroeg Cassie, terwijl zij de vinger bekeek.

De zwarte vrouw zei niets.

'Met knuppels gevochten?' vroeg Cassie. Dergelijke gevechten leverden vaak lelijke verwondingen op. Ze had het in de loop der jaren een aantal keren meegemaakt.

De vrouw knikte.

De laatste twee kootjes van de wijsvinger waren ernstig verbrijzeld. Cassie onderzocht de vinger voorzichtig en richtte zich toen tot de zwarte vrouw. 'Ik zou hem eraf kunnen halen.'

De vrouw had zo'n uitdrukkingsloze blik in haar ogen, dat Cassie niet dacht dat zij er iets van had begrepen. 'Kijk hier maar, bij je knokkel, daar is hij zo kapot dat je er alleen nog maar heel veel pijn aan zult hebben. Hij zal zo blijven hangen, zodat je er alleen maar last van zult hebben. Het is beter om hem eraf te halen.'

De vrouw knikte opnieuw.

'Wacht hier maar even,' zei Cassie tegen haar. Ze had Sam nodig om de ether toe te dienen.

Hij was nog in het huis, waar hij iets zat te drinken met Olivia en Fiona.

'Ik wist wel dat ik er beter stiekem tussenuit had kunnen knijpen,' grinnikte hij. 'Ik had naar het tentendorp moeten gaan. Hé, schat,' zei hij, zich tot Olivia richtend, 'heb je zin om te komen kijken? Je vraagt me altijd wat we nu precies allemaal doen.'

'Ga jij ook mee?' vroeg zij aan Fiona.

'Ik heb het al zo vaak gezien,' zei Fiona. 'Ik heb er geen behoefte meer aan. Ik kan me leukere dingen voorstellen dan amputaties.'

'Denk je dat ik er misselijk van word?' vroeg Olivia aan Sam.

Hij haalde zijn schouders op. 'Ik ging de eerste keer bijna over mijn nek.'

'Nee, laat dan maar. Ik blijf wel hier.'

'Hij blijft niet lang weg, hoor,' stelde Cassie haar gerust.

Toen zij en Sam naar de plek liepen waar zij het spreekuur had gehouden, zat de vrouw daar nog steeds, met haar hand op de tafel.

'We kunnen haar beter op deze brancard leggen, dan kun jij de ether toedienen. Het hoeft niet veel te zijn, ik ben zo klaar. Ik zou ook novocaïne kunnen gebruiken, maar het lijkt me beter als ze buiten bewustzijn is.'

Hij knikte.

Cassie sneed de vinger eraf bij het tweede gewricht, waarbij ze een reep van de sterke onderhuid liet zitten. Dat legde ze over het stompje heen en naaide het dicht.

'Netjes gedaan,' zei Sam.

'Ja, vind je ook niet?' Ze keek naar de vrouw en realiseerde zich dat zij elk moment weer bij haar positieven kon komen. 'Ga jij maar terug naar je vrouw,' zei ze. 'Ik kom zo snel mogelijk.'

'Ik wacht wel,' zei Sam. 'Fiona zei dat Blake en Steven straks komen eten. We gaan morgen pas naar het raceparcours kijken.'

Toen ze bij het huis terug waren, waren Steven en Blake er al. Blake sloeg een arm om Sams schouders en zei iets tegen hem wat Cassie niet kon verstaan. Ze liep naar Steven toe om hem een zoen te geven en hij omhelsde haar hartelijk.

'Cassie, jij wordt alleen maar mooier,' zei Steven, nadat hij haar had gezoend.

'Dat vind ik nou ook,' klonk Blakes stem naast haar. Hij sloeg een arm om haar heen en vroeg, op zachte toon: 'Gaat het weer een beetje? Ik bedoel, gaat het echt goed met je?'

Zich heel erg bewust van zijn hand op haar middel, zei ze: 'Met mij gaat het prima.' Ze had zichzelf er in de loop der jaren aan gewend hem als een vriend te begroeten. Haar hart sloeg geen slag meer over zodra ze hem zag of zijn stem hoorde. Maar daar moest ze zich wel voor concentreren. Het was een hele krachtsinspanning. 'Ik stel me zo voor, dat jij na deze week een van de beroemdste mannen van het land zult zijn,' zei ze, 'met dit ontzagwekkende huis en de paardenraces. Ik heb gehoord dat er mensen zijn die meer dan duizend kilometer hebben afgelegd om hun paard hier te laten draven.'

Hij torende boven iedereen in de kamer uit, behalve boven zijn vader. 'Daar heb ik op gehoopt. We hebben een bedrag aan prijzengeld dat onweerstaanbaar is gebleken. Maar kom, heeft Fiona je al een rondleiding door het huis gegeven?'

'Jazeker, en ik ben zwaar onder de indruk.'

'Laten we dan maar een drankje nemen en er een gezellige avond van maken. Morgen mengen we ons tussen de andere gasten. De paardenrennen beginnen morgenmiddag en 's avonds wordt er gedanst, dus we blijven er ook eten. We zullen er de hele dag mee zoet zijn.'

'Wat kan ik het beste aantrekken?' vroeg Olivia.

Fiona antwoordde. 'Voor morgenavond gewoon een leuke jurk. Zaterdagavond zullen alle dames hun mooiste baljaponnen aantrekken en dan zijn er twee feesten, één ervan hier.'

De eerste race werd donderdagmiddag om halftwee gehouden. Bookmakers sloten weddenschappen af onder vrolijk gekleurde parasols die hen tegen de zon moesten beschermen. Er waren heel wat vrouwen naar de festiviteiten gekomen en een groot aantal van hen droeg spijkerbroeken en Stetsons, net als de mannen. De oorlog had heel veel veranderd.

De tribunes zaten stampvol en Cassie had nog nooit zo'n rumoerige menigte meegemaakt. Eerst kwam de race van de veedrijvers, waaraan iedereen mee kon doen. Iedereen die meende over een goed paard te beschikken deed mee. De laatste race van de dag was die van de aboriginal-veedrijvers, en die was de spannendste van allemaal. Deze mannen hielden totaal geen rekening met hun eigen veiligheid, zodat het een gevaarlijke, spannende wedstrijd werd.

Laat in de middag werd er onder luid gejuich om de gloednieuwe Tookaringa Cup gereden.

De eetzaal, een gigantische ruimte van negen bij achttien meter, met een enorme keuken, was vierentwintig uur per dag geopend. Fiona en Blake hadden voor hun gasten een kleedtent neergezet, naast de andere tenten die in keurige rijen stonden opgesteld. Cassie dacht dat ze die avond met de helft van alle gasten had gedanst, maar niet met Blake, en ook Sam kwam niet naar haar toe wanneer er een snel nummer werd gespeeld, iets dat tegenwoordig steeds minder vaak leek voor te komen. De jitterbug was op zijn retour. Eigenlijk maar goed ook, dacht ze. Ik ben niet meer zo lenig als vroeger.

Tijdens het feest werd Cassie één keer weggeroepen om twee veedrijvers te behandelen die te veel gedronken hadden en aan het vechten waren geslagen. Een van hen moest gehecht worden. Een andere keer moest ze een man helpen die eveneens gevochten had en een ernstig gewond was geraakt aan zijn been.

'Hij moet naar het ziekenhuis,' zei ze. 'Het dichtstbijzijnde is in Yancanna. Ga Sam halen.'

'Nou ja,' zei Sam, terwijl hij de motor startte. 'Je hoeft je in elk geval niet meer schuldig te voelen omdat je hier puur voor de lol bent. Zie je nu wel dat er gewerkt moet worden?'

Ze vlogen naar Yancanna en waren weer terug voordat het dansen was afgelopen. Precies op het moment dat zij landden kwam aan het eind van de helder verlichte landingsbaan de volle maan op.

'Weet je,' zei Sam, terwijl zij even naar de maan bleven zitten kijken. 'Misschien zijn wij wel de gelukkigste mensen op aarde.'

'Ik meende bij jou anders enige tekenen van ontevredenheid te bespeuren,' zei Cassie.

'Op dit moment niet,' zei Sam met zachte stem. 'Op dit moment heb ik alles wat mijn hartje begeert.'

Hij draaide zich om en keek haar aan.

Hoofdstuk 48

De volgende dag krioelde het binnen de omheinde weiden van de paarden en jonge stieren. Er werden allerlei wedstrijden gehouden, zoals het rijden op stieren.

Het was allemaal even leuk.

Het was vrijdagavond en ze hadden zojuist gedineerd en zich omgekleed voor het feest. Het plafond van de eetzaal was vrolijk versierd met slingers van crêpepapier. Aan een kant van de ruimte was een podium neergezet, waar de leden van het orkest hun instrumenten stonden te stemmen.

Cassie zei tegen Sam: 'Wij kennen hier bijna iedereen.'

Sam keek om zich heen en knikte. 'Dat wil zeggen dat we bijna iedereen kennen binnen een straal van achthonderd kilometer.'

Zij moest lachen. 'Dat klinkt behoorlijk indrukwekkend, vind je ook niet?'

Ze stonden voor de tent te wachten tot Fiona en Olivia zich hadden omgekleed.

'Olivia lijkt het goed naar haar zin te hebben,' zei Cassie.

'Gelukkig wel. Ja, ze vermaakt zich prima. Ik geloof niet dat ze zo'n leuk leventje heeft met mij, in Augusta Springs. Ze was liever in een stad gaan wonen.'

'Net als Romla's man. Sommige mensen vinden de Outback stomvervelend. Denk je dat dat Olivia's probleem is?'

'Cassie, ik weet niet wat ze leuk vindt. Ze mist groene bossen en weilanden en haar familie en de drukte van de stad... of misschien mist ze Engeland gewoon. Het liefst zou ze willen dat we teruggingen.' Toen hij de geschrokken blik in Cassies ogen zag, ging hij verder: 'Maar we gaan niet, hoor, doc. Mij niet gezien. Maar dat zou ze graag willen. Of een man met een gewone baan, die de weekends thuis is en elke avond thuis eet.'

Cassie wilde haar hand even op zijn arm leggen, maar hun handen raakten elkaar. Even hield hij de hare vast voordat Fiona uit de tent te voorschijn kwam, op de voet gevolgd door Olivia. Sam liet zijn hand zakken.

'Heeft iemand Blake gezien?' vroeg Fiona.

'Ik heb hem en Steven een paar minuten geleden nog gezien. Ze gingen allebei een andere kant op,' antwoordde Sam.

Deze avond geen laarzen, Stetsons of spijkerbroeken. De mannen droegen keurig geperste pantalons en overhemden met een open boord en de vrouwen droegen jurken en hoge hakken. Geen gala – dat was voor morgenavond – maar zondagse kleding met parels of oorbellen van bergkristal.

Terwijl de eetzaal weer langzaam volstroomde met gasten klonk het geluid van een viool die werd gestemd.

'Kijk toch eens naar al die sterren,' zei Fiona. 'Dat vind ik nog elke avond iets bijzonders.'

'Jij vindt alles bijzonder, Fiona,' zei Sam. 'Jij kunt over sommige dingen nog zo opgewonden raken als een kind.'

'Dat beschouw ik als een compliment,' zei zij glimlachend.

'Zo bedoelde ik het ook,' antwoordde hij. Sam genoot ervan omringd te worden door de drie mooiste vrouwen van de avond.

Blake stond bij de ingang van de danszaal te wachten. Hij zag er knapper uit dan ooit, vond Cassie, in een overhemd van hetzelfde blauw als zijn ogen, zijn kortgeknipte lichtblonde krullen, zijn krachtige, vierkante gezicht gebruind en verweerd van zoveel tijd in de zon. Zijn linkerhand viel nauwelijks op, dacht ze.

Hij keek glimlachend op Cassie neer. 'De eerste dans is voor mij,' zei hij. Ze had in geen jaren met hem gedanst. De laatste keer was in de herfst van 1939, toen hij er twaalf uur rijden voor overhad om de zaterdagse dansavond in Augusta Springs te kunnen bezoeken. Ze had dus meer dan negen jaar niet meer met hem gedanst.

Het orkestje zette in met een gouwe ouwe, 'Stardust'. Hij stak zijn rechterhand naar haar uit en trok haar naar zich toe. Zij voelde zijn lange lichaam tegen het hare en ze voelde hoe hij haar dicht tegen zich aantrok.

'Ik herinner me de eerste keer dat wij samen dansten,' fluisterde hij in haar haar.

'Oudejaarsavond, 1938.'

'Dus jij weet het ook nog?' Hij leunde een beetje achterover zodat hij haar in de ogen kon kijken.

'Natuurlijk. Het lijkt een eeuwigheid geleden.'

'Dat is het ook. Het was voordat de wereld veranderde, voordat wij onze onschuld verloren, voordat we wisten hoe hard het leven kon zijn. Ik ben die weken die wij samen doorbrachten nooit vergeten, Cassie. Denk jij er nog wel eens aan?'

'Nee,' zei ze. 'Nooit.'

Hij trok haar dichter tegen zich aan. 'Dat lieg je. Ik was een lafaard, Cassie. Ik was als de dood voor je. Niemand had ooit met me gedaan wat jij met me deed. Ik durfde je niet eens brieven te sturen, hoewel ik er wel tien heb geschreven. Maar ik verscheurde ze altijd weer.'

Ze keek naar hem op. 'Waarom vertel je me dit nu allemaal?'

'Gisteren zat ik naar je te kijken, zoals ik de afgelopen jaren zo vaak naar je heb gekeken, en opeens wilde ik dat je het wist. Ik ben van je weggelopen, Cassie. Ik weet niet wat er gebeurd was als de oorlog niet was uitgebroken.'

Cassie hield op met dansen. 'Blake, zo hoor je niet tegen mij te praten. Hou op.' Ze maakte zich los uit zijn armen en liep de dansvloer af. Haar hart bonkte in haar keel. Waar was hij in godsnaam mee bezig?

Mac Hamilton greep haar hand. 'Kom op, Cass. Gisteravond heb ik de kans niet gekregen. Nu laat ik mijn kans niet voorbijgaan.'

Een uur later vroeg Steven haar ten dans. 'Ik hoopte al dat je niet zou verdwijnen voordat ik met je kon dansen.'

Zij keek hem glimlachend aan. 'Je hebt gisteravond niet één keer met me gedanst.'

Hij grijnsde. 'Zeg, dokter Clarke, ik zou durven zweren dat u met me staat te flirten.'

Toen zij de dansvloer opliepen, vroeg zij: 'Hoe is het om opeens helemaal alleen te wonen?'

'Stilletjes. Heel erg stil.' Hij begon met de muziek mee te neuriën.

Terwijl de volgende dag, zaterdag, honderden anderen in galakleding in de eetzaal dansten op de muziek van een twintigkoppig orkest, zaten zestig speciale gasten, rancheigenaars, bedrijfsleiders en goede vrienden, aan het diner in het nieuwe woonhuis. Er was een combo overgevlogen vanuit Sydney en de tafels stonden onder de palmbomen, die versierd waren met brandende lampionnen. De immense woonkamer was speciaal voor deze avond omgetoverd tot dansvloer. Elke vrouwelijke gast was wekenlang op jacht geweest naar de mooiste japon, voor het grootste feest dat ooit in dit deel van de wereld was gehouden.

Maar er was niemand die kon tippen aan Fiona. Zij en Blake waren naar Sydney gevlogen en Blake had een modeontwerper daar precies uitgelegd wat hij wilde, compleet met in dezelfde kleur geverfde schoenen. Zij droeg een eenvoudige, scharlakenrode satijnen japon, die zo diep was uitgesneden dat Cassie het een beetje gênant vond. Aan haar oren schitterden diamanten en om haar hals droeg zij een diamanten halssnoer. Hier in de Outback had niemand ooit eerder zoiets gezien.

Toen Cassie had besloten dat ze zou komen, had ze ergens achter in haar kast een Indiase sari gevonden die ze nog nooit had gedragen. Hij was smaragdgroen met gouden vlekjes en was gemaakt van ragfijne zijde. Zoiets droeg niemand in Australië, dacht ze, glimlachend bij het idee aan de indruk die zij ermee zou maken. En de mensen wisten inderdaad niet wat ze zagen, maar het viel niet te vergelijken met de indruk die Fiona maakte.

'Jij en Fiona zijn een echte sensatie,' zei Steven, die tijdens het diner aan haar rechterhand zat. 'Je bent veranderd, Cassie.'

'Hoe bedoel je?'

'O, toen je hier voor het eerst kwam, was je spijkerhard. Nuchter, verstandig, geen onzin.'

'En nu?' Haar glimlach verblindde hem.

'Misschien komt het omdat je je niet meer hoeft te bewijzen. We weten allemaal dat je een uitstekend arts bent. En het huwelijk heeft je milder gemaakt. Je toont nu ook je vrouwelijke kanten. Je was een goede vrouw voor Chris. Hij is door jou een ander mens geworden. Jij gaf hem een nieuw doel in zijn leven.'

'Steven, wat heerlijk om te horen. Ik vind het fijn om een vrouw te zijn.'

Het trio was weer gaan spelen en de muziek was buiten op het gazon te horen.

'Kom, laten we de sterren van de hemel dansen,' zei hij, terwijl hij opstond en haar zijn hand toestak. Zij greep hem vast en samen liepen zij in de richting van het huis.

Ze waren nog maar net aan het dansen toen iemand Steven aftikte. Cassie had al met een tiental andere mannen gedanst toen opeens Blake naast haar opdook. 'Nu ben ik aan de beurt. Als het nu niet lukt krijg ik nooit meer een kans. Straks ben je vast opeens weer weg voor het een of andere spoedgeval.'

Hij sloeg zijn arm om haar heen en zij voelde weer wat zij gisteravond ook al had gevoeld. Alsof ze zichzelf al die jaren voor de gek had gehouden – dat vrijen met Chris haar nooit had kunnen geven wat Blakes omhelzingen wel hadden gekund.

'Je ziet er beeldschoon uit,' fluisterde hij.

'Ik hoor er exotisch uit te zien in deze Indiase kledij,' zei ze. Aan de ene kant wilde ze niet dat hij persoonlijk werd, maar tegelijkertijd hunkerde ze naar zijn nabijheid.

Ze dansten enkele minuten in stilte en toen vroeg hij opeens: 'Herinner je je Kakadu?'

Haar hart stond stil – ze probeerde adem te halen – en toen begon het weer te kloppen. Maar het was niet het hare. Het was zijn hart dat ze tegen haar rechterborst voelde bonzen.

'Dat is allemaal zo lang geleden. Daar moet je niet meer aan denken.'

'Kun jij dat?'

Ze hield op met dansen, keek hem aan, en liep weg. Ze had nog geen meter gelopen toen Sam haar hand greep. 'Hé, volgens mij heb ik nog nooit iets anders met jou gedanst dan de jitterbug. Kom op, doc, dan proberen we eens een echte dans.'

Mij best, dacht ze, als ik maar bij Blake vandaan ben.

Hij hield haar niet zo dicht tegen zich aan als Blake had gedaan. Hij hield haar losjes in zijn armen en samen gleden zij over de dansvloer. 'Volgens mij bestaat er geen man ter wereld die zo heerlijk danst als jij, Sam. Dit is puur genieten.'

'Dat is wederzijds, doc, absoluut.'

'Olivia weet zich ook aardig te vermaken. Kijk toch eens!'

'Je ziet er fantastisch uit in die jurk,' zei hij, haar wat dichter tegen zich aan trekkend.

Wanneer ze met Sam danste hoefde ze geen moment na te denken. Het was net alsof haar lichaam al wist wat hij ging doen voordat hij het deed.

Voordat het nummer was afgelopen, nam Steven de dans van Sam over en zei: 'Je bent al veel te lang uit mijn leven geweest.'

Maar toen het volgende nummer begon, stond Blake alweer naast haar. 'Mijn beurt, pa. Je kunt haar niet voor jezelf houden.'

Zodra ze in zijn armen lag, zei Blake: 'Als je aan mij wilt ontsnappen, Cassandra, dan zal je beter je best moeten doen. Herinner je je Kakadu? Dat heb ik me altijd afgevraagd.'

'Blake, waar ben je mee bezig?'

'Ik haal herinneringen op,' fluisterde hij in haar haar. 'Ik herinner me een van de heerlijkste ervaringen van mijn leven. Ik herinner me hoe het was... om onder de sterren te liggen en de liefde te bedrijven. Herinner je je dat dansen van de aboriginals? God, dat moet de meest erotische nacht van mijn hele leven zijn geweest.' Hij trok zijn hoofd wat naar achteren en keek haar aan. 'Voor jou toch ook?'

Alles vervaagde. Er was niemand anders meer om hen heen. Alleen nog maar zijn armen om haar heen. 'O, Blake, ik hield zo vreselijk veel van je. Ik dacht dat ik zou sterven toen jij wegging.'

Hij trok haar heel dicht tegen zich aan. 'Je hield niet van Chris, is het wel? Je kon toch onmogelijk van die stijve hark houden, na wat wij samen hadden?'

Cassie rukte zich van hem los. Vroeger was ze het misschien met hem eens geweest, maar Chris was veel meer voor haar gaan betekenen.

'Jij bent als eerste getrouwd, weet je nog? Laten we het er niet meer over hebben. Het ligt ver achter ons.'

'Ik kan het niet vergeten.'

'Doe niet zo idioot!' snauwde zij. 'Hoe zou iemand het kunnen vergeten? Maar hou er nu in vredesnaam over op.'

Hij nam haar weer in zijn armen. 'Ik denk zo vaak aan je,' zei hij, terwijl ze weer begonnen te bewegen op het ritme van de muziek.

'Hou hier in godsnaam mee op,' zei ze. 'Fiona is mijn beste vriendin.'

'En de mijne,' fluisterde hij. 'Maar dat heeft niets met die herinneringen te maken.'

'Stop ze ergens weg en haal ze niet meer te voorschijn,' zei ze. 'Je hebt één keer mijn hart gebroken en dat wil ik niet nog een keer doormaken.'

Midden op de dansvloer bleef hij staan en staarde haar aan. 'Wàt zeg je dat ik heb gedaan?' Toen hij zag dat andere mensen naar hen keken, begon hij weer te dansen.

'Hou erover op, Blake. Doe het niet. Laten we het er alsjeblieft niet meer over hebben. Ik wil niet meer met je dansen.'

'Cassie, ik...'

Maar ze was al weg. Ze dwong zichzelf tegen iedereen te glimlachen terwijl ze over de dansvloer liep, door de deur naar buiten en het gazon op, waar mensen nog steeds aan de tafels zaten onder de wiegende lampionnen. Ze liep langs hen heen, tussen de bomen door, naar de vijver.

Daar aangekomen leunde ze tegen een van de grote eucalyptusbomen en probeerde heel bewust haar ademhaling onder controle te krijgen.

'Zo, dus het gaat nu om ons drieën,' zei Sams stem vanuit de duisternis.

Toen hij uit de schaduw van een van de bomen te voorschijn kwam, zag zij alleen zijn silhouet. '*Jullie drieën?*'

Met zijn handen in zijn zakken stond Sam tegen de grote boom. Zijn gezicht bevond zich in de schaduw. 'Ja. Blake, de oude man, en ik.' Toen draaide hij zich om en verdween tussen de bomen.

Cassie tuurde in de duisternis, maar Sam was weg. Hij kon onmogelijk gezegd hebben wat ze dacht dat ze hem had horen zeggen.

Blake, de oude man, en... en ik?

Hoofdstuk 49

De droogte duurde nu al zo lang dat de mensen de Outback de 'Dust Bowl' – de stofbak – begonnen te noemen.

Sam beklaagde zich dagelijks over de zandstormen.

Hij en Cassie waren bezig aan een tweedaagse trip naar Kypunda en omstreken. Ze hadden overnacht in Burnham Hill en waren meteen na het ontbijt doorgevlogen naar Olivers Lagoon, ongeveer vijftig kilometer verder naar het westen.

'Uitstekend zicht,' zei Sam verrukt. 'Ik zie geen stofje. Dat wordt een makkie vandaag.'

Cassie keek uit het raampje. Het was maanden geleden sinds zij zo'n stralend blauwe hemel hadden gezien. De zilveren vleugels van het vliegtuig schitterden oogverblindend in de zon. De uitgedroogde aarde onder hen vertoonde overal diepe scheuren. Iedereen leed financiële verliezen. Een aantal boerderijen was verlaten. Anderen hadden geen vee meer. Het landschap was bezaaid met de karkassen en gebleekte botten van miljoenen schapen en duizenden runderen. De rundveestapel was minder aangetast dan de schapen omdat de runderen meer in het noorden werden gefokt, in de tropen, waar de droogte iets minder hevig was dan in het midden van het continent.

In Oliver's Lagoon onderzocht Cassie mevrouw Oliver, die zes maanden zwanger was, en gaf haar twee kinderen hun inentingen. Zij en Sam barbecueden met de Olivers en genoten van de donuts die de kok net vers had gebakken.

Toen vroeg Sam: 'Klaar?'

De Olivers liepen naar de Land-Rover; Fred reed Cassie en Sam naar de landingsstrook. Tijdens de rit zat Cassie achterin en Sam voorin naast Fred. Opeens stond Sam op van zijn stoel en tuurde naar het westen. Cassie draaide zich om om te zien waar hij naar keek. Er hing een reusachtige, onheilspellende wolk in de lucht.

'Shit,' zei Sam, 'daar komt een zandstorm.' Hij ging weer zitten en zei tegen Fred. 'Ik heb een bijl nodig en touwen. We moeten dat vliegtuig aan de grond zien te verankeren.'

Fred keek hem even aan, maakte rechtsomkeert en reed met hoge snelheid naar de schuren. Hij en Sam stoven naar binnen en kwamen even later terug met touw, gereedschap, kleden en oude dekens. Ze gooiden alles naast Cassie op de achterbank en scheurden weer terug naar de landingsstrook.

'Doc, jij loopt toch maar in de weg. Blijf maar zitten.'

Ze keek toe hoe Sam en Fred als gekken aan de slag gingen. Ze sloegen palen in de grond en bonden het vliegtuig vast totdat ze al het touw hadden opgebruikt. Ze hoorde Sam roepen: 'We moeten de luchtopeningen afdekken, anders raken ze voorgoed verstopt door het zand.'

Ze zag aan de uitdrukking op Freds gezicht dat hij geen flauw idee had waar de luchtopeningen zaten. Sam greep de kleden, de dekens, alles, en propte ze in de openingen.Hij deed net een stap naar achteren om het geheel nog eens goed te bekijken, toen de eerste windvlaag hen bereikte. Sam rende naar Cassie en zei: 'Klim in het vliegtuig. Jij en Fred.'

Hij sprong in de Land-Rover, reed hem tot voor de neus van het toestel, trok de handrem aan en klom ook in het vliegtuig. Hij trok de deur achter zich dicht.

'Dat is om de kracht van de wind te breken,' zei hij buiten adem. 'Ik weet niet wat ik er verder nog aan kan doen.'

Om elf uur 's ochtends werd de hele wereld zwart, alsof het midden in de nacht was. Ze hoorden en voelden de wind om het toestel loeien. In het pikkedonker zei Freds angstige stem: 'Jezus, ik hoop dat de kinderen binnen zijn.'

Het duurde anderhalf uur voordat het weer een beetje licht begon te worden, maar nog steeds ging het vliegtuig heen en weer. Toen Cassie door de voorruit naar buiten keek, zag ze tot haar verrassing dat de Land-Rover nog overeind stond.

Eindelijk ging de wind liggen. Sam zei: 'God, kijk eens wat een zand.'

Het vliegtuig lag te midden van hele zandduinen.

Fred zei: 'Ik kom terug om te helpen, maar eerst moet ik gaan kijken of Laura en de kinderen in veiligheid zijn.'

'Natuurlijk,' zei Sam, terwijl hij een hand op zijn arm legde. Hij deed de deur open en maakte aanstalten om op de grond te springen, toen hij opeens begon te lachen. 'Kijk, een glijbaan van zand. We kunnen zo naar beneden glijden,' hetgeen hij ook onmiddellijk deed, lachend en joelend als een kind. 'Fred, wanneer je terugkomt, neem dan een paar scheppen mee.'

Fred stak zijn hand uit om Cassie te helpen. 'Kom, je kunt beter bij mij thuis wachten, terwijl Sam en ik het vliegtuig en de Land-Rover uit gaan graven.'

Laura mankeerde niets en huilde van opluchting toen zij Fred en Cassie moeizaam door het zand zag komen aanlopen. 'O, godzijdank,' riep ze uit. 'Ik was al bang dat jullie weggewaaid waren.'

Alles was bedekt met zand – stoelen, vloerkleden, fornuis, koelkast, schoorsteen, vensterbanken, schilderijlijsten, zelfs het beddegoed.

Twee uur later, nadat zij het vliegtuig en de Land-Rover hadden uitgegraven en het vliegveld weer gebruiksklaar hadden gemaakt, nam Sam via de radio contact op met Horrie. 'Ga terug naar Burnham Downs,' zei Horrie. 'Daar is een ongeluk gebeurd tijdens de storm. Wij hebben er hier niets van gemerkt.'

Het was bijna donker toen ze in Burnham Downs arriveerden. De voorman had zijn linkerbeen en -arm gebroken toen de storm hem tegen een boom had gekwakt. Hij was naar het huis gedragen, hoewel Cassie vermoedde dat hij het moest hebben uitgeschreeuwd van de pijn. Met een asgrauw gezicht lag hij midden in de zitkamer op de grond. Zijn arm en been lagen in zulke onnatuurlijke hoeken dat Cassie er misselijk van werd.

Cassie knielde naast hem neer en nam zijn polsslag op. 'Heb je nog gevoel in je vingers?' vroeg ze.

Homer, de voorman, schudde zijn hoofd en kneep zijn ogen dicht van de pijn. Cassie knikte. 'Dit gaat pijn doen, maar ik móet die arm rechttrekken.' Nog voordat ze was uitgesproken trok ze de arm met zoveel kracht omlaag dat hij recht kwam te liggen. Homer slaakte een kreet, maar was meteen weer stil. 'Sorry,' zei ze zacht. 'En nu moet ik hetzelfde doen met je been, alleen zal dat niet zo snel gaan.' Ze keek naar Sam. 'Ik had beter moeten weten. Geef me mijn tas even, wil je?'

Ze haalde er een flesje uit met een heldere vloeistof en een injectiespuit. 'Leg deze spuit vijf minuten lang in kokend water,' zei ze tegen Dan Elliot. Ze keek op Homer neer. 'Over een paar minuten voel je helemaal geen pijn meer,' beloofde ze. Ze streek met haar koele hand over zijn voorhoofd.

Later, toen zij het been had gezet en Homer nog buiten bewustzijn was, kwam Dan met een paar planken die hij en Sam op aanwijzingen van Cassie op maat zaagden. 'Die zullen als spalken moeten dienen totdat we in het ziekenhuis zijn,' zei ze. Ze legde de planken aan beide zijden van zijn arm en wond er kleefband omheen. Hetzelfde deed ze met zijn been.

'Hij lijkt wel een sandwich,' zei Dan, niet in staat een glimlach te onderdrukken.

Nancy kwam binnen om te vertellen dat het eten op tafel stond en dat zij verwachtte dat ze zouden blijven slapen. Ze hadden niet veel keus.

Toen Sam de volgende ochtend naar Horrie belde, zei Horrie: 'Zo is er niks, zo heb je je handen vol.'

'Wat heb je voor ons?' vroeg Sam.

'In de buurt van Oodnadatta wordt een vliegtuig vermist. Ze hebben alle hulp nodig die ze kunnen krijgen.'

'Grote God, dat is niet naast de deur.'

'We hebben geen spoedgevallen en zij hebben gevraagd om binnen een straal van achthonderd kilometer alle beschikbare vliegtuigen te sturen om te helpen zoeken. Herinner je je de Kookaburra? Toen zijn uit het hele land vliegtuigen komen helpen zoeken.'

'Dat was bijna twintig jaar geleden en ze hebben hem nooit gevonden.'

'Dat weet ik. Maar je kunt niet zeggen dat er niet naar is gezocht.'

'Oké. Op welke frequentie moeten we afstemmen?'

Horrie vertelde het hem.

Toen Sam Cassie vertelde wat ze die dag gingen doen, dacht ze allereerst aan Homer, maar Sam zei: 'Je kunt hem toch verdoofd houden. In het ziekenhuis kunnen ze hem toch ook niets anders bieden dan bedrust. Hij ligt er zo prima bij.'

'Als hij er zo prima bij ligt, waarom laten jullie hem dan niet hier? Dan zorg ik wel voor hem terwijl jullie naar Oodna vliegen,' stelde Nancy voor.

'Ik zou er geruster op zijn als hij in het ziekenhuis ligt en in de gaten wordt gehouden met het oog op complicaties en dat soort dingen.'

'Als jullie naar het zuiden gaan, kunnen jullie hem voorlopig even hier laten en hem op de terugweg oppikken. Jullie zullen toch ergens moeten tanken. Dat kan dan net zo goed hier.'

Cassie en Sam keken elkaar even aan en zij knikte.

'Oké,' zei Sam. 'Bedankt, Nancy.'

Toen zij het gebied rond Oodnadatta bereikten waarin de zoektocht gehouden zou worden, hoorde Sam via de radio: 'U krijgt een bepaald gebied toegewezen. Het is de bedoeling dat u etappes vliegt van dertig mijl, telkens met een afstand van een halve mijl ertussen. Is er iemand bij u met een verrekijker?'

Sam gaf de verrekijker aan Cassie en zei toen, met een lichte ergernis in zijn stem: 'Ze gaan ervan uit dat zo'n kleine Cessna bij het bereiken van zijn bestemming is doorgeschoten. Dat is onmogelijk met zoveel tegenwind. Hij zal eerder naar links of rechts zijn geblazen.'

Toch volgde hij twee uur lang hun instructies op, maar toen

verzocht hij via de radio: 'Verzoek om toestemming ons bereik te vergroten tot etappes die een mijl uit elkaar liggen, zodat we sneller een groter gebied kunnen bestrijken.'

De radiokamer antwoordde: 'Ik zal het navragen bij de coördinator van de zoekactie.'

Na enkele minuten kwam hij weer terug aan de radio: 'Er wordt geen toestemming verleend.'

'Shit,' bromde Sam. 'Zoals zij het aanpakken is het alleen maar verspilling van tijd en brandstof.'

Ze bleven hun etappes afleggen, heen en weer en al die tijd tuurde Cassie door de verrekijker in het felle zonlicht. Het land was bruin, bruin en nog eens bruin, met overal waar je keek scheuren en spleten. Er was in de wijde omtrek geen enkel teken van leven en zeker geen vliegtuig te zien.

Om vijf uur gaf de radiokamer door dat de zoekactie werd afgeblazen. De Cessna was gevonden, zo'n driehonderd kilometer ten oosten van het gebied waar Cassie en Sam hadden gezocht. De piloot en zijn passagier mankeerden niets, maar van het vliegtuig was niet veel meer over.

'We moeten tanken. Ik heb niet genoeg brandstof meer om terug te vliegen naar Burnham Downs. We zullen moeten landen om onze eigen reservevoorraad aan te spreken.'

De bodem zag er vlak genoeg uit om zonder veel moeite te kunnen landen. Toen het toestel over de harde, rode aarde hobbelde, zei Sam: 'Zullen we meteen een hapje eten?'

Nancy Elliot had sandwiches met koud vlees voor hen ingepakt. 'De lieverd,' zei Cassie, toen ze de papieren zak openmaakte. 'We hebben zelfs aardappelsalade en augurken.'

Sam vulde de brandstoftanks uit de reservevaten en rekte zich uit. Het was lekker buiten. In het westen begon de hemel lavendelblauw te kleuren en de stralen van de ondergaande zon leken net vingers van goud.

'Als het donker is kunnen we niet in Burnham Downs landen,' zei Cassie.

Sam knikte en nam een hap van zijn sandwich. 'Ik zal het Horrie laten weten. We kunnen twee dingen doen: helemaal terugvliegen naar het verlichte vliegveld van Augusta Springs en morgen weer naar Burnham Downs vliegen om onze patiënt op te halen, of we kunnen hier overnachten, ons een hoop brandstof besparen en onder de sterren slapen.'

Even zaten zij zwijgend op hun brood te kauwen. Cassie zag de eerste ster al aan de oostelijke horizon verschijnen. Ze voelde zich prima zo.

'Nou?' vroeg Sam, haar aankijkend.

'Zeg jij maar wat je wilt.'
'Wat ik wil?' Hij lachte.
'Mij maakt het niet uit.'
'Hebben we genoeg koffie voor het ontbijt?' vroeg hij.
'Als we vanavond alleen maar water drinken wel.'
Ze aten zwijgend verder. Na een tijdje stond Sam op. 'Ik ga Horrie bellen. Hij zal zich wel afvragen waar we uithangen.'
Cassie zat in de invallende duisternis. De westelijke hemel kleurde van donkerroze naar bloedrood en werd vervolgens zwart. Er klonk geen enkel geluid.
Zij en Sam hadden sinds de avond van het grote feest geen persoonlijk woord meer gewisseld. Zij hadden het geen van beiden nog gehad over *Nu gaat het dus om ons drieën.*
Ze had niet eens durven bedenken wat hij ermee had bedoeld. Ze had zich jarenlang veilig gevoeld bij Sam. Maar hij was getrouwd. En hij was haar vriend, haar partner. Ze wilde haar leven – en haar werk – niet overhoophalen.
Hij bleef een hele tijd weg. Toen hij weer uit het vliegtuig kwam had hij dekens onder zijn arm, die hij vervolgens naast het toestel op de grond legde. 'Of voel je je veiliger als we binnen slapen?'
Zij glimlachte, maar het was zo donker dat hij het niet zag. 'Veiliger misschien wel, maar het is lang niet zo spannend. Het is jaren geleden sinds ik voor het laatst onder de sterrenhemel heb geslapen.'
'Herinner je je ons allereerste spoedgeval? Die kerel met een gescheurde blaas? Die heb je toen nog midden in de bush geopereerd.'
'Ik dacht dat ik in de wildernis terecht was gekomen. Het was de eerste keer dat ik hen voor het vee hoorde zingen. Dat vind ik nog steeds een van de meest betoverende dingen die ik hier heb meegemaakt, ook al heb ik het nu al zo vaak gehoord.'
Hij kwam naast haar zitten, met zijn rug tegen de vliegtuigband. 'Toen hadden we toch niet kunnen dromen dat we tien jaar later nog steeds samen zouden werken?'
Zij lachte. 'Ik dacht dat je de pest aan me had. Ik dacht dat ik het flink voor mijn kiezen zou krijgen.'
'Dat dacht ik ook. Maar jij was spijkerhard. Meer man dan vrouw. Je droeg een mannenbroek, je gebruikte schuttingtaal, je was zo nuchter als wat en ik dacht dat je een kouwe kikker was.'
'Ik draag nog steeds broeken.'
'Ja, en je gebruikt nog steeds minder nette woorden. Maar je bent niet spijkerhard.'
'O, nee?'
'Nee.'

De afgekoelde avondlucht deed Cassie huiveren.
'Ik beschouwde je in die tijd niet als een vrouw.'
'Jawel,' wierp zij tegen. 'Je vond dat een vrouw geen arts hoorde te zijn. Dat keurde je af.'
Even later vroeg hij: 'Mis je Chris?'
Cassie sloeg haar armen om haar lichaam om warm te blijven. 'Soms.'
Na een korte stilte vroeg Sam: 'Er is iets wat ik me vaak heb afgevraagd en het gaat me helemaal niets aan. Je hoeft er geen antwoord op te geven. Hield je van hem, doc?'
Cassie tuurde in de duisternis. De hemel was tot aan de horizon bezaaid met sterren. 'Op het moment zelf dacht ik van niet, maar nu denk ik toch van wel. Ik ben nooit verliefd op hem geweest. Er was geen magie, geen vonk die oversloeg. En hij had veel eigenschappen die ik nooit heb kunnen waarderen. Maar toch geloof ik dat ik van hem ben gaan houden.'
Sam zei niets.
'Ik vond het doodgewoon dat hij van me hield. Ik heb er nooit bij stilgestaan hoe bijzonder dat was. Sommige eigenschappen – zijn starheid en zijn vooroordelen – irriteerden me. Maar hij was een heel goede man. Volgens mij raakte hij zelfs gesteld op de aboriginal-meisjes die Fiona in huis had genomen. Misschien hebben zij hem iets geleerd. Hij realiseerde zich dat Anna intelligent was. Zal ik je eens wat vertellen? Een paar weken geleden is zij met Fiona komen praten over de mogelijkheid om alsnog naar school te gaan.'
'Echt waar?'
In de verte klonk het geblaf van een dingo en het licht van de maan baadde het landschap in een zilveren gloed.
'Ik besefte pas dat ik van Chris hield toen hij er niet meer was. Dat is juist zo triest.'
Na een tijdje zei Sam: 'Er is zoveel waar we te laat achter komen. Jij hebt Chris in elk geval gelukkig gemaakt. Hij was een heel andere man dan die ik voor de oorlog kende.'
Het bleef een hele tijd stil. Toen stond Sam op en legde hun slaapzakken op de grond, ongeveer een meter bij elkaar vandaan. Hij ging op de zijne liggen. 'Ik was echt met stomheid geslagen toen ik in je brief las dat je met Chris was getrouwd. Ik had gedacht dat jullie nog niet bij elkaar zouden komen als jullie met z'n tweeën op een onbewoond eiland hadden gezeten. Ik wist zeker dat je met Blake zou trouwen.'
Cassie zei: 'Ik geef toe dat het niet erg voor de hand lag.' Ze kroop in haar slaapzak en genoot van de warmte. Ze legde haar handen onder haar hoofd en keek omhoog. 'Is het niet betoverend?'

Sam rolde op zijn buik, legde zijn kin op zijn handen en keek haar aan. 'Wat?'

'De hemel. De nacht. De woestijn. Het feit dat wij hier liggen.'

Ze verzette zich tegen de aandrang om zijn hand vast te pakken. Het liefst wilde ze hier, zo ver van de rest van de wereld, in slaap vallen met Sam, veilig en warm, dicht tegen zich aan. Langzaam doezelde ze weg en ze droomde dat hij vroeg: 'Als je niet van hem hield, waarom ben je dan met hem getrouwd?'

En dat zij antwoordde: 'Wie zal het zeggen? Waarom ben jij eigenlijk getrouwd?'

Van heel ver weg, met een stem die zij nauwelijks kon verstaan, zei hij: 'Omdat jij met Chris trouwde.'

Toen ze de volgende ochtend in alle vroegte wakker werd en naar Sam keek, die nog lag te slapen, vroeg zij zich af of het werkelijk een droom was geweest.

Hoofdstuk 50

'Ik ben er al door geobsedeerd sinds ik met jou rondvloog en al die kleine kinderen zag die onderwijs nodig hadden,' zei Fiona. 'Nu ben ik vastbesloten er tijd voor vrij te maken. Ik loop me nu al jaren af te vragen wat we kunnen doen om de kinderen in de Outback onderwijs te geven en nu denk ik een manier gevonden te hebben, maar dan moeten de Flying Doctors wel meehelpen. In Alice doen ze het ook.'

'Wat doen ze in Alice ook?' vroeg Cassie.

Fiona was voor het eerst met hun eigen Cessna naar Augusta Springs komen vliegen. 'Onderwijs via de radio,' zei Fiona, met ogen die straalden van enthousiasme. 'Ik heb in Alice met allerlei mensen gesproken. Het is allemaal zo opwindend. O, Cassie, het is ongelooflijk. Zij brengen de wereld naar al die geïsoleerde boerderijen in de Outback, naar kinderen die nooit verder zijn geweest dan hun eigen achtertuin. Een lerares kan verhalen vertellen, boeken voorlezen, rekensommen uitleggen, hun fantasie prikkelen! Voor al die kinderen, inclusief de mijne, natuurlijk, kan een hele nieuwe wereld opengaan.'

Cassie keek haar vriendin glimlachend aan. Zo enthousiast had ze haar in geen tijden meer gezien.

'Ik dacht dat schriftelijke lessen verplicht waren.'

'Natuurlijk,' antwoordde Fiona, met haar hand door de lucht wuivend, 'en ik wil die methode helemaal niet afkraken, maar zij laat veel te wensen over. Een kind werkt alleen, tenzij mama helpt en vaak mist mama de kennis of de tijd. Het kind probeert te leren lezen en optellen en aftrekken, vult formulieren in, stuurt die op naar een onpersoonlijk wezen, die ze vervolgens corrigeert en weer terugstuurt. Maar op deze manier, via de radio – O, Cassie, zo zouden ze rechtstreeks in verbinding kunnen staan met een lerares en andere kinderen. Hun leven zou net zo vrolijk en gevarieerd worden als hun fantasie. Ze zouden in contact komen met andere kinderen, andere verhalen horen en andere stemmen.'

Cassie leunde naar voren. 'Ik heb me altijd afgevraagd wat er bij schriftelijke lessen gebeurt wanneer leerlingen vragen hebben. Hoe krijgen ze dan in vredesnaam antwoorden waar ze iets aan hebben?'

Fiona klapte in haar handen. 'Precies! Ik heb met Graham Pitt gesproken, de directeur van de FDS in Alice en hij is een uitstekende radiotechnicus. Hij zegt dat het mogelijk is met langdurige uitzending. Je zou wel nieuwe apparatuur nodig hebben, maar misschien kan Romla daar wel een geldinzamelingsactie voor houden.'

'Wanneer jij klaar bent heb ik nog een nieuwtje over Romla.'

Het leek wel of Fiona haar niet eens had gehoord. 'Voor sommige onderwijzers betekent het natuurlijk wel een heel nieuwe techniek,' vervolgde ze.

'Het lijkt me een echte uitdaging,' zei Cassie, terwijl ze opstond en naar de keuken liep om nog een kopje thee te zetten. Ze had pas een nieuw soort ontdekt op de schappen van Teakle and Robbins – bramenthee. Fiona was er dol op.

'Wil je zelf ook gaan proberen les te geven?' vroeg Cassie.

'Denk niet dat ik het niet zou willen, maar het kan niet. Blake vindt het niet goed. Ik heb hem moeten beloven dat mijn bemoeienissen hiermee niet van invloed zullen zijn op ons gezinsleven, de kinderen, gezamenlijke maaltijden. Begrijp me niet verkeerd, hij vindt het ook geweldig dat ik misschien een heel klein aandeel zal hebben in de verandering van het onderwijssysteem in dit land. Maar het enige dat ik hoop te bereiken is dat het van de grond komt. In Alice noemen ze het De School van de Lucht. Cassie, ik ben ervan overtuigd dat we op elke Flying Doctors-basis zo'n school kunnen opzetten. Besef je wel wat het voor al die kinderen zal betekenen?'

'En nu wil je dus dat ik ga uitzoeken of de afdeling Augusta Springs er iets voor voelt om het project te sponsoren?'

'Nee, dat kan ik zelf ook wel. Ik wil alleen zeker weten dat ik op de volgende vergadering mijn zegje mag doen en jij woont altijd alle vergaderingen bij.'

'Ik kan een vergadering bijeenroepen en anders kan Steven het doen. Hij is weer terug als voorzitter van de raad, nadat hij er acht jaar tussenuit is geweest.'

Fiona knikte. 'Ik ben blij dat hij weer wat dingen gaat ondernemen. De kinderen hebben hem tot leven gewekt en nu hij weer alleen is blijft hij gelukkig niet bij de pakken neerzitten. Wat ik graag voor hem zou willen is een fijne vrouw.' Toen begon Fiona te lachen. 'Nou ja, als ze maar opwindend is. Niet zomaar de eerste de beste. Hij is zo'n energieke man en dat kon Jennifer geloof ik wel bijbenen, ook al heb ik haar maar twee keer ontmoet. Hij en

Blake hebben zo hun onenigheden en daarbij moet Blake ook wel eens het onderspit delven.'

Cassie had de thee laten trekken en schonk Fiona nog een kopje in. 'Hoe stel je je dit allemaal voor?'

Fiona stond op en begon hevig gesticulerend door de keuken heen en weer te lopen. 'Nou, ik had zo gedacht dat we eerst een onderwijzeres zouden kunnen uitkiezen en vervolgens met haar naar Alice Springs vliegen om het eens goed door te spreken. Het idee is oorspronkelijk van een zekere Adelaide Miethke en zij heeft het uitgewerkt. Dus ik zou ook graag naar Adelaide vliegen – ja, is dat niet grappig, Adelaide uit Adelaide? – om er met haar over te praten, of misschien is ze wel bereid om naar Alice te komen of zelfs naar Augusta Springs.

Weet je, Cassie, 's avonds, wanneer Blake allang ligt te slapen, lig ik hier in bed aan te denken. We zouden het programma in verschillende fases kunnen verdelen: verhaaltjes en rijmpjes voor kleuters, voor de iets oudere kinderen cijfers en taal en spellen en dan voor de oudste kinderen... sociale wetenschappen, maatschappijleer van ons eigen land... en later van de rest van de wereld.'

'Muziek. Behoort muziek ook tot de mogelijkheden?'

'Volgens meneer Pitt wel. De leerlingen kunnen samen zingen en naar muziek luisteren en erover praten. Het wordt geweldig!'

Cassie vond het al geweldig om te zien hoe Fiona erover zat te praten. Niet dat Fiona ooit een ongelukkige indruk had gemaakt sinds haar huwelijk met Blake, maar nu had Cassie toch het idee dat ze heel erg opbloeide. Haar enthousiasme werkte aanstekelijk en Cassie werd er helemaal door meegesleurd.

'Oké,' lachte Fiona, 'nu zal ik mijn waffel houden, maar ik ben speciaal naar de stad gekomen om te horen wat jij ervan vond.'

'Ik vind het fantastisch. Wij zullen al het mogelijke doen om te helpen. En Horrie ook, dat weet ik zeker.'

'Goed zo, want we zullen hem hard nodig hebben. We zullen een kamer aan het radiostation moeten bouwen.'

'Dat komt goed uit. We beginnen er behoorlijk uit te groeien. We hebben modernere apparatuur nodig en meer mensen. Sinds we vierentwintig uur per dag bereikbaar zijn kan Horrie het in zijn eentje niet meer aan. We hebben de radiospreekuren en hij heeft het druk met telegrammen versturen. Het is veel te druk geworden voor één man, ook al lost Betty hem regelmatig af. Maar zij heeft haar handen ook vol aan de kinderen. En zal ik je eens iets vertellen?' Cassie begon te lachen. 'Ze heeft het heft uiteindelijk maar in eigen handen genomen en is begonnen met het bouwen van een veranda langs het huis, helemaal alleen! Ze zegt dat ze er genoeg van heeft om 's zomers weg te smelten en dat ze bovendien niet voldoende ruimte heeft, dus is ze er zelf maar aan begonnen!'

Fiona grinnikte. 'Hoe lang heeft ze gewacht tot hij zijn belofte zou nakomen? Een jaar of negen?'

'Ze is niet gek. In plaats van boos op hem te worden omdat hij er nooit aan toekwam, heeft ze besloten dat hij kennelijk andere prioriteiten heeft dan zij en dat ze er zelf voor zal moeten zorgen dat die veranda er komt.'

'Daar kunnen wij nog wat van leren. Oké, wat wilde je me over Romla vertellen?'

Cassie boog zich naar voren. 'Jim Teakle heeft haar eindelijk ten huwelijk gevraagd!'

'Het werd tijd.'

'En zal ik je nog eens iets vertellen? Dit blijft natuurlijk onder ons. Hij heeft haar dit jaar pas voor het eerst gekust! Na al die jaren haar vaste begeleider te zijn geweest naar dansavonden en feesten, na al die picknicks met haar en de kinderen, al die etentjes op maandagavond bij mij thuis... Eigenlijk had ik toch wel verwacht dat ze dàt stadium in elk geval al bereikt hadden. Hij heeft nota bene speciaal voor Terry een padvindersclub opgericht. Terry gaat tegenwoordig natuurlijk op kostschool in Adelaide, maar in de vakanties doet Jim alsof Terry zijn eigen zoon is – hij gaat met hem op jacht en onderneemt allerlei dingen met hem die een echte vader hoort te doen.'

'En hoe zit het met Roger? Hoort ze van hem nog wel eens iets?'

Cassie schudde haar hoofd. 'Niet vaak. Hij stuurt de kinderen verjaardags- en kerstcadeautjes, maar neemt nooit de moeite hen op te zoeken. Hij woont in Brisbane en de kinderen zitten in Adelaide op school. Pam studeert bouwkunde aan de universiteit.'

Fiona ging weer zitten. 'Wanneer is de grote dag?'

Cassie haalde haar schouders op. 'Binnenkort, neem ik aan. Volgens Romla wordt het dè bruiloft van het jaar. Haar eerste bruiloft stelde niet veel voor, en ze zegt dat dit een spetterend feest wordt. Ze vindt dat een vrouw niet kan trouwen zonder uitzet en het zit haar dwars dat ze nergens mooie lingerie kan vinden.'

'Sexy, bedoel je.'

'Precies. Daarom heeft ze besloten om in Augusta Springs een lingeriewinkel te openen. Kun je je dat voorstellen?'

'Als dat haar enige bron van inkomsten zou zijn, zou ze snel failliet zijn. Vrouwen in deze contreien hebben geen geld voor dat soort dingen. En kun jij je trouwens voorstellen dat al die vrouwen op die boerderijen 's avonds in bed stappen in exotische niemendalletjes? Dat wordt een fiasco.'

'Ik weet het,' moest Cassie beamen. 'Maar ze kan het zich veroorloven. Ze heeft zo'n succes gemaakt van de Royal Palms dat de eigenaars haar hebben gevraagd hun partner te worden, zonder enige financiële investering. Ze gaan het hotel zelfs uitbreiden.'

'De twintigste eeuw doet dus eindelijk haar intrede in ons deel van de wereld. Maar houdt ze niet op met werken nu ze gaat trouwen?'

Cassie keek Fiona onderzoekend aan. 'Waarom? Ze is dol op haar werk.'

Fiona maakte een hulpeloos gebaar. 'Nou ja, ik vind gewoon dat werken en getrouwd zijn...'

'Maar, Fi, ze geniet van haar werk. Vind je dan dat ze het zou moeten opgeven en zich voortaan tevreden moet stellen met poetsen en koken?'

Even leek Fiona van haar stuk gebracht. 'Nou ja, zo hebben wij het altijd gedaan.'

Cassie glimlachte. 'Kijk nu eens naar jezelf met al die nieuwe ideeën van je. Ik heb nooit het idee gehad dat jij zo dol was op het huishouden en luiers verschonen.'

'Dat is het soort werk dat je uit liefde doet, niet voor je plezier.'

'Waar staat geschreven dat vrouwen geen plezier in hun werk mogen hebben?'

Fiona keek beduusd. 'Maar het is – o, Cassie, als ik dat lesgeven voor de radioschool zou doorzetten, zou Blake een beroerte krijgen. Hij zou het nooit goedvinden.'

'Hij zou het niet *goedvinden*?' Cassies stem sloeg ervan over. 'Fiona, je bent zijn kind niet!'

'Ik weet het. Ik weet het. Maar het huishouden is nu eenmaal mijn taak.'

'En dat is prima,' zei Cassie, 'als dat tenminste is wat je wilt. Maar Romla heeft een ander punt in haar leven bereikt. Kunnen we niet allemaal anders zijn?'

'Jij hebt makkelijk praten. Jij bent niet getrouwd en verantwoordelijk voor een man en kinderen of een groot huis en personeel. O, lieve deugd, het spijt me. Het was niet mijn bedoeling... nu ja, je begrijpt me wel.'

Cassie wuifde met haar hand. 'Ik neem aan dat je mij soms benijdt en ik benijd jou ook wel eens. Maar om nog even terug te komen op dat plan dat je aan de FDS wilt voorleggen. De FDS is inmiddels zo groot geworden dat we acht bases hebben, verspreid over het hele land, en twaalf artsen in vaste dienst. Volgende week is er een algemene vergadering in Sydney en daar ga ik naar toe. Steven gaat ook mee en ik wil jouw radioschool best met hem bespreken, maar dan moet je het idee zelf ook hier en daar introduceren.'

'Dat heb ik al gedaan. Steven hoef ik niet meer te overtuigen, maar de andere directieleden wel.'

'Ik denk dat het wel weer een kwestie van geld zal worden. Ik zal eens een balletje opgooien bij Romla, hoewel die het wel te druk zal hebben met haar plannen voor de bruiloft.'

'Breng het gewoon eens ter sprake, dan kunnen we haar na haar huwelijksreis vragen of ze iets kan organiseren om geld in te zamelen. We hebben nog heel wat voorbereidend werk te verrichten en het zal nog wel een jaar duren voordat we kunnen beginnen.'

'Fi, waarom kom je niet wat vaker naar de stad? Ik vind het altijd heerlijk als we met ons tweetjes zijn.'

'In het kader van dit project kan ik misschien wel een paar keer per maand naar de stad komen. Het is een hele luxe dat we nu twee vliegtuigen hebben, als je de helikopter tenminste meerekent. Hoewel ik eigenlijk alleen maar weg kan wanneer Blake ook van huis is. Wanneer hij thuis is heeft hij liever niet dat ik wegga.'

Fiona leunde achterover in haar stoel en keek Cassie aan. 'Heb jij wel eens overwogen om weer te trouwen? Je hebt je hele leven nog voor je. Je bent net zevenendertig. Dat is nog heel jong.'

'Ik voel me ook helemaal niet oud, maar trouwen? Dat denk ik niet.'

'Ik heb het gevoel dat ik in de bloei van mijn leven ben. Dat geldt ook voor jou, Cassie. Waarom deel je je leven niet met een geweldige man? Wil je geen kinderen?'

'Alleen als ze net zo mooi en welgemanierd zijn als de jouwe.' Onwillekeurig vroeg Cassie zich af of kinderen van haar en Blake op die van hem en Fiona hadden geleken.

'Je bent nog niet te oud om kinderen te krijgen als je dat zou willen. Ik verheug me er al op dat ik er over een aantal jaren te oud voor zal zijn. Ik wil geen kinderen meer. Drie is genoeg. Kijk om je heen, Cassie. Ik wil wedden dat je iedere man kunt krijgen die je wilt. Laten we een man voor je zoeken, een vader voor je toekomstige kinderen.'

'Doe me dit niet aan, Fiona.' Cassie schudde haar hoofd. 'Trouwens, ik ken elke man in de wijde omgeving en er is niemand die in aanmerking komt.'

'Niemand?'

'In elk geval niemand die nog vrij is.'

Misschien moest ze verhuizen. Ergens een particuliere praktijk beginnen. Nieuwe mensen ontmoeten. Een nieuw leven beginnen. Ze woonde per slot van rekening alweer tien jaar in Augusta Springs.

Ze zou volgende week eens goed rondkijken in Sydney.

Hoofdstuk 51

'Ik heb me hier heel erg op verheugd,' zei Steven, terwijl hij naast Cassie kwam zitten. 'Ik zie je veel te weinig.'

Cassie was ook blij weer eens wat tijd met hem te kunnen doorbrengen.

'Hoe lang is het geleden,' vroeg hij, terwijl hij zijn veiligheidsgordel vastmaakte, 'sinds je voor het laatst uit Augusta Springs weg bent geweest?'

In de bijna elf jaar dat ze hier nu woonde was ze maar een paar keer weggeweest. Naar Kakadu met Blake. Naar Townsville. Een maand in Adelaide om te leren vliegen. Naar de begrafenis van haar vader in Sydney, drie jaar terug.

'Drie jaar.'

'Voor mij is het nog langer geleden. Blake vliegt het hele land door, maar ik heb er geen behoefte aan verder te kijken dan Tookaringa. In elk geval niet veel verder dan Augusta Springs.'

De stewardess vroeg of ze zijn Stetson voor hem kon opbergen. Hij grinnikte. 'Ik heb nu al het gevoel dat ik op vakantie ben. Voordat ik het vergeet, ik moest je iets vertellen van Fiona. Er is vorige week zoiets eigenaardigs gebeurd.'

Cassie keek om zich heen. Een groot passagiersvliegtuig was heel iets anders dan wat zij gewend was.

'Toen ik voor het eerst naar Augusta Springs kwam,' zei ze, 'deed ik er drieëneenhalve dag over. Nu duurt het niet meer dan een paar uur.'

Steven knikte, kennelijk klaar om zijn verhaal te vertellen. 'Afgelopen woensdag zaten Fiona en ik op de veranda. Of was het donderdag? Doet er niet toe. Het was bij mij thuis en we dronken een glas limonade. Het was ongeveer vier uur 's middags toen we een vrouw over de weg zagen aankomen. Ze had een lange jurk aan en droeg een grote reistas. Wij bleven gewoon zitten praten, maar intussen keken we allebei naar dat figuurtje dat steeds dichterbij kwam en vroegen ons af of het een luchtspiegeling was. Je weet hoe dat gaat, de lucht zinderde helemaal vlak boven de aarde, dus we moesten ons wel afvragen of zij echt was. Niemand *loopt* over die weg. Al snel hielden we op met praten en staarden alleen nog maar naar wat ons voorkwam als een geestverschijning. Ze droeg Victoriaanse kleding en een parasol in dezelfde kleur als haar japon, grijs. Ze droeg een hooggesloten, witte blouse met een kanten kraag en zo'n grote, brede hoed zoals die aan het eind van de vorige eeuw wel gedragen werden. Hij zat onder haar kin vastgestrikt en het leek net of ze elk moment in gezang kon uitbarsten.' Hij lachte. 'Zoals Betty Grable in een van haar films.'

Ze waren inmiddels opgestegen en de stewardess kwam langs om hun bestelling op te nemen voor een drankje.

'Toen we zeker wisten dat ze naar ons toe kwam, naar de veranda, keken we elkaar aan, stonden op en liepen haar tegemoet. Ze had blond haar onder haar hoed en de blauwste ogen die ik ooit heb gezien, maar ze zag er wel vreemd uit in die kleren die meer dan vijftig jaar geleden in de mode waren.'

Cassie vroeg zich af of hij het verhaal ter plekke verzon, maar hij klonk zo enthousiast en het was zo gedetailleerd dat ze hem wel moest geloven. 'Hoe oud was ze?'

Steven trok zijn wenkbrauwen op. 'In de veertig, zou ik zeggen. Ze knikte naar ons, haalde een zakdoekje uit haar mouw te voorschijn en veegde het zweet van haar voorhoofd. Ze vroeg Fiona of zij mevrouw Thompson was. Fiona zei ja en vroeg of ze misschien een glaasje limonade wilde. Ze antwoordde dat dat haar heerlijk leek en nadat ik haar valies van haar had overgenomen, liep ze met ons mee naar de veranda. Toen we daar zo zaten leek het net of we thee zaten te drinken in een Victoriaanse roman. Ze had zo'n zachte, vriendelijke stem, die je bijna niet kunt verstaan en vertelde dat ze Lucy Martin heette en net uit Engeland kwam.

Zo'n ongelooflijk verhaal, Cassie. Ze zei dat ze de landkaarten had bestudeerd en de dorpen van de aboriginals had opgezocht. Drie van die dorpen liggen in het noordelijke deel van ons grondgebied. Daar hebben ze altijd gelegen, een kilometer of dertig uit elkaar, in een soort driehoek. Ze wilde ons toestemming vragen in een van die dorpen een tent op te zetten en er te gaan wonen. Het is haar bedoeling de aboriginals onderwijs te gaan geven. Kun je het je voorstellen?'

'Dat probeert Fiona al jaren,' zei Cassie.

Steven knikte. 'Ze had ergens gehoord, God mag weten waar, dat Fiona daar wel belangstelling voor zou hebben en dat was een van de redenen waarom ze juist de dorpen op ons land had uitgekozen. Ze zei dat haar fascinatie voor de aboriginals was begonnen toen ze archeologie studeerde aan de universiteit. Ze had al die jaren gewerkt en gespaard om hier te komen wonen, tussen wat zij de inheemsen noemt, en hun manier van leven te bestuderen. Kun je dat geloven? Ze heeft hier al vanaf haar negentiende naar toe gewerkt, hoewel er een kleine omweg tussen heeft gezeten, haar huwelijk. Maar haar man is twee jaar geleden overleden.'

'Hoe heeft ze jouw huis gevonden?'

'Ze zei dat ze gewoon de bus had genomen. Je weet wel, die stopt tegenwoordig een kilometer of tien van het huis langs de grote weg. De rest heeft ze gelopen.'

De stewardess bracht hun drankjes. 'En? Wat zei Fiona?'

'Je kent Fi. Ze stond op en omhelsde de vrouw. Ik stelde voor dat Fiona haar met de Land-Rover zou brengen, maar het leek Fiona verstandiger om de helikopter te nemen. Zelf ben ik nog niet zo gewend aan al die moderne gemakken. En ik heb haar een aantal praktische vragen gesteld, zoals waar ze haar voorraden vandaan dacht te halen? Wat ze van plan was te gaan eten? Ze zei dat ze precies hetzelfde zou eten als de "inheemsen" en dat ze haar tent achter een boom bij de bushalte had achtergelaten, omdat hij te zwaar en te groot was om helemaal mee te dragen naar het huis.'

'En haar kleren? Had ze daar een verklaring voor?'

Hij lachte. 'Dat heeft Fi haar gevraagd. Ze zei: "Nu ik toch een heel nieuw leven ga beginnen, vond ik dat ik me mag kleden zoals ik zelf wil en ik heb me altijd heel nauw verbonden gevoeld met het Victoriaanse tijdperk. Dus heb ik een kleermaker twee japonnen laten maken en daar voel ik me prima in, dank u, hoewel het een beetje warm is." Je begrijpt dat Fiona natuurlijk gewoon in haar korte broek op de veranda zat.'

Cassie lachte. 'Wat denk je dat de aboriginals van haar zullen vinden?'

Steven tuitte zijn lippen en kneep zijn ogen tot spleetjes. 'Wie zal het zeggen? Ze wilde niet door ons geholpen worden – ze wilde haar nieuwe leven beginnen zoals ze zich dat al jaren had voorgesteld. We wisten haar alleen over te halen twee dagen te blijven en Fiona heeft haar een paar boeken gegeven alvorens haar naar het noordwestelijk deel van ons grondgebied te vliegen dat uitsluitend bewoond wordt door abo's. Eens in de twee, drie jaar graast er vee van ons, maar verder komt er niemand.'

'Vond je haar aardig?'

'Ze is excentriek, maar is dat nu niet precies wat ons deel van de wereld zo interessant maakt? Hoeveel aardige, normale, aangepaste mensen ken jij hier?'

Cassie knikte. 'Dat is waar. Bijna iedereen is wel een beetje afwijkend; anders hadden ze wel in een grote stad gewoond of ergens waar het leven wat gemakkelijker is, dat is een ding dat zeker is.

John Flynn heeft me eens verteld dat volgens hem de Outback bevolkt was met twee soorten mensen, zij die voor iets op de vlucht zijn en zij die ergens naar op zoek zijn.'

'Misschien.' Steven leunde achterover in zijn stoel. 'Ik hoop dat ik je wel uitgebreid mee uit mag nemen tijdens ons grote avontuur in de stad. Daar heb ik eigenlijk wel op gerekend. En dan ga ik nu even een dutje doen.' Hij sloot zijn ogen en sliep, van het ene moment op het andere.

Cassie keek uit het raam en glimlachte om het verhaal dat hij haar zojuist had verteld. Een vrouw die uit een luchtspiegeling te voorschijn lijkt te komen, midden in dit reusachtige, bijna verlaten continent, in kleren die al meer dan vijftig jaar uit de mode zijn.

Afgezien van het fijnste van alles – het opnieuw oppakken van haar vriendschap met John Flynn – vond Cassie de driedaagse bijeenkomst heel verfrissend en stimulerend. Elke basis had een arts en een adviseur gestuurd en zij praatten over manieren om aan geld te komen en nieuwe technieken om een efficiënt beleid te bevorderen. Ook bespraken ze de mogelijkheden voor een nationaal beleid, waarbij elke afdeling toch een grote mate van zelfstandigheid zou behouden.

Cassie en de adviseur uit Zuid-Australië waren de enige vrouwen. Maar in tegenstelling tot haar ervaringen tijdens haar medicijnenstudie en de tijd dat ze in een ziekenhuis had gewerkt, werd Cassie door haar collega's met respect behandeld. Op Allan Vickers na, die een levende legende was, werkte zij al langer voor de Flying Doctors dan alle anderen.

Tot haar grote genoegen behoorde ook Don McLeod tot de aanwezigen. Hij vertelde haar: 'John heeft me gevraagd me niet helemaal terug te trekken. Ook al ben ik geen reizende pastor meer, toch wip ik af en toe nog wel eens bij verschillende afdelingen langs en dien dan als een soort vraagbaak voor de drie predikanten die nu door de bush zwerven. De afdeling in Alice is natuurlijk heel centraal gelegen, ook al is het de enige in het noordelijke territorium. Darwin heeft zijn eigen ambulancedienst. Ik weet dat je er af en toe komt, voor noodgevallen. Ik geloof niet dat onze bevolking ooit genoeg zal groeien om een staat te kunnen vormen.'

'Vast wel. Kijk maar eens hoeveel mensen zich in Zuid-Australië en Queensland in de bush vestigen. Het territorium raakt heus wel vol. Over een jaar of twintig hebben jullie beslist voldoende inwoners om een staat te worden.'

Don schudde zijn hoofd en hief zijn hand om haar het zwijgen op te leggen. 'Gebrek aan water zal er ongetwijfeld toe bijdragen dat de bevolking niet groeit. En in Darwin, Kakadu en Arnhem

Land kan de luchtvochtigheid enkele maanden per jaar ondraaglijk zijn. Sommige bewoners verkeren van januari tot en met maart, in het regenseizoen, half in coma.'

'Dat heb ik gehoord. Hoe dan ook, ik ben blij dat je ons nog niet hebt verlaten. Je hebt me er niets over geschreven. Hoe gaat het met je groeiende gezin?' Hij schreef haar niet meer wekelijks, maar slaagde er minstens eens per maand in haar een kattebelletje te sturen, ook al schreef hij nooit over zijn eigen leven.

'Dat groeit nog steeds,' grinnikte hij. 'Nummer vier is onderweg.'

'Lieve hemel, ik ga me nog oud voelen.'

Don sloeg een arm om haar heen en kuste haar op de wang. 'Zal ik een man voor je zoeken?' vroeg hij, slechts half plagend.

'Nee, dank je. Ik ben heel gelukkig.' Toch was ze zich bewust van een zekere rusteloosheid en ze herinnerde zichzelf eraan dat ze eens goed wilde rondkijken in Sydney, om te zien of het haar voldoende beviel om Augusta Springs voor te verlaten.

En Sydney beviel haar inderdaad. Zo erg zelfs dat ze weer helemaal verliefd werd op de stad. Ze herinnerde zich dat ze vroeger, waar ze ook was – in San Francisco, Londen of Washington – het huis van haar grootouders in Sydney altijd als haar thuisbasis had beschouwd. Het oude huis keek uit over de haven en ze zei tegen Steven dat ze het wilde gaan bekijken.

En niet alleen zagen ze het oude huis, dat zo te zien pas geschilderd was en er net zo snoezig uitzag als Cassie het zich herinnerde – maar ze klopten er ook aan. Cassie legde de eigenaars uit dat ze hier een groot deel van haar jeugd had doorgebracht en vroeg of ze er nog eens rond mocht kijken. De eigenaars boden haar en Steven een kopje thee aan.

Samen met Steven en Don nam ze de veerboot naar de overkant van de haven en bracht daar een middag in de dierentuin door. De dag na de conferentie namen zij en Steven opnieuw de veerboot, ditmaal naar Manly, om er een uurtje over het strand te gaan wandelen.

'Laten we iets ondeugends doen,' zei Steven, waarop Cassie voorstelde een nachtclub op King's Cross te bezoeken, waar zij hem vroeg: 'Zouden dat nu prostituées zijn?' Twee jonge vrouwen, in korte, strakke rokjes, leunden tegen een lichtmast en glimlachten tegen alle mannen die langskwamen.

'Ik denk het wel,' zei Steven. 'Ik had niet gedacht dat keurige jongedames dat soort dingen wisten.'

Ze keek hem aan. 'Ik hoop dat je een grapje maakt. Dacht je dat wij, alleen omdat we vrouwen zijn, niets af weten van de zelfkant van het leven?'

De nachtclub was niet ondeugend, maar wel rumoeriger en

kleurrijker en gevuld met veel meer mensen in veel buitensporiger kleding dan ze in Augusta Springs ooit hadden gezien. Cassie en Steven dansten op de muziek van een band die zo hard speelde dat een normaal gesprek onmogelijk was, en ze dronken whisky met ijs en lachten de hele avond door.

Voor haar hotelkamer zei Steven: 'Laten we samen ontbijten, voordat het vliegtuig vertrekt. Zeven uur in de ontbijtzaal beneden.'

Toen zij de volgende ochtend aan het ontbijt verscheen, zei hij: 'Ik kan me niet herinneren dat ik me ooit zo heb geamuseerd. Ik heb vannacht geen oog dichtgedaan, Cassie. Waarom trouw je niet met me? We zouden samen een fantastisch leven kunnen hebben. Ik geloof dat ik in de loop der jaren steeds verliefder op je ben geworden. Ik voel me zo vitaal bij jou. Kom bij me wonen op Tookaringa.'

Cassie was volledig uit het veld geslagen. 'Steven, laten we onze heerlijke vriendschap nu niet bederven. Ik hou van je. Je bent een van mijn dierbaarste vrienden, iemand op wie ik vertrouw en iemand om wie ik heel veel geef. Ik ben niet verliefd op je. Maar ik wil niet dat je uit mijn leven verdwijnt. Ik kan me mijn leven niet voorstellen zonder Steven Thompson.'

'Daar was ik al bang voor. Ik weet het, ik weet het, ik ben vijfentwintig jaar ouder dan jij. Ik dacht alleen... nu Chris, nu ja, dat je misschien...'

'Ik zou ook niet genoeg hebben aan een leven op Tookaringa, Steven. Ik zou me opgesloten voelen en jij zou er niet tegen kunnen een vrouw te hebben die wil blijven werken, die af en toe opeens weggeroepen wordt, die geen belangstelling heeft voor het huishouden...'

Zijn glimlach had iets spijtigs. 'Oké, oké, je hebt gelijk. Ik dacht alleen dat je er inmiddels misschien aan toe was het wat rustiger aan te gaan doen.'

'Ik denk niet dat ik daar ooit aan toe zal zijn.' Ze herinnerde zich hoe Jennifer was opgehouden met schilderen toen zich onverwacht een kans voordeed dat zij beroemder zou worden dan hij.

Toen het vliegtuig in Augusta Springs landde, realiseerde Cassie zich opeens dat ze helemaal vergeten was te onderzoeken of zij zich al dan niet in Sydney zou willen vestigen.

Ze veronderstelde dat dat feit al antwoord genoeg was op die vraag.

Hoofdstuk 52

'Zoals hij de afgelopen week tegen me tekeer is gegaan! Hij deed gewoon of hij me niet herkende en smeet de soep die ik voor hem had gemaakt de hele kamer door! Ik pik het niet langer en ik ben ook niet van plan me er door dat gebibber van hem van te laten weerhouden op het vliegtuig te stappen,' zei Olivia.

'Hij heeft malaria, Liv,' zei Cassie. 'Malariapatiënten vertonen vaak bizar gedrag.'

'Dat zal best. Het leek wel of hij dronken was. Af en toe zong hij fragmenten van liedjes en barstte dan opeens weer in snikken uit. Hij vloekte en schold – woorden die ik hem nooit, maar dan ook nooit heb horen zeggen.'

Cassie knikte. 'Dat is heel typerend gedrag. Mensen met malaria lijken soms urenlang niets te mankeren en dan opeens breekt het koude zweet hen uit en rillen ze van de koorts. Ze ijlen, hebben hallucinaties...'

'Ja, hij zag voortdurend dingen die er niet waren.'

'Vaak verzetten zij zich tegen hun verzorgers.'

'Nou, mij niet meer gezien!'

Omringd door koffers trok Olivia haar witte handschoenen aan en knikte naar haar twee kinderen. 'Ik ga terug naar een land waar mensen deze dingen aantrekken wanneer ze ergens naar toe gaan. Waar gras in overvloed groeit en waar bomen zijn die 's winters hun blaadjes verliezen, waar de mist boven de heidevelden hangt...' Haar stem klonk schril. 'Mensen gaan toch niet dood aan malaria, wel?'

'Over het algemeen niet.'

'Ik weet niet waarom hij dit nu opeens krijgt. Alleen maar om mij te laten blijven? Ik dacht niet dat het hem veel kon schelen dat ik wegging. Jullie zijn toch altijd op weg in dat ellendige vliegtuig. Het was eerst al erg genoeg, maar sinds Sam niet meer bij QANTAS maar bij de FDS in dienst is, zou je bijna gaan denken dat het zijn vliegtuig was.'

'Dat is het ook.'

Het was een mooie driemotorige Drover Mark 1 die, vergeleken bij wat ze eerst hadden, vloog als een vogel, ondanks zijn tekortkomingen. Het was een bijna volmaakt toestel voor de FDS: het had een Lear 14d radiokompas dat tot honderden kilometers in de omtrek stations oppikte; en het liet zich geweldig besturen onder de overtreksnelheid. Maar het had geen stabiliteit en als je niet oppaste had het de neiging alle kanten op te trekken. Je kon nauwelijks een krant lezen of wat papierwerk zitten doen, uit angst dat het toestel rechtsomkeert zou maken en naar huis zou vliegen. Het was te zwaar voor de kleine motoren, maar die motoren verbruikten in elk geval maar weinig brandstof.

Maar ook al moesten ze voortdurend alles in de gaten houden, toch waren Sam en Cassie er dolblij mee, vooral nadat ze zo lang met het oude toestel hadden moeten doen.

'Ja, voor jou is het natuurlijk zo belangrijk omdat je verder niets hebt. Geen man, geen kinderen, niemand. Maar Sam wel. Ik heb hem zo vaak gezegd dat hij weer voor QANTAS moet gaan werken, waar hij lange overzeese lijnvluchten kan maken. Dan zouden we in een buitenwijk van Sydney kunnen gaan wonen, en concerten en bioscopen kunnen bezoeken en dan zouden de kinderen ook nog eens aan iets anders worden blootgesteld dan aan paarden en zand en dat godvergeten provincialisme!'

In de loop der jaren had Cassie wel eerder mensen – vooral vrouwen – zo horen praten. Ze vond het grappig... zelf was ze grootgebracht in drie van de meest mondaine steden ter wereld en toch was wat haar betreft juist dit de plek waar zij de essentie van het leven vond. In zo'n klein stadje wist iedereen alles van iedereen, maar de mensen gaven wel om elkaar. Dit was niet alleen het hart van het continent, maar ook het hart van haar leven.

Olivia hield op met ijsberen en keek naar Cassie. 'Vertel me eens iets meer over malaria.' Ze wierp een snelle blik op haar horloge.

'Hij wordt veroorzaakt door een oneindig kleine hoeveelheid eencellige parasieten die van de ene persoon op de andere worden overgebracht door de malariamuskiet.'

Olivia keek ongeduldig. 'En zeg het nu eens zo dat ik het ook begrijp?'

'Nou, het was de allergrootste medische plaag van de oorlog. Mannen die geen enkele immuniteit hadden opgebouwd kwamen opeens naar tropische gebieden en duizenden werden besmet met malaria.'

'En hoe heeft Sam hem dan opgelopen?'

'Ik heb geen idee, maar we vliegen wel vaak naar tropische gebieden. Bij de aboriginals is de ziekte endemisch. Zij gaan gewoon door met hun dagelijks leven zonder dat ze ergens last van lijken te hebben, terwijl hun bloed toch wemelt van de parasieten. Ze hebben niet veel energie, maar leven hun hele leven zonder zich ooit te realiseren dat ze met de infectie rondlopen. Soms is datgene wat wij voor luiheid aanzien gewoon het gevolg van malaria. Maar omdat blanken geen immuniteit hebben, kunnen zij al ernstig ziek worden van een zeer gering aantal parasieten in hun bloedbaan.'

Olivia's gezicht vertrok. 'Wil je zeggen dat er allemaal piepkleine beestjes in Sams bloed rondzwemmen? Is het besmettelijk?'

'Nee. Je kunt het alleen oplopen door een muskietebeet. En aanvankelijk zijn er nog helemaal geen verschijnselen. Weet je nog dat Sam almaar klaagde over hoofdpijn? Nou, dan kan hij tussen een week en een maand daarvoor door een muskiet gestoken zijn. Wat we nu zien is de typerende manische periode die daarop volgt. Acute aanvallen, plotselinge rillingen gevolgd door hoge koorts en versnelde ademhaling, vervolgens een stadium waarin hevig wordt getranspireerd, gepaard gaand met afkoeling van het lichaam, hallucinaties...'

'En is het dan over?'

'Dat hoeft niet. Hij kan dezelfde symptomen opnieuw krijgen wanneer er nieuwe plasmodia in de bloedbaan terechtkomen, om de twee à drie dagen. Ik zal hem in het ziekenhuis laten opnemen, zodat hij vierentwintig uur per dag verzorgd kan worden. Wanneer hij gaat zweten, zullen de verpleegsters enkele malen per dag zijn lakens moeten verschonen. Waarschijnlijk zullen we zijn bewegingsvrijheid moeten beperken om te voorkomen dat hij zichzelf pijn doet.'

'Waarom Sam? Waarom juist nu?'

Cassie staarde Sams vrouw ongelovig aan.

Liv stak een sigaret op en blies rook in Cassies gezicht. 'Waar blijft die taxi? Kinderen – ga naar de veranda en roep me zodra de taxi de hoek omkomt. Net iets voor Sam om juist nu ziek te worden zodat ik een taxi moet nemen.'

Cassie had haar nog wel wat meer willen vertellen over de ziekte die haar man getroffen had, maar Liv had kennelijk geen belangstelling meer.

'Het is dus waarschijnlijk dat de aanvallen zullen terugkeren,' zei Liv. 'Bedoel je *heel zijn leven lang*?'

'Als je een bijzonder gevaarlijke vorm van malaria oploopt – en er zijn vier vormen die mensen besmetten – dan raak je alle vreemde organismen in één keer uit je lever kwijt en krijg je slechts éénmaal een aanval van de ziekte, maar wel een extreem hevige.'

'En hoe weet je welke vorm dit is?'

Cassie had het gevoel dat Liv niet eens naar haar luisterde. 'Dat weten we niet. Maar als je hem niet behandelt, kunnen de aanvallen jarenlang steeds blijven terugkomen. Natuurlijk bouwt de patiënt wel langzaam aan een weerstand op en zullen de aanvallen steeds minder vaak voorkomen, maar al met al kan iemand er wel veertig jaar last van blijven houden, met aanvallen die telkens twee tot drie dagen duren.'

'O, nou, mooi is dat.'

Voor jou of voor Sam? wilde Cassie haar vragen.

'Wat kun je eraan doen?'

Cassie haalde haar schouders op. 'Kinine, en ik weet niet eens zeker of dat echt helpt. Misschien tijdelijk, maar niet op de lange duur. Bij kinderen tast de hoge koorts soms de hersenen aan, met bewusteloosheid en koortsstuipen als gevolg. Onderzoekers werken aan meer effectieve methodes, maar tot dusverre hebben we niets beters dan kinine of atabrine. We mogen blij zijn dat Sam zich al in de transpiratiefase bevindt. Dat wil zeggen dat hij de koude en warme fase al achter de rug heeft en zich nu al snel wat beter zal gaan voelen.'

'De afgelopen twee dagen zijn anders geen pretje geweest, met al dat gekreun van hem terwijl ik bezig was met inpakken.'

De kinderen riepen: 'Ma, daar komt de taxi!'

Opgewonden begonnen Liv en de twee kinderen koffers naar de veranda te sjouwen. De taxichauffeur deed de deur open en zei: 'Kom, laat mij dat maar doen.'

Olivia ging niet eens meer terug naar de slaapkamer om afscheid te nemen van Sam.

Toen Cassie even later naar hem toe ging, lag hij met zijn ogen dicht en was zijn voorhoofd bedekt met dikke zweetdruppels. Toen zij op de rand van het bed ging zitten deed hij zijn ogen open. 'Ik laat je naar het ziekenhuis brengen, Sam.'

'Moet dat echt?' Hij was nauwelijks te verstaan.

Zij knikte. 'Je hebt een paar dagen lang voortdurende verzorging nodig.'

De daaropvolgende drie weken werden periodes van achtenveertig uur waarin hij last had van zweten en koude rillingen, afgewisseld door periodes van achtenveertig uur waarin hij zich alleen maar heel erg zwak voelde. Je kon de klok erop gelijkzetten en al met al viel hij vijftien kilo af. Cassie zat elke avond aan zijn bed.

Toen de aanvallen verdwenen was hij zo zwak dat hij nauwelijks meer op zijn benen kon staan, maar toch vroeg hij: 'Wanneer kan ik hier weg?'

'Als Liv nu thuis was om voor je te zorgen zou ik je wel laten gaan.'

Hij keek haar aan.
'Oké,' zei Cassie met een glimlach. 'Denk je dat er geroddeld zal worden? Ik neem je mee naar huis, maar wanneer ik weg ben voor mijn werk moet je me beloven helemaal *niets* te doen en niet naar buiten te gaan.'
Hij grijnsde zwakjes. 'Dat is een fantastisch aanbod en ik stel het heel erg op prijs, doc. Ik word hier stapelgek. En jij bent trouwens een veel betere kok dan Liv ooit geweest is.'
'Ik zal je moeten vetmesten. Je bent weer net zo mager als toen ik je pas leerde kennen.'
'Nou, in die tijd zag jij er anders ook niet zo florissant uit.'

Cassie had Sams gezelschap tijdens de vluchten gemist; gelukkig had zich geen enkel spoedgeval voorgedaan dat zij niet alleen had kunnen afhandelen. Bovendien besefte ze dat ze een diep gevoel van voldoening had, ze verheugde zich er de hele dag op dat ze 's avonds weer naar huis kon. Voor het eerst sinds het overlijden van Chris vond ze het weer leuk om menu's samen te stellen en om af en toe weer eens in een kookboek te duiken om iets bijzonders klaar te maken.
Sam was geïnteresseerd in alles wat ze op een dag had gedaan. Hij wilde alles weten over alle aandoeningen, hij wilde horen hoe het op alle boerderijen was en genoot ervan als hij hoorde hoe bezorgd iedereen zich over hem toonde. Hij herinnerde haar eraan dagelijks het vliegtuig te controleren, terwijl ze inmiddels een onderhoudsman hadden. Het enige dat de piloot nog hoefde te doen was vliegen.
Hij lag op de bank op Cassies veranda en hield elke middag audiëntie; het leek wel of de hele bevolking van Augusta Springs hem in de loop van de week kwam opzoeken. Soms hoefde Cassie niet eens te koken en moest ze een lichte teleurstelling overwinnen wanneer ze de pannen soep en de stoofschotels, de taarten en de cakes en de bossen bloemen zag die voor Sam waren gebracht.
'Ik voel me gewoon koninklijk,' zei hij blij.
Langzaam aan kreeg hij zowel zijn oude gewicht als zijn energie weer terug, maar het ging heel langzaam. Zelfs toen hij ogenschijnlijk volledig was hersteld, besefte hij dat hij nog niet over de energie beschikte om ook maar de helft te doen van alles wat hij voorheen had gedaan.
Ze genoten allebei van de lange avonden op de veranda. Het was pas na negenen, wanneer de laatste gasten waren vertrokken, dat zij over de dingen begonnen te praten waarover zij in al hun jaren samen nog nooit hadden gesproken.

'Weet je waarover ik me in de oorlog het meest heb verbaasd?' vroeg Sam op een avond.

Cassie, die met haar ogen dicht achteroverleunde in haar stoel, schudde haar hoofd. 'Nee, natuurlijk weet ik dat niet.'

'Over jou.'

Ze deed haar ogen open en keek in het donker naar zijn silhouet. 'Wat had ik dan met de oorlog te maken?'

'Ik dacht vaak aan je, en dat had ik niet verwacht. Jezus, ik zag je in die dagen niet eens als een vrouw, maar toch miste ik je.'

'O,' zei ze, niet zonder een zekere voldoening, 'je miste onze routine natuurlijk. We konden gewoon goed met elkaar overweg. Ik heb jou ook nooit zozeer als een man gezien. Ik bedoel, niet op die manier, als je begrijpt wat ik bedoel.' Waarom voelde het nu dan zo heel anders, vroeg ze zich af.

Sam zweeg.

Hij stond op en liep naar buiten. Hij ging op het trapje zitten en keek omhoog naar de sterren. 'Kom eens naar buiten. Je moet deze sterrenhemel zien. Ik heb het Zuiderkruis nog nooit zo duidelijk gezien.'

Cassie verroerde zich niet. Ze had een voorgevoel dat er iets op het punt stond te veranderen en ze wilde niet dat er iets zou veranderen tussen haar en Sam. 'Sam, je bent een van de weinige vaste punten in mijn leven.'

Hij tuurde nog steeds naar de hemel. 'En kun je daarom niet naar de sterren komen kijken?'

'Je bent gewoon eenzaam, nu Liv weg is.'

Hij zuchtte. 'Cassie, ik heb me met Liv vaak eenzamer gevoeld dan toen ik nog alleen woonde.'

'Waarom ben je dan met haar getrouwd?'

'Om een heel domme reden. Ik heb het je wel eens verteld. Zij was het eerste meisje dat ik tegenkwam nadat je mij had geschreven dat je met Chris was getrouwd.'

'Toen je wegging dacht je nog dat ik met Blake zou trouwen.'

'Dat is waar.' Het bleef even stil. 'En op dat moment kon me dat niet zoveel schelen. Het begon me pas dwars te zitten toen ik al in Engeland was, maar ik accepteerde het. Het was stom van me dat ik me niet realiseerde wat ik voor je voelde, maar die verdomde competentie van je en je opvliegendheid en je nuchtere manier van doen hielden me op een afstand. Pas toen ik naar het front vertrok kon ik daar doorheen kijken. Ik kon mezelf wel voor m'n kop slaan, maar ik snapte ook wel dat ik me niet met iemand als Blake Thompson had kunnen meten. Ik was nog niet klaar voor iemand zoals jij. Ik was jong en ik dacht dat het enige belangrijke aan een meisje een mooi gezichtje en een zacht lichaam was. Jij zag er wel goed uit, maar zacht was je niet bepaald. En toen kreeg ik opeens die brief waarin je vertelde dat je niet met Blake was getrouwd, maar met Chris! Weet je wat ik toen deed?' Hij begon te lachen. 'Dat heb ik je nooit verteld, hè? Ik sloeg met mijn hand dwars door een raam. Ik brak het glas en mijn hand bijna ook. Een puinhoop was het!'

Cassie staarde naar de donkere schaduw die Sam was. 'Nee,' zei ze, haar stem nauwelijks meer dan een fluistering. 'Dat heb je me nooit verteld.'

'Het geeft niet. Het is lang geleden. Ik was er toen toch nog niet klaar voor. Ik dacht nog steeds dat vrouwen thuis hoorden te zitten en kinderen moesten krijgen en het vooral in alles met mij eens moesten zijn.'

'Maar dat heeft Liv toch allemaal gedaan?'

'Dat is waar. Het enige wat ze niet heeft gedaan is dit land waar ik zo van hou in haar hart sluiten. En ik verveel me helemaal suf bij haar. Ze heeft geen greintje belangstelling voor al die mensen die wij in de bush tegenkomen. Het kan haar niet schelen wat wij elke dag uitvoeren. Ze ligt geen moment wakker van alle spoedgevallen, de dingen die jij en ik zo opwindend en de moeite waard vinden. Nee, Cassie, ik ben niet eenzaam omdat Liv niet bij me is. Dat is niet wat mij mankeert.'

Cassie stond op en liep van de veranda naar beneden om naast Sam te gaan zitten. Ze pakte zijn hand. 'Het spijt me, Sam. Ik weet dat je wat depressief bent, maar dat komt door wat je lichamelijk allemaal hebt doorgemaakt. Je weet dat er niemand is wiens geluk mij meer aan het hart gaat. Je bent mijn beste vriend.'

Hij kneep in haar hand. 'Vind je het niet wonderlijk? De wendingen die onze levens nemen? Als jij je leven nog eens over kon doen, wat zou je dan anders doen?'

Cassie zuchtte. Ze dacht even na. 'Dan was ik al die jaren geleden niet met Blake naar Kakadu gegaan.'

'Aha, hij heeft dus je hart gebroken. Ik heb me altijd afgevraagd wie nu afscheid had genomen van wie.'

'Niemand heeft ooit afscheid genomen.'

'Dus hij en Fiona kwamen voor jou echt als een donderslag bij heldere hemel?'

Zij knikte. 'Fiona heeft nooit geweten dat zij met de man is getrouwd van wie ik hield.'

'Hoor ik daar een verleden tijd?'

'Vind je niet dat liefde wederzijds moet zijn en dat het anders masochistisch wordt? Blake en ik hebben al zo lang niets meer met elkaar gedeeld, dat ik me wel eens afvraag hoe ik nog met hem kan praten.'

Opeens keek Sam haar aan en in het donker kon zij het wit van zijn ogen zien. 'Dat was het dus?' Hij sloeg tegen zijn voorhoofd. 'En ik al die tijd maar denken... Cassie, jij bent met Chris getrouwd toen je hoorde dat Fiona met Blake was getrouwd. Waar of niet?'

'Het leek me wel een goed idee.'

'O, Cassie, lieve Cassie, en ik wist niet eens dat je er verdriet van had.' Hij sloeg een arm om haar schouders en trok haar tegen zich aan. 'Dus jij hebt ook nooit echte liefde gekend.'

'God, we klinken wel als een stelletje tragische figuren, hè? Maar ik ben niet ongelukkig, Sam.'

'Ik wou dat ik hetzelfde kon zeggen. Ik heb het gevoel dat ik in de val zit. Ik weet wat ik wil en ik kan het niet nemen. Geloof je in die clichés? Plicht. Eergevoel.'

'Ik weet niet wat ik geloof. Ik geloof niet dat je iemand bewust mag kwetsen, maar het is ook niet juist om jezelf op te offeren voor het geluk van een ander. Je denkt zeker aan Liv? En de kinderen.'

'Natuurlijk.'

Ze zaten in de duisternis te turen en Sams arm lag nog steeds om haar schouders. Ten slotte zei ze: 'Op dit moment ben ik gelukkig, Sam.'

'Ik ook. Maar ik zal je iets vertellen. Ik denk dat ik maar eens naar huis ga.'

Ze rechtte haar rug. 'Nu nog? Sam, het is bijna middernacht. Wacht dan op z'n minst tot morgen.'

Hij stond op. 'Nee. Ik ga nu meteen. Ik ga lopen – ik wil niet gebracht worden. Geef me drie dagen alleen en dan hoop ik weer te kunnen vliegen. Ik begin de kriebels weer te krijgen.'

'Dit is idioot,' zei ze.

'Ze zullen later nooit van me kunnen zeggen dat ik niet een heleboel stomme dingen heb gedaan in mijn leven. Ik heb lekker gegeten, Cassie. Ik zou heel goed gewend kunnen raken aan jouw kookkunst. En ik dank je hartelijk voor je gastvrijheid, maar nu moet ik er echt vandoor.'

Terwijl ze keek hoe hij het pad afliep en opging in de duisternis, realiseerde ze zich dat hij haar vanavond niet één keer doc had genoemd. Ze stond op en sloeg haar armen om zich heen. De nacht leek opeens een stuk killer. Lang nadat Sam was verdwenen stond ze nog in de nacht te staren. Voor het eerst in lange, lange tijd werd ze overspoeld door een gevoel van eenzaamheid. Tot haar verbazing merkte ze dat er een traan over haar wang gleed.

Hoofdstuk 53

Ze kon niet slapen. Hoewel, dat was niet helemaal waar. Ze viel zonder veel moeite in slaap, maar ze werd om twee uur wakker en lag tot na vieren te woelen. Sam.

Al die jaren dat zij hem nu kende had zij Sams vriendschap als iets vanzelfsprekends beschouwd. Hoe lang kenden zij elkaar nu, tien jaar? Nee, elf. Hij was zes jaar weggeweest, maar hij was nu alweer vier jaar terug en sindsdien had ze hem zo ongeveer elke dag van haar leven gezien.

Ze waren helemaal op elkaar ingespeeld. Ze hoefden elkaar maar even aan te kijken om meteen te weten wat de ander zou gaan doen en wat er moest gebeuren.

Nu Cassie zelf kon vliegen, hoefde ze maar naar het weer te kijken, naar het terrein onder hen, of naar de wolken aan de horizon om te weten wat Sam zou doen. Niet dat zij altijd precies hetzelfde zou hebben gedaan, maar ze wist wel wat Sam zou doen.

Sam kon haar laten lachen. Sam troostte haar. Sam onderhield haar contacten met de gemeenschap. Terwijl zij wonden verbond of patiënten onderzocht, stond hij met groepjes mensen te praten en kwam zo te weten wat er zoal gaande was. Hij was degene die haar van het grote succes van de Radioschool had verteld en hij was degene die de post ophaalde en lessen naar de Outback bracht, waar hij ze af en toe zelfs besprak met de kinderen. Hij had vaak binnen de kortste keren een groepje kinderen om zich heen verzameld en dan kon Cassie hem met enthousiaste gebaren horen vertellen over de laatste film die hij had gezien. Een jaar geleden had hij een oude gitaar op de kop getikt en zichzelf leren spelen. Het ding lag altijd in het vliegtuig en wanneer er kinderen in de buurt waren, haalde hij het instrument vaak te voorschijn om liedjes voor hen te zingen en hun de teksten te leren. Na een paar maanden zongen de kinderen met hem mee, en stonden hem al op te wachten wanneer het vliegtuig ergens landde voor een spreekuur. 'Liv vindt mijn gezang niet om aan te horen,' zei hij tegen Cassie. 'Dus ben ik geheel afhankelijk van dit publiek.' Hoewel hij niet goed genoeg was om op te treden, vond Cassie dat hij een fijne stem had en zij luisterde graag naar zijn liedjes. Zelfs wanneer hij alleen maar wat zat te tokkelen en te neuriën, vond zij dat prettig om naar te luisteren.

Hij had Cassie gevraagd hem te leren hoe hij inentingen moest geven en nam die taak sindsdien van haar over, zodat zij zich kon wijden aan gevallen die niemand van haar kon overnemen. Hij was altijd op zoek naar nieuw personeel voor ranches in de Outback: gouvernantes, stalknechten, koks, boekhouders en de laatste tijd ook piloten, hoewel de meeste grootgrondbezitters en hun bedrijfsleiders zelf hun eenmotorige vliegtuigjes en helikopters leerden besturen. Wat dat betreft had Blake in dit deel van het land een revolutie in gang gezet.

Sam hoorde evenzeer bij Cassies dagelijks leven als ademhalen. Maar om twee uur in de morgen realiseerde ze zich opeens dat ze hem nooit echt goed had aangekeken. Ze was nog nooit met hem naar een film geweest. Ze was nog nooit met hem en zijn vrouw uit eten geweest. Hoewel ze voor de oorlog heel vaak met Sam uit eten was geweest, kon ze zich niet herinneren ooit met hem en Liv samen te hebben gegeten, als je het grote feest op Tookaringa tenminste niet meerekende.

Hij had gezegd: 'Ik ben met haar getrouwd omdat jij met Chris was getrouwd.' Maar er was nooit enige sprake van geweest dat er iets tussen hen zou kunnen groeien, zeker niet in 1939. En nu was alles natuurlijk... natuurlijk wat? Om te beginnen was hij natuurlijk getrouwd. En dan was er nog het feit dat zij zich zo bij hem op haar gemak voelde, en hij zozeer deel uitmaakte van haar leven, dat er geen sprake kon zijn van vonken. Maar bij Chris waren er ook geen vonken geweest en dat was heel goed gegaan. Misschien niet fantastisch, maar toch goed genoeg.

Wat haalde ze zich eigenlijk in haar hoofd? Opeens was Sam alleen en had hij bijna een maand in haar logeerkamer geslapen. Ze hadden heel veel avonden samen doorgebracht en veel gepraat. Maar ze waren de afgelopen jaren bijna dagelijks met elkaar opgetrokken en dat had toch ook geen verschil gemaakt?

Of wel? Was dat eigenlijk niet wat haar leven en werk zo heerlijk maakte? Was ze ooit zo gelukkig geweest toen ze nog met Warren vloog, of met Fiona? In elk geval niet toen ze alleen vloog. Nee, het kwam door Sam. Sam was het verschil.

Om halfzeven sleepte ze zich uit bed. Ze kwam net onder de douche vandaan toen de telefoon ging. Het was Sam. 'Hoor eens, ik wil vandaag al gaan vliegen. Als ik te vermoeid raak kun jij het altijd van me overnemen. Ik sta al veel te lang aan de grond.'

Toen ze naast hem in de cockpit zat, zag ze opeens een ader in zijn slaap kloppen die haar nooit eerder was opgevallen. Ze had nog nooit goed naar die lange, bekwame handen gekeken.

'Waar kijk je naar?' vroeg hij, glimlachend.

'Naar jou.'

Hij lachte. 'Dat doe je nu al jarenlang elke dag.'

Ze schudde haar hoofd. 'Dat geloof ik niet.'

'Natuurlijk wel.'

'Je ziet er opeens zo anders uit.'

'Hoe anders?'

Cassie deed haar ogen dicht en vroeg zich af of snorren kietelden. Ze droegen allebei een korte broek en opeens zag ze wat een mooie benen hij had. Hoe kwam het dat haar dat nooit eerder was opgevallen? Ze hoorde hem neuriën en keek naar hem.

'Je bent blij dat je weer kunt vliegen.'

'Nou en of! Ik heb het gevoel dat ik zelfs zonder dit vliegtuig zou kunnen vliegen. Ik heb me in lange tijd niet zo goed gevoeld. In jaren niet.' Toen begon hij opeens 'Some Enchanted Evening' te zingen. Cassie lachte.

De uitdaging van de dag was een reusachtige zwarte man met kiespijn. Cassie liet hem tegen een boom leunen en begon aan de ontstoken kies te trekken. Maar telkens wanneer ze trok, kwam het hoofd van de man samen met de kies naar voren. Het lukte haar niet zich ergens tegen af te zetten.

Sam haalde er drie andere mannen bij, en met z'n vieren gingen ze boven op die reus van een man zitten terwijl Cassie de kies eruit trok. Later konden ze er samen om lachen.

Ze hoorden dat er in het kleine, noordelijke stadje Armbruster, waar zij sinds kort ook spreekuren hielden, een mondhygiëniste was komen wonen. Het was een klein gehucht en ze waren er nog maar twee keer geweest. Er was een school, waar les werd gegeven tot en met het achtste leerjaar, hoewel hij maar zeventien leerlingen telde. Als zij de tandheelkundige instrumenten meebrachten, zou de hygiëniste de leerlingen behandelen en verder iedereen die tandheelkundige zorg nodig had. Dus vlogen zij naar Armbruster, ook al moesten ze er een omweg van driehonderd kilometer voor afleggen.

Armbruster lag langs de oevers van een traag stromende rivier, die overschaduwd werd door hoge, overhangende bomen. Cassie vond dit het meest idyllische dorpje dat ze in dit deel van de wereld ooit had gezien. De rotsen langs de rivier waren gegroefd en hadden allerlei kleuren; kinderen speelden in het water en vrouwen wasten hun kleding op de rotsblokken. Er liep slechts één onverharde weg door het stadje, maar er stonden zeker vierentwintig huizen. Ze zagen er stuk voor stuk hetzelfde uit, op de tuinen na, waar allemaal andere bloemen in bloeiden. In de achtertuinen stonden bananebomen, papaya's, mango's en grapefruitbomen en in de velden achter de huizen groeiden katoenplanten. Er was ook een winkel, die gedreven werd door een tandeloze man. Hoewel het geen filiaal van Teakle and Robbins was, vertelde hij dat hij de meeste produkten wel van Jim Teakle kocht. In de tuin naast de winkel stond het benzinestation, dat bestond uit één enkele pomp. Aan de overkant bevond zich de onvermijdelijke pub – geen enkel Australisch gehucht kon zonder.

'Ze zal vanmiddag wel komen,' zei de eigenaar van de pub, Terrence Quirk, toen zij hem naar de mondhygiëniste vroegen. 'Ze moet hier speciaal naar toe komen en ze woont bijna twintig kilometer buiten het dorp.'

Hij nodigde hen uit om, aangezien ze toch moesten wachten, in zijn pub 'een bakkie thee' te komen drinken. Ze hadden hun thee nog niet voor zich staan of Cassie zag de mooiste vrouw die zij ooit had gezien in de deuropening staan. Ze was klein en tenger, had lang zwart haar en droeg jeans, een veel te groot mannenoverhemd, een Stetson en laarzen met hoge hakken, die haar lengte waarschijnlijk zo'n beetje wisten op te schroeven tot één meter vijfenvijftig. Haar olijfkleurige huid accentueerde de amandelvorm van haar ogen.

'Dat is ze,' zei Quirk.

De oosterse schone kwam naar Sam en Cassie toe en stak haar hand uit. 'Ik ben Tina O'Keefe.' Ze glimlachte en het stralende wit van haar tanden tegen haar gouden huid was oogverblindend.

Ze ging zitten en bestelde koffie. 'Het is bijzonder vriendelijk van jullie om hier helemaal naar toe te komen om deze spullen af te geven.' Zij pakte de doos tandheelkundige instrumenten en keek erin. Haar Engels was vlekkeloos. Cassie wist niet wat ze eigenlijk had verwacht.

'Woon je hier pas?' vroeg Sam.

'Min of meer,' zei ze. 'Ik ben opgegroeid in Darwin.' Toen ze Cassies verbaasde gezicht zag, schoot ze in de lach en zei: 'Ik weet het. De mensen vergeten wel eens dat we hier ook een Chinese bevolkingsgroep hebben. Mijn overgrootvader is hier in de jaren tachtig van de vorige eeuw naar toe gekomen, in de tijd van de goudkoorts, dus ik ben een vierde generatie Australische.'

'Tina? Dat is niet bepaald een oosterse naam, hè?'

'Nee,' zei ze, terwijl ze een slokje van haar koffie nam. 'Maar mijn man had moeite met de uitspraak van mijn Chinese naam en daarom noemde hij me Tina.'

'O'Keefe,' zei Sam. 'Ben je soms getrouwd met Irish O'Keefe?'

'Bijna een jaar inmiddels,' zei Tina. 'Ken je hem?'
'Ik heb in de oorlog met hem gevlogen. Ik ben Sam Vernon.'
Tina's gezicht lichtte op. 'Die naam ken ik. Jullie hebben met z'n tweeën de hele oorlog gewonnen!'
'Dat waren wij,' grinnikte Sam. 'Ik heb nog nooit zo'n waaghals ontmoet als hij.'
'Hij zegt hetzelfde van jou. Jammer dat hij niet thuis is, anders had ik jullie uitgenodigd om bij ons thuis een hapje mee te eten.'
'Waar is hij?'
'We proberen hier op alle mogelijke manieren ons kostje bij elkaar te scharrelen,' zei Tina. 'Hij werkt momenteel als veedrijver in de Kimberley's. Hij neemt elk baantje aan dat hij krijgen kan. Hij zit daar nu bijna een maand en het zal nog wel een week of drie, vier duren voordat hij weer thuiskomt.'
'En laat hij jou dan helemaal alleen?' vroeg Cassie.
'We hebben weinig keus – anders zullen we de boerderij die we hier willen beginnen moeten opgeven. Het lijkt wel of er geen droog brood meer te verdienen valt in de veehouderij, terwijl hij toch een behoorlijk bedrijf op poten heeft gezet. Hij heeft zijn eigen helikopter en heeft ook nog twee andere piloten en hun helikopters in dienst en drie stierenvangers...'
'Wat is een stierenvanger?' viel Cassie haar in de rede.
Tina keek haar aan. 'Weet je helemaal niets over veedrijven per vliegtuig?'
Sam zei: 'Ik heb er wel eens iets over horen vertellen.'
'Ik zal je vertellen hoe het werkt,' zei Tina op enthousiaste toon. Haar donkere ogen schitterden. 'Irish is de allerbeste in zijn vak.'
'Hij was in elk geval de beste piloot met wie ik ooit heb samengewerkt,' zei Sam.
'Elke grote veehouderij heeft grote aantallen solitaire dieren rondlopen...'
'Dat zijn runderen die ongebrandmerkt rondlopen en in de loop der tijd verwilderd zijn,' legde Sam Cassie uit.
Tina ging verder. 'Teneinde de kuddes nu en dan aan te vullen is het noodzakelijk al die solitaire dieren uit de canyons en kloven bij elkaar te drijven en ervoor te zorgen dat ze niet gaan zwerven. Die dieren moeten niets van mensen hebben, maar dan komt Irish met zijn mannen... hij heeft twee piloten en drie stierenvangers en hun spullen, wat veedrijvers en een kok, en een mecanicien voor als er iets kapotgaat, wat bijna altijd het geval is.'
'Dat zijn een heleboel mensen en machines.'
Zij knikte. 'Vertel mij wat. De stierenvangers rijden in jeeps met rolstangen – brede bumpers die bestand zijn tegen een aanvaring met een stier. Zij gaan de stieren overal achterna en laten ze niet

ontsnappen. Hoe dan ook, je voert dus verkenningsvluchten uit en kijkt waar je grote kuddes vee aantreft en vervolgens probeer je te bepalen welke route ze zullen nemen, in de richting van water bijvoorbeeld, en dan stuurt Irish zijn veedrijvers en wagens het gebied in en drijven de piloten het vee naar hen toe. Het kost iets meer dan een dag om een draagbare omheining op te zetten. Die is heel groot en heeft ook kralen en loopplanken om het vee in de vrachtwagens te laden. De mannen zetten twee grote wanden van jute neer, zo'n zeshonderd bij achthonderd meter groot, en zo wordt het vee naar binnen gedreven. De jute is niet erg sterk en wappert gewoon in de wind; als de dieren er even tegenaan zouden duwen, zouden ze er zo doorheen breken, maar op de een of andere manier proberen ze dat niet eens.

Maar goed, het is een hele kunst om de runderen in die sluis bijeen te drijven. Het moet heel rustig worden gedaan, zodat ze niet schrikken. Soms moet een veedrijver uit een helikopter springen, een stier aan zijn staart op de grond trekken en zijn achterpoten vastbinden.'

Ook al woonde Cassie nu al meer dan tien jaar in de Outback, op deze manier had ze het veedrijven nog nooit horen beschrijven. 'Klinkt gevaarlijk.'

Tina grinnikte. 'Mannen zijn er dol op. Althans, de mannen die zich tot dit leven aangetrokken voelen. Zij zouden niets anders willen doen. Ze maken lange, zware dagen, maar het betaalt goed. En alles bij elkaar kost het nog maar een zesde van de tijd die het veedrijven zonder vliegtuigen en helikopters in beslag nam. Bovendien zijn er minder mensen bij nodig.'

'Wat moeten de aboriginals als ze hun baantjes kwijtraken?'

'Zodra machines het werk van mensen gaan overnemen, wordt er geld bespaard, maar raken mensen hun baan kwijt,' zei Sam. 'Die zogenaamde vooruitgang bezorgt niet iedereen een hogere levensstandaard.'

'Maar jij blijft dus thuis terwijl hij op pad gaat?' vroeg Cassie.

'De laatste tijd wel,' zei Tina, glimlachend. 'Ik bleek de Chinese kok te zijn die Irish had aangenomen. Hij wist niet dat ik een vrouw was. Ik heb twee jaar voor zijn ploeg gewerkt. Maar zes weken nadat wij elkaar hadden ontmoet zijn we getrouwd, dus toen werd het "onze" ploeg. Ik kookte, maar werkte ook als veedrijver. Ons uiteindelijke doel was echter om ons eigen stuk land te hebben en ons eigen vee te fokken. Op een gegeven moment hadden we genoeg gespaard om een ranch te kopen, maar Irish moet voorlopig nog voor anderen blijven werken om vee te kunnen kopen – en om het onderhoud te betalen. Ik blijf thuis en werk met het vee en bouw ons bedrijf op. Hij is ongeveer de helft van het jaar van huis.'

'Dus je woont telkens een half jaar alleen?'
'Daarom heb ik jullie gevraagd deze spullen voor me mee te nemen,' zei Tina. 'Ik heb in Darwin de opleiding voor mondhygiëniste gevolgd en ik heb het vak bijna een jaar uitgeoefend – maar ik vond het stomvervelend en wilde een leven met wat meer opwinding. Maar hier zit ik toch maar alleen en ik wil graag wat meer mensen leren kennen. Daarom leek het me wel een goed idee hun gebitten te gaan onderhouden. De schoolkinderen behandel ik gratis – dat beschouw ik dan als mijn bijdrage aan de gemeenschap. Maar als iemand anders een kies wil laten trekken of een gaatje heeft dat gevuld moet worden, wil ik daar wel een kleinigheidje aan verdienen. Op die manier heb ik wat aan mijn opleiding en leer ik hier meteen wat mensen kennen.'
'Een vriend van ons werkt op zijn veehouderij ook met helikopters,' zei Cassie. 'Ik vraag me af of hij op de hoogte is van jullie methodes.'
'Wie?' vroeg Tina.
'Blake Thompson.'
Sams ogen vernauwden zich tot spleetjes toen hij naar Cassie keek.
'O, wij werken ook voor Tookaringa,' zei Tina. 'Dat wil zeggen, wij doen de twee noordelijke kwadranten. De andere twee doet Blake zelf – Irish heeft het hem geleerd. Wij komen er altijd graag. Zelf ga ik ook wel eens een week of drie, vier helpen. En dan komt Fiona ook altijd wel minstens één keer langs en houden we een grote barbecue. Ik ben dol op die vrouw.'
'Wie niet?' zei Sam.
Ze bleven tot laat in de middag met Tina zitten praten. Toen ze weggingen, zei Cassie: 'Dat is nu iemand die ik wel beter zou willen leren kennen.'
Terwijl Sam de motor startte, zei hij: 'Je zou haar man moeten kennen. Irish is een kerel uit duizenden.'
Cassie deed haar ogen dicht. Meestal deed ze een dutje wanneer ze zo laat in de middag naar huis vlogen. Maar nu vroeg Sam: 'Zullen we vanavond een bioscoopje pikken?'
Ze deed haar ogen weer open en keek hem aan. Hij lachte. 'Wat heb je tegen een gezellig platonisch avondje naar de film met een getrouwde man?'
'Zoals jij het zegt klinkt het me eerlijk gezegd een beetje gevaarlijk in de oren.'
Zijn handen bleven op het stuur, maar zijn ogen vonden de hare. 'Doc, het gevaarlijke stadium hebben we een tijdje terug al bereikt en dat weet jij net zo goed als ik.'

Hoofdstuk 54

De laatste keer dat Cassie zo gelukkig was geweest was toen zij en Blake, meer dan tien jaar geleden, die vakantie in Kakadu hadden doorgebracht. Het was net of haar gevoelens al die jaren op een laag pitje hadden gestaan en ze realiseerde zich dat dat een bewuste keuze was geweest. Ze had een dure eed gezworen zich nooit meer open te stellen voor het verdriet dat onvermijdelijk op elke vreugde leek te volgen.

Maar dit was anders. Ze koesterde nog maar weinig illusies omtrent het leven. Sam was getrouwd. Hun relatie kon geen kant op. En toch werd zij elke ochtend wakker met een gevoel van intense blijdschap. Ze kon elke dag nauwelijks wachten om naar het radiostation te gaan, dat nu uit vijf kamers bestond, stuk voor stuk werkruimtes, terwijl Betty en de kinderen vlak ernaast een eigen woning hadden, compleet met veranda. Het stadje werd steeds groter en op het eens zo afgelegen radiostation had Betty nu buren op loopafstand.

De reden waarom zij zich zo op de dag verheugde was de subtiele verandering in haar relatie met Sam. Zij brachten het geen van beiden onder woorden, maar wanneer hun ogen elkaar ontmoetten probeerden zij elkaars blik zo lang mogelijk vast te houden. Tijdens het vliegen keken zij elkaar af en toe glimlachend aan.

Op de maandagavonden dat Romla en Jim kwamen eten, kwam Sam ook steeds vaker aanwippen, onuitgenodigd, maar welkom. Dan deden ze na het eten een spelletje kaart, of ze gingen naar de film. Wanneer Cassie en Sam in de bioscoop naast elkaar in het donker zaten, raakten hun armen elkaar. Op een avond pakte Sam zelfs haar hand en hield die de rest van de film vast. Cassie herinnerde zich later niets van de film, maar de warmte van Sams aanraking bleef zij nog dagenlang voelen.

Voor het eerst in meer dan tien jaar zette zij Blake Thompson volledig van zich af. Niet dat ze een toekomst had met Sam, maar ze had in elk geval het heden en daar was ze dankbaar voor. Ze betwijfelde of hij er ooit toe in staat zou zijn haar op te winden zoals Blake haar had opgewonden toen ze allebei nog jong waren, maar ze koesterde elk moment dat hij bij haar was.

Zelfs de kleuren om haar heen veranderden. De hemel was blauwer, de bloemen fleuriger, de aarde roder.

Romla zei: 'Eindelijk ben je over de dood van Chris heen. Ik heb me zo schuldig gevoeld dat ik zo gelukkig was terwijl jij dat grote verdriet in je hart droeg.'

Toen vertelde ze Cassie wat zíj droeg – een baby. Haar ogen glansden van blijdschap toen ze uitriep: 'En dat op mijn leeftijd!'

Zij was twee jaar ouder dan Cassie.

'Dus je gaat weer huismoedertje spelen.'

Romla lachte. 'Jij kent me wel beter. Waarom zou ik de dingen opgeven die ik zo graag doe? We kunnen gewoon in ons appartement in het hotel blijven wonen. Al die ouwe zeuren die zo moesten lachen om mijn lingeriewinkel kijken lelijk op hun neus. Alleen van het inkomen uit die zaak zou ik al heel goed kunnen leven. Weet je dat volgens mij negentig procent van mijn klanten uit mannen bestaat? Nou, misschien iets minder. Ze komen heel schuchter en stuntelig de winkel binnen. Je zou niet geloven hoeveel dure en onthullende lingerie er inmiddels in de Outback in de kasten ligt. Ik vraag me weleens af of hun vrouwen die ook echt dragen. In elk geval verdien ik er leuk aan. En nu zijn vader met pensioen is, staat Jim aan het hoofd van Teakle and Robbins. Cassie, Jim en ik hebben een imperium opgebouwd en we maken nog steeds nieuwe plannen. Ik ben absoluut niet van plan er ook maar iets van op te geven. Ik blijf het gewoon allemaal doen – met baby en al.'

Op een dag in september vlogen Sam en Cassie naar Kypunda om een gouvernante op te halen die aan haar galblaas geopereerd moest worden. Het was al over tienen toen Cassie eindelijk klaar was in het ziekenhuis en toen ze de voorjaarsnacht in liep, stond Sam haar op te wachten.

'Ik wist dat je je wagen hier niet had staan en ik heb liever niet dat je 's avonds laat alleen over straat loopt.'

Ze lachte. 'Dat doe ik al jaren.'

'Dat weet ik,' zei hij. 'Er zijn zoveel dingen die je al jaren alleen doet.'

'Ik vind het wel heel erg lief van je,' zei ze, terwijl ze hem onder het lopen een arm gaf.

'Ik ben zelf ook niet met de auto, omdat ik zin had om te lopen,' zei hij. 'Zullen we nog een afzakkertje halen bij Addie's?'

'Ik heb wel trek in een biertje.'

'Ja, ik ook.'

Het was druk bij Addie's, zoals altijd op dit tijdstip. Achter in de grote ruimte stonden groepjes mannen darts te spelen. Sam en Cassie kozen een klein tafeltje in de hoek, waar het donker was.

Toen de serveerster hun biertjes had gebracht, zei Cassie: 'Ik heb altijd pijn in mijn rug na een operatie. Het zal de spanning wel zijn. Je zou denken dat ik er inmiddels aan gewend moest zijn.'

'Je zou ook denken dat ik inmiddels aan jou gewend moest zijn, maar je bent nog elke dag een verrassing voor me,' zei hij. In plaats van haar aan te kijken, keek hij over haar hoofd heen naar de dartspelers.

Het was niet voor het eerst dat Cassie zich afvroeg of een snor zou kietelen.

Sams blik ontmoette die van Cassie. 'Ik wil niet dat Liv thuiskomt.'

Cassie zuchtte. 'Ik ook niet, maar we moeten onszelf niet voor de gek houden. Wat dacht je van Harry en Samantha? Je zou nooit zonder hen kunnen.'

Sam antwoordde niet, maar dronk in één teug zijn glas leeg. 'Kom. Dit was toch niet zo'n goed idee. Laten we maar weggaan.'

Toen ze de hoofdstraat hadden verlaten en naar Cassies huis liepen, nam Sam haar hand in de zijne. Ze zeiden niets meer totdat ze het huis bereikten.

'Weet je, als we ergens aan beginnen dat we niet kunnen afmaken, kunnen we nooit meer goed samenwerken, denk je ook niet?'

Cassie leunde tegen de hordeur en keek naar hem op. 'Het enige dat ik weet is dat ik op dit moment gelukkiger ben dan ooit tevoren.'

Sam kwam tegen haar aan staan. Zijn armen trokken haar naar zich toe en zijn mond vond de hare. Ze sloeg haar armen om hem heen, proefde hem, voelde zijn honger en wist dat het heel lang geleden was sinds zij voor het laatst haar lichaam zo had voelen tintelen, sinds zij voor het laatst zo was gekust dat zij het in elke zenuw van haar lichaam kon voelen.

'Waar lach je om?' fluisterde hij in haar hals.

'Om het feit dat snorren dus niet kietelen.' Ze hoopte dat hij niet zou ophouden haar te kussen.

Maar dat deed hij wel, ook al hield hij haar nog steeds dicht tegen zich aan. 'Ik heb nog een aantal bruggen te verbranden voordat ik kan doen wat ik graag zou willen, Cassie.'

Fluitend liep hij haar tuinpad weer af en zij stond nog lang nadat hij verdwenen was in de duisternis te staren. Ze vroeg zich af of ze ooit gelukkiger was geweest.

Twee dagen later, toen ze voor een spreekuur naar Stockton Wells vlogen, zei hij lachend tegen haar: 'Ik moet je iets vertellen.'

Ze keek hem verwachtingsvol aan.
'Nee.' Hij schudde zijn hoofd. 'Vanavond. Wat dacht je van een etentje in het hotel?'
'Het moet wel iets belangrijks zijn,' zei ze. 'Gaan we niet eens naar Addie's?'
'Het is inderdaad belangrijk. En je mag het vooral niet luchtig opvatten. Ik wil dat je je mooi aankleedt voor een speciale gelegenheid.'
Ze lachte. 'En hoe moet ik me gedragen? Moet ik mijn beste beentje voorzetten?'
'Liever niet.'
Op dat moment klonk de stem van Horrie over de radio. 'Spoedgeval op Tookaringa,' zei hij. 'Laat dat spreekuur maar zitten en vlieg er zo snel mogelijk naar toe. Fiona is van een paard geworpen.'
Het was even na tienen.
Sam stak zijn arm uit en pakte Cassies hand vast.
De daaropvolgende twee uur voelde Cassie haar hart in haar keel kloppen.
Zodra ze op Tookaringa waren geland en Sam de deur had geopend, rende Cassie naar het huis. Blake zat naast een doodsbleke Fiona, die op hun reusachtige bed lag.
'Jezus, Cassie,' zei hij, terwijl hij opstond toen zij de kamer binnenstormde. 'Er is niets aan haar te zien, maar ze verliest telkens het bewustzijn. De singel raakte los en toen het zadel ging glijden, begon het paard te steigeren. Fiona viel eraf en het dier kwam boven op haar terecht.'
Cassie ging naast Fiona zitten, die met haar oogleden knipperde. Inwendige bloedingen, dat kon niet anders. Fiona's stem was nauwelijks hoorbaar. 'Cassie, lieve Cassie.'
Cassie kuste haar voorhoofd. Nadat zij haar had onderzocht, bekroop Cassie het gevoel dat Fiona nog maar kort te leven had.
'Zeg me dat je iets kunt doen,' klonk Blakes stem bevelend.
Ze keek hem aan en voelde zich verschrikkelijk hulpeloos. 'Ik weet het niet, Blake. Ik heb hier geen röntgenapparaat...' En ook al had ze dat wel, ze kon waarschijnlijk toch niets meer doen.
Cassie ging weer naast Fiona zitten, die haar ogen weer opendeed en zo zachtjes fluisterde dat Cassie zich over haar heen moest buigen om te kunnen horen wat ze zei. Ze probeerde Cassies hand te pakken. 'Cassie, lieverd. Mijn allerliefste vriendin. Weet je wat ik het ergste vind? Dat ik mijn kinderen alleen moet laten. Wie zal er voor hen zorgen? Wie zal hen de liefde geven die elk kind nodig heeft?' Cassie zag hen voor zich – zes, vijf en drie jaar oud. 'Wil jij voor hen zorgen? Een moeder voor hen zijn?' Er kwam een smekende blik in haar ogen. 'En wil je ook voor Blake zorgen? Hij

weet het niet, maar hij heeft iemand nodig die voor hem zorgt. Hij weet niet eens waar zijn sokken liggen. Alsjeblieft, Cassie. Ik kan in vrede sterven als jij me belooft...'

'Ssst, Fi, je gaat niet dood,' loog Cassie. Ze hoopte dat ze niet zou gaan huilen.

'Maar als ik wel doodga, beloof het me dan. Alsjeblieft, Cassie, beloof me dat je voor hen zult zorgen...'

'Natuurlijk, Fi. Natuurlijk doe ik dat.'

'Maar je gaat helemaal niet dood, Fiona.' Blakes stem klonk dwingend. 'Je weet dat ik niet zonder jou kan leven.'

Fiona trachtte haar hoofd naar links te bewegen zodat ze Blake kon zien. 'Vergeet niet de kinderen elke avond een nachtzoen te geven,' zei ze. 'En laat hen niet opvoeden door een gouvernante. Doe het zelf. Samen met Cassie. Haal Cassie in je leven. Zij zal de kinderen grootbrengen zoals zij haar eigen kinderen zou hebben grootgebracht, als zij die...' Het eind van de zin bleef in de lucht hangen en zou nooit worden afgemaakt. Fiona zuchtte nog een keer en hield toen op met ademhalen.

Cassie wendde zich verbijsterd tot Blake, die op zijn knieën viel en in tranen uitbarstte, zijn armen uitgestrekt over het lichaam van zijn dode vrouw. Cassie stond op en liep om het bed heen. Ze knielde naast hem neer, sloeg haar armen om hem heen en maakte de rug van zijn overhemd nat met haar tranen.

Vanuit de deuropening keek Sam toe.

Samen met Sam probeerde zij de rest van de dag Blake en de kinderen te troosten. Blake besloot dat Fiona gecremeerd zou worden en Sam bood aan het lichaam naar het rouwcentrum in Augusta Springs te brengen, waar binnen een week een herdenkingsdienst zou worden gehouden. Dat zou iedereen in de omgeving de kans geven naar de stad te komen. Steven regelde alles, want Blake had te veel verdriet om helder te kunnen denken.

'Ik blijf bij hem,' zei Steven tegen Cassie. 'Ik laat hem nu niet alleen.' Ook hij had tranen in zijn ogen. 'Ik hield van haar als van een dochter,' zei hij, steeds opnieuw.

Cassie voelde zich alsof ze een deel van zichzelf was kwijtgeraakt, maar pas tegen de avond, toen zij en Sam, met het lichaam van Fiona, terugvlogen naar de stad, gaf zij zich eindelijk over aan een vreselijke huilbui. Nooit zou ze meer samen zijn met Fiona. Nooit zou ze meer haar gelach horen, haar omhelzingen voelen, nooit meer... Nooit, nooit.

Op het vliegveld stond de lijkwagen al op hen te wachten en Fiona's lichaam werd al meegenomen voordat zij zelf goed en wel uit het vliegtuig waren gestapt.

Sam sloeg een arm om Cassie heen. Ze hadden allebei hun wagen op het vliegveld staan, maar hij zei: 'Kom, ik breng je naar huis.'
'Nee,' ze schudde zijn hand van haar schouder. 'Ik wil liever alleen zijn.'
Toen ze in haar auto stapte, herinnerde ze zich opeens dat Sam haar had uitgenodigd voor een etentje. 'Je wilde me toch iets vertellen?'
'Dat kan wel wachten.' Hij sloeg het portier achter haar dicht.
Eenmaal thuis stapte ze, na twee pure whisky's, in haar bed en terwijl ze in slaap viel hoorde ze Fiona's fluisterstem: *Wees een moeder voor mijn kinderen, Cassie.*

Hoofdstuk 55

De volgende morgen, tijdens het radiospreekuur, zei Cassie tegen Blake dat ze, als hij haar met het vliegtuig wilde komen halen, het weekend wel op Tookaringa wilde doorbrengen om voor de kinderen te zorgen en hem en Steven gezelschap te houden.

Blake accepteerde haar aanbod.

Sam sprak de hele dag nauwelijks een woord. Er stond geen spreekuur op de agenda en de problemen die er waren kon Cassie telefonisch oplossen. Ze liep rond als een zombie en hoorde het amper als er iets tegen haar werd gezegd. Romla probeerde haar te troosten door haar te eten te vragen. Maar het enige dat Cassie kon was huilen. *Fiona was er niet meer.*

Zowel Fiona als Jennifer was volkomen onverwacht uit het leven weggerukt door zinloze ongelukken. Voor degenen die achterbleven was het moeilijk de schok te boven te komen en het definitieve ervan te accepteren.

'Hoe moet het nu met die kindertjes?' vroeg Cassie.

Romla schudde haar hoofd. 'Ik weet het niet, lieverd. Wat gebeurt er met kinderen die een van hun ouders verliezen? Blake heeft geld in overvloed om goede gouvernantes en kindermeisjes in dienst te nemen. Er zal beter voor hen gezorgd worden dan voor de meeste andere kinderen in soortgelijke omstandigheden.'

'Mannen weten niet wat ze moeten beginnen met een geschaafde knie of een zere keel...'

'Blake zal op den duur vast wel hertrouwen. Hoe oud is hij, net veertig?'

'Negenendertig.'

Romla legde haar arm om Cassies schouders en glimlachte. 'Misschien wel met jou. Jullie zijn allebei...'

Cassie keek Romla met een woedende blik aan. 'Hoe kun je zoiets zeggen na wat er net gebeurd is?'

'Beetje lomp, hè?' zei Romla berouwvol. 'Het spijt me, maar de gedachte kwam opeens bij me op.'

Opeens realiseerde Cassie zich dat zij met diezelfde gedachte was wakker geworden. *Wees een moeder voor mijn kinderen, Cassie.*

Misschien geen moeder, maar dan toch op z'n minst een geliefde tante. Tot de twee jongste kinderen was het nog niet doorgedrongen dat zij hun moeder nooit meer zouden zien, maar ze waren alle drie tegendraads en lastig.

Blake liet zijn verantwoordelijkheid voor hen voorlopig even aan anderen over en ging er alleen op uit, met zijn paard. Hij vertrok zaterdag in alle vroegte en was pas tegen etenstijd weer terug. Steven logeerde ook bij Blake thuis. 'Ik weet nog hoe ik me voelde toen Jenny overleed. Ik dacht dat ik niet verder kon leven. En het is ook nooit meer hetzelfde geworden. Maar hij heeft er op dit moment weinig aan als ik hem vertel dat de tijd alle wonden heelt.'

'Nee,' was Cassie het met hem eens. 'Laat hem maar treuren. Maar wat doen jullie wanneer ik zondagavond weer naar huis moet?'

'We redden het wel,' zei Steven.

Zondag zat Blake op de veranda voor zich uit te staren – naar dat weidse uitzicht dat elk plekje op dit reusachtige continent leek te bieden. Maar om vier uur, toen Cassie aankondigde dat ze nu echt weg moest, stond hij op en liep naar zijn Cessna. De hele weg terug naar Augusta Springs praatten ze over Fiona.

'Je bent een rots in de branding, Cassandra,' zei hij. 'Ik kan je niet vertellen hoezeer ik je aanwezigheid hier op prijs heb gesteld. Ze hield meer van je dan van een zuster, dat weet je toch?'

'Ja, dat weet ik.'

In Augusta Springs verliet Blake het vliegtuig alleen om brandstof bij te vullen. Het zou al donker zijn wanneer hij terugkeerde op Tookaringa, maar de landingsstrook was tegenwoordig goed verlicht.

'Zul je me bellen wanneer ik iets voor jullie kan doen?'

Hij knikte. Over drie dagen kwamen ze allemaal naar de stad voor de rouwdienst.

'Jullie komen natuurlijk bij mij logeren.'

'Je hebt geen plaats voor ons allemaal.'

'Misschien kan Steven bij Sam slapen. Steven en kleine Jenny. Sam heeft drie slaapkamers. Ik zal het hem vragen.'

Toen ze het hem vroeg, antwoordde Sam: 'Natuurlijk', maar er lag een vreemde blik in zijn ogen. Alsof op de een of andere manier alles veranderd was.

Na de rouwdienst wilde Cassie niets liever dan naar Tookaringa vliegen om voor de twee mannen en de kinderen te zorgen. Maar ze kon niet zomaar vrijaf nemen. De plechtigheid was nog maar net achter de rug of zij en Sam werden naar het zuidwestelijke deel van het territorium geroepen, een gebied waar ze nog nooit geweest waren omdat er geen boerderijen waren.

Een van de drijvers van een kamelenkaravaan was opeens ziek geworden. Zijn zoon was vijfenzeventig kilometer naar het dichtstbijzijnde dorp, niet meer dan een stipje op de kaart, gereden om een radio te bereiken. Hij zou in het dorp op hen wachten; hij kon onmogelijk uitleggen hoe zij de karavaan vanuit de lucht konden lokaliseren.

Het land waar zij overheen vlogen was vlak. Voor zover het oog reikte was er niets te zien. Alleen rode aarde, niet eens een boom. Er waren zelfs geen scheuren zichtbaar in de aarde, het was één kale zandvlakte.

De zon scheen ongenadig neer op de enige straat van het dorp, dat bijna vierhonderd kilometer verwijderd lag van enige andere bewoning. Toen het vliegtuig landde was er geen levende ziel te bekennen, maar toen Sam de deur opende verscheen er een Afghaan in een wijde lange broek. De hete buitenlucht trof hen als een mokerslag.

Toen zag Cassie nog een aantal Afghanen zitten zonnen voor hun hutten, terwijl een ander een kudde geiten langs de rand van het dorp dreef. Op een zandduin waren een paar kleine kinderen aan het spelen. Maar een eindje verderop, in het dorp, dat uit een half dozijn huizen bestond, bewoog helemaal niets. Er stond een auto geparkeerd voor iets wat door moest gaan voor een hotel, maar je vroeg je onwillekeurig af hoe het voertuig er verzeild was geraakt en waar het naar toe kon. Er waren geen wegen en als die er wel waren, waren ze bedekt met zand. In een kleine omheinde ruimte stond wat vee. De eenzame windmolen, die elektriciteit moest opwekken, hing doodstil.

'Mijn vader is ziek,' zei de jonge, bebaarde man, die een hoofdbedekking en een broek droeg zoals Cassie nog nooit had gezien. Ze wist eigenlijk niets over deze mensen, die zovele jaren geleden vanuit Azië naar Australië waren geïmporteerd. Ze had gedacht dat de kameelkaravanen alleen verder naar het zuiden voorkwamen. De jongeman die voor haar stond was waarschijnlijk een derde generatie kameeldrijver. Ze begreep wel waarom zij nodig waren in dit verlaten land zonder zichtbare wegen of spoorlijnen. Hij vertelde dat zijn vader plotseling ziek was geworden en niet verder kon reizen. Ze hadden hem in de schaduw van een paar bomen gelegd en de zoon was naar het dorp gereden, waar de plaatselijke politiefunctionaris de Flying Doctors had gebeld.

Van achter een van de hutten kwam een jongen te voorschijn, die drie kamelen met zich meevoerde. Sam en Cassie keken elkaar aan. Sam grinnikte. 'Ooit op een kameel gezeten?'

'Dit is de eerste keer dat ik er eentje zie.'

De kamelen kwamen dichterbij en de kwastjes aan hun rijk versierde zadels zwaaiden vrolijk heen en weer. Hun achterpoten leken veel te dun om hun zware lichamen te dragen en zij leken te balanceren op de bal van hun voeten, licht en ritmisch wiegend, met een soepele gratie, bijna alsof ze dansten.

Cassie tuurde naar de horizon en zag niets. 'Zou het niet makkelijker zijn om te vliegen?'

'Kom op,' zei Sam, 'dit is toch een avontuur?'

Cassie hield haar hoofd een beetje schuin. 'Ik zal mijn dokterstas pakken.'

Zij reden over een eindeloos lege vlakte die bezaaid was met keien. De stenen lagen te schitteren in de zon. De eerste twee uur was er niets te zien aan de horizon. Hoe de jongeman die hen de weg wees wist waar ze naar toe gingen was haar een raadsel. De stand van de zon leek de enige aanwijzing. Er was geen gras, alleen droge rivierbeddingen die zelfs wanneer ze vol water stonden niet veel konden voorstellen.

'Het ziet er allemaal zo steriel en doods uit,' mompelde Cassie na een uur.

Sam riep haar toe: 'Kijk toch eens om je heen! Geeft het je niet het gevoel dat we heel erg klein zijn? Vanuit de lucht zijn we vast niet groter dan mieren.'

'Waarom lijkt je dat zo in vervoering te brengen?'

'God, moet je al die kleuren zien! Rood, geel – kijk hoe de zon de kleuren oplicht. En kijk eens naar die groengrijze melde daar.' Zij gingen een lage heuvel over. 'Hoe kun je dat nu *doods* noemen? Zie je hoe die olijfgroene mulga zich overal verspreidt?'

Het landschap speelde verraderlijke spelletjes. Verre objecten, die er overigens niet veel waren, stonden scherp en duidelijk afgetekend. Aan de horizon dansten luchtspiegelingen van hemelsblauw water. In noordelijke richting bevonden zich heuvels van zandsteen, die in rode en bronzen tinten werden uitgelicht door de felle zonnestralen. De schittering van de keien liet realiteit overgaan in hallucinatie en zo kon het zijn dat een zandheuveltje in de verte eruitzag als een enorme berg. Waren ze er nog een kilometer vandaan, of tien kilometer misschien? De wereld werd tweedimensionaal; niets doorbrak het uitzicht tot aan de horizon, maar er was evenmin iets om het te versterken. Alleen de vlakke, oneindige, onmeetbare woestijn.

De stilte die hen omringde was intenser dan Cassie ooit eerder had ervaren. Alles wat ze misschien had willen zeggen was al onbelangrijk voordat zij het kon zeggen.

Zo reden ze drie uur lang; Cassie was voortdurend bang dat ze van de wiegende kameel zou vallen. Opeens verschenen er in de verte drie mannen en een kamelenkaravaan, omgeven door een luchtspiegeling van palmbomen. De jonge aanvoerder wees en Cassie kon absoluut niet zien of het groepje zich nog vijf of vijftien kilometer verderop bevond. Ze leken nauwelijks dichterbij te komen, tot ze er opeens waren. Het was geen luchtspiegeling. Er stond werkelijk een groepje dadelpalmen.

'Ik heb het gevoel dat ik in Marokko ben,' zei ze.

Sam lachte naar haar. 'Ben je wel eens in Marokko geweest?'

Ze moest ook lachen.

Zij werden opgewacht door de vrijwel bewusteloze patiënt, omringd door drie vrienden, die allemaal hetzelfde soort kleren droegen als de jongeman die hen de weg had gewezen door de woestijn. Geen van hen wilde toestaan dat de patiënt door een vrouw werd onderzocht. De patiënt fluisterde iets tegen een van de mannen die, terwijl hij Cassie aankeek, de boodschap overbracht. 'Hij gaat nog liever dood dan dat hij een vrouw aan zijn lichaam laat komen.'

Cassie en Sam keken elkaar aan.

'Gezien de symptomen,' zei Cassie, 'heb ik het idee dat het om nierstenen gaat. Jij zult mijn vingers moeten zijn.' Ze vertelde Sam hoe hij moest voelen en waar hij op moest letten.

De Afghanen wilden niet eens dat zij toekeek toen Sam naast de patiënt neerknielde. Cassie keerde de mannen de rug toe en praatte tegen Sam. 'Hij heeft een krampende, koliekachtige pijn die in golven komt opzetten. Hij voelt die waarschijnlijk in zijn zij, onder zijn ribben en hij straalt uit naar de onderbuik en zelfs tot in de testikels. Controleer eens of dat zo is.'

'Moet ik aan zijn ballen voelen?' vroeg Sam.

Cassie moest lachen, hoewel geen van de mannen het zag. Zij knikte. 'Probeer het op de een of andere manier over te brengen. Waarschijnlijk mag ik van hen het woord niet eens zeggen.'

Ze verstonden allemaal Engels, dus de mannen wisten heel goed waar Cassie het over had. De patiënt kreunde.

'Als het is wat ik denk, dan is het een heel gemene acute pijn, die veel lijkt op hevige barensweeën, en waarschijnlijk zit er ook bloed in zijn urine. Probeer er eens achter te komen of dat zo is.'

Het was zo.

Cassie zuchtte. 'Het enige dat de pijn zal verlichten is een injectie met morfine en waarschijnlijk wel meer dan één ook. Denk je dat ik hem een injectie mag geven?'

Sam en de mannen fluisterden wat over en weer. 'Nee.'

'Dan zul jij het moeten doen. De pijn zal pas weggaan als de niersteen uit de urinebuis in de blaas valt.'

'Zeg dat nog eens?' Sam kwam naast haar staan.

'De urinebuis loopt van de nier naar de blaas. Als de steen uit de urinebuis valt zal de pijn, die veroorzaakt wordt door verkrampte spieren, van het ene moment op het andere verdwenen zijn. Later zal hij dan de niersteen uitplassen, die eruitziet als een piepklein stukje ruwe steen.'

'En als dat niet gebeurt?'

'Dan blijft hij vreselijke pijnen houden en moet hij geopereerd worden. Het enige dat we nu voor hem kunnen doen is de pijn verlichten.' Tijdens het praten bukte Cassie zich en pakte een flesje morfine en een injectienaald uit haar dokterstas. Zij knikte naar Sam. 'Pak een plukje watten en de alcohol. Maak er de plek mee schoon waar je hem de injectie gaat geven.' Ze hoefde hem niets te vertellen; hij had in de loop der jaren honderden injecties toegediend.

De zon begon onder te gaan achter de horizon en de bloedrode stralen leken recht omhoog te schieten naar het midden van de hemel.

'Wat nu?' vroeg Sam.

'Ik denk dat we hier zullen moeten overnachten. We kunnen in elk geval niet meer terug naar het vliegtuig. Morgenochtend vroeg kun jij met de jongen het vliegtuig ophalen. Ik neem tenminste aan dat het je wel lukt om hiernaar toe te vliegen.'

Sam grinnikte, stak zijn hand in zijn broekzak en haalde een kompas te voorschijn. 'Wat dacht je? Domme vraag zeg!'

Cassie keek om zich heen. 'Het is hier toch wel vlak genoeg om te landen?'

'Ben je van plan hem mee te nemen naar het ziekenhuis?'

'Als die niersteen er vanavond niet uitkomt wel.'

'Wanneer ik weg ben mag jij hem vast geen morfine meer toedienen. Ze laten jou niet bij hem in de buurt komen.'

'Dat zien we dan wel weer. Als hij morgen nog steeds zoveel pijn heeft, weet hij wat een verlichting de morfine hem kan geven en dan smeekt hij erom.'

'Wat denk je, nemen we de gok om met hen mee te eten?'

Cassie trok een gezicht. 'Waarom niet?'

Ze kregen er geen spijt van. Favabonen, couscous, tabbouleh, yoghurt gemaakt van geitemelk. De gerechten waren exotisch en bijzonder smakelijk.

'Je doet er drie uur over om naar het vliegtuig te rijden,' zei Cassie, 'en hoe lang om terug te vliegen?'

'Iets meer dan een half uur.'

Zodra de zon was verdwenen koelde het flink af en Cassie had het koud. Een van de kameeldrijvers bracht haar een deken. 'Het is er maar één. Het spijt me,' zei hij.

'Dat wordt gezellig,' zei Sam.

Ze gingen dicht bij elkaar zitten, gewikkeld in de deken die naar kamelen rook en tuurden omhoog naar de met sterren bezaaide hemel.

'Denk je dat Fiona daar nu is?'

Sam gaf geen antwoord.

'Wat wilde je me vorige week eigenlijk vertellen, de dag dat Fiona stierf?'

'Dat doet er nu niet meer toe.'

'Maar wat was het? Ik had het idee dat het iets belangrijks was.'

'Liv en ik zijn een scheiding overeengekomen.'

Zijn woorden bleven tussen hen in hangen. Zo groot als de hemel.

'O, Sam.' En toen: 'En de kinderen dan? Hoe kun je nu zonder de kinderen leven?'

'Er zijn nog wat details die we moeten uitwerken, maar zij blijft in Engeland. Ik denk dat ze tijdens de schoolvakanties bij mij zullen komen. Voor hen is het beter dan op te moeten groeien in een gezin waar altijd spanning heerst.'

'Wat vind je er zelf van?' Ze kon zijn ogen niet zien.

'Ik heb het zelf voorgesteld.'

'En hoe reageerde zij?'

'Zij had er zelf ook over willen beginnen. Wat vind jij ervan?' vroeg hij.

'Waarom zei je dat het er nu niet meer toe doet?'

Hij aarzelde. 'Alles lijkt nu zo anders dan een week geleden.'

Ze wist wat hij bedoelde. *Wees een moeder voor mijn kinderen, Cassie.*

Opnieuw vroeg hij: 'Nou, wat vind je ervan?'

'Ik weet het niet,' zei ze. 'Het is zo onverwacht.'

'Is dat zo, Cassie. Is dat echt zo?'

Ze kroop onder de deken en deed haar ogen dicht.

Was het echt zo onverwacht?

Hoofdstuk 56

Er was iets veranderd.

Tegen de tijd dat Cassie zich ervan bewust werd, kon ze niet onmiddellijk vaststellen wanneer het was veranderd of waarom.

De tevredenheid die zij in de maanden voorafgaand aan Fiona's dood had gevoeld, was verdwenen. Maar ze had het zo druk met het verzorgen van de mensen op Tookaringa dat ze niet eens in de gaten had dat het gevoel van geluk aan het verdwijnen was. Toen ze het zich uiteindelijk realiseerde, dacht ze aanvankelijk dat het kwam omdat Fiona er niet meer was.

En toen besefte ze dat Sam en zij geen grapjes meer maakten en elkaar niet meer plaagden en voor de gek hielden. Hij was heel zwijgzaam wanneer ze samen in het vliegtuig zaten. Hij was nog even behulpzaam en zijn verstandhouding met de diverse veedrijvers op de boerderijen was nog als vanouds. Hij assisteerde haar bij haar werk en voelde het meteen aan als ze hulp nodig had – ze hoefde hem niets te vragen. Hij stond naast haar, klaar om de helpende hand toe te steken. En wanneer hij in de weg had kunnen lopen, was hij er niet. Hij las haar gedachten. Maar zijn *joie de vivre* was verdwenen. En de intimiteit die langzaam aan tussen hen was ontstaan, was ook weg.

Elke vrijdagavond vloog ze met Blakes helikopter naar Tookaringa en zaterdagochtend belde ze naar Horrie om te horen of er nog iets was. De radio op Tookaringa bleef aanstaan, voor eventuele spoedgevallen. Ze speelde spelletjes met de kinderen, praatte over niemendalletjes met Steven en Blake, ging af en toe met hen uit rijden en probeerde dingen te verzinnen waarmee ze iedereen aan het lachen kon maken. Dat viel niet mee. Er was niet zoveel meer te lachen nu Fiona er niet meer was.

Op zondagmiddag vloog Blake haar altijd weer naar huis. Het was Steven die dan altijd zei: 'Ik weet niet wat we zonder jou zouden moeten beginnen, Cassie.'

Na de hele week gewerkt te hebben en zich in de weekends nog eens emotioneel te hebben uitgeput, had Cassie weinig puf meer in de gebruikelijke etentjes op maandagavond bij haar thuis. Romla zei dat ze het begreep en nodigde Cassie uit in het hotel te komen eten, maar Cassie wilde alleen maar een snel hapje en vervolgens vroeg naar bed.

Nu Cassie al haar weekends op Tookaringa doorbracht, werd haar relatie met Sam nog afstandelijker dan elf jaar geleden. Af en toe vroeg ze zich af hoe dat kwam. Op een vrijdagmiddag, toen ze net terugkwamen van een overnachting in Birdsville, waar ze bij een spoedgeval waren geroepen, vroeg Sam: 'Ga je vanavond weer naar de Thompsons?'

'Ja.' Cassie kon zich niet herinneren zich ooit eerder zo moe te hebben gevoeld als de afgelopen twee maanden, sinds de dood van Fiona.

Sam knikte en zijn lippen vormden een dunne, strakke lijn.

'Waarom?'

'O, niets. Je bent sinds Fiona's dood geen weekend meer in de stad geweest.'

'Die kinderen hebben me nodig.'

'Ja, hoor.'

'Wat wil je daarmee zeggen?'

'Niks.'

Ze geloofde hem, omdat ze hem wilde geloven. 'Ik zou af en toe ook wel weer eens wat tijd voor mezelf willen hebben. Ik heb het zo druk dat ik geen seconde voor mezelf heb. Dinsdags moet ik het huis schoonmaken, woensdags doe ik de was, op donderdag...'

Hij hief zijn hand op, alsof hij haar de mond wilde snoeren. 'Je doet het omdat je het zelf wilt.'

'Ik heb Fiona beloofd...'

'Je hoeft jezelf tegenover mij niet te verdedigen.'

'Doe ik dat dan?' vroeg ze. Ze keek hem aan. 'Denk jij soms dat ik ernaar toe ga om bij Blake te zijn?'

Hij bleef strak voor zich uitkijken, knikte en trok een wenkbrauw op. 'Hoe raad je het zo?'

Ze zei niets meer en besloot deze discussie niet aan te gaan op een vrijdagmiddag, terwijl Blake haar over twee uur zou komen oppikken om naar Tookaringa te vliegen.

Blake. Ze had zichzelf voortdurend voorgehouden dat ze alleen maar deed wat Fiona haar had gevraagd. Ze probeerde een moeder te zijn voor de kinderen van haar beste vriendin – en toevallig waren dat ook Blakes kinderen. Ze had haar hart niet opengesteld wanneer ze op Tookaringa was, of zelfs maar wanneer ze aan de weekends dacht. Zijn verlies was nog maar zo kort geleden. Er was nog geen plaats in zijn hart voor een andere vrouw.

Was dat waarop zij hoopte? Misschien werd het tijd om haar motieven eens goed op een rijtje te zetten.

'De kok is zo onder de indruk van jou,' zei Blake toen zij Tookaringa naderden, 'dat ik je moest vertellen dat hij iets heel bijzonders voor je gaat klaarmaken.'

Cassie lachte. 'Ik wed dat ik weet wat het is. Hij heeft me eens verteld dat hij vroeger chef-kok was in een restaurant in Perth en dat zijn specialiteit "canard à l'orange" was.'

'Lieve hemel,' zei Blake en voor het eerst in lange tijd zag ze hem lachen.

'Fijn om je weer eens te zien lachen.'

'Ik denk dat ik het ga redden. Ik begin weer het gevoel te krijgen dat ik leef.'

Het was inderdaad 'canard à l'orange'. En hij was volmaakt.

Tegen de tijd dat ze klaar waren met eten, was het al negen uur.

Cassie bracht de kinderen naar bed, gaf hen een nachtzoen en beloofde dat ze de volgende dag zouden gaan picknicken.

'Weet je wat ik ga doen?' zei Steven. 'Ik ga naar huis. Niet dat jouw bezoekjes niet de hoogtepunten van mijn week zijn, maar ik ben al zo lang niet thuis geweest. Ik kom morgenavond terug, dan eten we met elkaar en spelen een robbertje *cribbage*. Maar nu ga ik weer eens in mijn eigen bed slapen.'

Cassie en Blake bleven achter in de zwoele avond. In de verte huilde een dingo. Zij zaten een tijdje zwijgend bij elkaar en toen zei Blake: 'Ik zat net te denken aan onze vakantie in Kakadu.'

'Dat is lang geleden.' Toch herinnerde zij zich er elke minuut van.

'Geen enkele vrouw heeft mij ooit zo in haar ban gehad. Ik kon aan niets anders meer denken dan aan jou.'

Wat is er dan in vredesnaam gebeurd? wilde Cassie vragen. Maar ze wist wat er was gebeurd. De oorlog.

Blake stond op en liep naar het rotanbankje waarop Cassie zat. Hij pakte haar hand. 'Je maakte me bang.'

'Bang?'

'Ik had mezelf niet meer in de hand. Ik geloof dat ik blij was dat het oorlog werd, dat ik kon vluchten voor mijn gevoelens. Dat ik afstand van je kon nemen.'

'Daar ben je dus wonderwel in geslaagd.'

'Het is me nooit gelukt. Het is altijd een kwestie van pure wilskracht geweest om bij je uit de buurt te blijven. Wanneer jij een kamer binnenkwam, wanneer...'

'Niet doen, Blake! Dat mag je Fiona's nagedachtenis niet aandoen!'

Blake keek stomverbaasd. 'Dit heeft niets met Fiona's nagedachtenis te maken. Ik heb een heel gelukkig huwelijk gehad. Fiona was een fantastische vrouw. Maar kon mij er niet van weerhouden al die jaren naar jou te blijven verlangen. Toen jij met die pedante kwast van een Chris trouwde... dat brak mijn hart, Cassie.'

'Dat brak jóuw hart?' Ze stond op, liep naar het eind van de veranda en staarde in de nacht.

'Cassie, ik ben altijd naar je blijven verlangen.' Ze hoorde zijn voetstappen en voelde hoe hij achter haar kwam staan, zo dichtbij dat hun lichamen elkaar raakten.

Elf jaar lang had ze naar die woorden gehunkerd. Hij legde zijn hand op haar schouder en draaide haar om. 'Zeg me dat jij hetzelfde hebt gevoeld. Zeg me dat je al die jaren bent blijven denken aan die weken die wij samen hebben doorgebracht, dat...' Hij drukte zijn lippen op de hare en trok haar tegen zich aan.

Zijn mond was zoals zij hem zich herinnerde en zijn omhelzing bracht vele herinneringen bij haar boven. Hij kuste haar oogleden, haar wangen en haar hals.

Ze duwde hem weg. 'Ik ben hier nog niet aan toe,' zei ze hijgend.

'Niet aan toe? Het is elf jaar geleden! En jij bent er nog niet aan toe? Moeten we dan de rest van ons leven wachten tot we er allebei klaar voor zijn? Cassie, mijn kinderen wachten op je. Steven wacht op je. Ik wacht op je.'

Wat bedoelde hij daarmee? 'Je moet me wat tijd gunnen. Ik kan niet zomaar opeens van vriendin des huizes...'

'De rol van vrouw en moeder op je nemen? Want dat is wat ik je vraag. Allemachtig, Cassie, je dacht toch niet...'

'Nee,' zei ze, terwijl ze zijn handen wegduwde. 'Ik dacht helemaal niets. Ik ben hier gewoon nog niet klaar voor!' Ze was helemaal van de kaart.

Blake pakte haar hand stevig vast. 'Oké,' zei hij glimlachend. 'Begin je dan maar vast voor te bereiden. Het is wel erg snel na Fiona's dood... maar wij hebben je nodig, Cassie. De kinderen hebben je nodig. Ik heb je nodig. Wij leven van het ene weekend naar het andere, wanneer jij weer terugkomt in ons leven. Jij geeft ons het gevoel dat we weer leven.'

Dat had ze wel gemerkt. Waarom had ze anders al die moeite gedaan om elk weekend weer hiernaar toe te komen? Ze was hier nodig en dat wist ze.

Ze was meer dan tien jaar lang verliefd gebleven op Blake Thompson, dat wist ze ook. Waarom was ze nu dan niet dolgelukkig? Waarom...?

'Geef me wat tijd,' zei ze, zich van hem afwendend.

Blake pakte haar arm vast en trok haar naar zich toe. Hij boog zich over haar heen en kuste haar opnieuw, een trage, lange kus. 'Jezus,' fluisterde hij, 'ik heb al twee maanden geen vrouw meer gehad!'

Ze maakte zich van hem los.

'Tot morgenochtend,' zei ze, terwijl ze met ferme tred over de veranda liep, de reusachtige woonkamer door en ten slotte rechts de gang in, naar haar slaapkamer.

Ze wist niet waarom ze zich zo voelde. Ze wist niet eens wat ze eigenlijk voelde.

Was ze sinds Fiona's dood elk weekend naar Tookaringa gekomen omdat ze had gehoopt dat dit zou gebeuren? Waarom hadden Blakes woorden haar eerder geschokt dan gelukkig gemaakt?

Ze lag de hele nacht te woelen. Hij had haar zojuist gevraagd de tweede mevrouw Blake Thompson te worden. Hij had haar gevraagd de moeder te willen worden van zijn kinderen. Meesteresse van Tookaringa.

Geen woord over liefde. Maar daarvoor was het natuurlijk te snel na Fiona's dood. Hij verlangde naar haar. Hij beweerde altijd naar haar te zijn blijven verlangen. Ze wist wat dat betekende – hij verlangde naar haar lichaam. *Ik heb al twee maanden geen vrouw meer gehad!* Nou, dat was dan jammer voor hem. Zij had al in geen jaren meer een man gehad.

Het zou betekenen dat zij een heel ander leven zou krijgen. Misschien was ze daar wel aan toe. Ze werkte al meer dan tien jaar voor de Flying Doctors. Misschien zou een verandering haar goed doen. Een tijdje geleden had ze zelfs overwogen naar Sydney te gaan. Maar niet omdat ze niet meer van haar werk hield, of van de patiënten die deel waren gaan uitmaken van haar leven. De afgelopen elf jaar had zij elke baby die in de wijde omgeving geboren was ter wereld helpen brengen. Ze kende zoveel patiënten. Ze was in een gebied dat groter was dan de meeste Europese landen in elk huis van harte welkom – en in de meeste van die gezinnen had zij zelfs het gevoel dat de mensen van haar hielden. Het zou haar niet gemakkelijk vallen dat op te geven. Maar ze wist dat Blake daarop zou staan. Hij wilde een meesteresse van Tookaringa, een moeder voor zijn kinderen. Hij wilde iemand die ervoor zorgde dat het huishouden op rolletjes liep. Hij wilde iemand die Steven gezelschap kon houden terwijl hij, Blake, op zakenreis was of in de bush, bij het vee. Hij wilde iemand met wie hij kon vrijen als hij daar zin in had. Hij was sinds Fiona's dood met niemand meer naar bed geweest en hij hunkerde naar een vrouwenlichaam.

En nu was zij hier. Tien jaar geleden hadden ze twee weken lang hartstochtelijk de liefde bedreven en hij dacht dat ze dat gevoel weer konden terughalen. Hij dacht waarschijnlijk dat zij nu wel genoeg carrière had gemaakt en er inmiddels aan toe was de traditionele rol van moeder en huisvrouw te gaan vervullen. Ze moest eerlijk toegeven dat ze er de laatste tijd vaak aan dacht dat het toch wel fijn – heerlijk zelfs – zou zijn om een gezinnetje te hebben. Als Romla op haar veertigste nog een baby kon krijgen, waarom zou zij er dan ook niet een paar kunnen krijgen? Romla bleef niet alleen gewoon doorwerken in het hotel, zij en Jim waren zelfs bezig de partners uit te kopen. Ze konden alleen al leven van Romla's lingeriewinkel. Samen bouwden Jim en Romla een handelsimperium op en dat zou Romla voor geen goud opgeven. Cassie wist niet of zij bereid was haar beroep voorgoed op te geven. Wat wel prettig zou zijn – vooral nu het gebied dat zij bestreken steeds drukker begon te worden – was om er een tweede Flying Doctor bij te nemen, zodat zij niet meer alles alleen hoefde te doen. Dan kon de een spoedgevallen doen, terwijl de ander spreekuren hield. Ze konden om beurten gaan vliegen. Zo zou ze tijd overhouden om thuis aan haar gezin te wijden. Gezin? Van Chris had ze nooit kinderen gewild. Waarom niet?

Chris was niet genoeg geweest om haar gelukkig te maken – dat had ze altijd geweten, en hij ook. Ze had de voldoening nodig die haar werk haar schonk. Nee, met Chris alleen was ze niet tevreden geweest. En met Blake? Ze hield van zijn kinderen. Ze hield van zijn vader. En ze had jaren gedacht dat ze van hem hield.

Waarom had ze dan niet meer gevoeld toen hij haar vanavond in zijn armen had genomen en had gekust? Waarom was haar bloed niet sneller door haar aderen gaan stromen, waarom was haar hart niet sneller gaan kloppen? Misschien kreeg geen enkele man dat meer voor elkaar. Misschien was dat gevoel alleen voor jongeren weggelegd.

Toen ze de slaap maar niet kon vatten ging ze bij het raam zitten, met haar armen op de vensterbank, en tuurde in de maanverlichte nacht.

Zij vroeg zich af wat er tussen Sam en haar was gebeurd. Waarom was hij de laatste tijd zo teruggetrokken? Eigenlijk al sinds de dood van Fiona. Ze probeerde zich het exacte moment van de ommekeer te herinneren. Waarom praatten zij niet langer over hun diepste gevoelens? Kwam het door iets tussen hem en Olivia? Was Liv misschien toch van plan om terug te komen? Of kwam het doordat zij elk weekend op Tookaringa doorbracht?

Waarom zag ze alleen Sam voor zich terwijl Blake haar zojuist ten huwelijk had gevraagd? Waarom was ze niet gelukkiger? Waarom zat ze in plaats daarvan aan Sam te denken? Waarom aarzelde ze om Blakes aanzoek aan te nemen?

Gek eigenlijk, dacht ze, we denken onszelf zo goed te kennen, maar vaak blijkt dat helemaal niet zo te zijn.

Vlak voor zonsopgang werd ze wakker. Toen ze uit het raam keek zag ze een dun streepje zachtroze aan de horizon, maar de hemel daarboven was nog aardedonker.

'Ik weet waarom,' zei ze hardop. 'Blake en ik zijn uit elkaar gegroeid en Sam en ik zijn juist naar elkaar toe gegroeid.'

Vlak voor Fiona's dood had ze een paar weken lang gedacht dat zij en Sam verliefd op elkaar begonnen te worden. Toen had hij zich plotseling van haar afgekeerd en had zij het druk gekregen met Tookaringa. Of was het andersom geweest?

Hij was zo afstandelijk, dat wist ze opeens zeker, omdat hij dacht dat zij en Blake...

Blake wilde dat zij haar leven zou opgeven en samen met hem, met zijn kinderen en met zijn vader een nieuw leven zou beginnen. En hoewel zij haar allemaal heel erg dierbaar waren, besefte zij dat ze niet bereid was haar eigen leven, het leven dat haar zoveel voldoening schonk, zomaar op te geven.

Ze zou het echter wel willen delen en voortaan niet meer alleen haar dagen met Sam doorbrengen, maar haar hele leven.

Hoe dacht hij daarover? Zou ze het hem durven vragen?

Hoofdstuk 57

Er werd geklopt. Blake deed de deur open en keek naar binnen. 'Oproep voor je. Spoedgeval.'

Cassie trok niet eens haar ochtendjas aan, maar rende meteen naar de radio in Blakes werkkamer. Horries stem zei: 'Sam is al onderweg. Hij is zo bij je. Baby op komst op Witham Hill.'

'Ze is pas over een maand uitgerekend.'

'Dat moet je tegen die baby zeggen,' zei Horrie.

'Ik ga me aankleden.'

'Is zelfs de zondag niet heilig?' vroeg Blake.

'Geen enkel tijdstip is heilig,' zei Cassie. 'Of misschien is het juist wel zo dát elk tijdstip heilig is.'

Blake grinnikte. 'Je ziet er onweerstaanbaar uit. Word je elke ochtend zo wakker?' Hij was al helemaal aangekleed en klaar voor de dag.

'Ik heb nog net genoeg tijd om me aan te kleden en even snel iets te eten.'

'Het ontbijt staat klaar.' Hij gaf haar een vluchtige kus op haar wang. 'Het wordt tijd dat je eens voor jezelf gaat leven en niet voor al die patiënten van je. Hoog tijd.'

Was dat zo?

Toen zij het vliegtuig hoorden naderen, greep Cassie zowel haar dokterstas als haar weekendtas en wendde zich tot Blake.

'Volgende week vrijdag, zelfde tijd?' vroeg hij.

Ze liepen samen in de richting van de landingsstrook.

'We kunnen een gepaste periode in acht nemen, een half jaar misschien, voordat we het officieel maken. Op die manier hebben de Flying Doctors tijd genoeg om een vervanger voor je te vinden. Maar in de tussentijd kun je de weekends gewoon hier blijven doorbrengen.'

Was zij een 'vervangster' voor Fiona? Iemand om haar plaats in te nemen en ervoor te zorgen dat alles gesmeerd bleef lopen?

Zonder onderbreking? Kon zij vervangen worden door de eerste de beste arts? Ze wist niet of het Blakes woorden waren of haar eigen gevoelens die haar zo irriteerden. Hij scheen te denken dat haar antwoord al vaststond. Hij wàchtte niet eens op een antwoord.

Wat ze nu het liefst wilde was met Sam praten en hem vragen wat er in hem omging. Ze had gedacht hem zo goed te kennen en toch had ze geen idee wat er de afgelopen maand in zijn hoofd was omgegaan.

Sam had de motoren laten draaien en stond in de deuropening op haar te wachten. Hij kwam het trapje af en gaf Blake een hand.

'Ik heb van Cassie gehoord,' schreeuwde Blake boven het gebrul van de motoren uit, 'dat jij en Liv uit elkaar zijn. Ellendig voor je.'

'Ja. Ach.' Sam liep achter Cassie aan het trapje weer op en sloot de deur.

'Leuk geweest?' vroeg hij, toen zij naast hem kwam zitten in de cockpit.

Ze knikte en glimlachte, een glimlach die hij niet zag omdat hij zich moest concentreren op het opstijgen.

'Volgens George heeft Henny het heel moeilijk. Dat is natuurlijk alweer een paar uur geleden en voor hetzelfde geld is de baby er inmiddels al,' zei hij.

'Laten we even contact opnemen om te vragen hoe het ervoor staat,' stelde Cassie voor.

Maar de baby was er nog niet. Erger nog, Henny's man was bijna hysterisch. 'God, doc,' klonk de stem van George, hees van emotie, 'dit is de derde en ik dacht dat het alleen maar makkelijker werd. Maar er gebeurt helemaal niets en ze heeft verschrikkelijk veel pijn.'

Cassie zei tegen Sam: 'Wedden dat het een stuitligging is? – de baby is nog niet gedraaid. Je had me eerder moeten bellen. Dan had Blake me ernaar toe kunnen vliegen.'

'Schenk je even een kop koffie voor me in? Het is al bijna tien uur en ik heb nog niks gehad.'

Nadat zij Sam zijn koffie had gegeven, schonk zij voor zichzelf ook een beker in. 'Ik vind het altijd zo leuk om naar een bevalling te gaan.' Ze had meteen spijt van haar woorden. Nu herinnerde ze Sam natuurlijk aan zijn eigen kinderen, die aan de andere kant van de wereld opgroeiden.

'Heb je zelf nooit kinderen gewild?' vroeg hij.

'Ik heb de laatste tijd het idee dat ik het wel graag zou willen.'

'Maar jij en Chris... hebben jullie nooit kinderen gewild?'

Cassie schudde haar hoofd. 'Ik denk dat ik er nog niet aan toe was. En anders was Chris niet de man van wie ik kinderen wilde. Het is een hele verantwoordelijkheid.' Toen keek ze hem aan en vroeg: 'Hoe is het om Harry en Samantha niet meer te zien? Hen niet te kunnen zien opgroeien?'

Sam dronk zwijgend zijn koffie en schreef iets in het logboek dat aan zijn been zat vastgebonden. Ze hoorde hem zuchten. 'Denk je dat ik daar in de loop der jaren geen slapeloze nachten van heb gehad? Doc, ik weet het gewoon niet. Ik hou meer van mijn kinderen dan van het leven zelf. Moet ik een rothuwelijk in stand houden zodat ik bij hen kan blijven, terwijl ik dan wel om de haverklap mijn geduld verlies omdat ik me zo verrot ellendig voel? Hoe zou het voor hen geweest zijn om op te groeien te midden van zoveel spanning en woede? Ik moest iets opgeven. Uiteindelijk heb ik besloten dat ik niet zo ongelukkig wilde blijven, en dat ik mijn leven niet op die manier wilde laten verzieken.'

Cassie tuurde uit het raam. Er was geen wolkje te bekennen. Ze had Sam nog nooit zo emotioneel meegemaakt. 'Ik veronderstel dat de meeste ouders die gaan scheiden voor die keuze komen te staan.'

Sam haalde zijn schouders op.

Cassie leunde naar voren en legde een hand op zijn arm. Hij trok een wenkbrauw op en keek haar aan. 'Hoe kom je hier eigenlijk zo bij?'

'Ik heb dit weekend veel aan jou zitten denken. We praten de laatste tijd zo weinig.'

'Dat ligt niet aan mij,' zei Sam.

'Gedeeltelijk toch wel. Maar het is ook mijn schuld, want ik heb je niet eens gevraagd hoe het nu allemaal ging tussen Olivia en jou. Je bent zo stil. Ik had moeten proberen je aan de praat te krijgen.'

Hij legde zijn linkerhand op de hare. 'Ik heb dit weekend ook veel aan jou gedacht. Over drie maanden is mijn scheiding definitief. Het wordt tijd dat we eens praten, Cassie.'

'Dat vind ik ook.'

'Maar laten we wachten tot die baby geboren is, zodat we niet meer worden gestoord.'

Even later zei ze: 'Blake heeft me ten huwelijk gevraagd.'

Ze zwegen allebei. Sam keek haar niet aan. Hij bleef strak voor zich uitkijken. Ten slotte vroeg hij: 'Ben je van plan de FDS op te geven? Ga je op Tookaringa wonen?'

'Nu ga je ervan uit dat je al een paar dingen weet die je helemaal niet kunt weten.'

Hij keek haar nog steeds niet aan. 'Zoals?'

'Zoals of ik ja heb gezegd op zijn aanzoek.'

Toen keek hij haar aan, met een intense blik in zijn ogen. 'Heb je dat dan niet gedaan?'

'Ik wil mijn werk niet opgeven. Ik ben belangrijk voor al deze mensen en zij zijn belangrijk voor mij. Ik wil alles. Ik wil mijn werk. Ik wil een gezin...'

'Echt waar?'

'Ik wil alles wat het leven te bieden heeft. Weet je, de enige keer dat ik echt de liefde meende te hebben gevonden – liefde die me het gevoel gaf dat de rest van de wereld niet meer bestond – was tien jaar geleden en die heeft precies drie weken geduurd. Niet veel in achtendertig jaar, hè? En nu begin ik opeens te beseffen dat ik dàt ook wil. Ik wil geen vervangster zijn voor iemand anders. Ik wil wat ik nu heb en al het andere erbij.'

'Je hebt dus nee gezegd omdat...'

'Ik heb geen nee gezegd.'

De schittering verdween uit Sams ogen.

'Maar ik heb ook geen ja gezegd.'

'Waar bedoel je nu eigenlijk, doc?'

'Toen ik vanmorgen wakker werd, wist ik dat ik met je moest praten, Sam. Maar niet tijdens deze vlucht. Ik wil dat we ergens zijn waar we aan niets anders hoeven denken dan...'

'Afgesproken, doc!' Hij legde zijn hand op de hare. 'Grappig, want toen ik gisteravond in slaap viel had ik ook het gevoel dat we moesten praten. Ik heb besloten dat ik niet langer lijdzaam blijf toekijken...'

De hele vlucht naar Witham Downs bleef hij haar hand vasthouden. Behalve toen zij nog een beker koffie voor hem inschonk.

Het was precies zoals Cassie al had voorspeld – Henny Poulsons baby lag verkeerd, met de voetjes naar voren en kon geen kant op. De arme vrouw had nu al meer dan acht uur weeën en leed vreselijk veel pijn.

'Laat haar niet doodgaan, doc,' smeekte haar man.

'Ze gaat niet dood,' zei Cassie, na de vrouw te hebben onderzocht. 'Ik ga mijn handen wassen en daarna gaan jullie allemaal de kamer uit.'

'Heb je mij nog nodig?' vroeg Sam.

'Ja. Hou George bezig. Drink koffie met hem en leid hem een beetje af. Voor je het weet is de baby er. Het is maar goed dat we niet later zijn gekomen.'

Ze wendde zich tot George. 'Heb je dekens en schone lakens? Dit gaat een beetje een rommeltje worden en het zou wel prettig zijn om het matras zoveel mogelijk te beschermen.'

Toen zij zich had gewassen keerde ze terug naar de slaapkamer en legde samen met George dekens en lakens onder de kermende Henny. 'Oké, en nu wegwezen,' zei Cassie op gebiedende toon.

George gehoorzaamde gedwee.

'Dit gaat pijn doen,' waarschuwde Cassie haar patiënte. 'Ik moet de baby draaien zodat hij eruit kan. Hij ligt ondersteboven en kan geen kant op. De armpjes en beentjes moeten goed worden gelegd zodat de baby ze niet kan bewegen en er, zonder dat jij inscheurt, makkelijker uit kan. Om de baby te kunnen draaien moet ik met mijn hand naar binnen. Ik heb je iets gegeven om je beter te kunnen ontspannen, maar je moet me wel helpen.'

'Als ik weet dat het snel achter de rug is en de baby geen gevaar loopt, kan ik de pijn wel verdragen.'

'Met de baby is alles goed,' zei Cassie. 'Krachtige hartslag, alleen is hij er al net zomin als jij gelukkig mee dat hij in deze positie ligt.'

Ze zei niet hardop dat er bij een stuitbevalling altijd een kans bestond op geestelijke afwijkingen. Ze trok rubber handschoenen aan en schoof haar rechterarm bij Henny naar binnen. Als ze in het ziekenhuis waren geweest, had ze Henny onder narcose gebracht en een keizersnede uitgevoerd. Dat was minder pijnlijk en minder gevaarlijk voor de baby geweest. Maar als ze Henny nu te veel verdoofde kon de baby daar ook last van krijgen.

Een van de voetjes van de baby stak uit de vagina. Cassie moest de beentjes rechttrekken zodat ze er gelijktijdig uit konden. Ze stak haar hand naar binnen en trok de elleboogjes dicht tegen het lijfje, zodat de handjes niet in de weg kwamen te zitten. Terwijl zij langzaam trok, voelde zij hoe het handje en de onderarm langs het lijfje van de baby kwamen te liggen. Oké, daar kwamen de voetjes.

Op het moment dat de voetjes geboren werden, trok Cassie ze meteen omhoog, zodat het bovenlijfje er soepel achteraan kwam. Ze zag hoe het neusje en mondje nog in de vagina zaten.

Met haar vrije hand pakte ze de tang die naast Henny lag en klemde die om het hoofdje van de baby. Met de voetjes nog steeds in haar ene hand, trok ze het hoofdje onder het schaambeen vandaan.

Nog voordat de placenta werd geboren, legde Cassie de tang neer en zoog het mondje van de baby uit. De vochtige baby liet een zacht kreetje horen.

Op dat moment kwam de placenta naar buiten, vergezeld van een golf bloed. Cassie slaakte een zucht van verlichting. Het was gebeurd. Ze knipte de navelstreng door en legde de baby in de holte van Henny's arm. Te uitgeput om iets te zeggen, lag Henny naar de baby te kijken.

'Het is een meisje,' zei Cassie, terwijl zij de boel opruimde. 'Een prachtig meisje.'

Sam stak zijn gezicht om de hoek van de deur. 'Hoorden wij daar de eerste levenstekenen?'

Cassie grijnsde. 'Dat hebben jullie goed gehoord. Een snoezige dochter. Ik heb handdoeken nodig en water. En haal ook maar wat schone lakens.'

'Mag George al binnenkomen?'

'Laat hem maar even wachten tot ik wat heb opgeruimd. Vertel hem maar dat alles goed is en geef me vijf minuten.'

Het begon al te schemeren toen Cassie besloot dat ze nu wel weg konden. Ze waren blijven eten en zij had de keuken opgeruimd. Ze had gehoopt dat Sam terug zou willen vliegen naar Augusta Springs, in plaats van hier te blijven overnachten. Het weer was prachtig en er stond geen wolkje aan de hemel. Nu het vliegveld verlicht was, was het niet gevaarlijk meer om 's avonds naar huis te vliegen. Misschien wilde Sam bij haar thuis nog wat praten. Dan konden ze een glaasje wijn nemen en...

Ze keek naar hem. Ze was zich al de hele dag heel erg van zijn aanwezigheid bewust. Al die jaren dat ze nu al met hem vloog had ze het heel gewoon gevonden dat hij er was. En nu, elf jaar na hun eerste ontmoeting, vijf weken nadat hij haar had gekust, was ze zich voortdurend van hem bewust. Wanneer hij een kamer binnenkwam, of wanneer hij zijn hoofd om de hoek van de keuken stak en vroeg: 'Heb je nog hulp nodig?' of wanneer ze samen een biertje zaten te drinken voor het eten. Alles aan hem viel haar op: de manier waarop zijn vingers het blikje bier omklemden; de kraaiepootjes bij zijn ogen wanneer hij lachte; het geluid van zijn lach. Ze hield van zijn snor en van de manier waarop zijn adamsappel bewoog wanneer hij slikte. De manier waarop hij achteroverleunde in zijn stoel zodat de voorpoten van de grond kwamen.

Ze hield van de manier waarop hij er altijd zo ontspannen wist uit te zien, terwijl hij toch op elk moment van de dag klaarstond voor spoedgevallen en er altijd op bedacht was of hij misschien iets voor een ander kon betekenen. Ze wilde dat hij haar weer kuste.

Gisteravond hadden Blakes kussen niet de gevoelens bij haar losgemaakt die zij zich van vroeger herinnerde. Ze had niet hetzelfde op hem gereageerd als toen hij haar al die jaren geleden had gekust.

Het kon best zijn dat Sam ook geen storm in haar teweeg zou brengen, maar als Sam haar wilde... dan nam ze dat graag op de koop toe. Zij hadden zich geen van beiden schuldig willen maken aan oneerbaar gedrag. Als hij werkelijk getrouwd had willen blijven, was er tussen hen nooit iets gebeurd.

Ze voelde zijn hand op haar schouder en hoorde zijn stem in haar oor. 'Klaar?'

'Waarvoor?' vroeg zij, zich glimlachend naar hem omdraaiend.

Hun ogen hielden elkaar vast. Er speelde een glimlach op zijn gezicht. 'Maakt niet uit.'
'Ja, ik geloof het wel.'
'Het werd tijd.'
'Zeg dat wel.'

Over een uur zou het donkerder zijn. Sam startte neuriënd de motoren.

Tijdens de vlucht zwegen ze allebei. Ze keken naar de dieprode en roze strepen aan de steeds donkerder wordende westelijke hemel. Opeens zei Sam: 'We kunnen binnen een uur thuis zijn. Maar ik heb een beter idee.'

'Het maakt mij niet uit, zolang we maar kunnen praten en...'

'En wat?'

'Morgen is het zondag. Dan hebben we geen verplichtingen.'

Ze voelde dat het vliegtuig snelheid begon te minderen en wist dat hij de daling ging inzetten en dat ze zouden gaan landen, midden in wat de rest van de wereld als niemandsland beschouwde. Hij pakte de radio en zei tegen Horrie dat ze morgenochtend terugkwamen.

Bij het laatste licht van de zon zette Sam het toestel aan de grond. 'Kom op,' zei hij en pakte haar bij de hand. Terwijl ze door het vliegtuig naar achteren liepen, raapte hij een deken op. 'Laten we onder de sterren gaan zitten praten.'

Maar toen Cassie het trapje afkwam, nam hij haar in zijn armen. 'Voordat je iets zegt,' zei Sam, 'wil ik je vertellen dat ik van je hou. Ik was niet alleen ongelukkig met Olivia omdat we niet bij elkaar pasten, maar ook omdat zij nu eenmaal jou niet is. Zo, nu heb ik je verteld wat ik de afgelopen vijf jaar met moeite voor me heb gehouden.' Zijn mond vond de hare en zij wist dat dit was waarop ze haar hele leven had gewacht.

Hij keek op haar neer en ze kon zijn gezicht zien, ook al stond er slechts een kleine maansikkel aan de hemel. 'Je kunt niet met Blake trouwen. Misschien was je voor de oorlog verliefd op hem, maar nu hou je alleen van mij. Dat weet ik zeker, ook al weet je het zelf misschien nog niet.'

'Maar ik weet het wel,' zei ze, tegen hem aan leunend. 'Voor Fiona's dood, toen je bij mij thuis herstelde van je ziekte, dacht ik al dat ik verliefd op je begon te worden. Dat was een heerlijke tijd. Maar de afgelopen maand leek je zo ver weg...'

'Ik weet het. En dat lag gedeeltelijk aan mij, omdat ik dacht dat jij en Blake weer bij elkaar waren. Maar gisteravond dacht ik opeens, ik geef haar niet zomaar op, ik ga voor haar knokken.'

'Was je bereid voor me te knokken?' Ze ging op haar tenen staan om hem te kussen.

'Met elke vezel van mijn lichaam.' Hij pakte haar bij de hand en leidde haar naar een groepje bomen dat hij zich herinnerde. 'Kom hier, vrouw.'

Zij kwam naast hem zitten. Hij trok haar naar zich toe.

'Het heeft lang geduurd voordat ik het besefte,' zei ze. 'Ik dacht dat we veel te vriendschappelijk met elkaar omgingen. En voor de oorlog waren we bepaald niet...'

'Ik wel. Ik wist het alleen zelf niet. En toen ik het eindelijk doorkreeg, aan de andere kant van de wereld, was het te laat. Er was geen nacht, doc, dat ik niet aan je lag te denken voordat ik in slaap viel. Ik heb werkelijk elke dag aan je gedacht. Nog even en ik ben weer een vrij man, Cassie. Vrij om je te vragen...'

Zij lachte. 'In sommige opzichten ben je toch wel een preutse vent, hè? Wilde je nu werkelijk wachten tot je scheiding definitief is voordat je me ten huwelijk vraagt?'

'Ik? Preuts? Dat deed ik alleen omdat...' Hij trok haar naar zich toe en zijn hand gleed naar haar borst.

'Omdat?' Ze lachte toen zijn lippen haar mond bedekten. Toen fluisterde ze: 'Niet ophouden. Dat is verrukkelijk.'

Toen hij weer kon praten, zei hij: 'Omdat ik je niet wilde compromitteren.' Hij legde zijn hand achter haar rug en trok haar dichter tegen zich aan.

'Lijkt het je wat om met een getrouwde man te vrijen?'

'Ik weet het niet, zullen we het eens uitproberen?' fluisterde ze, terwijl zijn tong over haar lippen gleed.

Hij aarzelde even. 'Ik heb niets bij me. Wat als je zwanger raakt?'

'Het zou niet het eerste kindje zijn dat al met zes maanden geboren wordt. Wacht even.' Ze trok haar blouse uit en hij liet zijn handen over haar lichaam glijden. 'O, God, wat heerlijk. Ik geloof niet dat ik me ooit zo goed heb gevoeld.'

'Ik verlang naar je,' zei hij, terwijl hij zijn overhemd van zijn lijf rukte.

Zij ging even staan om haar korte broek uit te trekken.

'Verroer je niet,' zei hij, toen hij zag hoe het maanlicht over haar lichaam speelde. 'Christus,' fluisterde hij, 'hier heb ik van gedroomd. Ik verlang al zo ontzettend lang naar je.'

Hij stond op, liep naar haar toe en trok haar tegen zich aan. Terwijl hij haar optilde en op de deken neerlegde, vond zijn mond de hare en raakten hun naakte lichamen elkaar.

Midden in die grote Australische leegte was Cassies kreet even later het enige geluid in de nacht.

In de verte schoten bliksemflitsen, veroorzaakt door de hitte, langs de hemel, gevolgd door een enkele donderslag.

'Waar lig je nu opeens om te lachen?'

'Ik was nog even bang dat er geen elektrische spanning tussen ons zou bestaan.'

Toen begon hij ook te lachen.